CUKIERNIA

POD AMOREM

Małgorzata
Gutowska-Adamczyk

CUKIERNIA
POD AMOREM

Część druga

CIEŚLAKOWIE

Projekt okładki *Krzysztof Kibart*

Wstęp

Latem 1995 roku archeolodzy z Uniwersytetu Warszawskiego odkopują pod rynkiem w Gutowie, nieopodal cukierni Pod Amorem, zasypane podczas drugiej wojny światowej korytarze. Znajdują tam zmumifikowane szczątki młodej kobiety, która ma na palcu bardzo stary, być może nawet średniowieczny, złoty pierścień. Właściciel cukierni, Waldemar Hryć, jest tym faktem mocno poruszony, ponieważ klejnot, jedyny dowód na szlacheckie pochodzenie jego dziadka, Pawła Cieślaka, zaginął dawno temu w niewyjaśnionych okolicznościach.

Pradziadkiem Hrycia był dziedzic dużego majątku ziemskiego, hrabia Tomasz Zajezierski. Uwiódł on pod koniec XIX wieku niejaką Mariannę Blatko, wnuczkę organisty z Zajezierzyc i córkę miejscowej szeptuchy[1] Zuzanny mającej dar proroczy. Aby przekonać dziewczynę o swych czystych intencjach, hrabia podarował jej tenże pierścień, ofiarowany po bitwie pod Grunwaldem jednemu z jego przodków przez wielkiego księcia Witolda Kiejstutowicza, krewnego króla Władysława Jagiełły.

Hryciowie uważają pierścień za rodzinny skarb. Celina, matka Waldemara, poszukiwała go całe życie, ponie-

[1] Osoba odczyniająca uroki, babka, wiedźma.

waż to właśnie jej i jej starszemu bratu Zygmuntowi ojciec powierzył przed śmiercią cenną pamiątkę.

Iga, córka Waldemara, pragnie dowiedzieć się, kim była kobieta, której szczątki odnaleziono, i wyjaśnić w zastępstwie unieruchomionej po udarze mózgu babki, kto podczas okupacji mógł wyjąć pierścień z ukrycia. Pomaga jej w tym jeden z archeologów, zainteresowany tą historią. Towarzyszy dziewczynie podczas wycieczki do pobliskich Zajezierzyc, gdzie w odrestaurowanym pałacu znajdują się hotel oraz niewielkie muzeum.

Dzięki pamiątkom zebranym przez emerytowanego dyrektora hotelu Iga zaczyna poznawać członków rodziny Zajezierskich: swoją praprababkę, matkę hrabiego, Barbarę z Sokołowskich, Adriannę z Bysławskich, jego żonę, oraz jej siostry – Wandę, która z powodu zawiedzionych nadziei na małżeństwo z Tomaszem została zakonnicą, oraz Kingę – ta z tego samego powodu próbowała się utopić, a potem wbrew woli rodziny wyszła za mąż za Rosjanina.

Iga nie dociera jednak do najskrytszych tajemnic rodziny, a zwłaszcza do zapomnianej przepowiedni, jakoby ród Zajezierskich miał się skończyć, jeśli panu na Zajezierzycach urodzi się dwóch synów o tym samym imieniu.

Tymczasem 24 grudnia 1895 roku w Zajezierzycach i odległym Chicago na świat przychodzi dwóch chłopców spłodzonych przez hrabiego Tomasza. Jeden z nich dostaje na chrzcie imię Paweł, drugi zaś Paul. Od tej chwili los rodziny jest przesądzony.

1995

Tej sierpniowej nocy Waldemar Hryć, cukiernik z ponadtrzydziestoletnim stażem, po raz pierwszy w życiu zepsuł ciasto drożdżowe. Zamordował je własnoręcznie, pochłonięty przez niedające się opanować, natrętne fantazje o pięknej Helenie Nierychło.

Zanim niepodzielnie zawładnęła jego myślami, zaglądała do cukierni Pod Amorem jedynie jako klientka. Otaczała ją zła sława złodziejki mężów, co mogło dziwić, bo przecież sama miała męża. O dekadę starszy Ryszard Nierychło, emerytowany major wojska polskiego, miał swoje lata, ale nie zasługiwał na miano starca! Dlaczego pozwalał jej szargać swój honor? Czyżby był ślepy na prawdę?

W mieście tak małym jak Gutowo każda tajemnica musi się prędzej czy później wydać. Poprzedza ją plotka, w którą początkowo mało kto wierzy. Kobiety u fryzjera opowiadają ją sobie dla zabicia czasu, a potem nagle – buch! – ktoś zobaczył, kto inny potwierdził i sprawa staje się publiczna.

Nierychło musiał zdawać sobie sprawę, że jego żona poszukiwała przygód, a przynajmniej od nich nie stroniła. Jaka więc tajemnica wiązała ich małżeństwo?

*

Być może nad tym właśnie zastanawiał się Waldemar Hryć, wyrabiając ciasto drożdżowe na jagodzianki w formie mumii, które tak świetnie rozeszły się poprzedniego dnia. Kiedy sięgał po cukier, nawet nie zauważył, że – całkowicie pochłonięty przez dręczące go troski – dodał do produktu soli.

Pragnął Heleny, myślał wyłącznie o niej. Pożądał jej, jak tylko mężczyzna po jedenastu latach seksualnej abstynencji może pożądać kobiety. Jako że nie miał żadnych kontaktów cielesnych od śmierci żony, był bezbronny niczym dziecko. Zawróciła mu w głowie. Został niespodziewanie zaatakowany i zdobyty bez słowa protestu.

Poznali się miesiąc wcześniej w teatrze w Płocku. Dochodziło południe. Ona przygotowywała we foyer wystawę gobelinów, on chciał wypożyczyć jakiś kostium na Dni Gutowa dla Igi. Uśmiechnęli się do siebie niczym para starych znajomych, a przecież wcale się nie znali! Ona powiedziała:

– Pan Hryć! A co pan tu robi? – jakoś tak całkiem naturalnie. – Może kupi pan mój gobelin? Wszystkie są na sprzedaż.

Była zjawiskowa. Rudowłosa i pulchna. Nieco po trzydziestce. Miała okrągłą twarz, zielone oczy, dwa ujmujące dołeczki w policzkach, szczupłe dłonie, zgrabne nogi, drobne stopy i wyzywające, wysoko uniesione piersi. Pachniała oszałamiająco, a jej zwiewna, prowokacyjnie rozpięta sukienka więcej odsłaniała, niż usiłowała zasłonić.

Patrząc na nią, Hryć przypomniał sobie, że istnieją kobiety. Nie matki, córki, żony, klientki, kontrahentki, nauczycielki, ekspedientki, pielęgniarki. Uświadomił sobie cudowne zjawisko, jakim są kobiety w ogóle. Westchnął na wspomnienie ich tajemniczego zagłębienia między piersiami, słonego smaku spoconej skóry, zapachu włosów schnących na słońcu. To wszystko, o czym zdążył zapomnieć, przygnieciony przez codzienne troski, Helena zawarła w jednym tylko spojrzeniu.

Zrobiło mu się gorąco. Zmieszał się nieco, nie chciał zostać uznany za gbura. Popatrzył na gobeliny. Nawet ładne: trochę widoczków, martwa natura, jakieś portrety, wreszcie akt, czyżby samej autorki?

– Czy my się znamy? – zapytał nieśmiało, nie odwracając wzroku od tkanin.

– Któż nie zna cukierni Pod Amorem i jej właściciela? – odpowiedziała słodko.

– Pani jest z Gutowa? – Domyślił się wreszcie i w lot chwycił okazję. – Proszę mi pomóc, błagam panią!

– Skoro pan błaga... – Uśmiechnęła się rozbawiona. – O cóż chodzi?

Gdyby Iga przypuszczała, komu zawdzięcza swoją kreację, pewnie jej radość nie trwałaby długo. Nie domyśliła się jednak, kto dokonał wyboru, i nigdy nie miała się tego dowiedzieć.

To zresztą było bez znaczenia, ponieważ równocześnie działo się tyle innych niepokojących rzeczy. Wystarczyło, że spojrzała na ojca, a od razu się zorientowała, że coś zaszło. Nagle zaczął podśpiewywać! Kupował sobie nowe koszule i spodnie, do czego nigdy nie mogła go namówić. Zmienił wodę po goleniu. Raz po raz mył samochód.

No i ciągle miał jakieś sprawy w Płocku, a kiedyś nawet nie wrócił na noc! Powiedział, że zabrakło mu paliwa i wolał się zdrzemnąć w wozie, niż leźć tyle kilometrów po ciemku przez las. Co tak pilnego załatwiał wieczorem, kiedy wszystkie urzędy i hurtownie są dawno zamknięte, tego nie umiał wytłumaczyć. Natychmiast zmienił temat.

Nie znalazł też odpowiedzi na pytanie, czemu nie złapał do Gutowa okazji. Ofuknął ją tylko, że się czepia. Iga wciąż miała przed oczami jego twarz, kiedy podczas Dni Gutowa patrzył na nieznajomą kobietę. Wyglądał jak zakochany! Gdyby sama tego nie widziała, nie uwierzyłaby! Przecież to absurd! Jednak zobaczyła ich i to stanowiło problem. Jak miała wezwać ojca do opamiętania? Przecież był dorosły. Dlaczego zresztą miałby się opamiętać? Bo jego żona, a jej matka umarła? Nawet do Igi nie przemawiał ten argument. Bo tamta jest od niego młodsza? Co z tego, skoro obydwoje są pełnoletni? Na razie Iga nie znała tej kobiety, nie mogła więc posłużyć się jej mężem jako ostatecznym powodem do zerwania. Czuła do rudowłosej instynktowną niechęć, ale przypuszczała, że to zazdrość, i bardzo się wstydziła. Wyrzucała sobie, że ojciec ma prawo do szczęścia, a ona małostkowo i samolubnie mu je odbiera.

Na razie była o niego tylko zazdrosna, niedługo miała zacząć się bać.

Marian Cieślak pochodził z zapyziałej, cuchnącej, otoczonej złą sławą ulicy Dobrej na warszawskim Powiślu. Jego ojciec Julian był piaskarzem, a matka Paulina, wiecznie w ciąży, niańczyła kolejne pociechy i brała po lepszych domach pranie. Choć pracowali dużo i ciężko, na ogół nie mieli co włożyć do garnka, bo dochody były niewielkie, a gąb do wykarmienia wciąż przybywało.

Tłoczyli się w dwuizbowej suterenie, gdzie prawie nigdy nie wpadało światło słoneczne, a zapach wilgoci mieszał się z oparami mydła i gotowanych w łupinach ziemniaków. Dzieci, cierpiąc dotkliwy głód, szybko zaczęły chodzić na żebry, a potem nauczyły się kraść. Sprytne były maluchy i w domu zaraz się poprawiło. Póki młodzi Cieślakowie okradali przekupki na Rynku Starego Miasta, ich łupem zaś padały bułka, pęto kiełbasy, jajko czy główka kapusty, nikomu nie opłacało się gonić złodziejaszków, czuli się więc bezkarni. Ale w miarę upływu czasu ich apetyty i ambicje rosły, tak więc musieli zmienić metody i teren działania.

Aby nie rozpoznały ich poszkodowane handlarki, zaczęli grasować na schodkach łączących Tamkę z Okólnikiem, zapuszczali się nad Wisłę, gdzie cumowały galary[1]

[1] Płaskodenna czworoboczna łódź do przewożenia towarów.

z płodami rolnymi i zawsze kłębił się tłum handlujących i kupujących, na plac Żelaznej Bramy do Gościnnego Dworu po towary łokciowe[2], norymberszczyznę[3] i buty, na Grzybów po węgiel i drewno w drobno porąbanych, obwiązanych sznurkiem szczapkach, na plac Zielony[4] po mięso, ryby i drób, na plac Trzech Krzyży po dziczyznę oraz na Sewerynów[5] po artykuły przemysłowe.

Przywódcą i mózgiem bandy był najstarszy z rodzeństwa, Zenek. Gdy tylko zauważył, że w mniejszej grupie łatwiej jest operować, szybko wprowadził tę innowację w życie. Wałęsali się po mieście trójkami i nigdy nie zdarzyło się, by wrócili z pustymi rękoma. Najmłodszy Marian, zwany Mariankiem lub Marysiem, zaczął uczestniczyć w kradzieżach już w wieku pięciu lat. Na ogół stał na czatach bądź zagadywał przekupki, a jego specjalnością był płacz na zawołanie, który robił niemało zamieszania i kruszył serca, wywołując zainteresowanie i litość. Zenek, wtedy piętnastoletni, zawsze brał malucha ze sobą, bojąc się, że młodsze rodzeństwo zostawi go gdzieś lub zgubi w tłumie podczas ucieczki. Marian uwielbiał najstarszego brata. Darzył go bałwochwalczym wręcz szacunkiem za bezczelność, spryt, polot, a przede wszystkim za fantastyczną umiejętność wspinania się po gzymsach.

W związku ze zmianą taktyki rosły też łupy małych przestępców – nie były to już jedynie artykuły spożywcze, ale również rozmaite przedmioty codziennego użytku. W domu wciąż panowała bieda, więc nie gardzili niczym, kradli w sklepach, na podwórkach, w mieszkaniach. Przy-

---

[2] Tkaniny.

[3] Pasmanteria.

[4] Obecnie plac Dąbrowskiego.

[5] Bazar między obecną ulicą Kopernika a Oboźną.

nosili do domu wiadra, poduszki, miotły, buty, nawet zerwane z trzepaków dywany.

W tym czasie ich ojciec, porzuciwszy znienacka niewdzięczną pracę piaskarza, przesiadywał całymi dniami Pod Łosiem albo w Ostatnim Groszu, a matka, której sprzykrzyło się pranie, weszła do interesu, sprzedając fanty Żydom. By trefny towar nie został przypadkiem rozpoznany, wynosiła go aż na Kercelak[6], tam inkasowała kilkanaście kopiejek, czasem rubla czy dwa, zawzięcie się targując, po czym pieszo wracała na Powiśle.

Od swoich klientów, paserów, przynosiła też zamówienia na konkretne towary, co spowodowało, że rodzinne przedsiębiorstwo Cieślaków weszło w nową fazę rozwoju. Teraz trzeba już było działać planowo, zdecydować, dokąd się udać celem dokonania kradzieży. Każda z trzech grup wyspecjalizowała się w innych skokach. Jedni poszukiwali psów rasowych, inni ćwiczyli się w „krawiectwie", czyli kradzieżach kieszonkowych, a Zenek, który uwielbiał ryzyko, został „pajęczarzem" – kradł suszącą się bieliznę oraz inne dobra przechowywane na słabo zabezpieczonych strychach.

Z czasem rodzina zmieniła mieszkanie na obszerniejsze, przeniosła się do porządniejszego domu, zaczęło jej się lepiej powodzić, zwłaszcza że bez przerwy besztana przez żonę głowa rodziny Cieślaków, Julian, także wszedł do interesu. Teraz mieli środki na życie i na zabawę. Chodzili do cyrku przy Ordynackiej, do Doliny Szwajcarskiej na koncerty i do teatrów ogródkowych, by się pośmiać, pogapić i wychylić kufelek piwa.

---

[6] Zajmujące ponad hektar największe targowisko przedwojennej Warszawy, znajdujące się w dzielnicy Wola. Funkcjonowało od 1867 do 1942 roku.

W miarę jak rodzina się bogaciła, a dzieci dorastały, każde z nich zaczęło pracować na własną rękę. Bogusława nawiązała bliskie kontakty z subiektami sklepowymi, którzy wynosili pod płaszczami towary ze swoich firm, a potem dzielili się z nią zyskiem. Bronek wkręcił się na Kercelaku do bandy Ślepego Anzelma, gdzie najpierw jako „świeca" ochraniał swojego patrona, potem został mianowany na naganiacza, wreszcie na krupiera. Karol, najprzystojniejszy z rodzeństwa, uwodził służące, które skuszone perspektywą zaręczyn okradały swoich pracodawców, tracąc dla wybranka głowę i posadę. Sprytny jak małpa Wicek wchodził do mieszkań „na lipko"[7], a Krystyna, szopenfeldziarka[8], kradła w sklepach. Marceli był „złomiarzem", grasował przy ozdobionych metalowymi literami pomnikach miejskich oraz cmentarnych, ale nie gardził też żadną rurą, klamką ani sztabą. Bernard okradał pasażerów tramwajów. Marian, wtedy już piętnastoletni, był „bajerantem" – chodził od mieszkania do mieszkania i gdy tylko natknął się na drzwi niezamknięte na klucz, kradł, co mu się nawinęło pod rękę: okrycia, buty, parasole. Nakryty przez któregoś z domowników, zagadywał, próbował coś sprzedać, pytał o jakieś nazwisko lub prosił o szklankę wody.

Najstarszy Zenek w tym czasie już się wyprowadził z domu i utrzymywał siebie i żonę z okradania pasażerów statków pływających po Wiśle oraz podróżnych w pociągach.

Aż dziw, że tak długo udało się im wszystkim działać bezkarnie! Być może stało się tak dlatego, że ginęli w tłumie sobie podobnych, mieszkali bowiem w okolicy,

---

[7] Włamanie do mieszkania przez lufcik podczas snu gospodarzy.

[8] Złodziej sklepowy.

gdzie większość sąsiadów miała coś na sumieniu. Może dlatego, że nie obnosili się ze wzrastającym dobrobytem? Może wreszcie mieli szczęście? Jednak rok 1890 nie był dla nich pomyślny. Na nieudanych skokach wpadła trójka z rodzeństwa: najpierw Wicek, uciekając przez okno, przyłapany na gorącym uczynku, zleciał z gzymsu wprost w objęcia stróża. Potem Krystyna została zatrzymana przez subiekta sklepowego ze schowanymi w wewnętrznej kieszeni palta towarami o wartości kilkuset rubli. Wreszcie Bernard, jadąc tramwajem, próbował okraść policjanta w cywilu.

Wszystkie te pechowe przypadki zdarzyły się w jednym kwartale, a każde z trójki sąd skazał na kilka tygodni aresztu. Przy okazji trafili też do policyjnych kartotek. Równocześnie rodzinę poddano dyskretnej obserwacji szpicli i ta kara okazała się najdotkliwsza, bo znacznie utrudniała złodziejski proceder. Ale nie było już odeń odwrotu, ponieważ innego życia Cieślakowie nie znali. Żadne nie chodziło do szkoły i nie miało przyuczenia do jakiegokolwiek zawodu. Praca fizyczna w opowiadaniach ojca jawiła się jako nudna, monotonna i źle płatna, podczas gdy każdy skok dostarczał emocji, środków do życia i okazji, by poświętować.

W końcu trójka aresztantów opuściła więzienie w Arsenale i wróciła do domu. W drugi dzień Zielonych Świątek uczczono to zbiorową wyprawą na odpust parostatkiem do Młocin. Był maj, piękna pogoda i po zakończonej mszy u kamedułów oraz obowiązkowym kuflu piwa u Bochenka siedzieli dwanaścioro (bo do rodziny dołączyła żona Zenka, Eliza) na kocach pod drzewami i rozprawiali o tym i owym, zwłaszcza zaś zastanawiając się nad przyszłością.

Eliza nosiła wtedy pod sercem małego Cieślaka i los tegoż właśnie, nienarodzonego jeszcze, ale oczekiwanego przez wszystkich dziecięcia nastroił rodzinę do snucia planów. Zadziwiające, że wszyscy niemal chcieli je posyłać do szkół, a potem na uniwersytet, marząc, by było lekarzem lub jeszcze lepiej prawnikiem i ich obrońcą, gdyby kiedyś, nie daj Boże, znów komuś z nich miała powinąć się noga.

Gdy los dziecka został obmyślony w najdrobniejszych szczegółach, szukając nowego tematu do równie pasjonującej dyskusji, Zenek chciał pchnąć rodzinę ku nowemu przedsięwzięciu, o którym trochę ostatnio myślał, jednak kątem oka zauważył, że Maryś ma wyjątkowo ponury nastrój. Zapytany o przyczynę, chłopak wykręcał się od odpowiedzi. Gdyby przyjechali tu sami, być może zwierzyłby się bratu, ufał mu przecież bezgranicznie. Od kilku tygodni szukał jakiejś sposobności, ale nie mógł przecież tego zrobić przy wszystkich, sprawa bowiem była osobista, a nawet intymna.

– A cóżeś ty Maryś tak posmutniał, co? – zapytał Zenek. – Żal ci, że już nie będziesz najmłodszy? Nie cieszysz się, że zostaniesz stryjkiem?

– Cieszę... – padła cicha odpowiedź.

– On jest ostatnio jakiś nieswój. – Matka pokiwała głową.

– Tak, tak! Markotny – zawtórowała jej córka Bogusława. – Możeś ty się zakochał, co? Przyznajże się! – Zmierzwiła mu włosy po przyjacielsku, a on warknął na siostrę rozeźlony i odszedł gdzieś na bok.

– O, moi państwo, chyba coś jest na rzeczy... – stwierdził Karol, który też ostatnio zaobserwował u brata pogorszenie nastroju.

Chcąc sprawę zbadać dokładniej, Zenek wstał i ruszył za Marianem. Chłopak siedział nieopodal i bezmyślnie dziobał patykiem w ziemię.

– Coś cię trapi?

– Co ma mnie niby trapić? – Marianek odpowiedział w złości. – Alboż to nie jestem zdrowy? Nie mam co na grzbiet narzucić? Albom jest w więzieniu zamknięty, żeby na swój los narzekać?

– To czemuś taki nagle rozsierdzony, jakby cię stado szerszeni pogryzło? Rzucasz się jak ten karp w przeręblu, kto ma ci pomóc, jeśli nie brat rodzony?

– Bo mnie nikt nie może pomóc! – powiedział Marian i ze złością rzucił patyk w krzaki.

– Nie bądźże dzieckiem! Upartyś jak osioł. Rodzina jest od tego, żeby pomagać. Zawsze tak u nas było, żeśmy za sobą stawali murem, to niby dlaczego teraz ma być inaczej?

– Ja muszę sam... Sam.

– Coś mi się widzi, że Karol miał rację, pewnie to jakaś romansowa historia...

– Co? Nie! No, skąd! – Marian kłamał nieumiejętnie, w oczy jednak bratu nie patrzył.

– W tym nic zdrożnego nie ma. Ani złego. Człowiek trochę kołomąta dostaje i tyle, wiem, bom to niedawno sam przeżywał.

Kopiąc butem w kretowisko, Marian zagryzał wargi, jakby rozważał jakąś ważną kwestię.

– Ale ona nie dla mnie! – przyznał się wreszcie po chwili.

– Kto wie, co tam komu pisane! – westchnął Zenek. – Młodyś jeszcze i masz czas, żeby wybadać, czy ona dla ciebie, czy nie. A na rodzinę się nie obrażaj. Wracamy?

Zenobia Partyka była jedyną córką właściciela dużego warsztatu odlewniczego, Hieronima Partyki. Zajmowali pierwsze piętro sporej własnej kamienicy przy ulicy Leszno. Większość lokatorów stanowili Żydzi, a ich warsztaty i sklepiki usytuowane na parterze oferowały niemal wszystko, czego dusza zapragnie, poczynając od butów, kończąc zaś na nutach. Marian zaglądał tu czasem do szewca, znał zresztą wszystkie podwórka w tej okolicy jak własną kieszeń, był to bowiem jego rewir, Zenobii jednak nigdy nie spotkał.

Aż pewnego razu prawie zderzyła się z Marianem, kiedy podczas złodziejskiego rajdu próbował wejść do mieszkania Partyków. Nie zorientowała się w jego zamiarach, bo strój miał porządny, szybko o kogoś zapytał, a dowiedziawszy się, że pomylił numer domu, uderzył się zabawnie w czoło i ukłonił z gracją. Uśmiechnęła się i ten uśmiech go zgubił.

Od tamtej pory, a minęło już parę tygodni, wciąż tak planował swój dzień, by przechodzić lub przynajmniej przejechać tramwajem w pobliżu i choć spojrzeć w jej okna. Chciał ją zobaczyć. Ciągle myślał tylko o tym uśmiechu i wesołych oczach dziewczyny. To go przygnębiało, bo różnica, jaka ich dzieliła, wydawała się nie do pokonania. Ona – panna z dobrego, zamożnego domu, on – żyjący z dnia na dzień złodziejaszek. Dotychczas mu to nie przeszkadzało. Nie narzekał ani na swoje pochodzenie, ani na to, że jest analfabetą. Nie miał żadnych aspiracji poza tym, by wieczorem przynieść do domu coś wartościowego, zjeść dobrą kolację i pośmiać się z rodzeństwem nad ludzką naiwnością.

Właśnie zaczynał się rozglądać za jakimś bardziej intratnym zajęciem, ćwicząc wieczorami grę w karty z Bronkiem, który obiecywał wkręcić go do szulerni. I nagle to wszystko stało się kompletnie nieważne, a własne życie zaczęło Marianowi doskwierać. Gdy spojrzał na siebie innymi oczyma, oczyma tamtej dziewczyny, był tylko pożałowania godnym biedakiem z Powiśla, który utrzymuje się, okradając innych. Trafnie zdiagnozował uczucia, jakie mogłaby do niego żywić taka panienka. Nie miał jednak dość bujnej wyobraźni, bo nie pomyślał o oczywistym obrzydzeniu, o lęku, niechęci. Ale z niewiadomego powodu – ponieważ uwznioślił pannę w swych marzeniach czy też dlatego, że rzeczywiście taka ona była – odniósł wrażenie, iż przenikają ją dobroć i miłosierdzie. Że jest wcielonym aniołem, który zszedł na ziemię, by nadać jego życiu sens.

Usilnie szukał sposobu, aby ją poznać, na razie jednak tylko obserwował ją z daleka i bardzo dyskretnie, wyobrażając sobie, jak będzie szczęśliwy, gdy uda mu się przybliżyć do tego ideału choćby na krok.

Przez dwa lata żył niczym we śnie. Starał się normalnie pracować, co oznaczało ogrywanie naiwnych i spragnionych łatwego zysku klientów szynku Pod Wołowym Łbem z zarobionych na targu rubli, jednocześnie zaś pobierał nauki czytania i pisania, bo ciągle myślał o swej miłości i żadna panna nie była w stanie mu jej przysłonić. Ale w głębi duszy wciąż nie czuł się jej godny ani gotowy, by stanąć w szranki z jakimś rywalem. Widać jednak prosił tak żarliwie, że jego błagania zostały wreszcie wysłuchane. Trafiła się bowiem zadziwiająca sposobność, której nie wykorzystać byłoby zbrodnią!

Ojciec panny Zenobii przyszedł Pod Wołowy Łeb opijać z jakimś Rosjaninem duże zamówienie, które tamten złożył był w jego giserni. Mieli wyśmienite humory i chyba trochę gotówki. Najpierw jedli flaki w garnuszku, zapiekane na sposób warszawski pod pierzynką z parmezanu i wymieszanej z masłem bułki tartej, do tego sporo wypili i kiedy już znajdowali się pod dobrą datą, zwrócili uwagę na Bronka i Mariana dających się ogrywać w karty jakimś bardzo z siebie zadowolonym kmiotkom.

Cieślakowie perfekcyjnie weszli w swe role. Udając dwóch rozrzutnych szlachciców, zdesperowanych perspektywą utraty rodzinnego majątku, Rosjanin i Partyka mieli dobrą zabawę, przyglądając się grze. W końcu, zaufawszy swej dobrej gwieździe, zaproponowali dwójce pechowców partyjkę, rzekomo by mieli szansę na odegranie się.

Skąd mogli wiedzieć, że uczestniczą w przedstawieniu, którego przebieg jest zaplanowany i kontrolowany? Gdyby się nie połaszczyli na wygraną, może wszystko potoczyłoby się inaczej?

Cieślakowie tymczasem, bliscy łez, stracili już w grze półtora tysiąca rubli, ale mieli jeszcze kamienicę przy Dobrej, którą właśnie niby poprzedniego dnia kupili za dwadzieścia tysięcy, i rzucając ją na szalę, z nowym impetem ruszyli do gry. Chłopi karczewscy, upojeni zwycięstwem, dopytywali się o szczegóły: czy kamienica jest duża, ile ma lokali, czy w pobliżu są sklepy i szynki, na co uzyskawszy zadowalającą ich, pozytywną odpowiedź, grali wysoko i bez sukcesów. W godzinę nie tylko oddali rzekomym poleskim szlachcicom ich półtora tysiąca, lecz także dorzucili swoje czterysta rubli.

To był sygnał dla Rosjanina. Teraz on uznał się za gotowego do walki o majątek Powieliszcze, położony na północ od Czernichowa na Polesiu, którym Cieślakowie tak niefrasobliwie rozporządzali. Szczęśliwie nie miał zbyt dużo gotówki, bo po początkowej dobrej passie, kiedy już widział się panem na pięciu tysiącach hektarów mokradeł i lasów, gdzie co roku można organizować polowanie na łosie, żubry i niedźwiedzie, stracił na koniec swoje dwa tysiące. To go otrzeźwiło. Przyglądający się grze i popijający Partyka nie zrozumiał jeszcze, z kim ma do czynienia, i teraz on postanowił zawalczyć o kamienicę i majątek ziemski. Niedługo przyjdzie mu szukać zięcia dla swej pięknej córki Zenobii, więc kamienica, choćby i na Dobrej, bardzo by się przydała.

Bronek zauważył, że Marianowi spociły się ręce. Nie rozumiał, czemu zawsze tak opanowany młodszy brat nagle się zdenerwował? Marian nie miał mu jak powiedzieć, że postanowił wygrać w karty swoje życie. Robiło się gorąco, gra szła o coraz wyższą stawkę. Majątek Powieliszcze przechodził z rąk do rąk, a gdy ostatecznie znalazł się po stronie Partyki, ten, pewny swego, sięgnął po kamienicę przy Dobrej. Gdy ją wygrał, Marian rozpłakał się. Było to tak szczere, że zwycięzca trochę się wzruszył i dał młodziakom szansę, by coś jeszcze dorzucili do puli. Przed szynkiem stał powóz, piękny ekwipaż od Konopnickiego z Trębackiej. Partyka docenił jego urodę i wartość i czując, jak wygrana go niesie, stawiał wysoko, myśląc już o tym, jak to wróci do domu i pochwali się interesami, które dziś załatwił.

Dwie godziny później szedł zacięty, nagle otrzeźwiały, bez jednej kopiejki w kieszeni, bez swego pięknej roboty pugilaresu[1], za to z papierem podpisanym przy świadkach, w którym zrzekał się praw do giserni, jako że odsprzedał ją imć panu Bronisławowi Cieślakowi zamieszkałemu aktualnie przy ulicy Dobrej 9 w Warszawie, synowi Juliana i Pauliny z Tyczewskich, za rubli dwadzieścia tysięcy, którą to kwotę otrzymał gotówką.

– Stary i głupi cap! – Bił się dłonią w głowę, strącając kapelusz w błoto.

Ale nie o kapelusz teraz chodziło, tylko o to, jak powiedzieć żonie i córce, że zajrzy im w oczy widmo głodu? Może nie tak zaraz, Partyka miał przecież jakieś lokaty w Banku Przemysłowym Warszawskim, zamierzał rozbudowywać firmę, ale teraz wszystko się nagle zawaliło.

---

[1] Portfel (łac.).

Własna pazerność go zgubiła. A Balbina głowę mu gotowa urwać w przypływie złości i będzie miała rację. Oj, będzie...

Tymczasem w mieszkaniu przy Dobrej trwały gorączkowe liczenie łupów i niemal wojenna narada, co zrobić z tak niespodziewanie wygraną odlewnią Partyki. Cieślakowie nie mieli wątpliwości, że kiedy poszkodowany ochłonie, będzie chciał odzyskać swą własność, może nawet spróbuje ich oskarżyć o oszustwo, trzeba więc było działać szybko i zdecydowanie.

W drodze powrotnej Marian zwierzył się bratu, dlaczego tak bardzo denerwował się podczas gry. Zresztą wszyscy już w rodzinie wiedzieli, że kocha się w jakiejś panience z Leszna, której imię wciąż jednak trzymał w ścisłej tajemnicy. Bronka rozbawiła ta historia:

– Wygląda na to, żeś sobie, bracie, wygrał żonę w karty! Twój przyszły teść na pewno się ucieszy, kiedy mu oddasz papier i położysz na stole sto tysięcy rubli z prośbą o jej rękę.

– Ale my nie mamy stu tysięcy rubli!

– On tego nie wie, w karczmie było ciemno. Zresztą, kto by tam zliczył, dużo papierów przewalało się po stole.

– No, a majątek? Te Powaliszki?

– Naucz że się porządnie nazwy swego majątku, panie Marianie! Powieliszcze, Powieliszcze!

– Przecież nie mamy żadnego majątku!

– Majątku może i nie mamy, ale czyliż wartość człowieka liczy się we włókach?

Obaj wiedzieli, że tak. Jeśli mają wypaść na godnych zaufania, powinni dalej grać swą rolę. Następnego dnia koło południa do kantoru właściciela giserni zapukał oczekiwany przezeń przedstawiciel rodziny Cieślaków. Był to lokaj seniora rodu, który bardzo uprzejmie zapraszał pana Czesława Partykę na obiad do Hotelu Europejskiego koło godziny drugiej po południu celem omówienia pewnej arcyważnej sprawy. Zdumiony rzemieślnik pojechał do domu, by się przebrać, i punktualnie o drugiej stawił się w hotelowym westybulu[2].

W sali jadalnej czekał już na niego nauczony swej roli, podstawiony przez Cieślaków aktor. Przystojny, wysoki, pod pięćdziesiątkę, z wyglądającymi niezwykle naturalnie długimi siwymi wąsami, wypisz, wymaluj szlachcic poleski z dziada pradziada.

– Jakże mi miło, szanowny panie, że zechciał się pan fatygować! – Przywitał się z całą wylewnością ludzi kresów, jakby dzielące ich różnice klasowe nie miały dlań żadnego znaczenia. – Pogodę co prawda mamy niezgorszą, jednak sprawa jest cokolwiek, że się tak wyrażę, przykra, nieprawdaż?

Partyka zwiesił głowę bez słowa.

– Moi synowie, mój Boże... Ma pan synów?

– Nie.

– Beczkę soli, co tam, dwie beczki soli zje, nim kto syna wychowa! A dwóch?! To niełatwe, niełatwe... Czasem Bogu dziękuję, że nie obdarzył mnie siedmioma... I przy dwóch nieraz się wstydzić przyjdzie, a złoić skóry pasem już niepodobna.

Partyka słuchał i nie rozumiał. Zastanawiał się, czemu ma służyć ten dziwny wstęp? Tymczasem podano kartę.

– Dla mnie zupa rakowa, rumsztyk wołowy i butelka burgunda, tylko najlepszego! – zakomenderował rzekomy szlachcic.

---

[2] Przedpokój, przedsionek (łac.).

– Kieliszek wódki – poprosił zdezorientowany Partyka, pewien, że nic nie da rady przełknąć.

– To pan niegłodny? – zdziwił się Cieślak senior.

– Jakoś nie...

– U nas w Powieliszczu o tej porze już dawno jesteśmy po obiedzie. Tam wszędzie daleko i wstawać trzeba ze świtem. A objechać wszystkie folwarki to i dnia nie starczy... – westchnął aktor, doskonale wczuwając się w rolę. – Ale, ale... wielmożny panie, sprawa jest delikatna, sam pan rozumie... Moi synowie, poznał ich pan przecież, to dobre dzieci, ale pstro mają w głowie, oj pstro... Zamiast siedzieć na wsi i majątku doglądać, oni jakieś brewerie mi wyczyniają. Ot, choćby wczoraj. Ja pana najserdeczniej przepraszam, to taki afront z ich strony. Wciąż się zastanawiam, czy wychowanie, jakie otrzymali, na nic się nie zdało?

– Mili młodzieńcy – wykrztusił Partyka przez zaschnięte usta.

– Ale, panie kochany, dlaczegóż oni się wciąż hazardują?! – wykrzyknął mniemany ojciec. – Wstyd rodzinie przynoszą! Czy my co potrzebujemy od innych za darmo? Alboż to nam naszych majątków nie wystarczy? Im się pracować nie chce, ot co! Trud rolniczy im niemiły! Na to mi przyszło – rozpaczał z afektacją – żebym teraz musiał za nich świecić oczami!

Przyniesiono zupę. Aktor jadł powoli, jakby codziennie tu bywał i nigdy nie kładł się spać o pustym żołądku. Przełykając, pomrukiwał ze smakiem i to było może jedyne odstępstwo od etykiety. Gdy skończył, otarł usta rąbkiem serwetki, wracając do przerwanego wątku:

– Otóż, szanowny panie, przynoszę ten nieszczęsny dokument i prosiłbym, aby mi pan zaręczył słowem honoru, że pan robić z tego sprawy nie będziesz. Jakby się, nie daj Boże, rozniosło, byłby wstyd na całą gubernię! Która porządna rodzina zechciałaby na zięcia hazardzistę?! Już ja im sadła za skórę zaleję, tym ancymonom, możesz pan być pewien! Oj, zaleję! Tak im dam do wiwatu, że mnie ruski rok popamiętają! Tylko błagam pana, byś zechciał zapomnieć o incydencie!

– Ależ, panie hrabio... – zaprotestował nieśmiało Partyka, któremu duża wódka zaczynała powoli rozjaśniać umysł. – Dzieci jak dzieci. Młodzi są...

– Tak więc tu jest pański papier i pugilares, proszę sprawdzić, czy się wszystko zgadza – powiedział rzekomy ojciec. – Byłbym szczerze zobowiązany, gdybyśmy w dniu dzisiejszym zapomnieli o sprawie. Masz pan może ze sobą rewers?

Przedsiębiorca położył na stoliku wymięty papier, ciesząc się w duchu, że nie zdążył wczoraj zwierzyć się ze swych kłopotów żonie. Poczuł się nagle tak lekki i radosny, że wyskoczył ni stąd, ni z owąd z dziwaczną propozycją:

– Ale, panie hrabio, nie odmówi nam pan rewanżu. Mieszkamy skromnie, jednak mamy doskonałą kucharkę, gotuje naprawdę palce lizać. Gdyby zechciał pan przyjąć gościnę prostego rzemieślnika, byłbym wzruszony i wdzięczny bez granic!

Hrabia, może dlatego, że nigdy herbu nie posiadał, nie obruszył się, nie złajał natręta, wręcz przeciwnie: wśród wylewnych grzeczności podziękował za zaproszenie, obiecując rychłą wizytę.

W ten to sposób sprytnym złodziejaszkom z Powiśla udało się nabrać łatwowiernego Partykę po raz drugi, albowiem do tego właśnie finału zmierzał w swej roli aktor grający seniora rodu. Trzy dni później, w niedzielę, odbył się w mieszkaniu przedsiębiorcy przy ulicy Leszno uroczysty obiad, na który przybyli fałszywy Cieślak senior wraz ze swym młodszym synem Marianem, szczęśliwie nierozpoznanym przez pannę Zenobię.

Młodzi, jak to młodzi, spodobali się sobie. Starzy gawędzili o interesach i polityce, a kiedy się rozstali, panna chciała jak najszybciej znów spotkać się z przystojnym, choć nieco szalonym szlachcicem, jej rodzice zaś, zwietrzywszy swą wielką szansę, już myśleli, jakby tu na zawsze połączyć tych dwoje mimo ich młodego wieku.

Trzy miesiące później w tym samym, szczęśliwym dla obu rodzin Hotelu Europejskim odbyły się uroczyste zaręczyny, a na Wielkanoc Roku Pańskiego 1893 narzeczeni stanęli na ślubnym kobiercu. Niepełnoletni pan młody dostał pisemną zgodę ojca, zadowolonego, że pozbywa się spod skrzydeł niesfornej latorośli.

Jak to czasem w pośpiechu bywa, przyszli teściowie pozory wzięli za rzeczywistość, a wyobrażenia za prawdę i oddali córkę jedynaczkę drobnemu oszustowi z Powiśla. Cieślaków trochę zastanawiało, czemu Partykowie tak łatwo dali się nabrać, ale wszystko aż do dnia ślubu szło jak po maśle. Potem zaś było już za późno. Ich syn miał żonę, a oni synową, Partykowie zaś zięcia, którego mimo tylu łajdactw musieli zaakceptować.

Tak hucznego wesela jeszcze żadne z Cieślaków nie miało. Dotychczas bawili się w gronie ludzi sobie podobnych, na Powiślu, Pradze czy Starym Mieście, nie udając lepszych, niż są. Ponieważ jednak do czasu skonsumowania małżeństwa Marianka należało sprawę utrzymać w tajemnicy, jak jeden mąż stawili się na ślubie w katedrze św. Jana, a potem na weselu, elegancko ubrani i poinstruowani, jak mają się zachowywać przy stole, którymi sztućcami jeść które potrawy i jakich wytwornych zwrotów używać w konwersacji, by do końca nie zdradzić swego pochodzenia. Dlatego też mieli zakaz picia jakichkolwiek trunków poza wodą, a pełniący rolę ojca aktor z wysokiego miejsca przy stole pilnował, czy wszystko idzie zgodnie z planem.

Około północy państwo młodzi wsiedli do dorożki i z Dworca Kolei Warszawsko-Wiedeńskiej ruszyli w podróż poślubną do Baden-Baden, goście zaś bawili się do białego rana. Cieślakowie uznali zgodnie, że zawiązali iście mistrzowską intrygę. Co ciekawe, podobnie myśleli Partykowie. Zenobia była tak zakochana i szczęśliwa, że Marian nie miał sumienia pozbawiać ją złudzeń. Wydawało mu się, że żona, poznawszy uczucie, jakim ją darzył, wybaczy mu oszustwo, którego dopuścił się w dobrej wierze.

Tak mogłaby się zakończyć historia pomysłowego szulera, który swą żonę wygrał w karty. Chciałoby się dodać: „I żyli długo i szczęśliwie", ale wkrótce do tej opowieści los dopisał przewrotną puentę. Wystarczył zaledwie tydzień, by młody żonkoś dowiedział się, z kim w rzeczywistości przyjdzie mu spędzić życie, bo gdy wreszcie wyznał ukochanej prawdę, konterfekt Zenobii zbudowany w jego wyobraźni runął w ogłuszającym wrzasku karczemnej awantury, jaką mu urządziła, odsłaniając prawdziwy obraz kobiety, którą poślubił.

Zawiedziona w rachubach na zostanie poleską dziedziczką, niepomna na jego szczerą miłość, rychło pokazała swą drugą twarz sekutnicy[3], której humory będzie

---

[3] Kobieta kłótliwa, złośnica.

znosił w pokorze przez całe niemal życie, pokutując za niecny sposób, w jaki powiódł ją przed ołtarz.

Partykowie zaś, otrząsnąwszy się z pierwszego szoku, o dziwo byli z zięcia zadowoleni. Taki właśnie, prosty a zaradny, podobał im się chyba jeszcze bardziej. Teść zatrudnił go w firmie i wkrótce się przekonał, że Marian ma smykałkę do handlu, toteż zrobił go wspólnikiem, powierzając sprzedaż produkowanych przez siebie odlewów i zdobywanie nowych klientów. Tak to najmłodszy z Cieślaków nieoczekiwanie dla wszystkich został przedsiębiorcą, wchodząc dzięki miłości na uczciwą drogę.

1995

Kiedy za przeszkloną ladą cukierni Pod Amorem pojawiło się nowe ciastko: czekoladowa pianka z wiśniami o nazwie „Piękna Helena", plotkarki wzmogły czujność. Tymczasem Iga odwlekała wyjawienie ojcu swych podejrzeń. Jakoś się ciągle nie składało: wychodził, nim zdążyła zamknąć sklep, albo ucinał dyskusję tuż po wstępie i szedł dopilnować produkcji. Nie podobała jej się ta jawna deklaracja i chciała mu to powiedzieć wprost. Ciastko cieszyło się dużym powodzeniem, co było świetne dla biznesu, ale szkodliwe dla reputacji właściciela.

Hryć chyba się tym nie przejmował, może nawet był zadowolony, że sprawa się wreszcie wydała, pozostawił jednak córce kilka dni na przetrawienie nowiny, zanim przedstawi jej Helenę oficjalnie. Zdecydowali bowiem, że nie będą się ukrywać.

„Dlaczego major Nierychło potulnie się godził, żeby mu grali na nosie? Nie jest przecież jakimś pierwszym lepszym chłystkiem. Ma chyba swój męski honor?" – plotkarki nie ustawały w dociekaniach.

A Iga wstydziła się za ojca, który zachowywał się jak czternastolatek. Złościło ją, że pamięć jej matki wyparła

„ta wulgarna tłusta dziwka", i modliła się, by Helenę spotkało coś strasznego. Już nie rozważała rzucenia studiów i powrotu do Gutowa, wręcz przeciwnie, pragnęła jak najszybciej uciec z miasta, bo nowa miłość ojca napawała ją obrzydzeniem.

Chciała go zostawić samego z firmą i chorą matką, bo Celina Hryć wciąż bez pomocy nie wstawała z łóżka – niech sobie radzi sam. Ale wakacje się jeszcze nie skończyły. Co mogłaby robić w Warszawie? Pewnie poszłaby do jakiejś pracy, a przecież pracę miała tutaj, i to u siebie! Nie, nie, trzeba pilnować tych dwojga! A zwłaszcza rudej. Kto wie, co ona knuje?

Iga nie mogła pogodzić się z rzeczą na pozór oczywistą – że Helena Nierychło zwyczajnie zakochała się w jej ojcu. Że wydał jej się ujmujący, co wielekroć mu mówiła, z tym swoim zachowaniem dużego chłopca, uroczym wstydem, niezręcznością, staroświeckim podejściem do kobiet. Nie pamiętała już, kiedy ostatnio dostała bez okazji kwiaty od mężczyzny. A on gdy tylko powiedziała, że choć mieszka razem z mężem, jest z nim w separacji, codziennie wysyłał jej bukiet. Chciał ją poznać bliżej, w lot chwytał jej życzenia, zawsze ustępował, gdy dzieliła ich różnica zdań. Był mężczyzną idealnym.

A jednak tych dwoje kompletnie do siebie nie pasowało! O czym rozmawiali podczas randek? Waldemar nie miał żadnych pasji poza cukiernictwem, ona uczyła plastyki w miejscowym liceum, ale pragnęła rzucić szkołę i żyć tylko z tkactwa. Na razie nie było na to widoków, ale gdyby została panią Hryć, z pewnością nie musiałaby stać za ladą. W obszernym domu przy rynku znalazłoby się miejsce na ustawienie największych nawet krosien. Nie była też za stara na to, by urodzić Waldemarowi syna.

To przypuszczenie bolało Igę najbardziej. Zazdrosna o swą pozycję jedynaczki, zaczęła się gorączkowo zastanawiać nad tym, jak przegnać Helenę na cztery wiatry. Niestety, na razie nic rozsądnego nie przychodziło jej do głowy.

Alfred Przaska wiedział w Gutowie o wszystkim i wszystko potrafił załatwić. Jak to się działo, że kontrolował całe życie miasta i okolic – nie dociekano, każdy wszak kiedyś mógł potrzebować pomocy, a Przaska nikomu nie odmawiał. Oczywiście miał swoją cenę, czasem niemałą, nie skarżono się jednak, bo nie zawodził nawet w sprawach najtrudniejszych, zdawałoby się skazanych na fiasko.

Dziś nikt już tego nie pamiętał i wydawało to się nieprawdopodobne, ale kiedyś w Gutowie nie było Przaski. Teraz mniej więcej czterdziestolatek, pojawił się w mieście jakieś piętnaście lat wcześniej pewnego słotnego listopadowego popołudnia. Wysiadł z dyliżansu w długim czarnym płaszczu z serży[1] i wytartym, odrobinę za dużym meloniku. W dłoni trzymał niewielki, mocno sfatygowany neseser podróżny. Szybkim spojrzeniem omiótł rynek, postawił kołnierz i, przeskakując kałuże, szybko zniknął w jednej z bocznych uliczek.

Kilka dni później zaczął pojawiać się a to w sklepie Pod Aniołem (wziął małe pudełko belgijskich czekoladek, wypił kawę i przeczytał prasę), a to w trafice (zamówił

[1] Tkanina wełniana o skośnym splocie, używana zazwyczaj na płaszcze.

drogie cygara, których nikt z wyjątkiem hrabiego Tomasza nie kupował), a to u golibrody czy w składzie Gocmana, gdzie nabył kilka wytwornych koszul. Wszystko na kredyt, w zamian jedynie za wyglądającą bardzo nobliwie kartę wizytową o treści:

MECENAS ALFRED PRZASKA
SPRAWY RÓŻNE

Patrząc nań, odnosiło się wrażenie, że bywał w świecie, jest doskonale sytuowany i świadom swej wartości. To stanowiło największy kapitał samozwańczego mecenasa, jako że w sztuce stwarzania pozorów nie miał sobie równych.

Odwiedziwszy niemal natychmiast co znaczniejszych mieszkańców, rozdał na obszarze prawie całego powiatu swą wizytówkę, a przy okazji zebrał ciekawy materiał. Kilka dni później nad drzwiami jego biura przy Owsianej 5 zawisł szyld i stało się jasne, że nowy obywatel zamierza zabawić w Gutowie nieco dłużej.

Ten, kto miał potrzebę lub ochotę sprawdzić, co kryje zwrot „sprawy różne", i zajrzał wtedy do spartańsko urządzonego biura Przaski, zwracał przede wszystkim uwagę na okazały dyplom, potwierdzający uzyskanie przezeń stopnia doktora praw na jakimś egzotycznym uniwersytecie. Dziwaczny język, w jakim dokument wystawiono, którego nie znał nikt w mieście (może był to węgierski, może portugalski lub niderlandzki?), nie pozwalał na zweryfikowanie kwalifikacji mecenasa.

Komuż by zresztą na tym zależało?

I bez tego zapraszano go chętnie na późne śniadania, wczesne kolacje, wystawne obiady i skromne podwieczorki, bo przynosił powiew wielkiego świata, za którym w Gutowie nieustannie tęskniono. Matki oceniały przydatność matrymonialną rzekomego adwokata, ojcowie po elokwencji i stroju starali się odgadnąć stan jego majątku. Rosjanie zrobili szybki wywiad, ale paszport miał w porządku, a papiery czyste. Nigdzie się zresztą poza Kraj Przywiślański[2] w swym krótkim życiu nie ruszał, toteż zostawili go w spokoju, zwłaszcza że dawał się ogrywać w pokera, co momentalnie zjednało mu przyjaciół w męskim gronie.

Nie był szczególnie przystojny: niski, łysiejący, ze skłonnością do tycia i licznymi śladami po ospie, miał jednak żywy umysł, poczucie humoru i obycie towarzyskie. Z takimi zaletami mógł szukać szczęścia choćby w samym Płocku, dlaczegóż więc wybrał akurat Gutowo? Na zadane wprost pytanie odpowiadał również pytaniem: „A w czymże taki Płock lepszy jest od Gutowa?", co było uprzejme wobec gutowian, a jednocześnie zamykało im usta.

Wkrótce dostał pierwsze zlecenie, po nim następne i natychmiast się okazało, że ktoś taki jest w Gutowie niezwykle potrzebny. Potrafił zadawać pytania i logicznie kojarzył fakty, pamięć miał doskonałą, a dzięki dyskrecji szybko zdobył powszechne uznanie. Nie odmawiał ani jednej prośbie, choć nie tykał procesów sądowych. Mówił, że jeszcze żaden sąd nie rozwiązał żadnej sprawy tak, by zadowolone były obie strony. Jemu zaś udało się to wielokrotnie.

Był użyteczny. Wiedział, komu brakuje gotówki, a kto poszukuje dobrej lokaty, która panna szuka męża i jakim posagiem dysponować będzie po ślubie jej wybranek, kto na gwałt potrzebuje paszportu oraz komu warto dać łapówkę, by ominąć urzędniczą mitręgę i szybko załatwić

[2] Od 1867 roku oficjalna nazwa byłego Królestwa Polskiego.

interes. Umiał znaleźć fachowca do każdego zadania i rozwiązać każdą tajemnicę. Ciągle był w ruchu, jakby nie potrafił usiedzieć na miejscu, ale wszędzie przyjmowano go z otwartymi ramionami, bo przyjaźnił się ze wszystkimi i wszyscy go potrzebowali. Emigrujący do Ameryki chłopi i Żydzi mieli do niego takie zaufanie, że niczym w banku deponowali w kancelarii Przaski swe oszczędności, a on im je przesyłał, gdy już zakotwiczyli się na nowym miejscu.

W jednym tylko nie spełnił pokładanych w nim nadziei: nie uszczęśliwił żadnej panny. Mieszkał samotnie, wciąż w tym samym domu przy Owsianej, który po kilku latach należał już do niego, teraz odnowionym i elegancko urządzonym. Był człowiekiem ustosunkowanym i zamożnym. Zatrudniał czworo służących: pokojówkę, kucharkę, lokaja i stangreta. Utył, wyłysiał i niezmiennie trudnił się rozwiązywaniem „spraw różnych".

Marianna, bardzo zmęczona dwunastokilometrowym marszem z Zajezierzyc do Gutowa, odnalazła wreszcie uliczkę Owsianą i zatrzymała się przed kamienicą numer pięć. Serce waliło jej w piersi jak oszalałe. Bała się tego, co chciała zrobić, ale jeszcze bardziej bała się zostać we wsi, bo znoszenie konsekwencji niesławy było ponad siły. Rozejrzała się w prawo i w lewo, weszła na stopień i pociągnęła za sznurek dzwonka. Niemal natychmiast pojawił się lokaj.

– Do pana Przaski – powiedziała głosem, który ledwo wydobywał się z krtani.

– Pan mecenas wyszedł.

– A kiedy wróci?

Zmęczona i przygarbiona, położyła na schodku małe zawiniątko. Lokaj wpuścił dziewczynę do sieni.

– Niech panna zaczeka – powiedział i zostawił ją samą, by po półgodzinie pojawić się znów w drzwiach kancelarii i tym samym obojętnym tonem zaanonsować: – Pan mecenas prosi.

Widząc Mariannę, Przaska wstał zza biurka.

– Panna Blatko? A cóż sprowadza w moje niskie progi?

– Bieda – wyszeptała.

Wskazał jej krzesło. Usiadła i przez chwilę przyglądała się liściom winorośli wydrukowanym na kolorowej tapecie pokrywającej ściany. Pociągnęła nosem, by się nie rozpłakać.

– Napije się panienka herbaty? – zagadnął z sympatią, chcąc nieco ocieplić atmosferę.

– Chętnie – odpowiedziała, a mecenas zadzwonił na lokaja.

– Lucjanie, nastaw samowar. A cóż tam u brata? – zwrócił się znów do Marianny. – Odzywał się ostatnio?

– Właśnie z tym przychodzę... Napisał, żeby do pana...

Przaska bacznie spojrzał na dziewczynę. Nie byłby sobą, gdyby nie domyślił się, o co może chodzić.

– Chciałaby panienka też wyjechać?

– Tak.

– Kiedy?

– Jak najszybciej.

– A po cóż ten gwałt? Brat, rozumiem, to była sprawa pilna, gardłowa prawie, no ale panienka nie ma chyba nic na sumieniu? – Chciał, by zabrzmiało to dowcipnie, kiedy jednak wypowiadał to zdanie, nagle pożałował, bo dziewczynie wcale nie było do śmiechu. Wciąż siedziała skurczona, poszarzała na twarzy, mnąc w zdenerwowaniu chusteczkę. – No dobrze – powiedział, by zaoszczędzić jej wchodzenia w zbędne szczegóły. Zresztą domyślał się, co może być powodem tej desperackiej decyzji. Mariannie nie było źle u dziadka Wincentego Rogali. Śpiewała w chórze kościelnym, prowadziła ochronkę w pałacu, miała chyba jakiegoś starającego się, zdaje się porządnego chłopaka, w dodatku szlachcica, czegóż mogła pragnąć więcej? Dlaczego decydowała się na emigrację i wyjazd ku niepewnemu, w warunkach, na które on, gdyby był jej ojcem, absolutnie nie wyraziłby zgody?

– Proszę mi pomóc... – wyszeptała błagalnie, unikając jego wzroku. – Ja muszę wyjechać!

– Tak, oczywiście, zrobię, co w mojej mocy, jednak to musi potrwać. Czy ma panienka paszport?

– Nie.

– A pieniądze?

– Tylko dwadzieścia dolarów.

– To mało, mało... – Mecenas chodził po kancelarii i pocierając dłonie, intensywnie myślał.

Istniała jedna przyczyna, która, poza biedą, mogła taką pannę jak Marianna Blatko zmusić do ucieczki: ciąża. Jeśli miał rację, a Przaska rzadko się mylił, to jeszcze bardziej komplikowało sprawę. Nie chciał brać na swoje sumienie zdrowia matki i nienarodzonego dziecka, wysyłając ją w tak daleką i męczącą podróż. Dyskretnie spojrzał na dziewczynę. Siedziała zgarbiona, załamana, zdana na jego łaskę.

Nie chodziło o pieniądze, których nie miała – jeśli jej pożyczy, odda mu na pewno, tacy ludzie dług traktują niczym najważniejsze zobowiązanie. Ale jak powiedzieć prosto w oczy dziadkowi, który właśnie jemu zleci poszukiwania, że niczego nie wie o wnuczce? Gdyby to obmyślili oboje, stary przecież byłby tu z nią teraz. Gdzie przechować uciekinierkę przez kilka dni, które zajmie załatwienie wszystkich spraw?

Przaska podszedł do okna i choć było dopiero południe, odruchowo zasunął zasłony. Marianna spojrzała nań pytająco.

– Będą panienki szukać. Dziadek, matka…

– Matka… – wyszeptała cicho. – Ona wie.

– Panienki matka wie wszystko. – Mecenas pokiwał głową. – Jej przenikliwość zawsze mnie zdumiewała.

– Powiedziała, że wszystko będzie dobrze.

– W Bogu nadzieja…

Tego samego dnia mecenas wywiózł Mariannę do Płocka. Nazajutrz zakupił dla niej kufer podróżny i najniezbędniejsze rzeczy oraz umieścił na kilka dni w pensjonacie Bolero jako swoją kuzynkę, pannę Witwicką. Wieczorem skontaktował się z agentem Hamburg-America Line, kupił szyfkartę[3] oraz zasięgnął informacji, kiedy odbędzie się najbliższa ekspedycja emigrantów. Miał kilka dni, był więc pewien, że zdąży dostarczyć jej również paszport, by wszystko odbyło się legalnie, na wypadek gdyby kiedyś zechciała jednak wrócić do kraju.

I mimo że troskliwie się nią zajął, nie zrobił dla Marianny więcej, niż to było konieczne. Poleciwszy ją opiece agenta linii okrętowej z szyfkartą na trzecią klasę linii Hamburg – Nowy Jork, tydzień później pożegnał dziewczynę w Płocku. Od tego dnia miała u niego dług w wysokości stu pięćdziesięciu siedmiu rubli.

Żydek Szmul Putzman wysyłał emigrantów do Ameryki tuzinami. W tej chwili poza Marianną miał jeszcze pięciu legalnych. Pozostali: trzech mężczyzn w wieku poborowym i jedna kobieta, jako nieposiadający paszportu,

---

[3] Bilet na statek (niem.).

musieli przejść do Prus przez zieloną granicę. Tymczasem dni mijały w oczekiwaniu na dwóch brakujących chętnych.

Tydzień później ruszyli.

Najpierw jechali żydowską furką do Włocławka, by tam wsiąść do pociągu Kolei Warszawsko-Bydgoskiej i w wagonie czwartej klasy (bo blisko i nie ma co marnować rubli na zbytki) dotrzeć do granicznego Aleksandrowa. Po kontroli, która, jak zapewniał ich agent, będzie jedynie formalnością, mieli przesiąść się w Thorn[4] do schnellzuga[5] Prusko-Heskich Państwowych Kolei Żelaznych, by stamtąd przez Bromberg[6], Kreutz[7] i Berlin ruszyć wprost do portowego miasta Hamburg. W Hamburgu zajmie się nimi inny agent tej samej linii i, jeśli dopisze im szczęście, statek wkrótce wypłynie w morze. Wszystko zależy od tego, czy zwerbowano komplet pasażerów. Jeśli nie, przyjdzie znów czekać. Zamieszkają w przytułku św. Józefa albo jakimś domu kompanii morskiej, ale podróż mają opłaconą z życiem[8], więc o nic nie muszą się martwić.

W pociągu emigranci, podnieceni podróżą i przekraczaniem granicy, rozmawiali o rodzinach, które pozostawili w kraju, i o tym, czego spodziewają się po przybyciu do Ameryki. Wszyscy mieli w głowach gotowe plany, a pierwszym z nich było: dobrze się najeść. Podobno w tej Ameryce codziennie stać człowieka na ciastka, mięso je się trzy razy dziennie, pracuje osiem godzin i przynajmniej

---

[4] Toruń (niem.).

[5] Pociąg pośpieszny (niem.).

[6] Bydgoszcz (niem.).

[7] Krzyż (niem.).

[8] Tu: wyżywieniem i noclegami.

raz w tygodniu chodzi do teatru. To kraj mlekiem i miodem płynący. Te nadzieje podsycali też sprytni agenci, nic dziwnego, że tak wielu zdecydowało się na podróż.

Pokazując sobie nawzajem fotografie krewnych, którzy wyjechali przed nimi, ubranych w koszule z krochmalonymi kołnierzykami, emigranci podziwiali ich jedwabne krawaty, eleganckie garnitury, z których kieszeni zwisały ciężkie łańcuszki pozłacanych zegarków, paradne kapelusze, laski o srebrnych gałkach i wielkomiejski szyk kobiecych sukien.

Ale przede wszystkim mówili o jedzeniu. Dość już mieli kaszy, kartofli i mleka. Nawet w kmiecych[9] domach masło było jedynie na sprzedaż, a jajecznica pojawiała się na talerzu tylko w niedzielę. Zresztą komorników[10] ani zagrodników[11] nie byłoby stać na emigrację. Skąd mieliby wziąć dwadzieścia pięć rubli na paszport albo dziesięć na przeprowadzenie przez granicę? Od kogo pożyczyć na szyfkartę, skoro cała podróż kosztowała ponad sto dwadzieścia rubli? Zmuszeni do pozostania w kraju, skazani na niedostatek, karmić się mogli jedynie marzeniami.

Spośród swoich towarzyszy podróży Marianna początkowo nikogo nie znała. Wciąż była w szoku i niewiele zauważała z tego, co działo się wokół niej. Niosąc swój mały kuferek, szła potulnie za resztą grupy. Dopiero w Aleksandrowie, umieszczona w wagonie trzeciej klasy na twardej drewnianej ławce, zrozumiała wreszcie, że od tej pory jej życie ma potoczyć się zupełnie innym torem.

---

[9] Kmieć – w dawnej Polsce chłop posiadający własne gospodarstwo.

[10] Chłop bezrolny, mieszkający kątem w cudzej chacie, „na komornym".

[11] Chłop posiadający niewielki przydział ziemi, niewystarczający do wyżywienia rodziny, zmuszony do najmowania się do pracy.

Był maj, a za oknami pociągu pyszniła się wiosna, ale inne – pruskie – domy i krajobrazy nie przyciągały wzroku dziewczyny, bo w sercu miała pustkę, a w głowie zamęt. Nie czuła jeszcze miłości do syna, który, poczęty w Polsce, miał się urodzić za kilka miesięcy w odległym Chicago. Na razie tęskniła za tym, co być może bezpowrotnie zostawiała, za dziadkiem, matką i hrabią Tomaszem, który rzekomo kochając, tak bardzo ją skrzywdził.

Po dziesięciu dniach oczekiwania oraz przejściu badań lekarskich emigranci zobaczyli wreszcie cumujący przy nabrzeżu wielki parowiec o nazwie Prussia. Gigantyczna góra stali, wielkości kilku kościołów, porażała ogromem. Na trzech pokładach statek mógł pomieścić sześćdziesięciu pasażerów w pierwszej klasie i niemal tysiąc ośmiuset w trzeciej.

Ci ostatni mieli przed sobą dwa tygodnie piekła, stłoczeni niczym bydło w wielkich kajutach, gdzie trudno było się przecisnąć pomiędzy ustawionymi jedno przy drugim piętrowymi łóżkami, ze szpar w suficie sypały się śmieci, zawszonymi kocami nie sposób było się okryć, a bagaże jeździły w tę i we w tę przy każdym przechyleniu statku.

Tam właśnie znalazła się Marianna. Od początku podróży trzymała się blisko małżeństwa Goślickich spod Płocka, którzy odnosili się do niej z przyjaźnią i otoczyli troską, jakiej się nie spodziewała. Zofia i Tadeusz przekazali swoje dwunastomorgowe gospodarstwo młodszemu synowi, jechali zaś do starszego, który wyemigrował kilka lat wcześniej i teraz zamierzał się ożenić. Tadeusz znał już uciążliwości podróży, bo wcześniej był w Ameryce, dlatego nic go nie dziwiło. Mieli trochę swojego jedzenia, wiedząc, że posiłki serwowane na statku nadają się co najwyżej dla świń. Wieźli też parę gomółek sera, chleb, trochę lekarstw, kilka pęt kiełbasy, a nawet wódkę.

Kobiety i mężczyzn niespokrewnionych ze sobą okrętowano osobno, rodzin zaś nie rozdzielano, toteż Gośliccy, by móc nadal opiekować się Marianną, musieli skłamać, że to ich córka. Potwierdzili oszustwo drobną łapówką i nikt się nie sprzeciwiał, by zajęła pryczę w tej samej kajucie. Wkrótce po zakwaterowaniu każde z nich dostało blaszaną manierkę, łyżkę oraz miskę, które miały służyć do samego Nowego Jorku.

– Będą nas karmić solonymi śledziami, kartoflami w łupinach i suchym chlebem, poić gorzką czarną kawą, czasem herbatą. Takich tu się należy spodziewać zbytków – powiedział Tadeusz, kiedy wreszcie zajęli miejsca. – Oby nie było burzy. Módlcie się tylko, żeby nie było burzy! – dodał i przeżegnał się nabożnie.

– Ty zawsze myślisz tylko o najgorszym! – ofuknęła go Zofia. – Wyplujże to słowo, człowieku! – dodała, spoglądając na Mariannę.

Po kilku dniach znajomości wprawnym kobiecym okiem odkryła jej tajemnicę, otoczyła więc biedną dziewczynę serdeczną opieką. Stały razem, gdy statek odbijał od nabrzeża, i choć nikt ich nie żegnał, patrzyły na ten obcy kraj jak na swój własny, roniąc łzy wzruszenia.

Niemal od początku podróży Mariannę męczyły mdłości. Leżała na pryczy zwinięta w kłębek, zmęczona kołysaniem statku, i rozpamiętywała to, co za jej przyzwoleniem stało się wtedy w Zajezierzycach. Wyrzucała sobie łatwość, z jaką uległa hrabiemu, żałując, że musiała opuścić dziadka i rodzinną wieś, by ujść niesławie. Wiedziała jednak, że stało się to, co musiało się stać. Kochała Tomasza Zajezierskiego i tylko siebie, nie jego, winiła. Jako być może jedyna z podróżnych niczego nie oczekiwała od Ameryki, niczego nie planowała, nie wyobrażała sobie nawet, jak będzie wyglądało jej dziecko, kiedy się urodzi. Choć rosło w niej nowe życie, była jak martwa.

Karmiona i pojona przez troskliwą Zofię i okrywana przez Tadeusza, naprawdę była przez nich traktowana niczym córka. To Tadeusz, dowiedziawszy się od kogoś, że na mdłości najlepszym lekarstwem jest kostka cukru skropiona sokiem z cytryny, wysilił cały spryt, by ulżyć biednej dziewczynie, i stawał na głowie, aby codziennie zażyła swój medykament.

Trzeciego dnia statkiem zakołysało znacznie mocniej niż dotychczas. Pozostawione luzem bagaże przesuwały się od jednej ściany do drugiej, zdezorientowani pasażerowie trzymali się kurczowo pryczy, płakali ze strachu i odmawiali modlitwy. Gdzieś ponad ich głowami żałośnie wył wiatr, bałwany wody chlustały z jednej strony na drugą, wielki parowiec trzeszczał niczym maleńka łódeczka.

Przerażeni ludzie żegnali się znakiem krzyża, paląc gromnice, inni złorzeczyli Bogu i naturze, przeklinając swój tułaczy los. Potworne zawodzenie wiatru wzmagało się, statek to wspinał się na falę, to znów opadał. Wydawało się niemal pewne, że za chwilę zatonie, grzebiąc wszystkich wraz z ich skromnym dobytkiem i marzeniami, których nie zdołają dowieźć do swej ziemi obiecanej.

Nagle pośród wrzawy dał się słyszeć cichy śpiew. To Zofia, drżąc i szczękając zębami, zaintonowała pieśń *Kto się w opiekę odda Panu swemu*. Dołączyły do niej głosy Tadeusza i Marianny, a w kilka chwil zgromadzeni w kajucie Polacy, których jeszcze nie powaliła choroba morska, śpiewali razem z nimi, modląc się o przeżycie w tej łupince, która, zdawało się, była bez szans wobec rozszalałego żywiołu.

Burza trwała wiele godzin, a przez ten czas wszyscy wielokrotnie pożegnali się z życiem. Jednym lęk zakneblował usta, innych zmuszał do niekontrolowanych krzyków bądź płaczu. W tej strasznej chwili, pośród słów śpiewanej w spazmach strachu modlitwy Marianna po raz pierwszy pomyślała o swym dziecku. Nie czuła się jeszcze matką, ale coś zmuszało ją do zachowania spokoju, choć bała się nie mniej niż inni. Pomagało jej wsparcie Zofii i Tadeusza, ale jeszcze bardziej słowa matki, która z pewnością przestrzegłaby ją przed niebezpieczeństwem.

Nad ranem wicher ucichł, niebo się rozpogodziło, statek znów jedynie lekko kołysał się na fali. Wszystkich pasażerów wypędzono na pokład, a w tym czasie marynarze mieli posprzątać kajutę. Marianna, zmęczona i niewyspana, na chwiejnych nogach weszła po trapie na pokład. Zmrużyła oczy, spojrzała dookoła i wydała z siebie westchnienie zachwytu:

– O, Panie, który stworzyłeś ten świat, bądź uwielbiony!

Wszędzie jak okiem sięgnąć rozpościerał się błękit. Gdzieś daleko, daleko na horyzoncie szmaragdowa woda zlewała się z szaroniebieskim niebem, zamykając świat w olbrzymiej lśniącej kuli. To był ocean. Dziś spokojny, aż nie do uwierzenia, że jeszcze wczoraj rzucało olbrzymim statkiem w górę i w dół z siłą straszliwego i okrutnego mocarza.

Marianna odmówiła *Zdrowaś Maryjo*, dziękując Matce Boskiej za opiekę, i długo stała w niemym zachwycie, przyglądając się bezmiarowi oceanu.

Gdy wszyscy wrócili pod pokład, zaganiani przez marynarzy niczym bydło do obory, Gośliccy odkryli brak jednego kuferka. Również inni pasażerowie, w tym Marianna, stwierdzili braki w dobytku. Jednak niezrażeni majtkowie nie odpowiadali na ich pytania, udając, że nie rozumieją po polsku. Jeden z nich z wtoczonej pod pokład beczki wyjmował za ogon śledzie i rzucał w kierunku zgłodniałych emigrantów.

– Szansy na odzyskanie rzeczy nie mamy – stwierdził smutno Tadeusz. – Już oni wiedzą, gdzie co ukryć, tak żeby nikt nie znalazł. Zresztą nie po to harują od świtu do nocy za marne grosze. Po to tu są. Na każdym statku kradną. Szkoda kożucha... No, ale dobrze, żeśmy przynajmniej dolary ze sobą zabrali! – wyszeptał na koniec z nieukrywaną satysfakcją, klepiąc się po wydatnym brzuchu, na którym pod koszulą miał zawiązany płócienny pas z zaszytymi kilkoma złotymi dwudziestodolarówkami. – To by dopiero była strata! Bo co insze, to sobie kupimy. W Ameryce niczego nie zbraknie... – dodał, machając ręką w geście pogardy dla złodzieja. Nie zamierzał psuć sobie i żonie radości próżnymi żalami. Zofia uśmiechnęła się blado i pogładziła go po spracowanych plecach.

Marianna odruchowo położyła dłoń na sercu. Ona też dobrze ukryła swój najcenniejszy skarb. Pierścień Zajezierskich, owinięty w chusteczkę z monogramem, od dnia jej ucieczki z domu spoczywał w małym woreczku zawieszonym na szyi. Oprócz srebrnego krzyżyka podarowanego przez dziadka w dniu pierwszej komunii, z którym nie rozstawała się nigdy, sygnet z gwiazdami był jedyną pamiątką i wspomnieniem po życiu, którego się raz na zawsze wyrzekła.

Marianna oddała Tadeuszowi swojego śledzia, sama zaś zjadała tylko – i to na wyraźną prośbę Zofii – ugotowany w łupinie, ostygły już całkiem ziemniak.

Gdyby Szczęsny Sikorski wykazał trochę więcej determinacji, gdyby wcześniej nie próbował celem uratowania

Marianny zabić człowieka (z mizernym zresztą skutkiem), może tym razem by się udało? Może przemocą zmusiłby Przaskę do wyjawienia prawdy, dowiedziałby się, dokąd uciekła, jakimś cudem ją dogonił, może gorącymi łzami skruszyłby jej serce i zapewnił, że potrafi ją uszczęśliwić, zanim nie było za późno?

Tak się jednak nie stało. Szczęsny pojechał co prawda do Gutowa, rozumując słusznie, że tędy wiodła droga ucieczki Marianny. Zastukał też do drzwi mecenasa, ale nie zastał go w domu. Usłyszał od lokaja, iż jego pan zabawi przez dwa, trzy dni w Płocku, i choć czym prędzej ruszył w drogę, nie odnalazł ani jego, ani dziewczyny. Zniechęcony, wrócił do Sikor, by po kilku dniach spróbować raz jeszcze.

Ale mimo że zobaczył się z mecenasem, niczego się o Mariannie nie dowiedział. Przaska stanowczo twierdził, iż jej ostatnio nie widział, sugerując poszukiwania wśród rodziny, może w Warszawie? W imieniu starego Rogali, dziadka Marianny, chłopak poprosił go o pomoc, na co Przaska, wykręcając się wieloma zajęciami, wyraził zgodę dopiero po usilnych błaganiach.

Minął tydzień bez żadnych wieści i Szczęsny znów pojechał do Gutowa. Przaska, spostrzegłszy go w drzwiach, szybko zmyślił jakąś historyjkę, zapisał na kartce pierwszy lepszy warszawski adres i posłał tam chłopaka, licząc, że nim kłamstwo wyjdzie na jaw, Marianna będzie już daleko.

I tak się właśnie stało.

1995

Grzegorz Hryć, najstarszy syn Celiny, był zły. Został właśnie dyrektorem gutowskiego liceum ogólnokształcącego imienia Norwida, szykował się do tego od kilku lat, zaznając po drodze mnóstwa przykrości i nawiązując wiele nieoczekiwanych i niechcianych przyjaźni, właśnie miał zacząć nowy etap w życiu, a tu masz, ręka mu się obsunęła i zaciął się podczas golenia! Trudno, przyklei sobie plaster, choć nie będzie to wyglądało elegancko, a on w tych dniach chciał się pokazać od jak najlepszej strony. Specjalnie pojechał do Płocka po garnitury i dodatki, a teraz ma paradować z plastrem na policzku! Na szczęście to dopiero połowa sierpnia i układanie planu lekcji. Do pierwszej rady pedagogicznej, a zwłaszcza początku roku szkolnego po ranie nie powinno być śladu.

Ścisnąwszy węzeł krawata, przygładził włosy, kiwnął sobie głową w lustrze i zbierał się do wyjścia. Dyrektorowanie liceum było dla Grzegorza Hrycia pierwszym stopniem do kariery politycznej, którą obmyślił w najdrobniejszych szczegółach. Teraz zacznie budować zaplecze, po kilku latach wystartuje do Rady Miejskiej, co przy rozpoznawalności, jaką da mu wieloletnie nauczanie, powinno być dziecinnie proste. Potem może stanowisko burmistrza, starosty lub posła? Dziś nie bał się marzeń. Czuł siłę, jakiej nie miał od dawna, a siła ta nosiła imię pewnej kobiety.

Nietrudno się domyślić, że to nie Anita, jego ślubna małżonka, tak bojowo nastroiła Hrycia, chodziło oczywiście o kogoś innego. Wiadomo jednakowoż, że mężczyźnie wojownikowi potrzebna jest partnerka, która wspierałaby go w zamierzeniach, dodawała otuchy, gdy przyjdzie moment zwątpienia, stała za nim murem, utwierdzając we wszystkim, co on przedsięweźmie. Dlaczego więc żony prawie nigdy nie spełniają pokładanych w nich nadziei? Zajęte własnymi sprawami, snujące się po domu w przydeptanych kapciach i papilotach, potrafią tylko zrzędzić? Dlaczego jedyne, co się od nich słyszy, to marudzenia, połajanki i żale? Dlaczego nie potrafią wykrzesać z siebie ani krzty entuzjazmu, tak potrzebnego każdemu mężczyźnie?

Hryć miał wielkie szczęście, znalazłszy wreszcie kobietę gotową dać mu wszystko, czego potrzebował – i znacznie więcej. Sprawę komplikował nieco fakt, że żadne nie było wolne, z tego powodu początkowo nie ośmielali się wyjść poza związek czysto przyjacielski, a właściwie koleżeński. Pomógł im przypadek, jakaś późna rada pedagogiczna czy dzień otwarty, który bardzo się przeciągnął, brzydka pogoda, noc. Zaproponował, że ją podwiezie, zgodziła się z wdzięcznością. Zaczęli rozmawiać i nie mogli przestać. Siedzieli w aucie, po raz pierwszy wymieniając opinie o kolegach, uczniach, rodzicach, i okazały się one zadziwiająco zgodne! Mieli podobne spostrzeżenia i podobny sposób widzenia świata, zgadzali się we wszystkim.

Gdyby nie była tak młoda i ładna, pewnie Grzegorz Hryć nie wpadłby na pomysł, by przed nią właśnie wybebeszyć swą zbolałą duszę faceta po czterdziestce. Gdyby nie patrzyła nań zachwyconymi oczyma, gdyby nie płoniła się tak uroczo, słysząc komplementy, może nie wypłynąłby na burzliwe wody zdrady małżeńskiej? Któż zresztą mówił o zdradzie? Wszak tylko rozmawiali. Dwie samotne istoty, niezrozumiane, niekochane, pragnące jedynie odrobiny uwagi, krzty czułości. Czy robili coś złego?

Spotykali się codziennie w szkole i na razie nie było mowy o niczym więcej. Grzegorz jeszcze nie korzystał z każdej okazji, by ją odwieźć, spotkać gdzieś, gdzie nikt by ich nie znał. Tu, w tym mieście, było to niemożliwe. Zza każdego rogu mógł nagle wyjść uczeń, rodzic, kolega. Przez kilka miesięcy nie posunęli się więc dalej, ale napięcie i potrzeba bliskości narastały, niewygoda dotychczasowych małżeństw obojgu doskwierała coraz bardziej, a każda niezręczność partnera raziła podwójnie, pchając w ramiona tego drugiego.

W marcu Grzegorz wystartował w konkursie na dyrektora liceum. Płeć dawała mu dużą przewagę wśród kontrkandydatek. Mężczyzn w szkolnictwie dramatycznie brakowało i każdy, który tylko spełniał podstawowe kryteria, noszony był przez władze oświatowe na rękach. W domu jego wygrana nie spotkała się z entuzjazmem, jakiego oczekiwał. Anita, która prowadziła niewielką drogerię przy Rynku, kiwnęła tylko głową, pytając przede wszystkim o uposażenie. Niewiele ją obchodziła koncepcja zmian w organizacji i sposobie wychowania młodzieży, jakie zamierzał wprowadzić. Dla niej liczył się konkret: pensja, którą oczywiście uznała za nie dość solidną przy obowiązkach, jakie nań teraz nakładano. Ale taka już była – wszystko przeliczała na pieniądze, podczas gdy tamta mogła go słuchać godzinami, ciągle niesyta jego przemyśleń, entuzjastycznie przyjmująca każde słowo.

Tak więc Grzegorz Hryć wyłącznie żonę obarczał winą za przyjaźń z młodą nauczycielką, za swój zachwyt dla niej, będący w istocie zachwytem dla siebie samego zobaczonego w jej oczach. Nie próbując mu zapobiec, brnął w związek prowadzący donikąd. On sam chyba tego nie dostrzegał. Przez cały czas wydawało mu się, że panuje nad sytuacją, trzymając się w ryzach i nie wykraczając poza zasady dobrych obyczajów. Wkrótce jednak platoniczna przyjaźń zrodziła potrzebę bliskości, a pożądanie uwagi sprowadziło nań pragnienie zbliżenia cielesnego z młodą kobietą, jeszcze bardziej oddalając Grzegorza Hrycia od nieciekawej, zrzędliwej, nieinteresującej się nim żony.

Od kiedy tuż po ślubie z Adrianną Tomasz zarządził generalny remont pałacu, który trwał bez mała trzy lata, pochłonął niemal wszystkie oszczędności Zajezierskich i zaprowadził wiele nowych porządków, od wydzielenia łazienek po instalację żarówek, hrabina Barbara miała zwyczaj mówić, że postęp działa jej na nerwy. Nie pamiętała już udoskonaleń, których sama była pomysłodawczynią i które tak bardzo nie podobały się jej teściowej, Jadwidze Zajezierskiej. Hrabina nie pomyślała też, że w młodym wieku łatwiej przywyknąć do zmian, nawet rewolucyjnych, a za takie uważano w Zajezierzycach czterdzieści lat wcześniej chociażby przykrycie otwartego dotąd paleniska kuchennego metalową płytą ze zdejmowanymi fajerkami. Jednak z upływem czasu kuchnia angielka i metalowe garnki stały się czymś tak oczywistym, jak gdyby nigdy nie gotowano inaczej.

Teraz to hrabina nie mogła się pogodzić z faktem, że Tomasz zapragnął urządzić w domu osobne łazienki z bieżącą wodą. By popłynęła z kranu, należało ją najpierw przywieźć beczkowozem ze studni, a potem wpompować do specjalnego zbiornika na strychu. Ten ostatni stanowił ognisko zapalne i przedmiot wielu zgryzot hrabiny.

Wyobrażała sobie bowiem, że woda w nim zgromadzona zalewa pałac, niszczy meble, podłogi i ściany, dosłownie zatapiając domowników. Obawiała się zagrzybienia ścian, bo przecież rury nigdy nie były puste. Nie dała sobie wytłumaczyć, że instalacja wykonana przez fachowców jest szczelna i sprawdzona, a bieżąca woda w kuchni to nie tylko wyręka, lecz także zdrowie, łazienka zaś, zwłaszcza łazienka z klozetem, stanowi prawdziwy luksus, dostępny jedynie nielicznym.

Podczas studiów, a także przedsięwziętej potem podróży po Europie, Tomasz widział wielokrotnie, iż postęp techniki, a przede wszystkim wynalezienie syfonu zlewozmywakowego, umożliwia umieszczenie sedesu tuż obok sypialni bez narażania jej mieszkańców na niedogodności związane z nieprzyjemnymi woniami. Zapalił się do tego projektu, wydając wojnę nieśmiertelnym, zdawałoby się, nocnikom.

Barbara Zajezierska nie kłamała, zamartwiając się głośno o bezpieczeństwo domu, w którego ścianach jej syn umieścił rury z wodą, ale była to tylko zasłona dymna. W rzeczy samej chodziło o coś zupełnie innego. Kąpiel, zwłaszcza częsta kąpiel w ciepłej wodzie, a o takiej przecież myślał Tomasz, nie przestała kojarzyć się hrabinie z czymś osłabiającym, rozleniwiającym, podniecającym i moralnie nagannym. Z tej przyczyny funkcjonująca do tej pory z powodzeniem w charakterze wanny balia była szeroka i płytka. Barbara nakazywała myć swe córki w pozycji stojącej, w chłodnej wodzie, szybkimi ruchami namydlonej gąbki, dokładnie sprawdzając, czy oczy mają zamknięte aż do końca, to jest do włożenia koszuli.

W tym względzie nic się przez lata nie zmieniło i tak samo był myty jej wnuk Paweł, hrabina wciąż uważała bowiem, że kąpiel to praktyka niemoralna, a w wannie rodzą się złe myśli, które należy wszelkimi sposobami zwalczać. Nie dyskutowała jednak tej oczywistości z synem, o takich rzeczach się nie rozmawiało.

I kiedy już Tomasz jako głowa rodziny dopiął swego, a w urządzonych przy każdej z sypialni pokojach kąpielowych stanęły piękne wanny na lwich łapach, jedyną osobą, która przyjęła to z zachwytem, była młoda hrabina Adrianna Zajezierska. To ona znalazła przyjemność w długich kąpielach, a gabinet toaletowy potraktowała jako swe drugie – po chińskiej altance obrośniętej glicynią – sanktuarium. Chłodna kamionkowa podłoga i wyłożone niebieską glazurą ściany, duże okno, wygodna wanna, umywalka, bidet i specjalna umywalka do nóg oraz wieszak na ręczniki i drewniana toaletka sprawiały jej codziennie mnóstwo radości.

To tu, po lekturze artykułów dotyczących stosowania rozmaitych diet, Ada zaczęła po raz pierwszy z ciekawością oglądać w lustrze odbicie swego nagiego ciała. Barbara Zajezierska nigdy nie miała czasu, by godzinami celebrować kąpiel, a łazienki uznała za niesłużący niczemu zbytek, ubolewając nad utratą kilku pokoi, które mogłyby służyć innym, bardziej pożytecznym celom.

Ale cóż, eteryczna, wiecznie zamyślona Ada zawsze była osobą niepraktyczną, bujającą w obłokach, rozleniwioną i zaczytaną. Hrabina zaś stanowiła jej kompletne przeciwieństwo. Aż dziw, że taką właśnie żonę wybrała dla swego syna.

Być może starsza pani Zajezierska, która od z górą trzydziestu lat, to jest od czasów powstania styczniowego, nie zmieniła koloru sukni – nieodmiennie czarnej z małym białym kołnierzykiem – i tylko nieznacznie dostosowywała do obowiązującej mody jej krój (pod koniec XIX wieku nikt już nie nosił krynolin[1], teraz obowiązywały tiurniury[2]!), a jako biżuterię uznawała wyłącznie czarną broszkę z motywem korony cierniowej i obrączkę z oksydowanej na czarno stali. Ta drobna siwowłosa kobieta o niezwykle silnym charakterze znalazła sobie synową, będącą zaprzeczeniem jej samej, z góry było wiadomo, że nie spróbuje konkurować z teściową na żadnym polu.

Ada była piękną żywą lalką, bez żadnych obowiązków. Krążyła po majątku niczym cudowna kolorowa ważka. Dzięki temu hrabina mogła ją tolerować, nie wchodząc z młodą kobietą w żadne zatargi.

Nie tylko bieżąca woda była nowością, na którą stara hrabina godziła się z trudem. Kolejny problem stanowiło oświetlenie. Tomasz postanowił wyrzucić do lamusa również lampy naftowe, twierdząc, że są niebezpieczne i nieekonomiczne, a ich światło zbyt słabe! Na razie usunął je tylko z sali balowej i jadalni, ale to i tak należało uznać za rewolucję.

W jednym Barbara Zajezierska bez wątpienia miała słuszność: oświetlenie, które dawały łukowe żarówki podpięte do dynamomaszyny napędzanej przez parową lokomobilę sprowadzoną przez Tomasza z poznańskiej fabryki Cegielskiego, było ostre, rażące i na pewno psuło oczy! Obrzydliwa żelazna maszyna stała niczym przedpotopowy gad tuż przy lamusie i sapała, jakby się zaraz miała rozpaść. Samo zbliżenie się do niej wymagało doprawdy dużo odwagi.

---

[1] Sztywna suknia rozpięta na metalowej konstrukcji, mającej jej nadać pożądany kształt dzwonu.

[2] Suknia, w której nienaturalnie podkreślano tył bioder, upinając na specjalnej konstrukcji spiętrzone fałdy tkaniny.

Ten dźwięk, docierający do jej uszu mimo zamkniętych okien, rozstrajał hrabinie nerwy i utwierdzał ją w przekonaniu, że świat schodzi na psy, co poniekąd było prawdą. Jej ulubiona (o zgrozo, przypominała w tym swoją teściową!) szara godzina zmierzchu nie gromadziła już domowników w salonie przy kominku i lampie. Wszyscy się gdzieś rozpierzchali, ukrywali po kątach. W pałacu co prawda robiło się widno jak w południe, ale przez to trudno było odróżnić dzień powszedni od święta.

Zmiany zachodzące w pałacu nie były wcale bardziej rewolucyjne od tych, które następowały w folwarku. Hrabia, podobnie jak inni ziemianie, swój patriotyzm postanowił wyrazić w trosce o ziemię i ludzi. Równolegle więc do prac w pałacu dokonywano remontu budynków folwarcznych, odrestaurowano młyn, zakładając w nim nową turbinę i maszyny sprowadzone aż od Hoerdego z Wiednia. Do gorzelni zakupiono w poznańskiej firmie Urbanowski i Romocki całkiem nową aparaturę, o wiele wydajniejszą od dotychczasowej. Bogacenie się społeczeństwa polskiego oraz podnoszenie jego wykształcenia stanowiły cel nadrzędny. Ziemianin czuł się w obowiązku pomagać rodzinie i sąsiadom, by nie utracili oni majątków na rzecz zaborcy. Tylko w ten sposób mógł okazać swój patriotyzm.

Szczęsny Sikorski wiedział już, że Przaska z niego zakpił. Długa podróż do Warszawy okazała się bezcelowa, pod wskazanym adresem znajdował się szpital Dzieciątka Jezus, gdzie o Mariannie nikt nie słyszał.

Gdy w Płocku zszedł na ląd, wciąż dyszał żądzą zemsty, ale piesza wędrówka trochę ostudziła jego nerwy. Gdy dotarł na Owsianą, znów jednak poczuł złość ze statku. Odepchnąwszy lokaja, który niezręcznie zagrodził mu drogę, wtargnął do poczekalni.

– Gdzie on jest?! – krzyczał zdesperowany i nie czekając na zapowiedź, wdarł się do kancelarii mecenasa. Przaska siedział przy biurku, pisząc jakiś list. Zauważywszy go, poderwał się na równe nogi, ale nie zdążył uciec. – Kłamco! – Tyle zdążył wyrzucić z siebie Szczęsny, po czym runął jak kłoda na ziemię, podcięty od tyłu przez lokaja. – Kłamco – powtórzył jeszcze i, upokorzony, zaszlochał z nosem w dywanie.

Tymczasem Przaska odzyskał zimną krew, a przekonawszy się, że zapalczywość Sikorskiego nieco zelżała, odprawił lokaja ruchem ręki.

– Panie Sikorski! Co sprowadza w moje progi? – zapytał grzecznie, jakby odwiedził go zwyczajny klient. Wyciągnął do Szczęsnego dłoń i pomógł mu wstać. – Herbaty?

– Dlaczego? – usłyszał w odpowiedzi.

– Zdrożony pan.

– Dlaczego wysłał mnie pan do Warszawy? Marianna... Co się z nią stało, pan wie, prawda? Musi pan wiedzieć!

– Nie. A nawet gdyby tak było, nie wyjawiłbym tego panu. Pan jesteś dla niej osobą obcą. Zechce pan spocząć?

– Chciałem się z nią ożenić... – wyszeptał Szczęsny, jakby się usprawiedliwiał, i ciężko usiadł na krześle.

– Czy panna Blatko podziela pańskie uczucia? – Mecenas zapytał nie bez racji, całkowicie zbijając go z tropu.

– Dopóki nie zaczęła prowadzić ochronki w pałacu...

Przaska westchnął i pokiwał głową. Niechcący chłopak dotknął sedna sprawy. Ta śliczna, utalentowana dziewczyna, uwiedziona jak tyle innych w okolicy, musiała porzucić strony rodzinne i chłopaka, który kochałby ją i byłby dla niej dobrym mężem. Ze smutkiem spojrzał na Szczęsnego:

– Panie Sikorski – zaczął. – Nie wiem, gdzie w chwili obecnej znajduje się panna Blatko. Nie śmiałbym także przewidywać, co może się wydarzyć, jeśli ją pan kiedyś odnajdzie. Ale dobrze panu życzę i pannie Mariannie również, dlatego jeśli czegokolwiek się o niej dowiem, na pewno nie omieszkam pana powiadomić. Tymczasem proszę wrócić do domu.

– Ale ja muszę ją odnaleźć! Ona jest całkiem sama!

– Tego w zasadzie nie wiemy. Zresztą gdzie pan jej będzie szukał?

Pełne smutku spojrzenie Szczęsnego było jedyną odpowiedzią.

– Sam pan widzi. Proszę wrócić do domu i czekać na wieści.

Po blisko dwóch tygodniach rejsu Prussia zacumowała wreszcie u brzegów Ellis Island. Wielka rzeka ludzi wylewała się ze statku wprost do przypominających pałac zabudowań portowych. Tu następowała pierwsza segregacja emigrantów. Podzieleni na grupy etniczne, z niepokojem oczekiwali spotkania z surowymi urzędnikami imigracyjnymi. Lękali się o swój los, bo wiedzieli, że nie wszystkim dane będzie wkroczyć do raju. Spożywali skromny posiłek, który po obrzydliwej kuchni na statku smakował niczym prawdziwa uczta, nerwowo rozprawiali, opowiadając sobie różne przypadki, tych, którym się udało, oraz tych, którzy musieli zawrócić. Zwłaszcza Tadeusz Goślicki jak z rękawa sypał historiami rodzin rozdzielonych przez funkcjonariuszy Immigration[3].

Słuchając go, Marianna zamierała z łyżką przy ustach. Nie miała pojęcia, dokąd by się udała, gdyby odmówiono

---

[3] Amerykański Urząd do spraw Imigrantów.

jej wstępu na terytorium Stanów Zjednoczonych. Było to bowiem najdalsze i ostatnie miejsce na ziemi, gdzie mogła znaleźć spokój. Zmęczona wielogodzinnym oczekiwaniem na swą kolej, przeszła jednak szczęśliwie przez kontrolę sanitarną, jej dokumenty również nie wzbudziły podejrzeń. Na pytania urzędnika imigracyjnego odpowiedziała zgodnie z prawdą, iż pochodzi z Polski (urzędnik zapisał: Polska, ale po krótkiej chwili wahania przekreślił to słowo, zamieniając na: Rosja). Jako miejsce ostatniego pobytu wskazała Zajezierzyce, stwierdziła, że ma dwadzieścia dwa lata, jest panną, nie posiada żadnych pieniędzy, nigdy wcześniej nie była w Stanach Zjednoczonych, bilet kupił brat, mieszkający w Chicago, Illinois, do którego się udaje. Na dowód, że nie mija się z prawdą, pokazała listy od Jacka ze zwrotnym adresem.

Na pytanie, czy umie pisać i czytać, odpowiedziała, że tak, ale jedynie po polsku (rozmowa odbywała się w obecności tłumacza). Kolejne pytania wydały się jej bardzo dziwne. Urzędnik chciał wiedzieć, czy dziewczyna nie jest przypadkiem poligamistką, anarchistką lub kaleką, nie ma jakichś widocznych defektów ciała, zagadnął także o ogólny stan zdrowia. Swoje włosy Marianna określiła jako blond, oczy jako niebieskie i dodała, iż nie ma żadnych znaków szczególnych. Wszystkie te odpowiedzi zapisano bardzo dokładnie w dokumentach.

W końcu otworzyła się pokryta siatką furtka zwana *kissing gate* – Marianna uściskała Zofię, wystarczył jeden krok, by znalazła się po drugiej stronie. Kilka godzin od zacumowania wraz z grupą prowadzoną przez agenta linii, która sprzedała Przasce szyfkartę, wsiadła na prom do Nowego Jorku. O ile zabudowania Ellis Island budziły w niej zdumienie, to miasto, z daleka całkiem malownicze, gdy stanęła na lądzie, śmiertelnie ją przeraziło. Sięgające nieba budynki, dymiące kominy fabryczne, kolej podziemna i nadziemna, klaksony aut, zgrzyt tramwajów, przelewające się wszędzie tłumy posługujące się niezrozumiałym, bełkotliwym językiem powodowały w jej głowie zamęt i pragnienie natychmiastowego powrotu do Polski.

Rozglądając się podczas drogi do hotelu, zrozumiała, że to, o czym pisał Jacek w swych nielicznych listach, a co wydawało się tak nieprawdopodobne, jakby mówił o innej planecie, oddawało jedynie znikomą cząstkę tej szokującej rzeczywistości.

„Piekło. Trafiłam do piekła!" – myślała z przerażeniem i pokorą, zrozumiała bowiem, że nie da rady uciec przed karą za swój grzech.

Następnego dnia, zaopatrzona na drogę w suchary i pomarańcze, pożegnała się z Tadeuszem i Zofią, podejmując ostatni etap podróży. Ruszającym ze stacji Grand Central pociągiem po trzydziestu godzinach miała dotrzeć do Chicago i brata niespodziewającego się jej wizyty.

Polska dzielnica w Chicago znajdowała się po północno-zachodniej stronie miasta. Marianna nie mogła zrozumieć, jak to się stało, że nim jeszcze stanęła na peronie, podszedł do niej jakiś starozakonny i zapytał najczystszą polszczyzną, czy nie potrzebuje przewodnika.

Oczywiście potrzebowała. Nie miała przecież pojęcia, czy dom, w którym mieszkał Jacek, znajduje się blisko czy daleko i w którą ma iść stronę, by doń trafić. Za dwa dolary Josek obiecał jej pomoc. Marianna liczyła na to, że zastanie brata w domu.

Pod adresem, który podawał w swych listach, wznosiła się duża czynszowa kamienica, podzielona na kilkanaście mieszkań. Drzwi otworzyła pulchna jejmość otoczona gromadką dzieci, ubrana w suknię i fartuch powalany mąką. Popatrzyła na Mariannę z ukosa:

– Czego?

– Jacek Blatko, mieszka tu?

Kobieta początkowo nie zrozumiała, podrapała się w głowę, zmarszczyła brwi, myśląc intensywnie, aż nagle w jej oczach jakby zapaliło się światło:

– Jackie? Nasz mały bokser? A juści, że mieszka. A wy kto? – zapytała surowo, choć sama się nie przedstawiła.

– Siostra. Z Polski.

– Toć widzę, że z Polski – rzuciła tamta z lekką pogardą, ponownie mierząc Mariannę wzrokiem. – Wejdźcie. – Zrobiła krok w głąb mieszkania. – A ten – wskazała na Joska – z wami?

– Nie, tylko nie mam pieniędzy, żeby zapłacić za dorożkę.

Niewiele sobie robiąc z długu dziewczyny, kobieta machnęła Żydkowi przed nosem trzymaną w dłoni ścierką.

– Niech jutro przyjdzie! Jutro! – „Przewodnik", mamrocząc w jidysz coś, co mogło być tylko przekleństwami, zbiegł głośno po schodach.

Marianna stała w korytarzu, nie wiedząc, od czego zacząć.

– Głodniście? – zapytała kobieta, wróciwszy do wałkowania ciasta na makaron. – Może herbaty ugotować?

– Poproszę.

– Więc to wy jesteście ta jego siostra... Myślałam, żeście jeszcze dziecko. – Gospodyni nastawiała czajnik, popatrując na dziewczynę ciekawie. – Nie pisaliście, że chcecie przyjechać.

– A pani to może żona? – w końcu nieśmiało zapytała Marianna. Jacek nie pisał, że się ożenił, a tym bardziej zdziwiła Mariannę czwórka dzieci kręcących się po kuchni.

– A żona, żona... – westchnęła kobieta, ale szybko zorientowała się, co dziewczyna miała na myśli, i roześmiała się szczerze. – Ale nie szwagierka waćpanny. Ośmiu ich u mnie na borcie[4], w tym waściny Jacuś. Znaczy mieszka tu razem z innymi. – Głową wskazała w kierunku pokoi.

Choć kobieta mówiła po polsku, Marianna niewiele rozumiała. Wolno żując kromkę świeżego chleba szczodrze posmarowaną masłem, upajała się jej smakiem i zmęczona czekała na brata, marząc o długim śnie w zwyczajnym, niechybocącym się łóżku.

Gospodyni, mając w pamięci swoją podróż przez Atlantyk przed kilkoma laty i widząc, że dziewczyna jest bliska uśnięcia na siedząco, pościeliła jej na łóżku brata. Na szczęście ten, który zajmował je na zmianę z Jackiem, pobiegł szukać pracy. Kobieta zamknęła drzwi za Marianną i wróciła do swych zajęć.

Jacek Blatko aktualnie pracował w stalowni i w domu pojawiał się późnym wieczorem, zazwyczaj wstępując jeszcze po drodze do narożnego baru. Nabrał takiego zwyczaju od czasu, kiedy odkrył, że kompanie piwowarskie dodają do piwa duże ilości darmowych przekąsek. W chwilach niedostatku, a tych nie brakowało, ratował się nimi, płacąc jedynie za trunek i najadając się do syta.

Teraz jednak zachodził tam raczej dla rozrywki, bo wszystkie kryzysy finansowe, taką przynajmniej miał nadzieję, były już za nim. W Stanach przebywał zaledwie od czterech lat, a zdążył już być stróżem, bokserem, wyplataczem koszyków, odlewnikiem, stolarzem, produkującym fortepiany, kopaczem grobów na żydowskim cmentarzu, agentem ubezpieczeniowym i sprzedawcą reklam.

---

[4] Stancja (ang.).

Po wystawie kolumbijskiej, która miała upamiętnić czterechsetlecie odkrycia Ameryki, a stała się początkiem przesilenia gospodarczego, najpierw zbierał dla garbarni psie odchody w parku, a potem w marszu bezrobotnych poszedł z generałem Coxeyem na Waszyngton.

Miał już swoje pierwsze papiery obywatelskie i tego jednego był pewien: do Polski nigdy na stałe nie wróci. Cenił swą wolność i nikomu nie zamierzał czapkować, no, chyba że foremanowi[5]. Rozglądał się za jakąś miłą, najchętniej posażną panną, ale takiej na razie nie znalazł.

Choć namawiał Mariannę do odwiedzenia Ameryki, przyjazd siostry całkowicie go zaskoczył. Gospodyni, ciekawa jego reakcji na widok gościa, celowo nie powiedziała mu, kogo zastanie. Jacek wszedł do pokoju, w którym prócz niego mieszkało czterech innych bortników[6], i od progu zauważył, że jego łóżko jest zajęte. W dodatku przez kobietę!

Takich zwyczajów na żadnej stancji nie było, domyślił się więc, że to sytuacja awaryjna. Wrócił do kuchni i stanął w progu, czekając na wyjaśnienia.

Siląc się na najzwyklejszy ton i tłumiąc śmiech, gospodyni rzuciła tylko:

– Twoja siostra przyjechała.

Oczywiście nie uwierzył. Lubiła żartować, kpiła z nich często w niewybredny sposób, nauczyli się więc wszyscy mieć na baczności. Dlatego nie pobiegł od razu do pokoju, nie złapał siostry w ramiona, nie zaczął wypytywać, jaka bieda ją sprowadza i co słychać u matki oraz dziadka. Pozornie obojętny, usiadł na taborecie, ukroił sobie chleba i zaczął żuć skórkę.

---

[5] Mistrz, nadzorca w fabryce (ang.).

[6] Lokator, stołownik (ang.).

– Nie pójdziesz się przywitać? – padło pełne zdziwienia pytanie.

– Z kim?

– A co, nagle ogłuchłeś? Mówię przecież: siostra przyjechała.

– Widziałem. Dlaczego pozwoliłaś jej zająć moje łóżko?

– A w czyim się miała położyć? W Gabriela?

Do mieszkania zaczęli się schodzić kolejni bortnicy. Właśnie wszedł Gabriel. Nabrał z kranu wody i pił duszkiem. Usłyszawszy swoje imię, odstawił kubek.

– O co chodzi?

– A nic, tak sobie rozmawiamy...

Szybko wrócił z pokoju i w podnieceniu potrząsnął ramieniem Jacka:

– Ej, co to za panna śpi na twoim łóżku?

– Może panna, może mężatka, kto ją tam wie...

Chwilę potem do kuchni weszła zaspana Marianna.

– Dobry wieczór... – rzekła.

– No i co teraz powiesz?! – Gospodyni wzięła się pod boki.

– Jacuś...

Zdumienie, jakie odmalowało się na twarzy brata, nawet Mariannie kazało się uśmiechnąć.

– Wszelki duch Pana Boga chwali, a skądżeś ty tutaj?! – wykrzyknął, nie wiadomo, bardziej przerażony czy ucieszony na widok gościa.

– Przypłynęłam statkiem – odparła Marianna, jakby inny sposób podróżowania w ogóle wchodził w grę.

– Przypłynęła statkiem. – Pokiwała głową gospodyni. – A ty biedaczki nawet nie witasz. Ładnie to tak? A możeś nie brat, co?

Jacek patrzył na siostrę, która z ładnego podlotka zmieniła się przez ten czas w piękną kobietę, wreszcie, jakby się ocknął, zaczął ją przytulać i całować, wyrzucając z siebie bezładnie słowa powitania, pytania o rodzinę, podróż i nie dając dziewczynie szansy na odpowiedź.

Gospodyni wyjęła z kredensu butelkę wódki, postawiła na stole cztery kieliszki, nalała i podniosła swój do ust:

– No, twoje zdrowie, dziecko! Obyś tu odnalazła swoje szczęście!

Aspirat[7] Wanda Bysławska miała już za sobą. Podczas tego początkowego okresu formacji zakonnej miała się upewnić, czy klasztor jest miejscem, w którym chciałaby przebywać. I choć rok wcześniej, przerażona własną decyzją, gotowa była stąd uciekać, przekupiwszy siostrę furtiankę, trzy miesiące aspiratu minęły jej szybko i bez szczególnych wydarzeń, a myśli o powrocie do Długołąki umarły raz na zawsze.

Mając w pamięci powód, jaki ją skłonił do wyboru drogi życiowej, Wanda zadziwiająco łatwo odnalazła się w codzienności zgromadzenia. Pomogło jej w tym gorące uczucie, którym w całkowitej konspiracji obdarzyła siostrę Alicję. Powoli jednak i już bez związku z jej osobą Wanda (w klasztorze przyjmie imię siostry Emilii) zaczynała poznawać głębszy sens powołania, wprowadzana przez mistrzynię w życie wspólnoty, jej modlitwy i prace. Teraz, kiedy do ukończenia postulatu pozostawały tylko tygodnie, w codziennej modlitwie dziękowała Bogu za tę myśl pierwszą i najważniejszą, która postawiła ją na drodze służby.

[7] Aspirat, postulat, alumnat, nowicjat – etapy formacji zakonnej.

Tak właśnie, nieoczekiwanie i trochę na przekór sobie, Wanda Bysławska odnalazła swoje powołanie.

Od dnia przyjazdu Marianny stało się jasne, że jeśli Jacek chce mieć ją pod swoją opieką, będzie musiał na poważnie zająć się szukaniem mieszkania. Ponieważ posada w stalowni na razie wydawała się pewna, uznał, że niewielki apartament mógłby na siebie zarobić, gdyby ona zgodziła się zostać gospodynią. Czekała ją ciężka praca, co do tego Jacek nie miał złudzeń, ale Marianna nie znała języka i o inne zajęcie mogło być trudno.

Tymczasem na każdym zawijającym do brzegów Ameryki okręcie przypływały tłumy grinerów[8], w większości mężczyzn, i ciągle nie brakowało takich, którzy chcieli wynająć łóżko choćby na godziny oraz zjeść coś pożywnego przed wyjściem do pracy. Marianna zaakceptowała plan brata i w następnym tygodniu znaleźli przyzwoite trzypokojowe mieszkanie przy tej samej West Division St., wymagające tylko niewielkiego remontu. Zakup mebli i innych ruchomości odbył się na kredyt, mieli go spłacić z komornego. Jacek wiedział, że Marianna ostatnio prowadziła gospodarstwo dziadka, był więc przekonany, że sobie poradzi. Zresztą w Ameryce, chcąc się dorobić, trzeba było ciężko pracować, nikt tu nikomu niczego darmo nie dawał.

Na razie jak mogli, unikali zasadniczej rozmowy. On – bo domyślał się przyczyny przyjazdu siostry, ale wciąż nie chciał jej przyjąć do wiadomości, ona – bo wyjawienie prawdy było dla niej trudne i bolesne. Oboje udawali, że

---

[8] Dosł. zieloni, niedawno przybyli imigranci (ang.).

nic się nie stało, a Ameryka jest najlepszym miejscem na ziemi.

Marianna wiedziała już, że zrobiła błąd i że nigdy tego kraju nie pokocha. Klimat Chicago okazał się zbyt upalny i wilgotny, a samo miasto, dużo większe nawet od Płocka, przerażało i budziło wstręt. Często się gubiła, z trudem poruszając się w tym samym kwartale kilku najbliższych ulic z byle jak nakreślonym przez brata na kartce planem, pomiędzy Noble St., Division St., Ashland Ave. i Augusta Blvd. Dziękowała Bogu, że mają tu polski kościół i wszędzie spotyka się tak wielu Polaków, bo naukę angielskiego wciąż odkładała na później.

Pewnego dnia usiadła przy stole i napisała list. Przepraszała w nim dziadka za ucieczkę i wyjaśniała jej powody. Kiedy skończyła, poczuła ulgę. W drugim liście – do mecenasa Przaski – dziękowała za pomoc. Włożyła doń dziesięć dolarów, zobowiązując się spłacić resztę długu jak najszybciej. Tego samego wieczoru wyznała Jackowi prawdę. Nic nie powiedział. Nie pocieszył, ale też nie zganił. Siedział zafrasowany, przygryzał wargi, kiwał głową, ciężko wzdychał. Wreszcie wypił kieliszek wódki i fuknął:

– Co ma być, to będzie!

Kilka dni później przyjęli pierwszego bortnika. Przyjechał wprost z dworca, przywieziony dorożką przez tego samego Joska, który pomógł Mariannie odnaleźć adres brata. Żydek za drobne wynagrodzenie w ciągu tygodnia dostarczył im czterech kolejnych lokatorów. Dla Marianny zaczął się pracowity czas. Codziennie przygotowywała gorącą zupę i drugie śniadanie dla sześciu mężczyzn, a kiedy ich nie było, prała, prasowała, sprzątała, robiła zakupy. Wieczorem podawała im obiad. Dzień dłużył się niemiłosiernie, a jedno zajęcie goniło drugie. Mieszkanie nie miało gazu ani elektryczności, musiała więc palić w piecach i oprawiać lampy. Nie skarżyła się jednak na ten trud. Postanowili z Jackiem pobierać po trzy dolary od osoby tygodniowo, ta kwota powinna wystarczyć, nawet na takie zbytki, jak pójście raz w tygodniu na obrazki migawkowe[9].

Marianna szybko uczyła się miejscowych zwyczajów, a jedynym wytchnieniem w tygodniu była niedzielna msza w kościele Świętej Trójcy.

Wkrótce ciąża stała się widoczna, co znacznie ośmieliło lokatorów. Zaczęli pozwalać sobie na niewybredne żarty, raz po raz któryś robił niestosowne propozycje, traktując Mariannę niczym dziewczynę lekkich obyczajów. Z brzuchem nie była już niedostępną dziewicą, a skoro tak, każdy mógł spróbować szczęścia. Nie skarżyła się na ich zachowanie bratu, wychodząc z założenia, że ponosi konsekwencje własnych decyzji. Wiedziała, że Jacek wszystkie sporne sprawy załatwia za pomocą pięści i raz już go to zmusiło do ucieczki z kraju. Gdzie by się podziali, gdyby znów kogoś w obronie jej honoru choćby i niechcący zabił? Przecież drugiej Ameryki nie ma. Dokąd by się udali? Do Brazylii? Australii? Puszczała więc mimo uszu to, co mówili podchmieleni bortnicy, czasem tylko, gdy nikt nie widział, popłakując nad własnym losem.

Jacek natomiast szukał dla siostry męża. Dobrze mu było z Marianną, wiedział, że z chwilą jej ślubu będą się musieli rozstać. Ale mimo że w Ameryce panowała większa niż w Polsce swoboda obyczajowa, uważał, iż dziecko powinno mieć w papierach zapisanego ojca. Przyprowadzał więc raz po raz potencjalnych kandydatów, a Marianna go wyśmiewała. Zajęta doglądaniem domu, zmęczona i znie-

---

[9] Kino.

chęcona do mężczyzn przez przygodę z Zajezierskim, nie chciała się z nikim wiązać. Jacek jednak okazał się nieugięty. Ale mimo wszelkich starań żaden z jego znajomych nie spodobał się Mariannie. Ten był Prusakiem, tamten Galicjaninem (nie wiadomo, co gorsze!), ów miał zeza, a inny krzywe nogi i brzydko mu pachniało z ust.

– Patrzcie, jak to zhardziała! – Jacek mamrotał pod nosem. – Hrabiowskie maniery jej się marzą! Tu Ameryka, tu hrabiów nie ma!

Ale w głębi duszy cieszył się z takiego obrotu sprawy. Pojawienie się Marianny, a potem wiadomość o jej ciąży obudziły w nim nowego człowieka. Najpierw oczywiście był rozczarowany i zawiedziony, wolał, żeby wszystko toczyło się ustalonym przez tradycję torem. Jednocześnie zaś zrozumiał, jak bardzo brakowało mu rodzinnego ciepła i konieczności opieki nad słabszą od siebie istotą. Jakimś cudem zdołał w końcu pojąć, że w życiu liczą się nie tylko dolary, lecz także to, do kogo wraca się po całym dniu pracy, a on przez ostatnie cztery lata zawsze wracał do obcych. Tymczasem kandydaci na męża, których przedstawiał siostrze, nie wzbudzali w niej najmniejszego zainteresowania. Machnął więc ręką i pozostawił sprawę własnemu biegowi.

Od kiedy Szczęsny Sikorski dowiedział się, że Marianna ma brata w Ameryce, domyślił się, że tam właśnie musiała się udać. Kiedy to sobie uświadomił, zaczął pośpieszne przygotowania do podróży. O paszport się nie starał, aby zaoszczędzić dwadzieścia pięć rubli, które mogły przydać się na szyfkartę. Dokończył pozaczynane roboty, wziął pieniądze, pożegnał matkę i prosił ją, aby na jakiś czas zachowała cel jego wyjazdu w tajemnicy przed ojcem, mówiąc mu, że syn pośpieszył gdzieś dalej za robotą. Spakował najniezbędniejsze rzeczy w płócienny worek i odwiedziwszy jeszcze dziadka dziewczyny, by uzyskać adres Jacka, ruszył przed siebie, gotów prędzej zginąć, niż porzucić myśl o poślubieniu Marianny.

Nie mając paszportu, do Prus musiał przedostać się przez zieloną granicę. Za pięć rubli najął w karczmie przewodnika i dwa dni później był już w Toruniu, tam kupił bilet czwartej klasy do Hamburga. Bagażu wiózł niewiele, nie zwrócił więc uwagi kontrolera. Udało mu się bez przeszkód dotrzeć do celu, ale kiedy uszczęśliwiony udał się do biura linii okrętowej, dowiedział się, że jako poddanemu rosyjskiemu w wieku poborowym, agent szyfkarty mu nie sprzeda.

Odpowiedź była stanowcza i jednakowa w biurach kilku linii. Fakt, iż nie miał paszportu, okazał się, o dziwo, drugorzędny. Zawiedziony takim obrotem sprawy, niedoszły emigrant poszedł na nabrzeże, by przynajmniej poprzyglądać się szczęśliwcom, którzy po dwóch tygodniach mieli wylądować w Nowym Jorku. Kręcił się tu spory tłumek: tragarze, agenci, podróżni, ich rodziny, wreszcie gapie, ale z zamiaru wkradnięcia się bez dokumentów na statek Szczęsny musiał w końcu zrezygnować. Pasażerów czekało kilka kontroli, i to dokładnych, czyżby więc fortuna zakpiła zeń, zmuszając do porzucenia planów właśnie teraz? Nawet jeśli tak było, nie zamierzał się poddać.

Następnego dnia znów pojawił się w porcie, z nadzieją, że los da mu choćby cień szansy. Dziś tłum się znacznie przerzedził, poprzedni statek o nazwie Missouri odpłynął, przy nabrzeżu cumowały inne jednostki, przeważnie towarowe. Ruch był jednak nie mniejszy, w pośpiechu wyładowywano fracht, co chwila pojawiały się ciągnięte przez wielkie koniska nowe platformy, które załadowane po brzegi stosami skrzyń, wkrótce odjeżdżały, robiąc miejsce następnym.

Szczęsny spędził kilka dni na przyglądaniu się pracom w porcie. Jego zachwyt wzbudził parowiec Kaiser Wilhelm II – niewyobrażalnie wielki okręt, który mógłby pewnie pomieścić na pokładzie całe miasto wielkości Gutowa. Chłopak nie widział jeszcze tak ogromnej konstrukcji. Z otwartymi ustami dziwił się temu cudowi techniki. Potem usiadł z boku, przypatrując się, jak majtkowie sprawnie wtaczają na pokład beczki. Nagle jeden z nich potknął się i przewrócił na trapie, a ciężka beczka z chlupotem wpadła do wody. Nadzorujący pracę mężczyzna zaczął krzyczeć i wymachiwać rękoma. Majtek pobiegł po następną, a nadzorca utkwił wzrok w Szczęsnym i pokiwał nań palcem. Chłopak podszedł bliżej.

– Arbeit?[10] – zapytał tamten.

Szczęsny nie znał niemieckiego. Wnioskując z jego miny – mężczyzna wskazał na beczkę, a potem na statek – młodzieniec szybko domyślił się, o co chodzi. Chwycił beczkę i osadzając ją sobie na ramieniu, wmaszerował na pokład. Tamtemu to się spodobało. Miał przed sobą silnego, zdrowego chłopka, chętnego do roboty, w dodatku obcokrajowca, a takim, podtykając pod nos kontrakt napisany w niezrozumiałym dlań języku, można zapłacić mniej niż krajanom. Szczęsny też był zadowolony – zarobi trochę grosza i póki sprawa z wyjazdem się nie wyjaśni, będzie mógł znaleźć sobie jakieś przytulisko. Gdy wciąż jeszcze wraz z kilkoma młodzikami zajęty był załadunkiem, podszedł do niego jeden z marynarzy.

– Passport?

– Ja? Nein pasport – wydukał Szczęsny. Tamten tylko machnął ręką, jakby brak dokumentu nie stanowił żadnego problemu.

---

[10] Praca? (niem.).

– Norwegian? Swedish? Russian[11]?

Szczęsny nie wiedział, o co tamten go pyta, uśmiechnął się jednak, by go nie zrazić, i dopiero gdy marynarz zaklął:

– Cholerna niemota! – i splunął pod nogi, chłopak uradował się i złapał go za ramiona:

– Rodak? Ja też z Polski, spod Płocka!

– No, tośmy są w domu. Szukasz, chłopie, roboty?

Tym sposobem Szczęsny Sikorski zamustrował na pokład Kaisera Wilhelma II.

Minęło lato, powoli zaczynały żółknąć liście na drzewach w parku Pułaskiego. Marianna poznawała miasto i przyzwyczajała się do nowego życia, usiłując nie rozpamiętywać tego, które porzuciła. Zaczynali właśnie z Jackiem rozglądać się za nowym mieszkaniem w nowocześniejszym budynku, gdzie byłyby elektryczność i gaz, bo kiedy się urodzi dziecko, pracy będzie jeszcze więcej. Marianna wiedziała już, że świecących u sufitu żarówek i niebieskiego płomyka pod garnkiem nie wymyślił diabeł, tylko człowiek, i że są one po to, by jej się łatwiej żyło. Blatkowie chcieli też, by w mieszkaniu była łazienka i co najmniej pięć pokoi, bo to więcej lokatorów i lepszy zysk.

Pewnej niedzieli późnym wieczorem Jacek przyprowadził do domu gościa: wysokiego, rudowłosego i piegowatego Irlandczyka. Przedstawił go jako Irę Connora, boksera, który na ringu wielokrotnie policzył mu wszystkie kości. Spotkali się przypadkiem w barze i tak słowo do słowa, aż Jacek powiedział mu o Mariannie. Nie, nie to, że szuka dla niej męża, prędzej dałby sobie prawą dłoń odrąbać,

[11] Norweg? Szwed? Rosjanin? (ang.).

niżby miał ją wydać za Ajrysia[12]. W grę wchodził tylko Polak, najlepiej Królewiak, z okolic Płocka, z Gutowa albo i z samych Zajezierzyc. Swojakowi jakoś mniej żal byłoby oddać siostrę.

Chodziło o to, by udowodnić Irlandczykowi, że polskie kobiety są najpiękniejsze, najpracowitsze i najzdolniejsze. O to się pokłócili w barze. W tym i tylko w tym celu Jacek przyprowadził Connora. Mocno już wstawiony, niemal siłą ciągnął go za sobą, bo co prawda bokser, ale jakieś pojęcie o dobrych manierach tamten jednak posiadał i wiedział, że nie przychodzi się w gości bez zapowiedzi. Ewentualne niezadowolenie Marianny Jacek brał na siebie. Zresztą prowadzili dom otwarty, nie mogło być inaczej, jeśli się trzymało bortników.

Mężczyźni usiedli w kuchni przy stole, dostali wódki i śledzia na zakąskę, szwargotali coś po angielsku, klepali się po dłoniach, dogadywali sobie, tamten powtarzał w kółko:

– Oł rajt![13] – jedyne, co Marianna zdołała zrozumieć.

Następnej niedzieli wieczorem Irlandczyk przyszedł znowu, może chciał sprawdzić na trzeźwo prawdziwość słów Jacka? Przyniósł kawę i czekoladki, co Mariannie wydało się bardzo eleganckie. Tym razem był trzeźwy, zjedli razem kolację: pieczone kartofle i zrazy. Jacek tłumaczył, bo Marianna, obracając się w zasadzie wyłącznie wśród Polaków, znała zaledwie kilka słów po angielsku.

To był pierwszy od bardzo dawna naprawdę wesoły wieczór. Siedzieli przy stole, jedli, mężczyźni opowiadali o swoich i cudzych przygodach, zabawnie i z wdziękiem. Nastrój beztroski udzielił się także Mariannie. Czy prze-

---

[12] Irlandczyk (zapis fonetyczny ang. *Irish*).

[13] W porządku (zapis fonetyczny ang. *All right!*).

szło jej wtedy przez myśl, że za kilka tygodni odda swą rękę temu widzianemu zaledwie kilkanaście razy mężczyźnie?

Jacka zszokowała decyzja siostry i choć sam stał się sprawcą całego zamieszania, kilka dni poświęcił na to, by wybić jej z głowy szalony plan poślubienia irlandzkiego rudzielca. Ira oświadczył się po trzech tygodniach, ryzykując odmowę i biorąc na swoje barki ciężar utrzymania dziewczyny i dziecka. Od pierwszego dnia spodobała mu się ta chmurna, jasnowłosa dziewczyna i – przynajmniej na razie – nie chciał nic wiedzieć o jej przeszłości.

Była, jak on, katoliczką. To najważniejsze, reszta się jakoś ułoży. W jego kawalerskim gospodarstwie brakowało kobiecej ręki, ale do tej pory Ira nie miał czasu ani sposobności, by tę kwestię rozwiązać. Stołował się po barach, bieliznę oddawał do praczki, sprzątać od czasu do czasu przychodziła sąsiadka, seks uprawiał z przygodnie poznanymi dziewczynami. Kiedy uświadomił sobie, jak wielka zmiana na korzyść zaszłaby w jego życiu po poślubieniu Marianny, nawet jej bękart przestał mu przeszkadzać.

Zapytał oczywiście Jacka o całą sprawę, ale na tyle już poznał dziewczynę, by zrozumieć, iż jest kimś wyjątkowym, i postanowił podjąć ryzyko wychowania cudzego dziecka. Zresztą na obczyźnie brakowało wolnych kobiet, do Ameryki emigrowali bowiem przede wszystkim mężczyźni. Zajęci dorabianiem się, nie mieli głowy do amorów, a kiedy chcieli się wreszcie ustatkować, napotykali na mnóstwo problemów. On sam, przebywający w Stanach od kilku lat, z własnym, choć niewielkim mieszkaniem i okrągłą sumką złożoną w banku na wypadek kontuzji, mimo że wciąż pomagał pozostałym w Irlandii krewnym, mógł już sobie pozwolić na założenie rodziny.

Czym kierowała się Marianna, wyrażając zgodę na ten pośpieszny ślub, który miał wszystko zmienić w jej życiu? Być może decyzję ułatwił fakt, iż nie znała Iry ani jego rodziny. Wyobrażając sobie małżeństwo, myślała pewnie, że będzie to związek podobny do wspólnego gospodarowania z dziadkiem lub bratem. A może rzeczywiście chciała, aby syn miał od początku legalnego ojca? Niewykluczone, że tak radził jej ksiądz podczas spowiedzi, bo miała już swoją książeczkę parafialną i regularnie uczestniczyła w niedzielnych nabożeństwach.

Dlatego gdy Ira zapytał Jacka po raz trzeci, czy odda mu Mariannę za żonę, ten musiał przynajmniej poznać zdanie siostry w tej kwestii. Wcześniej nie tłumaczył nawet słów Irlandczyka, mówiąc mu, że jest na to zbyt wcześnie. Ale wtedy, może lekko podchmielony, może licząc na jej odmowę, zagrał *va banque* i zapytał, czy pójdzie za Rudzielca. I kiedy ona kiwnęła potakująco głową, obydwaj tak samo się zdziwili: Ira, bo myślał, że Marianna poprosi o czas do namysłu, Jacek, bo był przekonany, że siostra się nie zgodzi.

Nagle ich wszystkie wspólne plany runęły. Jacek zrozumiał, że oto na nowo zostaje kawalerem i albo poszuka sobie żony, albo będzie musiał wrócić jako bortnik do dawnej gospodyni. Ale myśl o dzieleniu łóżka z drugim mężczyzną, choćby tylko w ten sposób, że jeden spał na nim we dnie, a drugi w nocy, teraz wydała mu się nie do zniesienia. Lubił męskie towarzystwo: grę w karty, picie piwa, sprzeczki i hałas, jaki temu towarzyszył, ale wyłącznie w barze. Dzięki siostrze przypomniał sobie, jak ważny jest własny kąt, cisza przy obiedzie i obecność drugiej osoby, którą się kocha.

Tymczasem ich planowanego wspólnego mieszkania Marianna szukała już z Irą. Postanowili dla jej wygody osiedlić się gdzieś niedaleko dzielnicy polskiej. Rozglądali się za trzypokojowym lokum tylko dla siebie, bo Connor nie brał pod uwagę wynajmowania łóżek lokatorom. Nie chciał, by po domu plątali mu się jacyś pogardzani przezeń Polacy. Nie szanował ich. Zdecydowanie za bardzo się panoszyli, pchali się wszędzie tam, gdzie Irlandczykowi honor zabraniał. Byli pazerni na dolary i przyjmowali każde warunki, nawet połowę tygodniówki, psując rynek. Kiedy mówili tym swoim szeleszczącym językiem, człowiek nawet w przybliżeniu nie mógł się zorientować, o co chodzi.

Dla Marianny Ira Connor zrobił jednak wyjątek. Ich ślub odbył się bez żadnych ceremonii pewnego październikowego czwartku o siódmej rano. Potem do wynajętej nad szynkiem sali, gdzie od pojawienia się państwa młodych przygrywała muzyka, zaczęli przybywać pierwsi zaproszeni. Zjadłszy śniadanie, nowożeńcy udali się do fotografa, drużbowie zaś i druhny pozostali, bawiąc się i ucztując. Weselnicy schodzili się przez cały dzień, w zależności od tego, kiedy kończyli pracę. Przy drzwiach stał policjant, sprawdzając, czy na salę nie próbują się dostać nieproszeni goście.

Około dwudziestej trzeciej państwo młodzi odjechali do swojego mieszkania. Następnego dnia Marianna obudziła się już jako pani Connor.

Tego samego ranka u brzegów Ellis Island zacumował Kaiser Wilhelm II. Szczęsny Sikorski, zmęczony pracą trwającą codziennie od czwartej rano do dziewiątej wieczorem, ale radosny i podniecony perspektywą spotkania, stał w kolejce po wypłatę. Okręt miał przed sobą kilka dni postoju, a marynarze tradycyjnie spędzali ten czas w mieście, lekką ręką wydając, co z takim trudem wcześniej zarobili. Szczęsny nie opowiadał się ze swoich planów. Zgarnął pieniądze i wraz z grupą kompanów zszedł na ląd. Dopiero w Nowym Jorku się odłączył. Podczas rejsu zdążył poznać podstawowe zwroty po angielsku, bez problemu więc jeszcze na wyspie kupił bilet do Chicago i trochę prowiantu. Usiadł w przestronnym wagonie na wyścielonej czerwonym pluszem kanapie, wyjął z kieszeni adres Jacka Blatko i wpatrując się weń, głęboko westchnął.

Wczesnym wieczorem dnia następnego stanął na chicagowskim dworcu kolejowym. Skinął na fiakra[14] i lekko wskoczył do dorożki. Serce waliło mu jak młotem, gdy pukał do drzwi, a także później, kiedy zbiegał po schodach z kartką, gdzie miał zapisany kolejny adres. I ten jednak okazał się nieprawdziwy. Młoda gospodyni, którą tymczasem najął Jacek, nabazgrała przybyszowi na świstku pakowego papieru nowe miejsce zamieszkania Marianny Connor. Gdy do Szczęsnego dotarło, że jest po wszystkim, zakręciło mu się w głowie. By niczego nie pokazać, szybko się pożegnał. Łzy popłynęły mu dopiero w dorożce.

Woźnica kręcił się niespokojnie na koźle, chcąc ruszać, ale pasażer wciąż milczał, nie dając żadnych dyspozycji, i nie było wiadomo, czy chce wracać na dworzec, czy też ma do załatwienia jeszcze jakieś sprawy. W końcu Szczęsny podał mu kolejną kartkę, głośno pociągnął nosem i otarł oczy.

Marianna nie spodziewała się Iry przed dziesiątą wieczorem, zdziwiła się więc, usłyszawszy dzwonek.

– Who is it[15]? – zapytała.

– To ja – odpowiedział ktoś cicho głosem, którego nie udało jej się rozpoznać. Pomyślała, że to któryś z jej daw-

---

[14] Dorożkarz.

[15] Kto tam? (ang.).

nych bortników ze spóźnionymi życzeniami lub prezentem ślubnym. Kiedy otworzyła drzwi, zachwiała się, jakby zobaczyła ducha.

– Niech będzie pochwalony! – przywitał się Szczęsny. – Pozwolicie mi wejść? Nie zabawię długo.

– Na wieki wieków – odpowiedziała, wpuszczając go do środka.

Patrzył na nią, na jej długie, upięte do góry włosy, na twarz, której szczegóły odtwarzał codziennie przed zaśnięciem, na wydatny brzuch, zwiastujący zbliżający się poród.

– Wyżeście to, panie Sikorski? – zapytała zaschniętymi z emocji ustami.

– Wybaczcie, że nie w porę.

– Nie szkodzi. Gość w dom, Bóg w dom! Spocznijcie. – Wskazała mu krzesło i zakręciła się koło kuchenki, by zagotować wodę na herbatę. Nie wiedzieć czemu, dłonie jej drżały, kiedy nalewała wrzątek do imbryka. – Głodniście?

Szczęsny nie odpowiedział. Patrzył tylko na nią tak tęsknie, że Mariannie od tego spojrzenia krajało się serce.

– Kiedy przyjechaliście? – Starała się zapanować nad głosem.

– Dwie godziny temu.

– Szukacie pracy, mieszkania? Mój brat może pomóc – mówiła szybko, chcąc zagłuszyć wyrzuty sumienia, nie miała bowiem najmniejszych wątpliwości, że on tu przyjechał dla niej.

– Jeszcze dziś wracam – powiedział. – Ale chętnie bym coś zjadł! Nie trudźcie się, kawałek chleba wystarczy – dodał pozornie lekkim tonem, widząc, że nastawia garnek. – Chyba że macie krupnik?

– Barszcz dziś gotowałam, spróbujecie? – Na jego skinienie głową sięgnęła po chochlę i nalała porcję do małego rondelka.

– Może byście chcieli dać co panu organiście? Albo jakie pismo napisać? Zawiózłbym – zaproponował nieśmiało.

– Panie Szczęsny... Wybaczcie mi... – Marianna poprosiła cicho, nie patrząc mu w oczy.

– Ja wam nie mam czego wybaczać, to wy mi wybaczcie.

– Pan jest najlepszym człowiekiem, jakiego znam, panie Sikorski. Będę się za pana modlić.

– Bóg zapłać, panienko! – powiedział z rozpędu, choć wiedział, że jest już mężatką, i wstał, nie spróbowawszy barszczu. – Pójdę już. Na dole fiakier czeka.

– Z Bogiem... – wyszeptała.

Nie wstała, by zamknąć za nim drzwi. Siedziała skulona na krześle i dopiero gdy usłyszała stuk końskich kopyt na bruku, włożyła sobie dłoń do ust, by nie krzyczeć z bólu.

Minęło kilka miesięcy, zanim Barbara Zajezierska zorientowała się, że w skrytce za obrazem nie ma pierścienia Salomei. Rzadko zaglądała do skarbczyka, zwłaszcza że była zdania, iż o zamożności rodziny świadczą piękne budynki, pełne sąsieki[1], dobrze uprawione pola, zdrowi i zadowoleni chłopi, nie zaś szkatuły ze złotem i drogimi kamieniami. Dlatego, gdyby je miała, w trudnych chwilach zapewne zamieniłaby kosztowności na gotówkę, by dołożyć do gospodarstwa.

Ale rodzinna tradycja stanowiła dla Barbary nie lada wartość. Nie chodziło o błyskotki zakładane na bal celem olśnienia towarzystwa – od dawna nauczyła się bez nich obywać. Ponad trzydzieści lat temu rodzina oddała wszak niemal całą biżuterię na wsparcie czynu zbrojnego powstania styczniowego, w szkatule ostał się jednak ten jedyny pierścień jako symbol trwałości nazwiska i jego pięknej historii.

Sygnet z trzema gwiazdami powinien był leżeć w niepozornym pudełeczku, w skrytce umieszczonej w ścianie

[1] Miejsce w stodole, w którym składa się zżęte zboże.

gabinetu pana na Zajezierzycach. Tak działo się od dnia ślubu Salomei Gutowskiej, która wniosła go jako wiano, wychodząc za mąż za Bonifacego Zajezierskiego. Bonifacy był ojcem Konstantego i Władysława oraz pradziadem Tomasza i teraz, kiedy przygotowywano się do chrztu Pawła, jego babka, hrabina Barbara, zapragnęła położyć sygnet na beciku dziecka, by podkreślić wielopokoleniową więź rodziny z Polską oraz jej sprawami, dzięki koligacji z Gutowskimi datującą się od bitwy pod Grunwaldem.

Skrytka za obrazem miała niewielkie rozmiary, więc hrabina od razu zauważyła brak pudełeczka. Zapytany o wyjaśnienia, bo tylko on miał oprócz niej klucze do skarbca, hrabia Tomasz najpierw udał obojętność, potem zdziwienie. Odpowiadał mętnie, unikał wzroku matki i absolutnie nie żałował straty. Zawsze zresztą twierdził, że pierścień nie ma żadnej wartości. W końcu to nie Zajezierski odznaczył się na polu bitwy pod Grunwaldem, tylko któryś z dalekich przodków Salomei, niejaki Chwałko, jak chce tradycja, choć nie sposób tego zweryfikować. Tak więc nie jest to część historii Zajezierskich, ale Gutowskich, których linia skończyła się na Salomei i jej siostrach wiele lat temu.

Racjonalnie myśląc, miał słuszność, jednakże zwyczaj obdarzania pierworodnego potomka pierścieniem Salomei zakorzeniła się w rodzinie Zajezierskich i Barbara pragnęła ją kontynuować. Chcąc odnaleźć pamiątkę, zastanawiała się, czy kradzieży dokonał ktoś z domowników, ze skarbca jednak nic innego nie zginęło, choć przechowywano tam też cenniejszą biżuterię Ady i Tomasza oraz trochę gotówki na bieżące potrzeby. Dlaczegóżby złodziej miał to wszystko zostawić, a zainteresować się jedynie niepozornym pierścieniem? No i kto mógłby to zrobić, skoro do gabinetu Tomasza wchodzili jedynie jego dwaj zaufani lokaje, z których każdy przepracował w pałacu po kilka lat, odznaczając się nieskazitelną uczciwością? Czy ryzykowaliby utratę dobrej posady dla niepewnego zysku? Gdyby zaś mieli kraść, w skrytce znajdowały się przecież na pierwszy rzut oka o wiele cenniejsze precjoza.

Sprawa pozostawała zatem na razie niewyjaśniona, Barbara Zajezierska nie skojarzyła jej bowiem z tajemniczym zniknięciem nauczycielki, Marianny Blatko. Wiosną dziewczyna nagle przestała śpiewać podczas mszy, co robiła przez ostatnie dwa lata, i w kościele zrobiło się tak jakoś smutno. Hrabina nie słyszała, by wyszła za mąż, zresztą w takich przypadkach do dobrego tonu należało zaproszenie Zajezierskich na wesele, na pewno więc przyszłaby z narzeczonym i organistą Wincentym, swym dziadkiem. W końcu pracowała w pałacowej ochronce, z tego tytułu dostałaby odprawę. Według tradycji jako córce mamki hrabiego należało się jej też wiano od pałacu – nie było powodu, by odstępować od tego zwyczaju. Może rzeczywiście wyjechała, aby kształcić głos? Miała wielki talent i pewnie szansę na karierę. Kiedy hrabina zapytała o to jej dziadka, stary Rogala skwapliwie, aczkolwiek bez radości, potwierdził ten fakt. Marianna wyjechała i nieprędko wróci.

Nie położono więc na kapce niemowlęcia pierścienia Salomei, ale poza tym tak uroczystość chrztu w kościele w Zajezierzycach, podczas którego nadano mu imiona: Paweł Henryk Tadeusz, jak i przyjęcie w pałacu trwające przez trzy dni, odbyły się bez niespodzianek.

Hrabina Barbara, zajęta ważnymi, choć powszednimi rzeczami, na jakiś czas zapomniała o sprawie, by przypomnieć sobie o niej w niecodziennych i nieoczekiwanych okolicznościach. Należało znów zagonić dzieciaki z folwarku do nauki. Teraz, kiedy nie musiały wypasać bydła i trzody na łące, mogły poświęcić chłodne zimowe dni na poznawanie liter i naukę arytmetyki. Niepiśmienni fornale przynosili wstyd majątkowi, trudno się z nimi współpracowało, byli oporni na wprowadzanie agrarnych nowości. Dlatego hrabina znów poszukiwała nauczycielki. Podczas bytności w Gutowie zajrzała do Przaski i poprosiła go o pomoc. Mecenas, jak zwykle uprzedzająco grzeczny, uśmiechnął się i zapewnił, że zrobi, co w jego mocy, chociaż poszukiwania mogą się trochę przeciągnąć, jako że nie ma w pamięci żadnej odpowiedniej kandydatki.

– Szkoda panny Blatko... – westchnął mimowolnie.

– Czemu szkoda? – zdziwiła się hrabina. – Czyżby ktoś ją skrzywdził? Wyjechała bez pożegnania, nikogo nie informując o swych zamierzeniach. Praktycznie z dnia na dzień porzuciła posadę, zadziwiające obyczaje. Tymczasem pan jej żałuje, to mi nowina!

Przaska się zdumiał. Czyżby ta przenikliwa kobieta, której syn tyle razy dopuścił się grzechu rozpusty z wiejskimi dziewczętami, przez co tak wiele z nich musiało wyjechać, nie rozumiała, co działo się tuż pod jej bokiem?

– Szanowna pani hrabino, pani wie najlepiej, że nie porzuca się z dnia na dzień dobrego miejsca i rodzinnego domu. A panna Blatko nie należała do panien, którym błahe myśli mogłyby przesłonić rozsądek. Dlatego myślę, iż doznała krzywdy i to zmusiło ją do wyjazdu.

– Być może. – Barbara Zajezierska ucięła rozmowę i pożegnawszy się, wyszła. W powozie zaczęła myśleć o słowach Przaski. Zasępiła się, zrozumiawszy, że jej syn nawet tuż przed ślubem mógł pozwalać sobie na romansowanie.

Nagle uświadomiła sobie, jak bardzo Tomaszowi zależało na tym, by w majątku powstała ochronka. Z jakim zapałem opowiadał przy kolacji o kolejnych etapach przygotowań, o załatwionych formalnościach, o remoncie. Jakim zbytecznym smutkiem napawało go przypuszczenie, że panna ma chyba adoratora. Wtedy były to dla hrabiny wieści bez znaczenia, ot, wiejskie nowinki, którymi z braku ciekawszych tematów zapełnia się czas podczas posiłku. Teraz dały jej do myślenia.

Marianna Blatko nie była pierwszą lepszą wiejską dziewuchą, czyżby więc Tomasz, hrabia Zajezierski, złotym pierścieniem Salomei zapłacił dziewczynie za jej uległość? Choć nie sposób w to uwierzyć ani tego dowieść, tak się zapewne stało.

W drugim liście, jaki Marianna napisała do Polski, zawiadamiała swą matkę i dziadka o szczęśliwych nowinach: zamążpójściu i urodzeniu dziecka. List dotarł do Zajezierzyc na początku Roku Pańskiego 1896. Obydwoje już zresztą wiedzieli o jej małżeństwie od Szczęsnego, który tymczasem powrócił był z Ameryki i opowiedział im, co widział. Płeć noworodka też nie stanowiła żadnej tajemnicy. Zuzanna przeczuwała od dawna, że Marianna urodzi syna. Gdy jednak usłyszała jego imię – Paul, uświadomiła sobie, że oto wypełnia się przepowiednia starej Cyganki i los rodu Zajezierskich został przypieczętowany.

Przed Zuzanną, która karmiła hrabiego własną piersią, jego przyszłość nie miała żadnych tajemnic. Było to raczej przekleństwo niż dar, bo nie mogła zrobić nic, by cofnąć czas i zapobiec nieszczęściu. Żadne czary ani zamawiania nie działały wstecz, pozostawało tylko przyglądać się wypadkom, złorzecząc swej bezsilności.

W nawiedzających ją raz po raz proroczych snach widziała ruiny pałacu i obcych ludzi krążących po jego korytarzach, niemal czuła wiatr, który wpadał przez rozbite szyby i unosił wyrwane z książek kartki, miała jednak świadomość, że nie w ludzkiej mocy leży zmiana ścieżek przeznaczenia, bo gdyby tak było, człowiek musiałby się równać Bogu.

Nie zastanawiała się więc, czy gdyby dziedzic znalazł w sobie dość siły, by pójść za głosem serca, i zdobył się na zerwanie zaręczyn z Adrianną Bysławską, a poślubił Mariannę, domu Zajezierskich nie spotkałaby ta straszna kara. To wydawało się nie do pomyślenia, Tomasz Zajezierski pozostawał dzieckiem swojej sfery, swojej matki, która nigdy nie dopuściłaby do mezaliansu, nikt chyba nie brał pod uwagę takiego obrotu spraw.

Czy zresztą dla nietrwałego sentymentu, jakim jest miłość, warto ryzykować zerwanie z własnym środowiskiem? Narażać się na poczucie wykluczenia? Hrabia był w swych rachubach znacznie bardziej chłodny od Marianny i to jedynie ona poniosła konsekwencje przelotnego romansu. Nie pisała o tym matce, ale przecież nie budziło wątpliwości, że jej spokój i szczęście opierają się na miłości do dziecka, nie do mężczyzny, z którym się związała.

Marianna nie wspominała w listach o samotności, na którą się skazała, emigrując z Polski, żyjąc w kraju o innym języku i obyczajach, o oczekiwaniu na to, aż Paul zacznie mówić, o tym, jak śpiewa mu polskie kołysanki i wspomina dom rodzinny. Nie pisała, że usiłuje być dobrą żoną dla człowieka, którego nie kocha. Zuzanna przecież to wszystko już dawno wiedziała.

Mając tak zaradnego i przedsiębiorczego zięcia, Partyka postanowił wcielić w czyn swój dawny zamysł, na którego rozwinięcie wciąż brakowało mu czasu, i rozbudować kamienicę przy Lesznie. Rozciągał się bowiem za nią dość duży ogród, który co prawda dawał trochę wytchnienia i czystego powietrza podczas upalnego warszawskiego lata, jednak nie przynosił żadnego zysku, a biegająca po nim łobuzerka, nieodmiennie wszczynając wojny z dzieciakami z sąsiednich podwórek, napełniała go zgiełkiem i rozgardiaszem.

Dość szybko ustalono zarys przyszłej budowli. Zaplanowano, że dwie dwupiętrowe oficyny staną prostopadle do istniejącej kamienicy i będą się ciągnąć aż do końca ogrodu, przedzielone w środku i zakończone poprzecznymi oficynami. W ten sposób powstaną dwa podwórka i kilkadziesiąt mieszkań, które można będzie wynajmować lokatorom. Partyka liczył już zyski z inwestycji, Cieślakowi jednak żal było trochę, że ogród bezpowrotnie zniknie. Miał nadzieję, że doczekają się z Zenobią jeszcze kilkorga potomstwa, a wtedy chodzenie do Ogrodu Saskiego z dziećmi będzie dużą mitręgą. Bywali tam i teraz z małą Zycią dla zdrowia w Instytucie Wód Mineralnych i dla towarzyskiego przetarcia się w cukierni Lourse'a.

Tu nie wpuszczano służących z koszykami, osób niechlujnie odzianych, a przede wszystkim chałaciarzy, których zawsze pełno było w Ogrodzie Krasińskich. Tam się raczej socjeta nie zapuszczała.

Rozbudowa zaczęła się w 1896 roku i potrwała dwa lata, a pierwsi lokatorzy wprowadzili się latem 1898 roku. Ku zmartwieniu Zenobii ojciec i Marian wynajmowali kolejne lokale przede wszystkim Żydom. Nie mogła zrozumieć, że postawili dom w okolicy, gdzie mieszka wielu starozakonnych. Zresztą dla Partyki i Cieślaka wyznanie lokatora nie miało żadnego znaczenia, odwrotnie niż dla ich żon, które załamywały dłonie w rozpaczy, że przez niefrasobliwą politykę właścicieli taka piękna kamienica zejdzie na psy, a oni sami będą pośmiewiskiem wykwintnego towarzystwa.

1995

Zaintrygowana tajemniczym telefonem, Iga wybrała się wreszcie do Zajezierzyc. Igor Wolski, były dyrektor hotelu, a teraz rezydent i kustosz muzeum Zajezierskich, przyjął ją z otwartymi ramionami.

– Kiedy wszedłem tu po raz pierwszy, z żalu ścisnęło mi się serce – opowiadał przejęty. – Wielu okien brakowało, sztukaterie się łuszczyły, odpadały tynki, piękne dębowe schody chwiały się, częściowo rozebrane na podpałkę, wszędzie walały się sterty śmieci, na środku salonu ktoś próbował rozpalić ognisko przy użyciu starodruków i zabytkowych mebli. Musieliśmy zbierać porozbijane butelki po tanim winie i ludzkie odchody. Chłopi ogołocili książki ze skórzanych obwolut, używając ich do reperowania butów. W ten sposób ostatecznie wzięli odwet na panach. Zawsze mnie to zastanawiało, dlaczego ludzie tak lubią niszczyć cudzy dorobek.

– Może właśnie dlatego, że jest cudzy?

– Myślę, że to nie wyjaśnia całej złożoności sprawy. Wie pani, że był tu PGR?

– Tak, słyszałam.

– Mieszkali tu często ci sami ludzie, którzy przed wojną, a nawet w czasie okupacji, w każdym razie do śmierci hrabiego, pracowali w jego folwarkach. Teraz zaś wprowadzili się do pałacu, jak się musieli czuć?

– Jak paniska?

– Otóż wątpię. Czuli się źle, bo nikt nie potrafił żyć tak, jak kiedyś potrafili panowie. Ci ludzie, razem z całym dobytkiem, zajęli po jednym pałacowym pokoju. Obok każdych drzwi do ściany przybity był łańcuch, na którym uwiązali swoje psy.

– Psy na łańcuchu w budynku?! – zdumiała się Iga.

– Oto właśnie chichot historii. Mieszkali w pałacu, ale wnieśli tu swoją wiejską mentalność, która czyniła z nich postaci w równej mierze tragiczne, co komiczne.

– Jak pan się tutaj znalazł?

– Pochodzę z Gutowa. Skończyłem ówczesny SGPiS. W małym miasteczku trudno rozwinąć skrzydła, sama pani wie. Tu się nigdy nic ciekawego nie działo, ludzie uciekają stąd do Płocka, Warszawy, gdzie się da. A ja, proszę pani, jestem trochę historyk. Moja rodzina była związana z tymi okolicami i jak tylko nadarzyła się okazja, zrobiłem wszystko, żeby dostać tę dyrekcję. Bo w czasach, o których myślę, „dostawało się" albo „załatwiało". Teraz się „kupuje" albo „wygrywa konkurs". Każdy czas ma swój słownik.

– Mój tata też często o tym mówi.

– To było duże przedsięwzięcie, odgruzować to wszystko. Doprowadzić do porządku, wydzielić część hotelową. Ale najbardziej zależało mi na muzeum, bo wie pani, moja rodzina miała z Zajezierskimi pewne związki.

– O?! Naprawdę?

– Jestem dość daleko spokrewniony z Radziewiczami, którzy posiadali Cieciórkę, Konstanty Zajezierski, dziadek hrabiego Tomasza, oddał własny kożuch, żeby okryć mojego dziadka, rannego w powstaniu styczniowym.

– I wciąż spłaca pan dług wdzięczności?

– Nie. Tyle że po posiadłości Wolskich, Majdańcu Dworskim, nie ostał się kamień na kamieniu, podobnie jak po Cieciórce Radziewiczów i Długołące Bysławskich, bo wszystkie te dwory zbudowano z drewna. Przetrwał tylko murowany pałac Zajezierskich. Nie możemy też zapominać, że była to pierwsza rodzina okolicy. To oni nadawali ton.

Iga ledwie oparła się pokusie powiedzenia sympatycznemu staruszkowi o pierścieniu. Miał on jednak taką potrzebę zwierzeń, że ostatecznie nie udało jej się wbić w jego potok słów.

– Widzi pani, ja to robię dla wszystkich tych ludzi, całej tej klasy, zmiecionej przez rewolucję bolszewicką przyniesioną nam na bagnetach przez wojska sowieckie razem z tak zwaną wolnością. Przez lata nie pozwalano nam nic mówić. Świadectwo prawdzie mogłem dawać jedynie, ocalając od zapomnienia tę garstkę pamiątek. Zabawne, że robiłem to za państwowe pieniądze! Wystarczyło tylko odpowiednio umotywować. Jeśli dało się w argumentacji użyć zwrotu: „sojusz robotniczo-chłopski", „internacjonalizm" lub „marksizm-leninizm", dostawało się każdą kwotę.

– Niemożliwe!

– Wszyscy mieliśmy usta pełne gładkich frazesów, w które nikt nie wierzył, ludzie przecież nie byli głupcami. Ale trzeba przyznać, że wielu z nas socjalizm otworzył drzwi do kariery, wcześniej niemożliwej do wyobrażenia. Dla nich stała się sprawiedliwość dziejowa, a że za cenę kultury narodowej? Cóż oni wiedzieli o tej kulturze? Ale ja tu panią zanudzam... – zmitygował się w końcu.

– Ależ skąd!

– Pamięta pani tamtą naszą rozmowę o Zajezierskich?

– Przyznam ze wstydem, że jak przez mgłę…

– Bo widzi pani, czasem trudno połączyć fakty. Pamięć u mnie już nie ta, a i z warsztatem nie było nigdy najlepiej. Ani ze mnie historyk, ani archeolog, ale zaintrygował mnie ten pierścień.

– Jaki? – Iga poczuła, jak przeszedł ją dreszcz.

– No, ten, który odkopali ci archeolodzy. – Starszy pan wstał i sięgnął do szuflady biurka. Wyjął z niej złożony we dwoje, tak dobrze Idze znany, egzemplarz lokalnej gazety sprzed półtora miesiąca, po czym rozprostował ją i stuknął palcem w zdjęcie przedstawiające sygnet z trzema gwiazdami. – Średniowieczny pierścień, tak tu piszą.

– Tak, pamiętam tę sprawę – powiedziała Iga, czując, że zasycha jej w gardle.

– Z trzema gwiazdami! – powtórzył z naciskiem. – Te trzy gwiazdy nie dawały mi spać. Bo ciągle mi się zdawało, że już gdzieś o nich czytałem.

– Gdzie?

– Ha! Właśnie! W tym sęk, że nie potrafiłem sobie przypomnieć. I nagle: eureka! Inwentarz dóbr klucza zajezierzyckiego z 1810 roku!

– Ma pan coś takiego?

– Proszę sobie wyobrazić! I co?! Jest!

– Co takiego?

– Pierścień!

– Niemożliwe!

– Co prawda tylko opis, ale wyraźnie zaznaczono: złoty pierścień z trzema gwiazdami.

– Jaki pan wyciąga stąd wniosek?

– Chyba jedyny możliwy: to nasz pierścień!

Wtedy Iga po raz drugi poczuła potrzebę podzielenia się z Wolskim znaną sobie historią pierścienia. Dla niego byłby to dalszy ciąg, ponieważ jego wiedza kończyła się wtedy, gdy klejnot spoczywał w szkatule Zajezierskich. Niestety, nie tego fragmentu układanki potrzebowała.

Na razie trzymała się dzielnie. W zachwycie wysłuchawszy tego, co kustosz muzeum Zajezierskich miał jej do powiedzenia, niczego mu nie zdradziła. Był mimo wszystko jedną z niewielu osób, które mogły posiadać wiedzę o tamtych czasach.

Nim się pożegnała i wsiadła do samochodu, przez otwarte na taras drzwi pałacu spojrzała na taflę jeziora rysującą się między drzewami. Zachodzące słońce oświetliło wodę w odcieniach czerwieni. Widok był zachwycający, ale od razu ją rozdrażnił, bo teraz wszystko jej się kojarzyło z Rudą. Miejscowa gazeta zamieściła kilka dni wcześniej entuzjastyczny artykuł z wernisażu gobelinów Heleny we foyer teatru płockiego wraz z kilkoma zdjęciami, wychwalając ją, jakby była co najmniej nową Abakanowicz. W dodatku ojciec znów zostawił nocną zmianę na łasce losu, wracając nie wiadomo o której, a z pewnością dobrze po drugiej, bo ona się go nie doczekała, a zasnęła kwadrans po pierwszej.

Iga czuła, jak pruje się nić, która związała ich po śmierci jej matki. Przekonała się, że nie ma nierozerwalnych związków. Nawet ten między ojcem a córką, wydawałoby się nie do rozłączenia, jest tylko wypadkową zaistniałej sytuacji.

„Muszę się pozbyć Rudej!".

Nie chciała nawet wiedzieć, czy chodzi o ojca i to, że nie potrafiła traktować go jak mężczyzny, który mógł mieć rozmaite potrzeby, od pragnienia bliskości po tę związaną z seksem, czy też o nią, bo nie wyobrażała sobie obcej kobiety paradującej po kuchni w kapciach, szlafroku i papilotach. Nie, absolutnie nie brała pod uwagę tego, że mogłyby się z Heleną zaprzyjaźnić.

Pułkownikowi Fiodorowowi często śnił się nieboszczyk Toroszyn. Może dlatego, że jego śmierć, tak nieoczekiwana i groteskowa, wywołała niemałe zamieszanie w mieście? Może zaś z tego powodu, że pułkownik często myślał o owdowiałej Kindze Tadeuszownie?

Wyglądało na to, iż nie miała ona zamiaru wysyłać do dowództwa petycji z żądaniem, by wszczęto śledztwo. Ale jeśli ktoś życzliwy po cichu szepnąłby jej coś o sprawie? Jeśli Toroszyna zaczęłaby podejrzewać morderstwo i powzięła zamiar oskarżenia armii, aby uzyskać odszkodowanie? Gdyby tak się stało, gdyby, nie daj Boże, przyjechała z Petersburga specjalna komisja i wszystkiemu przyjrzała się bliżej, zarządziła ekshumację zwłok i zobaczyła na piersi nieboszczyka ślady ran zadanych nożem do papieru przez piękną i nieobliczalną aktorkę Nelly Ferdynandownę Krasnorukową, nadszedłby prawdopodobnie nieuchronny kres rządów Fiodorowa w garnizonie gutowskim.

W dodatku pułkownik spodziewał się wkrótce należących mu się od dawna szlifów generalskich, a co za tym idzie, przeniesienia na lepsze stanowisko! Jeśli więc zostałby wplątany w jakąś aferę z morderstwem w tle, drogo by go to kosztowało i kto wie, czy nie skończyłoby się na degradacji.

*

Panfił Sokratowicz nigdy nie był służbistą, pociągały go zabawy, teatr i dziwki. Pił, grał w karty, pojedynkował się potajemnie i szastał pieniędzmi. Uwielbiał parady i często je organizował. Żadna uroczystość na dworze carskim nie obyła się bez galówki w Gutowie. A że Najjaśniejszy Pan Mikołaj II i Jej Wysokość Aleksandra Fiodorowna łaskawi byli posiadać cztery córki: Olgę, Tatianę, Marię i Anastazję, oraz syna Aleksego, nadarzało się wiele okazji do świętowania. Każdorazowo z okazji imienin czy urodzin któregokolwiek z członków rodziny cesarskiej ulicą Jekaterińską (dziś Płocka) i placem Aleksandrowskim (dziś Stary Rynek), przy którym wznosiła się cerkiew pod wezwaniem Ikony Matki Boskiej Włodzimierskiej, ciągnęła długa i huczna defilada wojskowa, odbierana przez pułkownika w otoczeniu miejscowych notabli: popa, naczelnika powiatu, burmistrza, naczelnika więzienia oraz zaproszonych gości. Była to jednocześnie manifestacja siły i obecności rosyjskiej tu, na rubieżach cesarstwa, gdzie trzeba było stale mieć się na baczności, bo ci nieobliczalni Polacy wciąż wszczynali jakieś powstania przeciwko carowi-batiuszce.

Fakt poślubienia Toroszyna przez Kingę z Bysławskich był na tyle szczególny, dziwny i znamienny, że władze powiatu pilnie mu się przyglądały. Wydanie się bowiem Polki za Moskala w dobrych domach uznawano za grzech gorszy od cudzołóstwa. Tymczasem towarzystwo nie wyklęło Kingi Toroszyn i nie odwróciło się od niej. Zadziałał tu pewnie fakt jej powiązań rodzinnych z Zajezierskimi, którzy w regionie nadawali ton. Mimo wszystko sprawa stanowiła wyjątek i jako taki zasługiwała na uwagę. Nieszczęśliwy przypadek sprawił, że w niespełna cztery lata po ślubie Toroszyn zszedł był z tego świata i za to pułkownik Fiodorow osobiście się winił. Teraz bowiem majątek, pół wieku wcześniej skonfiskowany Polakom i oddany ojcu Toroszyna, a po jego śmierci przekazany synowi, mógł za sprawą drugiego małżeństwa Kingi wrócić w polskie ręce! Byłoby to niedopuszczalne i z pewnością źle widziane przez generała-gubernatora, który osobiście zajmował się wszystkimi takimi sprawami. Należało temu koniecznie przeciwdziałać! Fiodorow musiał znaleźć jakiś sprytny sposób, by delikatnie kontrolować wdowę.

Chcąc zapewnić więc sobie bezpieczeństwo, czuwał z daleka nad Kingą Toroszyn. Osobiście odwiedził ją w Skudłach tylko dwa razy. Więcej nie wypadało, skoro nie otrzymywał zaproszenia. Przyjmowała go zawsze chłodno, ale grzecznie, nigdy mu w niczym nie uchybiła. Lecz mimo że był Rosjaninem, mówiła do niego wyłącznie po polsku. Zauważył, iż często ucieka wzrokiem ku oknu. Zastygała przez dłuższą chwilę bez słowa, przypatrując się odległym lasom i składając ręce na swym coraz bardziej uwypuklającym się łonie. Fiodorow czuł, że ledwie go znosi, nie chciał jednak tracić jej z oczu, dlatego też nakazał swemu ordynansowi, zruszczonemu Polakowi Matwiejowi Tichonowiczowi Piotrowskiemu, by miał na wdowę subtelne baczenie.

Nie trzeba mu było tego dwa razy powtarzać. Piotrowski już wcześniej widział Kingę w cerkwi. Ale wtedy żył jeszcze Toroszyn. Potem z polecenia przełożonego asystował jej podczas załatwiania formalności związanych z pogrzebem. Robiła na nim pewne wrażenie. Dystans, pozorny chłód, postawa, maniery, sposób mówienia, uroda, a przede wszystkim to, że była Polką. Polki stawiał znacznie wyżej od Rosjanek, Ukrainek, Litwinek, Białorusinek i wszystkich innych nacji, no, może z wyjątkiem Francuzek. Ale żadnej Francuzki nie znał.

Teraz, mając niemal oficjalne błogosławieństwo pułkownika, ochoczo zabrał się do rzeczy. Rozumiało się samo przez się, że intrygę należało tkać delikatnie. Skorzystał z okazji, zobaczywszy kiedyś panią Toroszyn wychodzącą ze sklepu Pod Aniołem. Ukłonił się grzecznie i zapytał, czy mógłby jej złożyć wizytę. Zdziwiona, nie odmówiła. Było bardzo zimno, więc nie rozmawiali dłużej. Kinga ruszyła ku swojemu powozowi, zachodząc w głowę, co też za sprawę może mieć do niej ordynans pułkownika.

Przyjechał trzy dni później. Kazała nastawić samowar. Piotrowski, pijąc herbatę z konfiturą różaną, powiedział ni z stąd, ni z owąd, że szuka nauczyciela języka polskiego.

– A na cóż to panu? Przecież chyba właśnie się pan wyparł mowy swych przodków? – powiedziała twardo, jakby chciała go zganić.

Był zniewalająco piękny, ale najwyraźniej nie zdawał sobie z tego sprawy. Spod lśniących brązowych włosów spoglądały na nią ciemne oczy, okolone gęstymi rzęsami. Łatwo się rumienił, czego nigdy nie widziała u mężczyzny, poza tym wyczuwało się u niego pewną nieśmiałość. Trochę wbrew sobie obdarzyła go zaufaniem i obiecała od czasu do czasu konwersować z nim po polsku.

Fiodorow uznał sztuczkę Piotrowskiego za niezwykłą, a jego talent do snucia intryg za niedoceniony. Stanowczo nakazał mu wejść z wdową w jak najbliższe stosunki, jakby całkowicie zapominając, że podobna sytuacja jest przyczyną jego obecnych kłopotów.

Kinga udawała głupią, ale miała się na baczności. Domyślała się, kto mógł stać za nagłym zainteresowaniem Matwieja Tichonowicza jej osobą. W lekcje polskiego, znając trochę Rosjan, absolutnie nie wierzyła. Przyjmowała jednak pomoc garnizonu w każdej formie, w jakiej tylko ją oferowano.

Piotrowski działał więc na dwa fronty. Z jednej strony, chcąc zaskarbić sobie zaufanie wdowy, przyznawał się do głęboko ukrywanej, lecz szczerej, wpojonej mu przez matkę, polskości. Z drugiej zaś, jako ordynans Fiodorowa, musiał składać przełożonemu szczegółowe meldunki z prowadzonych z Toroszyną rozmów.

Kinga nie wzbraniała się przed towarzystwem Matwieja i zawsze znajdowała dla niego czas. Przyjeżdżał, kiedy tylko obowiązki mu na to pozwalały. W miarę możliwości pomagał jej podczas zakupów w Gutowie. Dla niego Kinga zaczęła znów od czasu do czasu bywać w cerkwi. Czasami chodzili na gorącą czekoladę Pod Anioła. Jednak robili to rzadko, by nie wzbudzić podejrzeń.

Należał do niewielu osób, przy których czuła się swobodnie. Lubiła spędzać z nim czas, szczególny zaś wyraz w jego oczach, kiedy na nią patrzył, powodował, że mimo ciąży znów czuła się kobieco. Chyba był zakochany. Nawet jeśli udawał, nie miało to znaczenia, bo jego zainteresowanie obudziło w niej chęć do życia i dało sposobność załatwienia pewnej zadawnionej sprawy, która wciąż bolesnym cierniem tkwiła w jej sercu.

Zobaczywszy kiedyś przystojnego obcego mężczyznę u boku Kingi, Seweryn Żaboklicki przypomniał sobie o niegdysiejszej miłości. Nagle poczuł zazdrość, co łatwo dawało się wytłumaczyć faktem, iż na pierwszy rzut oka Kinga wyglądała na szczęśliwą. Znów była przy nadziei, mimo to wyglądała pięknie. Jej rysy złagodniały, sylwetka nabrała dojrzałego, kobiecego uroku. Idący obok rosyjski oficer wprost nie odrywał od niej wzroku. Rozmawiali z ożywieniem, zajęci sobą, chyba się przekomarzali. Żaboklicki nie słyszał słów, ale ich zażyłość mu się nie podobała. Chciał natychmiast wkroczyć, przegonić smarkacza, ruszył nawet w ich kierunku, ale na szczęście się powstrzymał. Liczył na to, że gdy Kinga go zobaczy, sama odprawi młokosa i, stęskniona, znów da się uwodzić.

Tak się jednak nie stało. Choć Kinga spostrzegła Żaboklickiego, nie dała tego po sobie poznać. Miała świadomość, co go zaboli najmocniej. Seweryn nienawidził sytuacji, w których nie grał pierwszych skrzypiec, czuł się wówczas wytrącony z równowagi, tracił humor i zaczynał się złościć. A ona chciała, żeby się złościł, chciała zrobić mu na przekór. Chociaż od czasu, kiedy ją zostawił, minęły cztery lata, wciąż go pamiętała. Mogła w jednej chwili przywołać uczucie, które jej towarzyszyło, gdy tygodniami nie dawał znaku życia, a ona, w ciąży, u boku znienawidzonego męża, czekała na jakikolwiek dowód jego przywiązania, szamocząc się niczym w matni. On jednak milczał, a ona cierpiała, czując upokorzenie, zawód, dziwny szarpiący ból spowodowany tym, że już jej nie chciał.

Pocieszała się jedynie myślą o zemście. Snuła nierealne plany, że on znów się nią zainteresuje, ale wtedy ktoś inny będzie jej bliski. I oto naraz taki właśnie moment nadszedł.

Do tej pory nie znała tego uczucia, ale zemsta przypadła Kindze do gustu.

Wcześniej, niż się spodziewała, bo tego samego wieczoru, do Skudłów przyjechał posłaniec z Krasnego. Przywiózł pierwszy od kilku lat list od Seweryna. Dziwne, że Żaboklicki wysłał chłopaka po nocy w tak daleką podróż!

Aura była niesprzyjająca, konie grzęzły w błocie i nikt rozsądny bez naglącego powodu nie narażałby ludzi ani zwierząt. On jednak, wiedziony egoistyczną potrzebą, nie zważając na pogodę, nie bojąc się nawet stracić konia, zdecydował się to zrobić.

Lokaj podał Kindze kopertę na srebrnej tacy, a ona, uniósłszy wzrok znad książki, powiedziała chłodno:

– Odpowiedzi nie będzie.

Kazała jednak chłopaka porządnie nakarmić i odziać w suche okrycie, a także zmienić mu konia.

Następnego dnia Żaboklicki pod pozorem odprowadzenia pożyczonego wczoraj wierzchowca zjawił się osobiście. Przewidując to zawczasu, Kinga wydała odpowiednie dyspozycje i gdy tylko Seweryn przestąpił próg sieni, usłyszał od lokaja:

– Kinga Tadeuszowna ujechała w Długołąku, Madame Bysławska wniezapno zabolieła[1].

– Mówiła, jak długo tam zostanie?

– Nikto tawo nie znajet[2].

Nie pozostawało nic innego, jak wracać. Żaboklicki nakazał wyprząc konia Kingi i zaprząc własnego. Słyszała, że służący zaprosił go jeszcze do salonu i podał herbatę. Ona w tym czasie siedziała w małym saloniku i haftując, dziwiła się swemu spokojowi. Jeszcze nie tak dawno poderwałaby się i rzuciła mu w ramiona, niepomna na obecność służby. Teraz, opanowana, czekała, aż wyjedzie.

Nie znaczy to jednak, że przestała cokolwiek czuć do Seweryna. Właśnie dlatego, że wciąż był dla niej kimś

---

[1] Kinga Tadeuszowna wyjechała do Długołąki, pani Bysławska nagle zachorowała (ros.).

[2] Niestety nie wiem (ros.).

ważnym, spróbowała tej, wyczytanej w którymś z francuskich romansów, taktyki. „Bądź niedostępna – tłumaczyła tam jedna dama drugiej – a będziesz pożądana. Bądź nieuchwytna i nie do zdobycia, a będziesz upragniona. Im jesteś łatwiejsza, tym szybciej się tobą znudzi. Im trudniejsza, tym wyższa twa wartość".

Dziś Kinga rozumiała te słowa, choć kiedyś nie dawała im wiary. Wtedy była niecierpliwa, wszystko chciała mieć od razu, nie potrafiła czekać. Teraz osiągnięcie ostatecznego celu uznawała za ważniejsze od doraźnych zysków.

Zresztą miała też inne problemy. Dostała z Petersburga list od swego szwagra, Nikanora Timofiejewicza, z żądaniem natychmiastowej wypłaty należnej mu po bracie części spadku. Wsiewołod, umierając nagle, właściwie w pełni sił, nie pozostawił testamentu ani jakichkolwiek dyspozycji, Kinga udała się więc do prawników, ale każdy z nich miał inne zdanie w tej sprawie, rada Przaski zaś brzmiała: czekać.

Ale ona znała Toroszynów i wiedziała, że Nikanor, jeśli tylko miał podobny charakter do brata, na pewno nie zostawi jej w spokoju. W takiej sytuacji trudno poradzić sobie bez męskiej opieki i wsparcia. Doradców nie brakowało: po śmierci Wsiewołoda poprawiły się stosunki Kingi z Zajezierskimi i hrabia Tomasz zaglądał czasem do Skudłów, by zobaczyć, jak jej się wiedzie. Był ojczulek, Tadeusz Bysławski, mimo upływających lat wciąż w dobrej formie, był Przaska, był Piotrowski.

Ale nie chodziło wszak tylko o radę, majątkowi zaczynało brakować męskiej ręki i Kinga wiedziała, że powinna jak najszybciej wyjść za mąż. Lecz ta decyzja oznaczałaby automatycznie zerwanie stosunków z Matwiejem i koniec marzeń o powrocie Żaboklickiego, dlatego odwlekała ją, jak mogła. Zresztą wspomnienie małżeństwa było jej wciąż przykre, a kandydata spełniającego wymagania Kingi nawet znający wszystkich w okolicy Przaska nie potrafił znaleźć. W końcu zrozumiał, że ona nikogo nie szuka, i zaprzestał swatów.

W lipcu przyszła na świat Grażyna. Mimo obaw, bo pierwszy syn Kingi, Iwan, zmarł tuż po narodzinach, była zdrowa, pulchna, różowa, ciekawa świata i wciąż głodna. Uśmiechała się często i patrzyła szeroko otwartymi, rozumnymi oczyma. Nowe macierzyństwo cieszyło Kingę, zajmowało jej myśli i dostarczało wielu wspaniałych wrażeń. Przy ich intensywności na bok zeszły wszystkie inne sprawy.

Aż pewnego dnia, jakoś pod koniec lata, nieoczekiwanie spotkali się w Skudłach Żaboklicki i Piotrowski. Zjawili się obaj w porze podwieczorku, niezapowiedziani, z pięknymi kwiatami i czekoladkami. Kiedy usiedli wszyscy troje przy herbacie, konwersacja się nie kleiła, wizyta przeciągała, jakby jeden chciał przeczekać drugiego. Kingę bawiło skrępowanie Seweryna. Po raz pierwszy widziała go w takim stanie. Kręcił się na krześle, jakby siedział na rozpalonych węglach, łowił każde spojrzenie, które wysyłała Matwiejowi, a których, rzecz jasna, było tego popołudnia szczególnie dużo.

Piotrowski myślał, że wreszcie coś się między nimi zaczęło układać, toż to dopiero sukces, pułkownik Fiodorow będzie wniebowzięty, a on sam, jeśli Kinga dopuści go do bliższej konfidencji[3], naturalnie również nie będzie się sprzeciwiał. Teraz, po rozwiązaniu, kiedy odpadła naj-

[3] Poufałość, zażyłość (łac.).

trudniejsza przeszkoda, nasilił atak, mniemając całkiem słusznie, że intymność zacieśni ich więzy.

Piotrowski pociągał Kingę. Kiedy dotykał jej dłoni, witając się lub żegnając, drżała, a jej pierś mimo woli poruszała się szybciej. Wiele razy wyobrażała sobie siebie i jego w sypialni i ta myśl rozpalała ją jeszcze bardziej. Pragnęła Matwieja, pragnęła go tak bardzo, że już co najmniej trzy razy podarła listy z propozycją schadzki.

Dotychczas dzięki ciąży była bezpieczna, gdy jednak okres połogu powoli mijał, natarczywe myśli o Piotrowskim nawiedzały ją coraz częściej. Nie miała wątpliwości, że wystarczyłaby najdrobniejsza aluzja, by został w Skudłach na noc. Jedyne, co ją powstrzymywało, to lęk, że sprawa mogłaby się wydać. Dla niego byłby to podbój godny rozgłoszenia w męskim towarzystwie, dla niej zaś wieczna hańba. Zresztą wkrótce Przaska potwierdził te obawy, mówiąc, że istnieje duże prawdopodobieństwo, iż Piotrowski nie jest lojalny.

Trudno jej przychodziło w to uwierzyć, bo siedząc obok, tak doskonale grał rolę zakochanego, że czasem zapominała, by mieć się na baczności. Kiedy ją wreszcie porwał w ramiona, jego pocałunki były żarliwe i namiętne. Czy tak zachowywałby się szpieg pułkownika?

Tymczasem Żaboklicki również wzmógł atak. Pojawiał się częściej, szukał pretekstu do odwiedzin, sugerował, że chętnie znów by się z nią zbliżył. Ona jednak, ostrzeżona przez Przaskę, iż jakikolwiek akt złego prowadzenia się dostrzeżony przez służbę może skutkować donosem do szwagra, zachowywała się powściągliwie.

Seweryn czuł się dotknięty do żywego. Kinga grała mu na nosie! Ugodzony boleśnie, by ratować swój honor, postanowił wyzwać Rosjanina na pojedynek. Usunąć go z pola walki, tak, to byłoby coś. Ale Piotrowski nie dawał się sprowokować, zresztą w armii obowiązywał surowy zakaz pojedynkowania się, a dla głupiego kaprysu rywala nie zamierzał ryzykować kariery.

Kinga ze zdziwieniem zauważyła, że autor francuskiego romansu miał całkowitą rację: pozorny chłód rozpalał obu adoratorów bardziej, niżby mogłaby osiągnąć najgorętszym z listów miłosnych. Żyła więc z dnia na dzień, niczego nie zmieniając i niczego nikomu nie obiecując, aż decyzję podjął za nią zupełnie kto inny.

Po żniwach trzeba było do kościoła w Zajezierzycach szukać nowego organisty, bo stary Rogala, który od wyjazdu wnuczki coraz bardziej zapadał na zdrowiu, pewnego dnia nie przyszedł na nabożeństwo. Służący do mszy chłopiec, wysłany przez księdza, wrócił biegiem, a w oczach miał przerażenie:

– No, co go tam zatrzymało? – zapytał zniecierpliwiony proboszcz, mały zaś tylko się rozpłakał.

Rogala siedział przy stole, w dłoni trzymał zdjęcie wnuczki z synami. Starszy, czterolatek Paul, stał obok matki, młodszego, rocznego mniej więcej Marka, Marianna posadziła sobie na kolanach. Patrzyła w obiektyw poważnie, bez cienia uśmiechu. Ubrana była schludnie i dostatnio, ale on znał ją i od razu się domyślił, że w jej spojrzeniu kryją się smutek, zawód, tęsknota i żal.

Wytrzymał cztery lata i choć nic na to nie wskazywało, wciąż wmawiał sobie, że ona wróci. Przyjąłby ją i z dzieckiem, jakoś by się tu ułożyło, czy to ona jedna jako panna urodziła? Racja, przecież wnuczka ma męża. Ten drugi dzieciak pewnikiem do niego podobny.

„Tak, ona już nie wróci" – pomyślał i westchnął. Poczuł ciężar na piersi i nagły ból, pod powieką zakręciła mu się łza, ale nim zdążyła spłynąć po policzku, Wincenty Rogala już nie żył.

Wyglądał, jakby zasnął, ale to serce mu pękło.

Przez ponad rok od śmierci Toroszyna Nikanor Timofiejewicz, starszy brat świętej pamięci Wsiewołoda, wysoki rangą urzędnik dworu carskiego, prowadził korespondencję z naczelnikiem powiatu Polikarpem Josifowiczem Razumowskim. Ważne zajęcia dosłownie w ostatniej chwili zatrzymały go w stolicy, dlatego nie przyjechał na pogrzeb. Zresztą na ślubie też się nie pojawił, mimo że wysłano depeszę. Nigdy nie pochwalał trybu życia brata, nie szczędząc mu dobrych rad i przestróg, które ten zawsze puszczał mimo uszu. W odróżnieniu od starszego Nikanora, który wysłany przez rodziców na nauki do Petersburga, zadomowił się tam, ożenił, wspiął wysoko i dorobił majątku, Wsiewołod okazał się hulaką i utracjuszem. Dlatego się nie lubili. Każdy żył własnym życiem, nie zabiegając o względy drugiego. To jednak nie powód, aby kiedy młodszy brat odszedł był z tego świata, starszy nie miał upomnieć się u wdowy o należny mu spadek.

Od Razumowskiego miał wszelkie potrzebne informacje, włącznie z tym, w jakim stanie znajduje się aktualnie majątek Skudły. Wnioski płynące z tej korespondencji skłoniły Nikanora Toroszyna do podjęcia pośpiesznej podróży celem przedstawienia szwagierce konkretnych żądań, ukrytych subtelnie pod płaszczykiem propozycji.

Wiedział, że dziecko Kingi urodziło się kilka miesięcy po śmierci ojca i choć na pierwszy rzut oka widać było, że Grażyna jest podobna do Toroszynów, bo miała kruczoczarne, gęste włosy i ciemne, niemal brunatne oczy okolone długimi rzęsami, Nikanor Timofiejewicz wciąż rozważał oskarżenie szwagierki o uprawianie nierządu. To by rozwiązało sprawę, wykluczając obydwie z grona spadkobierców.

Przyjmowany gościnnie, lecz chłodno, przyjeżdżał raz po raz do Gutowa i Płocka, wreszcie całkiem niezłą polszczyzną wyjawił Kindze cel swej wizyty.

– Mój ukochany, nieodżałowany Wsiewołod Timofiejewicz, jak wam wiadomo, pani, odchodząc w rozkwicie swych dni, nie spisał był przed śmiercią testamentu. Mnie przeto jako jego jedynemu bratu przypadł obowiązek załatwienia wszelkich formalności związanych z rozporządzeniem własnością, którą pozostawił. Według prawa jestem jedynym spadkobiercą – rzekł bez zatrzymania, a widząc, że Kinga nabiera tchu, by mu odpowiedzieć, powstrzymał ją ruchem ręki. – Posłuchajcie najpierw, co mam do powiedzenia. Przeprowadziłem liczne rozmowy w okolicy i, przyznaję ze smutkiem, że o waszej reputacji, pani, różnie tu mówią. Aby sobie i wam zaoszczędzić publicznego wstydu, proponuję, byście dobrowolnie przyjęli kwotę dwóch tysięcy rubli, a ja zajmę się sprzedażą dóbr, które, niestety, są tak zadłużone, że suma, jaką jestem w stanie uzyskać, zapewne nie wystarczy nawet na spłatę wierzycieli – kłamał gładko, robiąc wielce stroskaną minę i doprowadzając ją do wściekłości.

– Nikt, panie, nie występował wobec mnie z żadnymi roszczeniami. Nikt się nie zgłosił z żadnym wekslem, przeciwnie, po śmierci męża różni ludzie oddawali mi pieniądze, które mu byli winni. Majątek przynosi dochód, być może mógłby być zarządzany jeszcze lepiej, nie przeczę, jednak kwota dwóch tysięcy rubli, jaką proponujecie mnie i jedynemu dziecku waszego brata, wydaje mi się wysoce krzywdzącą. Nie mam nic do ukrycia, zatem jeśli pozostaniecie przy swej propozycji, gotowa jestem bronić swej reputacji w sądzie – rzekła dumnie.

– Zasmucasz mnie, pani – westchnął Toroszyn. – Czyżbyś twierdziła, że przyjechałem tu tylko po to, by skrzywdzić dziecię mego najukochańszego brata? Oskarżasz mnie o brak serca?! Tego nie możesz mi zarzucić, jednakowoż mam świadków, którzy gotowi są przysiąc, że miałaś, pani... To słowo nie chce mi przejść przez gardło, ale cóż, tak, że miałaś, pani, romans jeszcze za życia nieodżałowanego Wsiewołoda. Dlatego albo zgodzisz się na moją propozycję, albo, niezmiernie żałuję, ale zostaniesz z niczym. Jutro przy śniadaniu oczekuję twej odpowiedzi, sprawy wagi państwowej wzywają mnie do powrotu.

Kinga przeczuwała, że pojawienie się w Skudłach starszego Toroszyna nie wróży nic dobrego. Nie sądziła jednak, że oznacza to dla niej koniec myśli o ułożeniu sobie życia i szczęśliwym małżeństwie. Kwota zaproponowana przez szwagra była śmiesznie niska, niższa nawet od wniesionego przez nią samą wiana. Toż to istny rozbój w biały dzień!

Ale nie mogła sobie pozwolić na odrzucenie propozycji i dochodzenie swych praw w rosyjskim sądzie, który – wiedziała to dobrze – z zasady sprzyjać będzie Rosjaninowi. Musiała też myśleć o przyszłości swojej i córki. Pozostawało tylko jedno, choć bolesne rozwiązanie: przełknąć upokorzenie, wziąć pieniądze i wrócić do rodziców.

Ten krok, jedyny, jaki wydawał się Kindze możliwy w zaistniałej sytuacji, oznaczałby koniec znajomości z Piotrowskim, którego opieka nad wdową nie miała teraz sensu, a także z Żaboklickim, nie dało się bowiem znaleźć żadnego oficjalnego powodu usprawiedliwiającego pojawienie się jednego czy drugiego u Bysławskich.

Wieści ze Skudłów wywołały w Zajezierzycach ulgę i konsternację. Ulgę, bo raz na zawsze kończyły ich związki z Toroszynami, pozostawało jeszcze co prawda nazwisko Kingi, ale uznano to za rzecz drugorzędną. Konsternację zaś, ponieważ sposób, w jaki Nikanor Toroszyn zakończył sprawę, stawiał pod znakiem zapytania nie tylko jego uczciwość, lecz także honor. Ale czegóż innego można się było spodziewać po Moskalu?

Barbara Zajezierska wiele w te dni myślała o Toroszynie ojcu i o tym, w jak zadziwiający sposób potrafią się splatać ludzkie losy. Na szczęście nikt go nie wspominał, niewielu zresztą go jeszcze pamiętało, a tajemnica pochodzenia hrabiego Tomasza na szczęście wciąż pozostawała nieodkryta.

Tak więc po czterech latach małżeństwa Kinga wracała do Długołąki jako skrzywdzona przez zaborcę wdowa Toroszyn z zaledwie kilkoma kuframi wyprawy, czterema nowiutkimi banknotami pięćsetrublowymi w haftowanej złotą nicią sakiewce oraz maleńką Grażyną zawiniętą szczelnie w niebieski becik. W sercu miała poczucie krzywdy, jaką sama sobie wyrządziła. Rozpamiętywała znaki przepowiadające jej nieszczęśliwy związek i wyrzucała sobie krnąbrność wobec rodziców, a także brak doświadczenia życiowego, które wbrew rozsądkowi pchnęły ją w objęcia Toroszyna. Patrzyła na śliczną buzię dziecka, czule przytulanego przez piastunkę i lekko uśmiechającego się przez sen, i szeptała w myślach:

– Wybacz mi... Wybacz.

1901

Marianna starała się być dobrą żoną dla Iry Connora. W ciągu kilku lat nauczyła się angielskiego i choć nigdy nie udało jej się pozbyć śpiewnego słowiańskiego akcentu, porozumiewała się w tym języku swobodnie. W 1898 i 1900 roku urodziła mu dwoje dzieci: Marka i Annę. Była cicha, pracowita i gospodarna. Ira nie umiał jednak wybaczyć żonie tego, że wciąż była Polką. Chodziła do polskiego kościoła, a z najstarszym synem, Paulem, rozmawiała najczęściej po polsku, czego Ira nie cierpiał, podejrzewając nie bez racji, że tych dwoje zawsze będzie miało przed nim swoje tajemnice. Z tego samego powodu Paul czuł zazdrość o swoje irlandzkie rodzeństwo, rozpieszczane przez ojca jakby na przekór „małemu Polaczkowi", który jedynego przyjaciela miał w wujku Jacku.

Jacek jako ojciec chrzestny Paula spędzał z nim dużo czasu. Nauczył chłopaka łowić ryby i bić się. On też, nie Marianna, jak myślał Ira, opowiadał mu o Polsce. Bo chociaż Jacek zarabiał w Ameryce całkiem przyzwoicie, często wracał wspomnieniami do ojczyzny, słusznie podejrzewając, że nigdy pewnie nie uda mu się do niej wrócić.

Podczas gdy Jacek wciąż popadał w kłopoty, raz po raz zwalniany z kolejnych posad, Connorom wiodło się nie najgorzej. Ira przestał boksować, zaczął wyszukiwać młode talenty i szkolić adeptów. Mieszkali we własnej, kupionej na kredyt kamienicy, wynajmując sklep na dole oraz dwa mieszkania na piętrze i w ten sposób spłacając raty hipoteki. Marianna nie pracowała, zajmując się domem i dziećmi. Paul od dwóch lat uczęszczał do przedszkola, a w tym roku miał rozpocząć naukę w szkole publicznej.

Było to decyzją Iry, który nie chciał się zgodzić na to, by syn poszedł do szkółki parafialnej przy polskim kościele. Uznał, że chłopak nie będzie dość dobrze przygotowany do dalszej nauki, w czym miał zresztą rację. Natomiast Marianna bała się, iż w szkole publicznej Paul całkiem straci kontakt z językiem przodków, dlatego zapisała go na lekcje religii do szkółki niedzielnej, działającej przy polskim kościele św. Jana Kantego.

Chłopak rósł niesforny, lubił błaznować i psocić, często dostawał od ojca pasem. W takich chwilach odgrażał się w duchu, że kiedyś ucieknie tak daleko, iż nikt go nie znajdzie. Chodziło mu przede wszystkim o to, by nie odnalazł go ojciec, który zawsze miał ciężką rękę i mało cierpliwości. W momentach smutku Paul wyobrażał sobie odległą Polskę, ojczyznę matki. Tak, Polska była chyba dostatecznie daleko, by najgorszy z występków mógł ujść mu płazem.

Z rozpalonych letnim słońcem ulic Krakowa oraz gorącej atmosfery intelektualnych dyskusji i sporów prowadzonych niemal co wieczór w salonie mecenasostwa Krzyckich Ada zjechała do Zajezierzyc w najgorętszy okres jesiennych prac w polu i ogrodzie. Tomasz wydzierżawił właśnie sąsiadujący z majątkiem Zajezierskich folwark Mąkocin, który przeznaczył na hodowlę koni arabskich czystej krwi, i od rana do wieczora oprócz swoich codziennych obowiązków dozorował remont stajni, grodzenie łąk i padoków oraz najmowanie ludzi do pracy. Mąkocińskie piaski systematycznie zalesiano, chcąc powiększyć areał borów zasobnych w zwierzynę. Założono tam też drugą bażanciarnię, bo było to bardziej opłacalne od hodowania kur, krów czy tuczników.

W tym samym czasie Barbara Zajezierska, królująca w pałacu i przydomowym ogrodzie, dwoiła się i troiła, pilnując nie mniej ważnych spraw zaopatrzenia domu. Przygotowywano do przezimowania wszelkie płody rolne, nadwyżki zaś sprzedawano, i to nie byle gdzie, bo ekspediowano je do najlepszych warszawskich sklepów i hoteli. Trzeba było wykazać się nie lada wyczuciem i orientacją, by nie pogubić się w gąszczu obowiązków i terminów.

Oczywiście Barbara Zajezierska miała do pomocy zaufaną Michasiową w domu i Kleofasa w ogrodzie oraz cały tabun służby, ale starając się wszystkiego pańskim okiem dojrzeć, musiała być przez cały dzień w ruchu.

Właśnie nadszedł czas zbioru owoców. Na wiosnę Zajezierscy wydzierżawili dwóm kupcom z Gutowa swoje olbrzymie kilkunastohektarowe sady, posadzone jeszcze za czasów Strużyłły przez sprowadzonego z Warszawy specjalistę. Wspólnicy Hudes i Apfelbaum pojawiali się w pałacu rokrocznie i robili z Zajezierskimi świetne interesy. Kupowali wszystko: jabłka, gruszki, śliwki, a nawet morele i brzoskwinie. Płacili dobre pieniądze i pozostawiali dla pałacu tak zwany odsyp, czyli darowiznę w naturze.

Owoce suszyło się, robiło z nich powidła, dżemy, marmolady, soki, zalewało octem lub smażyło w cukrze, a śliwki nadziewało boczkiem. Konfitury do herbaty przygotowywano nie tylko z czarnej porzeczki i pigwy, lecz także z melona, derenia, a nawet rajskich jabłek! Potrzeba było wtedy dodatkowych rąk do pracy, Barbara płaciła więc wiejskim dziewczynom dobrą dniówkę, a one pomagały w czyszczeniu owoców. Bo wyparzaniem słoi, a potem zalewaniem ich roztopionym woskiem zajmowały się specjalne, zaufane i przeszkolone w tym trudnym zadaniu służące.

Na warzywniku, podobnie jak w sadzie, również panował wzorowy porządek, a szparagi z Zajezierzyc gutowscy Żydzi eksportowali do samego Petersburga! Plony dzielono na te do spożycia i przetworzenia oraz do sprzedaży. Część warzyw po przebraniu i ułożeniu w drewnianych skrzyniach zasypywano suchym czystym piaskiem, część, jak kapustę i ogórki, kiszono, pewną ilość włoszczyzny suszono. Musiało tego być dokładnie tyle, by starczyło do następnych zbiorów, bo mając własne gospodarstwo, nie wypadało przecież niczego kupować!

Barbarze Zajezierskiej na ogół udawała się ta sztuka. Ale miała ona wiele lat wprawy, a przede wszystkim prowadzenie gospodarstwa było jej prawdziwą pasją, w przeciwieństwie do rozmarzonej Ady, która zupełnie nie potrafiła odnaleźć się w domowych obowiązkach. Zresztą po powrocie z Krynicy i Krakowa oraz wysłuchaniu wielu dysput, w tym również tych tyczących gospodarki, nabrała iście rewolucyjnych poglądów. Sianie i przędzenie lnu uważała za zajęcia przestarzałe, hodowlę kaczek i darcie pierza za dziwne, a sensu gręplowania włosia końskiego na sienniki zupełnie nie rozumiała.

„Po cóż tracić czas na tak jałowe zajęcia, skoro te rzeczy można z łatwością kupić? W lepszym jeszcze gatunku aniżeli wytworzone w domu?" – nieopatrznie zapytała kiedyś teściową.

Barbara Zajezierska najpierw zdumiała się, potem bąknęła coś pod nosem, aż wreszcie powiedziała lodowato, zwracając się do Ady w trzeciej osobie, niczym do panny pokojowej:

– Po mojej śmierci, kiedy zostanie tu panią, będzie sobie robić, co dusza zapragnie.

Było to najgłupsze, co mogła powiedzieć, i zdumiało ją bezbrzeżnie, że nie ma żadnego argumentu na obronę swego trybu życia. W gruncie rzeczy nie rozumiała synowej, podobnie jak kiedyś nie mogła zrozumieć swojej teściowej. Dla niej czytanie książek było przyjemną rozrywką dla młodzieży. Ona sama nie miała na to nigdy dość czasu, wciąż popędzana przez kolejne niecierpiące zwłoki czynności. Nie potrafiła usiedzieć na miejscu, stale czymś zajęta, organizowała sobie i innym pracę na cały dzień, uwzględniając jedynie krótkie momenty odpoczynku. Ten kołowrót zupełnie nie odpowiadał kontemplacyjnej naturze Ady, która po powrocie z Krynicy dostrzegała to jeszcze bardziej wyraziście. Jej teściowa, będąc wielką panią, zachowywała się jak pospolita chłopka! O czym ona mogłaby konwersować w salonie u takich Krzyckich? O cenie jabłek?! Dzięki Bogu, że nie pojechały tam razem! – pomyślała i wzdrygnęła się, stwierdziwszy, że Barbarze Zajezierskiej z pewnością podejrzane wydałyby się samotne spacery Ady i Lucjana, ich umiłowanie poezji, malarstwa i teatru.

Na szczęście starsza pani została na wsi. Nie wiedziała więc o Lucjanie i o Krzyckich, toteż kiedy Adzie przyszedł do głowy jedyny sposób na sprowadzenie swojego krakowskiego towarzysza do pałacu, to jest zatrudnienie go w charakterze preceptora, by nauczył Pawła podstaw greki i łaciny, Barbara Zajezierska nie oponowała. Wręcz przeciwnie, przyklasnęła temu pomysłowi, uznając, że synowa wreszcie zaczęła myśleć praktycznie. Zdziwiło ją tylko trochę, czemu mieliby ściągać nauczyciela aż z Krakowa, ale i na nią podziałała magia Uniwersytetu Jagiellońskiego, gdzie Krzycki studiował. Zresztą Pawełek miał dopiero pięć lat i zanim będzie mu potrzebny nauczyciel greki, wiele się jeszcze mogło wydarzyć.

Latem 1903 roku Adrianna Zajezierska pojechała do Krynicy już nie tylko z guwernantką i synem – towarzyszyła jej przyjaciółka, Agnieszka z Niewiadomskich Radziewicz, z synem Edwardem, a także szwagierka Agnieszki, a siostra Joachima – Urszula z Radziewiczów Jastrzębiec-Gawryszewska z córkami: Anetą, Balbiną i Krystyną. Całe towarzystwo ulokowało się znów w pensjonacie Sielanka, winszując Adzie świetnego wyboru i mając nadzieję na udany pobyt.

Hrabina oczekiwała spotkania ze swym poetą, Lucjanem Krzyckim, z którym przez cały miniony rok prowadziła ożywioną korespondencję, poza tematami ogólnymi obejmującą też literaturę, poezję i dramat ze szczególnym uwzględnieniem najnowszych dzieł młodego twórcy. Ada informowana była na bieżąco o każdej nowej strofie, a potem odczytywała jego wiersze w czasie spotkań towarzyskich, wywołując ciche westchnienia zachwytu u wszystkich pań, żadna bowiem nie mogła pochwalić się podobnymi koneksjami.

Nic więc dziwnego, że zapowiadany przyjazd Lucjana do Krynicy spowodował wśród pań wielkie zamieszanie. W pośpiechu ustalano z właścicielem Sielanki terminarz podwieczorków, podczas których nie tylko konsumowano by słynące z dobroci wypieki miejscowych cukierników, lecz także raczono się strawą duchową: poematami i fragmentami prozy poetyckiej oraz dramatów młodego twórcy.

Po długim oczekiwaniu przybył wreszcie do Krynicy, ponownie z nieodłączną matką Marceliną, która nadal, choć był już niewątpliwie mężczyzną, traktowała go jak dziecko. Ada zauważyła tę przemianę od razu i przyglądała się jej nie bez pewnej obawy. Pozornie niewiele się zmienił: wciąż smukły, trochę blady, o zamglonym, nostalgicznym, nieobecnym spojrzeniu. Jego zarost nadal był jasny i miękki, ale czuprynie przydałoby się troszkę uładzenia. On sam się tym nie przejmował, zainteresowany wszystkim, tylko nie swoim wyglądem.

Na paniach zrobił wrażenie, dziewczęta zachwycił. Piszczały, szeptały przy śniadaniu, a serce Ady drżało z lęku. Niby Lucjan wciąż dawał jej wyrazy uszanowania, ale właśnie – uszanowania! A byli prawie kochankami! Przynajmniej tak się Adzie wydawało. W każdym razie o tym marzyła. Przyjechała do Krynicy z nadzieją na kontynuowanie tych podniecających szeptanych rozmów i uścisnięć dłoni, tych prawie pocałunków, które wymieniali w zeszłym roku pod rozłożystym klonem w ogrodzie willi Sielanka.

Niby byli tacy sami i deklarowali to samo, coś się jednak zmieniło. Nie miała wątpliwości: Lucjan się przeobraził. Zresztą sama w pewnym sensie ponosiła winę takiego stanu rzeczy. Przecież każdym swoim listem utwierdzała go w przekonaniu, że jego dzieła to wybitna literatura, a teraz jeszcze czyniły tak wszystkie panie i dziewczęta z Sielanki, nie tylko kuracjuszki z Zajezierzyc, również te przybyłe z okolic Kalisza, Łowicza, spod Warszawy i Częstochowy!

Tak, Lucjan zrobił się popularny! Latem w Krynicy niepodzielnie królowały kobiety, więc siłą rzeczy pojawienie się jakiegokolwiek mężczyzny znudzone własnym towarzystwem panie traktowały niczym wielką atrakcję. Utworzyły wokół poety szczelny wianuszek wzdychających wielbicielek i Ada poczuła się zbędna. Rozgoryczona, siadała z boku, chcąc przynajmniej przyciągnąć jego spojrzenie, jednak na próżno – zasypywany pytaniami i prośbami o wpis do sztambuchów[1], nawet tego nie zauważył.

Więc stała się jedną z wielu! Smak porażki przyprawiał Adę o wieczorne łzy, kiedy mogła sobie na nie wreszcie pozwolić, zamknąwszy się w swojej sypialni. Ale było też coś jeszcze bardziej przykrego: znacznie młodsza od niej Anetka Jastrzębiec-Gawryszewska po prostu lgnęła do Lucjana! Wodziła za nim zakochanym spojrzeniem, wzdychała głośno, kiedy tylko pojawił się gdzieś obok, pchała mu się na oczy w natrętny sposób, na jaki ona, Ada, nigdy by sobie nie pozwoliła.

Hrabina Zajezierska przepłakała kilka nocy, a potem uznała, że trzeba działać. Młódka wszak nie wie, co czyni, pierwszy poryw uczucia weźmie za prawdziwą miłość, gotowa się zapomnieć i nieszczęście gotowe. Toteż kilka dni później matka Anetki została w zawoalowanej formie powiadomiona o spostrzeżeniach przyjaciółki domu szczerze przejętej losem dziewczęcia. I nic chyba Ady nie zdziwiło bardziej, jak odpowiedź: Urszula Jastrzębiec-Gawryszewska akceptowała ten stan rzeczy! Młodzież oczywiście była pilnowana w miarę możliwości, jednak hrabina wiedziała doskonale, jak dużo da się powiedzieć szeptem.

---

[1] Książka do wpisywania wierszy, sentencji, pamiętnik (niem.).

Idąc więc z przodu, tych dwoje konwersowało półgłosem na jej oczach, rzekomo dywagując o sztuce, a ona cierpiała męki zazdrości. Obydwie matki żartowały, że piękna z nich para, i być może nawet potajemnie czyniły jakieś wstępne kontrakty! Kto wie, czy obrotni tatusiowie nie sprawdzali już przez swoich adwokatów stanu posiadania strony przeciwnej!

Ada była w rozpaczy. Choć Lucjan zarzekał się, że wciąż jest najbliższa jego sercu i wyłącznie matka pcha go w objęcia Anetki, trudno jej przychodziło znoszenie odrzucenia. Jastrzębiec-Gawryszewscy są bogaci i skoligaceni i sam fakt, że matka dziewczyny w ogóle bierze pod uwagę jego kandydaturę, stanowił dla Krzyckich nie lada wyróżnienie.

Cóż biedna Ada mogła na to poradzić? Wszak miała męża! Pragnęła nawet przez chwilę, by Tomasz przyjechał i zabrał ją stąd pod byle pretekstem, kładąc kres tej męczarni. Ale co robiłaby w domu? Nudziła się, podczas gdy on pilnowałby żniw? Drylowała wiśnie? Doglądała wraz z teściową smażenia konfitur? Przecież wszystko miało się potoczyć zupełnie inaczej!

I kiedy odchodząc od zmysłów, szukała byle sposobu, by na powrót zainteresować sobą Lucjana, stało się coś nieoczekiwanego.

Pewnego lipcowego poranka cała kilkunastoosobowa grupa postanowiła wybrać się na wycieczkę w góry. Po całonocnej ulewie pogoda zapowiadała się przepiękna, bezchmurne niebo i rześkie powietrze zachęcały do spacerów. By dać powód do rozmyślań reszcie towarzystwa, a zwłaszcza wiarołomnemu Lucjanowi, hrabina miała ochotę zostać w pensjonacie, jednak Pawełek tak bardzo się cieszył na tę eskapadę, iż żal jej się w końcu zrobiło dziecka i wyruszyła wraz ze wszystkimi.

Szła ze zwieszoną głową, zobojętniała, smutna. Czekała, że on do niej podejdzie, zauważy jej niemy krzyk, że wreszcie coś się zmieni. I gdy tak rozmyślała, zostając coraz bardziej z tyłu i słysząc tylko ich oddalające się śmiechy, ześlizgnęła się z mokrego kamienia i upadła. Poczuła ból w nodze, aż krzyknęła. Tymczasem ostatni z uczestników wycieczki dawno już zniknął jej z oczu. Próbowała wstać, ale noga szybko puchła i ledwie mieściła się w zasznurowanym ciasno buciku.

Przedłużająca się nieobecność hrabiny zwróciła wreszcie czyjąś uwagę. Oddelegowano Lucjana, by sprawdził, co zaszło. Gdy zbiegł ze wzgórza i zobaczył, że Ada stoi na jednej nodze, rozglądając się niepewnie na boki, przestraszył się:

– Pani hrabino?

– Upadłam – powiedziała, niezadowolona, że on widzi ją w tym pożałowania godnym stanie, w ubłoconej spódnicy, przekrzywionym na bok kapeluszu i rozdartej o krzaki bluzce. – Czy zechciałby pan sprowadzić pomoc? Zdaje się, że nie dam rady zejść do Sielanki.

Lucjan stał zdezorientowany, popatrując to na jej nogę, to na kierunek, skąd przybiegł, to znów na przeciwny, w którym powinien pobiec, by przywołać kogoś, bo sam przecież nie da rady znieść rannej do miasta. Na szczęście zaniepokojone jego nieobecnością panny Jastrzębiec-Gawryszewskie przybiegły wśród śmiechów i przekomarzanek, za nimi Pawełek w marynarskim ubranku, wreszcie, głośno sapiąc, zziajana Miss Milton, jego guwernantka. Zobaczywszy, że sprawa jest poważna, umilkli.

– My Goodness! What has happened, Madame[2]?

---

[2] Mój Boże! Cóż się stało, wielmożna pani? (ang.).

Hrabina uznała, iż Miss Milton powiadomi resztę towarzystwa, że ona musi wrócić, jednak byłaby niepocieszona, gdyby przez jej nieuwagę inni mieli zepsuty dzień. Toteż usilnie prosi, aby guwernantka zaopiekowała się Pawełkiem, by nie stracił pięknej wycieczki. To z pewnością nic poważnego i spotkają się podczas kolacji.

Na szczęście oddalili się nie tak bardzo od Krynicy, a droga, którą podążali, była dość szeroka. Pół godziny później Lucjan przyjechał dorożką, pomógł Adzie wsiąść i wkrótce znaleźli się w pensjonacie. Gdy ułożona na sofie hrabina oczekiwała na lekarza, Krzycki próbował ją zabawiać. Mówiła niewiele, zdawkowo i niechętnie odpowiadała na zadawane pytania. Ostry ból w nodze nie dawał zresztą o sobie zapomnieć. Wciąż dotkliwie odczuwała też upokorzenie z powodu jego wiarołomstwa. Gdyby nie to, że była teraz zdana na jego łaskę, dawno by go odprawiła.

On zauważył ten stan zmrożenia i chciał go jakoś przełamać. Wiedział, że ich sam na sam nie potrwa długo, za chwilę mógł się zjawić lekarz albo ktoś ze służby. Jeśli chciał coś jej wyznać, czas naglił.

– Pani hrabino... – zaczął niepewnie. – Pragnę powiedzieć, ile znaczyły dla mnie, pani, twoje listy. Ile znaczy dla mnie twoja przyjaźń. – Spojrzał na nią, Ada jednak uciekła wzrokiem. – Ile nocy strawiłem na ich lekturze, jaką mi były pomocą i podporą w chwilach zwątpienia.

Westchnęła przeciągle, wciąż jednak nic nie mówiła. Nie ośmieliła się marzyć, że oto wraca jej przyjaciel i wymarzony kochanek, ten, do którego tęskniła przez cały długi miniony rok. Tamten zniknął, odszedł, zdradził ją, porzucił. Co z tego, że stał tu obok, że patrzył na nią tymi wielkimi smutnymi oczyma? To już nie ten sam człowiek.

– Pani... Tyś mi była gwiazdą na niebie, co mówię?! Ty wciąż na nim świecisz niepodzielnie! – powiedział i rzucił się, by ucałować jej dłonie. Ponieważ nie wzbraniała mu pocałunków, nie wyrywała dłoni, objął ją wpół i przylgnął twarzą do jej łona.

– Lucjanie... – wyszeptała i pochyliła się, a on niepomny na to, że za chwilę ktoś ich może zastać w tej dziwnej pozie, uniósł się i pocałował ją w usta.

Przerażona, zdziwiona i uszczęśliwiona jednocześnie, Adrianna Zajezierska oddawała mu pocałunki, a on całował ją jak oszalały. Adzie przemknęło przez myśl, czyby go nie skarcić, ale poczuła coś tak cudownego, nieoczekiwanego i błogiego zarazem, że zapomniała o konwenansach. Stan ten trwał zresztą tylko chwilę, bo niebawem usłyszeli kroki na schodach, skrzypienie podłogi i głosy zwiastujące nadchodzącą właścicielkę Sielanki, Dorotę Żentycową, która prowadziła doktora.

Lucjan odskoczył jak oparzony. Dobrze się stało, gdyż chwilę później zapukano i do pokoju weszło tych dwoje. Skupieni na kostce hrabiny, chyba nie zauważyli zmieszania kochanków. Lekarz stwierdził jedynie silne stłuczenie, zaordynował odpoczynek oraz zimne okłady. Żentycowa odetchnęła z ulgą, prosząc Lucjana, by został z hrabiną, póki ona zajęta jest wydawaniem dyspozycji służbie. Chłopak zgodził się skwapliwie, dla niepoznaki wychodząc z kuzynką po filiżankę herbaty i biszkopta dla chorej.

Wróciwszy, znów przypadł ku Adzie, ofiarowując jej wraz ze swymi gorącymi pocałunkami całkiem nowe życie.

Po tym wypadku poczuła się zakłopotana. Z jednej strony była szczęśliwa, że Lucjan wciąż jest tym z listów, kochającym, czułym, namiętnym i bliskim jej sercu mężczyzną. Trochę jednak przerażała ją jego męska, a nawet samcza zaborczość. Dziwne, że tak na niego działała: on jej pożądał! Gdyby tylko mógł w swym spojrzeniu zawrzeć wszystko, co czuł, spaliłaby się w jego gorączce. Dni mijały w jakimś dziwnym odurzeniu, myślała tylko o tym, by on znów pod byle pretekstem został w pensjonacie, podczas gdy inni pójdą do miasta lub na wycieczkę w góry, by wszedł do pokoju, rzucił się ku niej i robił te wszystkie straszne rzeczy: wsuwał dłoń między nogawki jej pantalonów, dotykał łydek, ud niemalże, by całował ją, bezwolną, oddychającą ciężko, czującą coś, czego nigdy nie czuła. Skonsternowana, sama przed sobą musiała przyznać, że pragnie tego mężczyzny. Więc jest kobietą upadłą?

Tej myśli Ada początkowo się przeraziła, chciała zarządzić pakowanie kufrów i pośpieszną rejteradę z Krynicy, jak jednak by się wytłumaczyła przed Tomaszem z przyjazdu wcześniejszego niemal o miesiąc? Nie pomyślała, że chora noga byłaby dobrym pretekstem, bo przecież wcale nie chciała wyjeżdżać, co więcej, bez przerwy rozmyślała o tym, gdzie mogliby się z Lucjanem ukryć przed wścibskimi spojrzeniami. Gdzie mogłaby upaść jeszcze niżej. Niestety, żadnego takiego miejsca nie znajdowała.

Tymczasem w towarzystwie rozniosło się już, iż zawiadomieni listownie ojcowie: Andrzej Jastrzębiec-Gawryszewski i Napoleon Krzycki mieli przyjechać w najbliższym czasie do Krynicy, by się poznać bliżej. Uczucie młodych dla nikogo nie było już tajemnicą, a im bardziej sprawa stawała się publiczną, tym więcej czasu Lucjan spędzał z Adrianną Zajezierską. Teraz mógł bez uciekania się do sztuczek dedykować jej swoje wiersze, wszak „Dla A." mogło znaczyć zarówno „Dla Adrianny", jak i „Dla Anetki".

Ta zadziwiająca sytuacja zdawała się wszystkim odpowiadać. Ada czuła się wreszcie kochana i zaczynała powoli odczarowywać miłość fizyczną, która dotąd oznaczała dla niej jedynie rzadkie spełnianie nieprzyjemnego małżeńskiego obowiązku. Anetka zaś, biedne dziecko, myślała z dumą, że piękny poeta jest jej zdobyczą, podczas gdy to ona wraz ze swym niebagatelnym posagiem wpadła w sidła maman[3] Krzyckiej. Wreszcie Lucjan: otoczony wielbicielkami, zaspokojony emocjonalnie i fizycznie, czegóż mógł żądać więcej? W dodatku dzięki sprytnym zabiegom mamusi być może uda mu się nigdy nie splamić dłoni pracą, unosząc się nadal ponad codziennością, w niematerialnej sferze ducha, jedynej godnej jego zainteresowania.

Tak, sprawy zdecydowanie przyjęły najlepszy z możliwych obrót.

Oficjalne zaręczyny Anetki i Lucjana odbyły się na Boże Narodzenie. Krzyccy przyjechali do Manic, dóbr Jastrzębiec-Gawryszewskich, kilka dni przed Wigilią i zostali do Trzech Króli. Między Adą a Lucjanem trwała gorączkowa, pełna wyznań, namiętna korespondencja. Hrabiostwo Zajezierscy jako zaprzyjaźnieni z rodziną Radziewiczów, z której pochodziła pani Urszula, przyszła teściowa Lucjana, oczywiście otrzymali zaproszenie na uroczystość.

Rodzice narzeczonej dwoili się i troili, aby wszystko wypadło godnie i dostatnio. Urządzali wspaniałe przyjęcia, kuligi, koncerty, wreszcie bal maskowy, a także żywe obrazy. Pośród setek gości kochankowie czuli się niemal

[3] Mama (fr.).

bezpieczni. Korzystali więc z krótkich chwil sam na sam, by potwierdzać stare przysięgi i szeptać nowe wyznania.

Ślub ustalono na październik roku następnego, Ada i Lucjan mieli więc jeszcze dużo czasu.

1995

Iga zaparkowała na podwórku, ale nie miała ochoty wracać do domu. Było zbyt pięknie, a w jej głowie kłębiły się tysiące myśli. Zaprowadziły ją nad jezioro Nyć. Lubiła, siedząc na ławce, przyglądać się wodzie. Tu zawsze dobrze odpoczywała. Widok tafli jeziora, delikatnie marszczonej podmuchami wiatru, miał w sobie coś kojącego. Jakieś starsze panie karmiły łabędzie. Dzieci biegały, głośno się śmiejąc. Mimowolnie wszystko to rejestrowała, ale przede wszystkim słyszała w głowie własne pytania. Zbyt wiele ich się nazbierało. Dotyczyły jej życia domowego, chorej babki, dzięki heroicznej wprost sile woli dźwigającej się ze spowodowanego udarem bezwładu, niespodziewanie zakochanego ojca zamierzającego ułożyć sobie życie na nowo, wreszcie chłopaka, z którym nie mogła się dogadać i który porzucił ją dla innej.

Myślała też o wciąż nierozwiązanej tajemnicy pierścienia Zajezierskich, odnalezionego niespodziewanie po pięćdziesięciu latach w podziemiach gutowskiego rynku, zaledwie kilkadziesiąt metrów od cukierni. Klejnot nie przestawał jej fascynować. Kiedy Wolski powiedział Idze, że pierścień znajdował się w spisie majętności Zajezierskich już na początku XIX wieku, zrobiło to na niej większe wrażenie niż badania archeologów, potwierdzających, że mógł zostać wykonany w średniowieczu.

A tu tymczasem jutro rano trzeba będzie znów stanąć za ladą i, przybrawszy na usta uśmiech ekspedientki, przyjmować zapłatę i wydawać klientom resztę. Słodkie życie cukiernika. Westchnęła głęboko i wstała. Zmierzchało, a po zmroku tereny nad jeziorem niepodzielnie anektowali osobnicy spod ciemnej gwiazdy. Nagle wychodziła ze swych nor cała miejska żulia i samotne pozostawanie w tej okolicy mogło być niebezpieczne.

Wracała pod górę Szewską, która po remoncie wyglądała jak żywcem wyjęta z toruńskiej starówki, nie ustępowała też urodą płockiej ulicy Kolegialnej. Rozlokowały się przy niej najlepsze sklepy z markowymi towarami, delikatesy i restauracja, a kolorowe szyldy w dużych witrynach kusiły do wejścia. Stylizowany na dawne czasy bruk trochę utrudniał chodzenie, ale wspaniale harmonizował z odrestaurowanymi budynkami kryjącymi duże, wysokie mieszkania zajmowane przez najbogatszych. Na razie brakowało tu jedynie zieleni, bo posadzone kilka tygodni temu rachityczne drzewka nie zdążyły się jeszcze zadomowić na nowych miejscach.

„Kocham to miasto!" – pomyślała Iga i zakręciła się dookoła.

Kilka minut później była już w domu. Zdejmując buty, usłyszała rozmowę. Ojciec najwyraźniej miał gościa. Chciała się cofnąć, ale on stał u szczytu schodów, jakby właśnie na nią czekał:

– Długo cię nie było – rzucił tonem, w którym nie zauważyła przygany.

– Poszłam się przejść.

– Mamy gościa.
– Zauważyłam.

Szła jak na ścięcie. Nigdy nie umiała udawać, teraz też nie wybuchnie radością na widok kochanki ojca. Nie zaprzyjaźni się z nią i choć nic o niej nie wiedziała, tego jednego była absolutnie pewna.

Helena siedziała w fotelu z nogą założoną na nogę. Na widok Igi odstawiła filiżankę kawy i nie wiadomo po co, zwilżyła językiem usta. Może zlizywała resztki lukru z ciastka, które napoczęte leżało przed nią na talerzyku? Czyżby zamierzała ją całować? Iga nigdy na to nie pozwoli!

– Poznajcie się. Iga, Helena. Dwie najważniejsze kobiety w moim życiu – powiedział Waldemar Hryć, wyraźnie wzruszony.

– Jest jeszcze babcia, przynajmniej póki nie umarła – dziewczyna skonstatowała grobowym tonem, czym kompletnie zmroziła atmosferę.

Żałowała, że nie może powiedzieć: „Przepraszam, ale mam strasznie dużo nauki" – i tak nikt by jej nie uwierzył. Czekało ją najgorsze pół godziny w życiu.

– A więc jesteś studentką? – lekko zapytała Helena, uśmiechając się uprzejmie.

– A więc jestem – Iga odpowiedziała niechętnie. Chciała dodać: „Jeszcze przez półtora miesiąca będę wam przeszkadzać", ale zacisnęła zęby, przygryzła wargi i starała się nie patrzeć na gościa.

– Iga ma szczególne poczucie humoru – włączył się do rozmowy zdenerwowany Hryć. – Ale założę się, że się wkrótce polubicie.

Spojrzał na córkę, która parsknęła krótko i ironicznie, nie pozostawiając nikomu złudzeń. Wiedziała, że traci ojca, i postanowiła o niego walczyć w jedyny sposób, jaki jej przyszedł do głowy. Bała się też, że ta wzajemna prezentacja może być wstępem do zamieszkania Heleny w ich domu, a tego, przynajmniej na razie, chybaby nie zniosła.

Pierwsza komunia Pawła Zajezierskiego była w pałacu wielkim świętem i okazją do wydania dużego przyjęcia. Chłopiec od zawsze zachowywał się inaczej niż dzieci z okolicznych dworów. Wciąż mówił o tym, że w przyszłości chce zostać księdzem, zaczynał już służyć do mszy w kościele, z pamięci cytował obszerne fragmenty Pisma Świętego i nawet hrabia Tomasz wydawał się z tym faktem pogodzony. Być może dlatego, że wciąż wierzył, iż syn się zmieni, z czasem upodabniając do niego.

Czasami, kiedy humor mu dopisywał, tarmosił go po głowie i żartował, mówiąc o Pawle „mój mały biskup", nie wiedząc, jak blisko jest prawdy. Teraz jednak nikt nie przewidywał, jak w przyszłości potoczą się losy chłopca i gdyby ktoś im o nich opowiedział, mieliby trudność, by uwierzyć.

Rok 1905 zaczął się niefortunnie. Złe wieści z frontu wojny rosyjsko-japońskiej, „krwawa niedziela" w Rosji i wprowadzenie stanu wojennego w Królestwie bardzo martwiły Zajezierskich, którzy nosili się z zamiarem kupna domu w Płocku, gdzie Ada mogłaby zamieszkać z Pawłem na czas jego nauki w gimnazjum gubernialnym. Był to dawny projekt, hrabiego interesy przecież wciąż gnały do miasta, a to do Rządu Gubernialnego, a to do Dyrekcji Towarzystwa Kredytowego Ziemskiego przy Warszawskiej czy Gubernialnego Zarządu Akcyzy u zbiegu Królewieckiej i Dominikańskiej, a to do Banku Państwa, Sądu Okręgowego czy Towarzystwa Rolniczego. Zatrzymywał się wtedy zazwyczaj w Hotelu Warszawskim przy Kolegialnej i wciąż rozmyślał o miejskiej rezydencji.

Kiedy wybierali się do teatru czy w gości do Płocka, też zazwyczaj zajmowali numer w hotelu. Teraz zaś sprawa miała się zupełnie inaczej. Nauka w gimnazjum trwała osiem lat i Zajezierscy pragnęli, aby ich jedynak czuł się przez ten czas u siebie, toteż żadne wynajmowanie stancji nie wchodziło w rachubę. Ustalili, że Ada będzie mieszkać z synem w Płocku, a na niedziele i święta będą przyjeżdżać do Zajezierzyc. Dostaną powóz i kuczera[1]. Pokojówkę, lokaja i kucharkę planowano zatrudnić, bo hrabina Barbara nie chciała pozbywać się swych ludzi, uważając jak najsłuszniej, że dobrej służby nie ma i trzeba ją dopiero samemu sobie wychować. Miss Milton naturalnie wyjeżdżała razem z nimi, ktoś musiał pomagać Pawłowi w nauce i pilnować jego postępów.

Te wszystkie założenia robili Zajezierscy na pół roku przed egzaminem wstępnym Pawła, mieli jednak nadzieję, że syn jest dobrze przygotowany, zresztą nawet gdyby noga mu się powinęła, poszedłby do klasy wstępnej, co nijak nie zmieniało sytuacji. Myśleli więc przede wszystkim o szczegółach technicznych. Dom należało zakupić odpowiednio wcześniej, może będzie konieczny remont, trzeba przecież umeblować nową siedzibę, wyposażyć ją tak, by posiadała wszelkie niezbędne wygody i była godna Zajezierskich.

Tymczasem wybuchła rewolucja, trwały strajki szkolne i nie dawało się przewidzieć ani rozwoju, ani skutków tych wydarzeń. Co prawda w wyniku powszechnych protestów młodzieży zarysowała się szansa wprowadzenia w szkołach języka polskiego jako wykładowego, co do tej pory możliwe było jedynie na prywatnych pensjach, ale gimnazjum gubernialne zostało zamknięte, a wielu uczniów karnie relegowano.

Hrabia Tomasz obawiał się nie tylko pokłosia strajków, lecz także zamieszek związanych z wystąpieniami partii robotniczych i chłopskich, które również w Płocku oraz Gutowie rozwijały konspiracyjną działalność i mogły stanowić realne zagrożenie.

---

[1] Woźnica (niem.).

Przekonany na posiedzeniu Towarzystwa Rolniczego o konieczności podniesienia służbie folwarcznej pensji oraz ordynacji, Tomasz przeprowadził takie zmiany w swoich majątkach, dzięki czemu zadowoleni chłopi na razie nie kwapili się do urządzania burd.

Alfred Przaska znalazł wreszcie ciekawą nieruchomość przy Kolegialnej. Była to wybudowana kilka lat wcześniej kamienica barona Olenskiego, dawniej zarządzającego płocką Izbą Skarbową. Ostatnio wynajmował ją porucznik huzarów lejb-gwardyjskiego carskosielskiego pułku, zesłany karnie do stacjonującego w Płocku 15 Perejasławskiego Pułku Dragonów za jakieś drobne przewinienie, prawdopodobnie sprawę honorową. Porucznik wsławił się w mieście urządzaniem koncertów specjalnie sprowadzanej z Petersburga orkiestry oraz organizowaniem szalonych zabaw, gdzie lano do ogniska szampana i spirytus, by ogień był ładniejszy, oraz biesiad, na które kawior przynoszono w wiadrach.

On to właśnie na swoje potrzeby bajecznie urządził kamienicę, sprowadzając sztukatorów i malarzy z samego Paryża, wymieniając okna i drzwi, pokrywając ściany drogimi tkaninami i meblując garniturami mebli najdroższymi z drogich. Zaledwie po kilku miesiącach pobytu otrzymał zgodę cara na powrót do swego pułku i, nie mając zamiaru niczego ze sobą zabierać, zostawił urządzenie domu właścicielowi. Ten zaś wystawił nieruchomość na sprzedaż wraz z zawartością. Zajezierscy chętnie skorzystali z oferty, bo były to rzeczy eleganckie i w bardzo dobrym gatunku.

Dom, dostatecznie duży i ładnie położony, z rozległym ogrodem – co stanowiło dodatkowy atut – nie wymagał wielkich napraw. Nie zastanawiając się długo, hrabia podpisał w kwietniu kontrakt z plenipotentem[2] Olenskiego, a pod koniec sierpnia odwiózł żonę i syna do ich nowej siedziby.

Sprawy szkolne toczyły się w tym czasie własnym, burzliwym nurtem. Celem powołania do życia polskiego gimnazjum zawiązało się w Płocku koło Polskiej Macierzy Szkolnej[3]. Komitet z Adamem Grabowskim i Aleksandrem Macieszą na czele, w porozumieniu z Pawłem Topolińskim przejął zarząd nad jego czteroklasową szkołą, przekształcając ją w nowe gimnazjum z językiem polskim jako wykładowym. Energia i patriotyczny zapał udzieliły się Zajezierskim, którzy zaczęli się zastanawiać nad zmianą szkoły. Co prawda na razie funkcjonowały tu tylko cztery oddziały, nie ustawano jednak w wysiłkach mających na celu uzyskanie zgody na pełny ośmioletni kurs.

Koniec końców Paweł, co pół roku wcześniej jeszcze nikomu nie mieściło się w głowie, został zapisany do szkoły, w której miał się uczyć po polsku! Wszyscy się z tego powodu niezwykle cieszyli, a najbardziej hrabina Barbara. To ona mimo protestów syna uiściła czesne za pierwszy rok nauki wnuka – całe pięćdziesiąt rubli! W tym samym czasie hrabia Tomasz i inni członkowie płockiego koła Towarzystwa Ubezpieczenia od Gradu wpłacili składkę w wysokości stu rubli na konto wspierania nauki niezamożnej młodzieży.

Mimo początkowych trudności Ada dość szybko przyzwyczaiła się do zmiany, polubiła miasto i odnalazła się

---

[2] Pełnomocnik.

[3] Organizacja kulturalno-oświatowa, której celem było szerzenie oświaty i zakładanie polskich szkół.

w płockim mondzie[4]. Dzięki pomocy przyjaciela z dzieciństwa, księdza Walerego, który piastował wysokie stanowisko Sekretarza Kurii, poznała bliżej miejscowe duchowieństwo (między innymi księdza Józefa Michalaka, znakomitego znawcę liturgiki i kultury antycznej, oraz księdza Adolfa Szelążka), a także całą socjetę[5]: Stanisława Chełchowskiego, prezesa Towarzystwa Rolniczego Płockiego, i jego żonę Jadwigę, doktorostwo Aleksandra i Marię Macieszów czy rejentostwo Staszewskich.

Konieczność bywania i przyjmowania, praca w organizacjach charytatywnych oraz udział w życiu kościelnym, szkolnym i artystycznym zaabsorbowały ją do tego stopnia, że prawie nie przejęła się faktem, iż po trwającym dwa lata narzeczeństwie, ukończywszy studia prawnicze na Uniwersytecie Jagiellońskim, jej dawny ukochany Lucjan Krzycki ożenił się szczęśliwie z Anetką Jastrzębiec-Gawryszewską.

Córka Kingi Toroszyn, Grażyna, zachowywała się niczym mała dzikuska. Od kiedy tylko nauczyła się chodzić, wciąż uciekała. Zaciekawiona bardziej życiem folwarku niż dworu, biegła do obory, stodoły albo stajni, bo tam zawsze działo się coś ciekawego. Za nią podążały truchtem kolejne opiekunki. Póki dała się wziąć na ręce, zanosiły z powrotem do domu wierzgającą i drącą się wniebogłosy Ginę, jak kazała się nazywać, długo nie umiejąc poprawnie wymówić swojego imienia. Na szczęście mimo tych fanaberii dziecko chowało się zdrowo, szybko rosło, a biegało jeszcze

[4] Śmictanka towarzyska (fr.).
[5] Towarzystwo (fr.)

szybciej i trzeba było nie lada wytrwałości, kondycji i sprytu, by przewidzieć, gdzie się tym razem skryło.

W porównaniu ze skupionym na książkach, ponad wiek poważnym kuzynem, Pawłem Zajezierskim, Gina zachowywała się jak żywe srebro. Mając pięć lat, zażądała kucyka, a jako siedmiolatka jeździła już na własnej klaczy. Potrafiła wytrzymać w siodle dłużej niż niejeden dorosły. Była ulubienicą hrabiego Tomasza, który mawiał, że gdyby miał taką córkę, wystarczyłaby mu ona za trzech synów. Jednak to nie on musiał znosić jej ciągłe harce: zabawy w chowanego (potrafiła przez pół dnia przesiedzieć ukryta na strychu w pustej beczce, co wyprowadzało z równowagi jej matkę), wycieczki do lasu podczas obowiązkowego odrabiania lekcji, eksperymentowanie z własnym ciałem (uwielbiała biegać boso i kąpać się w lodowatej wodzie) oraz przynoszenie do domu rozmaitych robaków, którym chciała się lepiej przyjrzeć, kładąc je na stole w kuchni i krojąc nożem na małe kawałki.

Chętnie bawiła się z dziećmi fornalskimi, zwłaszcza z chłopcami, dziwnym trafem zachowując się wobec nich jak prawdziwa dama. Uczyła ich francuskiego i żądała zapamiętania łamiących język zwrotów w stylu:

– Ąszante, madmłazel[6]!

Dla nich potrafiła uczynić wyjątek, którego nie robiła dla matki, ciotki, guwernantki. Podstawiała im pod nos dłoń, którą z uszanowaniem dla jej płci i pochodzenia całowali. Niejeden zakochał się wtedy w pięknej dzikusce, ale jej serce pozostawało uśpione.

Oprócz koni największą namiętnością Grażyny były słodycze. Dla obiecanej wycieczki do Gutowa i wypicia

---

[6] Bardzo mi miło, panienko! (zapis fonetyczny fr. *Enchanté, mademoiselle*).

Pod Aniołem filiżanki gorącej czekolady potrafiła być grzeczna przez cały dzień, a nawet dłużej! Ale zanim mogła zabrać się do pałaszowania wymarzonych łakoci, musiała najpierw pokazać matce dłonie.

Kinga, nauczona doświadczeniem, wiedziała, że ręce Grażyny brudzą się bez dotykania jakichkolwiek przedmiotów, ot, same z siebie. Skrupulatnie sprawdzała zatem ich czystość. Najczęściej robiła to przed drzwiami cukierni, a kiedy przykry obowiązek miały już za sobą i egzamin wypadł pomyślnie, siadały przy małym stoliku z marmurowym blatem w ciemnawym wnętrzu oddzielonym od sklepu ciężkimi pluszowymi kotarami. Gina przypominała sobie nagle dobre maniery, nie rozglądała się dookoła, nie mówiła głośno. W pełnym skupieniu oczekiwała początku misterium, gdy pojawi się kelner, a ona będzie mogła wystudiowanym gestem, otwierając kartę i doskonale odtwarzając ruchy matki, powiedzieć:

– Może migdałową babeczkę?

Tymczasem jej podniecenie można było odczytać z rozchylonych ust, delikatnego, tak żeby nikt nie widział, oblizywania się, głębokiego wciągania w nozdrza woni ciast, bo wszak jedzenie rozpoczyna się od zapachu.

Zawsze miała problem z wyborem, zastanawiała się, co zamówić: sernik z siekanymi migdałami, galaretkę, a może ptifurkę[7]? Mieli ich Pod Aniołem mnóstwo: oblewane kolorowymi lukrami, obwiedzione lukrową nitką innego koloru niczym mały pakuneczek wstążką, z owocami, galaretką, masami i kremami. Kelner przynosił zazwyczaj całą tacę i nigdy nie kończyło się na kupieniu tylko jednego.

---

[7] Małe ciastko jedzone zazwyczaj pod koniec posiłku lub serwowane jako osobny deser.

Gina powoli, z namaszczeniem, żuła pyszne ciastko, żałując, że w końcu musi je połknąć, i pragnąc jak najdłużej przeciągnąć tę chwilę. Przed wyjściem Kinga zawsze kupowała trochę słodyczy na wynos: a to pyszne sucharki, to znów kandyzowane owoce czy czekoladki. Kazała je zapakować i wiozła do Długołąki, trzymając na widoku i mając pewność, że Grażyna, nim zje wszystkie, będzie przynajmniej przez kilka dni grzeczna.

Opuszczając cukiernię, dziewczynka zatrzymywała się jeszcze z nosem przy wystawie, na której pyszniły się dekoracje z ciasta: średniowieczne zamki, kwiaty w wazonach, kosze owoców, a wszystko jak żywe, jakby się weszło wprost do bajki!

Ale rzadko mogły sobie pozwolić na taki luksus. Kinga nie miała praktycznie żadnych dochodów ani jakiegokolwiek wykształcenia poza domowym. Pięćset rubli ze spłaty zainwestowała w hodowlę bażantów, ale dochód był z tego niewielki, w sam raz na drobne wydatki. Sytuacja stawała się krytyczna, bo dziecko rosło, a i ona miała swoje potrzeby, tymczasem mieszkała niczym rezydentka w Długołące, bez środków do życia i perspektyw na przyszłość.

Od czasu, gdy zmarł Tadeusz Bysławski, a matka Kingi oddała w jej ręce zarząd nad majątkiem, po długim namyśle i wielu trudnych rozmowach zdecydowały, że najlepiej będzie, jeśli wydzierżawią go Zajezierskim. W ten sposób zapewniały sobie podstawy utrzymania bez codziennych zmartwień i miały poczucie, że ziemia, będąc w dobrych rękach i troskliwie uprawiana, przynosi obfite plony.

W 1903 roku pojawiły się na ulicach Warszawy pierwsze „dorożki samochodowe". Wyglądem przypominały zwykłe dryndy, do których zapomniano zaprząc konia. Osadzone na wysokich i cienkich kołach, nie miały dachu, a uruchamiało się je, pokręcając z przodu korbą. Z tym nowym wynalazkiem wiązano wiele nadziei na usprawnienie i przyśpieszenie transportu w rozrastającym się mieście, poprawę jego czystości (konie wszak brudziły) oraz zwiększenie bezpieczeństwa.

Marian Cieślak z ciekawością śledził rozwój wynalazku od pierwszej próby, która bez rozgłosu odbyła się przy Senatorskiej latem 1896 roku, i dość szybko uznał, że jest to kierunek, jaki powinni z teściem obrać w swej działalności. Jednak ryzykanctwo nie leżało w naturze Partyki:

– Niech najpierw ktoś wypróbuje te ekstramobile przed nami.

Ale ani w tym roku, ani w następnym nie dał zgody, a co za tym idzie – pieniędzy na zakup auta. Dopiero dwa lata później, w 1906, w końcu się przekonał. Kupili z Cieślakiem trzy „powozy systemu Benza" w firmie Stanisława Grodzkiego z zamiarem powiększenia floty, jeśli tylko eksperyment się uda. Jednocześnie przy ulicy Leszno 25 umieścili „remizę samochodową" pod nazwą Auto Garage.

Spory problem stanowiło znalezienie odpowiedzialnych szoferów, zresztą nieufny Cieślak obawiał się, że nie zechcą oddawać całego zysku. Teraz był szacownym ojcem rodziny, miał córkę, dwunastoletnią Zytę, i wciąż myślał o tym, że niedługo i jemu, jak kiedyś teściowi, przyjdzie szukać dla niej męża. Zyta była zresztą podobna do matki tak z urody, jak i z charakteru, więc istniało podejrzenie, że będzie musiał dopłacić jakiemuś osłowi, by ten chciał ją wziąć z dobrodziejstwem inwentarza. Cieślak, jak każdy ojciec, marzył o synu, a kiedy urodziła się dziewczynka, tak bardzo przypominająca Zenobię, płacząca z byle powodu, krzykliwa, marudna i wciąż zła, uznał, że musi zapomnieć o męskim potomku, bo gdyby plan się nie powiódł, dwóch takich córek nie zdzierżyłby pod swoim dachem.

Teraz wreszcie zrozumiał, dlaczego rodzice tak chętnie pozbyli się Zenobii. Zresztą niejedną wódkę pod flaki z pulpetami wypili z teściem, rozprawiając o tym, jak bardzo Partykowie się bali, że rzekomy szlachcic gotów się rozmyślić, a potem żałowali, że nie zamierza wywieźć ich córki gdzieś na kresy, dokąd mogliby jeździć z wizytą raz do roku, broń Boże częściej.

Wobec swojej córki Cieślak, jak wcześniej wobec jej matki Partyka, był zupełnie bezradny. Nie wiedział, w jaki sposób wychować dziewczynkę, wciąż pracował, poza tym nie miał wzoru, bo jego rodzice uczyli swe dzieci zaledwie przetrwania, pozostawił więc sprawę żonie. Ta zaś chowała małą na swój obraz i podobieństwo. Miał więc teraz w domu dwie zrzędzące, wciąż niezadowolone panie, cóż więc dziwnego, że więcej czasu spędzał w knajpie niż pod własnym dachem?

Gdy Grażyna skończyła osiem lat, Kinga Toroszyn, zmęczona szaleńczymi wybrykami córki, postanowiła oddać ją do szkoły sióstr kwietanek, która mieściła się przy klasztorze w Gutowie. Dziewczynka była krnąbrna i niegrzeczna, kolejne guwernantki nie dawały sobie rady z jej temperamentem, matka sądziła więc, iż surowe klasztorne wychowanie jest tym, czego małej najbardziej, z braku ojca, potrzeba. Dzięki pokrewieństwu z siostrą Emilią oraz pomocy hrabiego Tomasza udało się zebrać potrzebną na czesne kwotę bez naruszania tysiąca rubli złożonych w płockim banku na procent i stanowiących jedyne zabezpieczenie matki i córki.

Na program Katolickiej Szkoły im. Konsolaty Gutowskiej składały się niezwykle potrzebne młodym panienkom umiejętności. Uczono tam zatem kaligrafii, haftu, gry na fortepianie, praktycznego przeliczania miar i wag, podstaw arytmetyki, tańca, wiązania wstążek, salonowego obycia i języka francuskiego.

Skąd siostry czerpały wiedzę o tym, jak się podobać mężczyznom, tego nikt Grażynie nigdy nie wytłumaczył. Wiedziały jednak, że należy umieć oblewać się pąsem, dostawać w odpowiedniej chwili migreny lub ataku duszności, chodzić z wdziękiem, ulegle opuszczać oczy i prosto się trzymać. Wszystko po to, by zdobyć dobrą partię, czyli męża.

W wyborze żony obowiązywały bowiem ścisłe kryteria. Panna musiała być nie tylko posażna, lecz także cnotliwa, skromna, łagodna, cicha, bogobojna, cierpliwa i pokorna, broń Boże nie nazbyt śmiała, w najwyższym stopniu zajęta swym panem i władcą. Dzierlatkę karcono za najmniejszy nawet przejaw miłości własnej czy okazywanie znudzenia w towarzystwie, zwracając jej uwagę, iż widać wkłada nie dość starań, by się zainteresować gośćmi i ich zabawić. Kobieta w świecie zdominowanym przez mężczyzn miała odgrywać rolę delikatnego kwiatka, którego powinnością i celem nadrzędnym było upiększanie życia małżonka.

Od pierwszego dnia nauki w szkole klasztornej Grażyna wiedziała, że nie sprosta tym wygórowanym męskim żądaniom. Buntowała się na sam dźwięk słowa „pokora". Nie umiała milczeć, gdy ktoś obok niej mówił o czymś, co ją zajmowało, nie wyobrażała sobie uległości wobec kogokolwiek. Wychowana bez męskiego autorytetu, jedynie przez matkę i babkę, które we wszystkim jej ustępowały i które chyba bawiła ta nieznana w ich pokoleniu wojowniczość, wyrosła na osóbkę głośną, gadatliwą, przekorną i – od czasu pierwszej bytności w teatrze płockim – zdecydowaną zostać artystką. Marzyła o tym, by tu mieszkać i pracować, wolne chwile spędzając w cukierni teatralnej, przy której gutowski Anioł wydawał się ubogim krewnym.

Na razie nie zdradzała się przed nikim ze swymi planami, rozumując słusznie, że mogłoby się to źle skończyć. Zarówno bowiem babkę, Antoninę Bysławską, matkę, Kingę Toroszyn, jak i jej dwie siostry: hrabinę Adriannę Zajezierską oraz siostrę Emilię, czyli Wandę Bysławską, samo słowo „artystka" gorszyło tak, że nie ośmielały się go wypowiadać głośno w towarzystwie, było bowiem synonimem kobiety lekkich obyczajów.

Zresztą artystka nigdy przecież nie znajdzie męża, bo który mężczyzna chciałby mieć taką żonę, a w rękach Giny spoczywa jej przyszłość i przyszłość Długołąki, toteż powinna się do niej dobrze przygotować, zdobywając atrybuty prawdziwej damy i łowiąc partię, która zapewni jej utrzymanie.

Tego samego dnia, kiedy po raz pierwszy przekroczyła próg klasztoru, Grażyna zaczęła planować ucieczkę. Nie wyobrażała sobie, że mogłaby zostać w tym więzieniu bez wygód, gdzie dobrze oświetlony był jedynie ołtarz, wieczorną toaletę odbywano w cynowych baliach po założeniu koszuli kąpielowej, spać chodziło się z kurami, a wstawało przed świtem. Gdzie modlitw było więcej niż nauki i ciągle należało siedzieć bez ruchu!

Na razie udawała grzeczną, ćwicząc się jednocześnie w sztuce aktorskiej. Wciąż mając na uwadze dalekosiężny plan otrzymania *engagement*[1] w teatrze, grała swą rolę z zadziwiającą łatwością. Zdumione siostry kwietanki, znające z opowieści nieposłuszną dziewczynkę, gotowe były tłumaczyć radykalną zmianę jej zachowania dobroczynnym wpływem Matki Boskiej Gutowskiej, przed której cudownym obrazem żarliwie się co ranka modliła.

Gdyby wiedziały, że prosi o natchnienie, wskazanie drogi ku wolności, zastanawia się, jakim sposobem wyrwać się z zimnych i ciemnych murów na słońce, choćby tylko na rynek, że powtarza w myślach imię swego konia Parysa i próbuje przypomnieć sobie zapach jego grzywy! Przez myśl im nie przeszło, że za chwilę ta jedna z naj-

---

[1] Angaż, umowa o pracę z aktorem (fr.).

młodszych pensjonariuszek rozpocznie niekończący się ciąg ucieczek, w przeciwnym razie ich reakcja byłaby zapewne mniej entuzjastyczna.

Ale ta mała diablica odznaczała się czymś, co natychmiast zjednywało jej serca wszystkich dookoła: ogromnym wdziękiem osobistym. Umiała zawsze znaleźć odpowiednie słowo, jej uśmiech był obezwładniający, a pod spojrzeniem brązowych oczu tajały zmrożone na lód serca. W dodatku śpiewała jak anioł, głosem może niezbyt mocnym, ale czystym i pełnym uczucia, na którego dźwięk (siostry nie miały co do tego wątpliwości) otwierały się niebiosa.

Mała manipulatorka miała pełną świadomość swoich możliwości i korzystała z nich bez żenady. Kiedy nachodziła ją ochota na coś smacznego, zjawiała się w infirmerii[2], skarżąc się na ból brzucha. Wprawdzie trzeba było przełknąć gorzkie krople, ale już przy kolacji na jej miejscu stał talerzyk, a na nim biszkopt, a nie pajda razowego chleba oszczędnie posmarowana masłem.

Kłamała gładko i z wprawą zawodowca. Choć nie czuła się sierotą, wciąż używała tego słowa. Błagała o bezwzględne tępienie swoich grzechów i prosiła zawsze o najwyższy wymiar kary. W pokorze schylając głowę i wypinając pupę celem przyjęcia razów wymierzanych przez siostry rzemiennym pasem, powtarzała: „Mea culpa!". Ponieważ ochrzczono ją w obrządku prawosławnym, uparcie nazywała się poganką, mimo że po ukazie tolerancyjnym obie z Kingą wróciły na łono Kościoła katolickiego.

Była najbarwniejszą i najnieznośniejszą ze wszystkich uczennic oraz najbardziej kochaną i najdłużej wspominaną. Niemal sto lat później, kiedy kwietanki znów dostaną pozwolenie na prowadzenie szkoły, jej portret, przedsta-

---

[2] Sala dla chorych w klasztorze (łac.).

wiający sławną Ginę Weylen w jednej z ról filmowych, zawiśnie na honorowym miejscu w korytarzu.

Gina natychmiast zorientowała się, która z sióstr ma miękkie, nieodporne na jej wdzięk serce i które pomieszczenia w szkole są gorzej pilnowane oraz mają nie zawsze zamykane drzwi wiodące na wolność. Wykazywała przy tym spryt i przemyślność zawodowego złodzieja, a w ucieczkach i prowokacjach posuwała się coraz dalej.

Zaczęło się niewinnie: podniosła alarm z powodu szczura, którego nie było. Przeraziła całą klasę, nawet siostra Marta wskoczyła na krzesło, a lekcję odwołano.

Kiedy robiło się zbyt nudno, rzucała plotkę o rychłym przyjeździe biskupa ordynariusza, stawiając na nogi cały klasztor przynajmniej na pół godziny, póki matka przełożona nie zdementowała tych bredni.

Koniecznie chciała się przekonać, czy prawdziwa jest pogłoska o rzekomym podziemnym przejściu między klasztorem a farą. Tak długo szukała zejścia do piwnic, aż je w końcu znalazła. Tak długo próbowała się tam dostać, aż wreszcie weszła za którąś z sióstr. Zdjąwszy wcześniej buty, stąpała ostrożnie w dół, stopień po stopniu, trzymając się ściany. Ponieważ nie miała żadnego źródła światła, nie zdążyła się w porę ukryć i została wkrótce wyprowadzona. Od tamtej pory marzyła o eksploracji piwnic, których siostry strzegły, jakby składowały tam najcenniejsze skarby.

Pewnego razu wymknęła się podczas wyładunku mięsa przywiezionego przez Haskela Gocmana, niemal przyklejona do żydowskiego chałatu[3]. Kiedy indziej znów nie wróciła z wycieczki do Płocka, ukrywszy się w konfesjonale

[3] Długie okrycie przypominające płaszcz, noszone przez Żydów.

zwiedzanej właśnie katedry. Gdzie ją odnaleziono? Oczywiście w cukierni! Pałaszując babeczki maślane i popijając orszadę[4], z takim przejęciem opowiadała o swym sierocym losie, że utworzył się wokół niej wianuszek współczujących pań, gotowych nieść pomoc biednemu dziecku. Żadna z nich nie podejrzewała, że kilkaset metrów dalej, w domu przy Kolegialnej, mieszka rodzona ciotka małej oszustki, która zresztą doskonale zna drogę.

Była odważna, bezczelna i słodka. I nie miało wielkiego znaczenia, że siostra Emilia jest jej ciotką. Mała traktowała jej obecność raczej jak zobowiązanie. Czasem, kiedy wydawało się, że wszystkie środki zaradcze od klęczenia na grochu po zmywanie korytarza zawiodły, siadały sobie gdzieś na osobności i rozmawiały o Bogu. Gina bardzo lubiła te pogawędki. Jedynie wobec siostry Emilii, do której nigdy nie zwracała się „ciociu", czuła pewien respekt i po tych pogaduszkach naprawdę starała się przez kilka dni być taka jak ona. Wyobrażała sobie, że została zakonnicą. Chodziła wolno, bez słowa, z dłońmi złożonymi niczym do modlitwy i spuszczonymi oczyma. Ale równie szybko, jak dawała się ponieść tym prywatnym rekolekcjom, z niewiadomych przyczyn gubiła gdzieś ten stan. I wszystko wracało do normy.

---

[4] Napój chłodzący przyrządzany z mielonych migdałów.

Kiedy po ukończeniu studiów rolniczych w Dublanach i praktyce odbytej we dworach na Podolu Zdzisław Pawlak przyjechał do Zajezierzyc, hrabia Tomasz przywitał go z otwartymi ramionami. Pawlakowie byli od pokoleń związani z Zajezierskimi, obie rodziny żyły obok siebie co najmniej od stulecia. Franciszek Pawlak był pierwszym zarządcą, jego córka pracowała w pałacu jako pokojowa, a potem ochmistrzyni. Ich dzieci i wnuki też znajdowały tu zatrudnienie. Potem niestety zdarzyła się ta nieprzyjemna sprawa z wyrzuceniem z pracy jednej z Pawlakówien, wtedy już właściwie Raczko.

Była wnuczką Franciszka i bardzo dobrą kucharką, zwolnioną właściwie dla zasady, narzuconej dawno temu z powodu częstych i niezapowiedzianych wizyt utytułowanych gości, która brzmiała, iż kuchnia musi wydać obiad w ciągu dwudziestu minut od zarządzenia. I tak się zdarzyło, że przyjechali raz goście, a wydanie obiadu zajęło dwadzieścia dwie minuty. Posiłek zjedzono, nie komentując spóźnienia, które zauważyła chyba tylko pani domu. Wieczorem zamiast poleceń na dzień następny kucharka dostała od hrabiny Jadwigi referencje. Bardzo dobre referencje, ale musiała szukać posady gdzie indziej. Wyniosła się do Gutowa, gdzie jakoś po niedługim czasie umarła. Podobno nie miało to nic wspólnego z nieprzyjemnym incydentem, ale Pawlakowie wkrótce przestali służyć w Zajezierzycach.

Tymczasem podczas wystawy rolniczej we Lwowie, na którą hrabia pojechał ze swoimi najlepszymi sztukami bydła i ogierami, zasłużenie zresztą wyróżnionymi złotym medalem, rozpoczął z nim rozmowę młody człowiek, przedstawiwszy się jako Zdzisław Pawlak. Opowiedział hrabiemu historię zwolnienia ze służby w Zajezierzycach swej ciotki-babki, czym zresztą zainteresował go i rozbawił. Z rozmowy wynikało, że szuka pracy i chętnie wróciłby w rodzinne strony.

Hrabia mógł mu na razie zaoferować tylko posadę ekonoma w jednym z folwarków, ale Pawlak wiedział, że musi trochę odczekać, zanim zwolni się lepsze miejsce. Przystał więc na zaproponowane warunki i w niedługim czasie wprowadził się do Zajezierzyc.

Pensja wyższa żeńska Jadwigi Sikorskiej, którą uczennice pieszczotliwie nazywały Duszką, zajmowała dwa piętra imponującej kamienicy u zbiegu ulic Marszałkowskiej i Królewskiej w Warszawie.

Gdy odbywały swój codzienny przedobiedni spacer do Ogrodu Saskiego lub na niedzielną mszę do kościoła Wizytek, jej uczennice, a były to panny z najlepszych domów tak szlacheckich, jak mieszczańskich, rozpoznawano z daleka. Miały na sobie zazwyczaj granatowe mundurki z długimi rękawami, czarne pończochy w prążki, czarne fartuszki na szelkach i sięgające połowy łydki skórzane trzewiczki zapinane na rząd guzików. Jesienią i zimą nosiły granatowe kamlotowe[1] płaszczyki. Filcowe lub słomkowe kapelusiki przyozdobione czarną wstążką i wciśnięte głęboko na czoło przykrywały w zależności od pory roku ich włosy splecione w warkocze.

Część dziewcząt codziennie przywożono do szkoły, inne mieszkały w internacie, gdzie oprócz sypialni znajdowała się także infirmeria, stołówka i kuchnia. Pensja cieszyła się w Warszawie i Królestwie świetną renomą, zatrudniała bowiem najlepszych profesorów. Tu nie uczono dobrych manier, choć ich znajomości wymagano, czego Grażyna, którą hrabia Tomasz przywiózł przy okazji załatwiania interesów w stolicy, początkowo nawet się przestraszyła.

Nie to było jednak główną troską dorosłych. Zanim bowiem przełożona wyraziła zgodę na przyjęcie Grażyny do szkoły, zarówno Kinga, jak i Zajezierscy prowadzili z nią długą korespondencję, starając się wykazać, iż nazwisko dziewczynki jest bez znaczenia, i zarzekając się, że nie ma mowy o jakimkolwiek zruszczeniu rodziny. Argumentowano, jakoby obie, tak matka, jak i córka, już dawno wróciły na łono Kościoła katolickiego, a nieszczęsne nazwisko stanowiło jedynie pozostałość krótkotrwałego, zawartego w pośpiechu i wbrew woli rodziny małżeństwa.

W tym jednym Grażyna okazała się nieodrodną córką swej matki. Choć jako dziecko nie miała nic do powiedzenia, postanowiła uczyć się w Warszawie. A przecież pod bokiem był Płock i nowo utworzona Szkoła Udziałowa Żeńska. Mimo to Gina uparła się na stolicę i tak długo zachowywała się na przemian słodko i nieznośnie, tak długo drążyła matce dziurę w brzuchu, obiecując, iż nauczy się zawodu, z którego utrzyma je obie (na przykład rachunko-

---

[1] Miękka tkanina z wełny wielbłądziej.

wości, czego nigdy zresztą nie zamierzała dotrzymać), aż Kinga wybrała się pewnego dnia po radę do Zajezierskich. Ci wprawdzie pomysłu nie poparli, ale obiecali udzielić krewnej niezbędnej pomocy. I tak też się stało.

Spory problem sprawiła weryfikacja umiejętności dziewczynki. Ukończyła ona zaledwie dwie klasy Katolickiej Szkoły im. Konsolaty Gutowskiej, z czego pierwsza była wstępną, a biorąc pod uwagę zakres wykładanych tam przedmiotów, należało podejrzewać, że może mieć luki w podstawach wiedzy.

Nikt jednak niczego nie przesądzał. Należało to dokładnie sprawdzić, bo ze względu na nieustającą czujność władz carskich nazwy przedmiotów w szkołach częstokroć miały się nijak do wykładanych treści. Tak więc Gina rozpoczęła naukę w gimnazjum, ale szybko zorientowano się, że obawy przełożonej się potwierdziły i ma ona wielkie braki w wielu przedmiotach, nawet w rosyjskim, co wydawało się dziwne z uwagi na ojca Rosjanina, ale też w algebrze, przyrodzie, geografii, historii, angielskim i francuskim. Natomiast takich przedmiotów jak anatomia czy geologia w szkole kwietanek w ogóle nie było. Literaturę polską Grażyna znała co prawda, ale na wyrywki.

Dzięki staraniom hrabiego dostała od razu korepetytorkę, pannę Jolantę Dąbską, która wytrwale przerabiała z nią temat po temacie, przygotowując uczennicę do egzaminu wewnętrznego, w przeciwnym wypadku groziło Ginie cofnięcie do klasy pierwszej, a nawet wstępnej. Takiej hańby ambitna uczennica by nie zniosła, pracowała więc gorliwie, powoli nadrabiając zaległości.

Atmosfera szkoły bardzo jej odpowiadała, bo przekazywano tu prawdziwą wiedzę, choć nierzadko pod przykrywką robótek ręcznych, a godziny czytanek i pogawędek z przełożoną, które w rzeczywistości były czasem wychowania patriotycznego, po prostu uwielbiała.

Gdy pojawiła się w szkole, woźny zabrał niepokaźnych rozmiarów kuferek Grażyny i od razu zaprowadził ją do klasy. Panna Kazimiera Więcek, nauczycielka francuskiego, przedstawiła Ginę i wskazała wolne miejsce obok jasnowłosej i zielonookiej drobnej dziewczynki, która na powitanie zaszeptała smętnie:

– Nazywam się Mila Grabnicka, moja mama jest w domu wariatów.

Gina po raz pierwszy od lat straciła kontenans[2]. Patrzyła na koleżankę, zastanawiając się, czy się nie przesłyszała i czy to przypadkiem nie jakiś makabryczny żart. W takim bowiem stylu nawet ona sama nie zaczęłaby znajomości.

– Grażyna Toroszyn – odpowiedziała asekuracyjnie. – Mów mi Gina.

Ponieważ nauczycielka skarciła je wzrokiem, dziewczęta zamilkły. Podczas przerwy wróciły jednak do tematu.

– Jesteś Ruska? – z nieco bolesną bezpośredniością zapytała Mila.

– Jakbym była Ruska – fuknęła Grażyna, niezadowolona z posądzenia – to chyba zapisaliby mnie do Instytutu Aleksandryjskiego[3] albo innej szkoły państwowej, nie uważasz? – stwierdziła autorytatywnie.

– My w zasadzie jesteśmy Niemcami. – Nowa znajoma wzruszyła obojętnie ramionami.

---

[2] Pewność siebie (fr.).

[3] Instytut Aleksandryjski Cesarzowej Marii dla Panien – rządowe gimnazjum przy ul. Wiejskiej 8, założone w 1869 roku na fali wzmożonej rusyfikacji społeczeństwa polskiego.

– Kto: my?

– Mój dziadek nazywał się von Grabnitz.

Na Ginie kwestie genealogiczne nie robiły aż tak wielkiego wrażenia jak informacja o niespełna rozumu matce koleżanki. Nigdy jeszcze nie widziała osobiście żadnego wariata, chyba że głupiego Józka we wsi, ale to się przecież nie liczy.

– A twoja mama, czy ona naprawdę jest...?

– Wariatką? Czasami. Wtedy tata odwozi ją do takiego jednego doktora. Ja też taka będę, zobaczysz – dodała nowa znajoma z mieszaniną dumy i rezygnacji.

Gina pokiwała głową na znak, że jej wierzy. Nauka na pensji zaczynała się obiecująco, a poznanie przyszłej wariatki otwierało przed nią jako aktorką nowe, obiecujące perspektywy. Przyszłość miała pokazać, że przeczucie jej nie myliło.

Wkrótce Mila i Gina, choć całkiem różne, a może właśnie dlatego, stały się najlepszymi, najbliższymi przyjaciółkami. Grażyna poznała romantyczną, a zatem naznaczoną piętnem tragizmu historię matki Mili, Danuty Grabnickiej z domu Delasale.

Prapradziad Danuty, Jean-Baptiste Delasale, przybył do Polski wraz z Napoleonem jako jeden z jego oficerów. Pochodził z podupadłej rodziny i w karierze wojskowej upatrywał szansę na sukces zawodowy i zgromadzenie bogactwa. Początkowo, aż do kampanii moskiewskiej, wszystko szło jak po maśle, jednak rosyjska zima i tragiczny odwrót spod Moskwy pokrzyżowały te plany. Wycieńczonego, chorego i przemarzniętego oficera przygarnęli, by go wyleczyć i przysposobić do dalszej drogi, małżonkowie Lisowscy, właściciele majątków Atolino i Maczki niedaleko Mińska na Białorusi. Chcąc się wypłacić za dobre serce gospodarzy, młody Francuz uczył ich trzech synów francuskiego, posługiwania się bronią oraz konnej jazdy.

Gdy po półrocznej gościnie zbierał się z ciężkim sercem do powrotu, afekt swój wyznała mu panna Kazimiera Lisowska. Ona też nie była przybyszowi obojętna. Umówili się, że zaczeka nań tyle, ile będzie trzeba, by ukochany mógł załatwić wszystkie swoje sprawy we Francji i przedstawić jej rodzicom swój stan posiadania. Czekała blisko dwa lata, ale kawaler nie zawiódł zaufania – spieniężył skromny majątek i wrócił do dziewczyny. Wkrótce się pobrali, a otrzymawszy w posiadanie dobra Lisowskich, Maczki, żyli długo i szczęśliwie, płodząc liczne potomstwo, przeważnie płci męskiej. Delasale'owie byli poważaną na Białorusi familią, zasobną i mimo cudzoziemskiego nazwiska słynącą z patriotyzmu, dlatego łatwo wchodzili w koligacje z okoliczną szlachtą, a dzieci z pokorą i bez dyskusji wykonywały decyzje podjęte przez rodziców, w niezachwianym przekonaniu, że starsi są mądrzejsi, i zaufaniu dla ich wiedzy o tym, co jest w życiu ważne.

Danuta należała do kolejnego pokolenia Delasale'ów. Obdarzona niezwykłym talentem muzycznym, odznaczała się jednocześnie niepospolitą wrażliwością i delikatnością. Jak od innych, oczekiwano od niej, że złoży życie osobiste na ołtarzu rodziny. Pech sprawił, iż zakochała się w swym nauczycielu muzyki, jednak czujni rodzice w porę odkryli spisek i zapobiegli ucieczce łatwowiernej dzierlatki z bezwzględnym uwodzicielem. Wkrótce potem wyswatali ją z synem znajomych, przedsiębiorcą, Wiktorem Grabnickim, dając hojny posag i święcie wierząc, że panna znalazła się w dobrych rękach.

Małżeństwo, jak wiele zaaranżowanych za plecami pary młodej, nie było szczęśliwe. Danuta zaczęła chorować na nerwy, często konsultowała swą przypadłość z rozmaitymi lekarzami, próbowała też zalecanej przez wszystkich kuracji u wód, ale jej stan z roku na rok się pogarszał. Nie poprawiły go ani urodzenie córki, ani przeprowadzka do Warszawy. Melancholia nie opuściła Danuty Grabnickiej właściwie nigdy, od czasu do czasu nieco tylko łagodniejąc.

Mila, mimo że warszawianka, z powodu choroby matki mieszkała na pensji. Odwiedzana raz w tygodniu przez ojca i zabierana na wystawny obiad oraz na popołudniówkę do teatru, rzadko bywała w domu. Wiktor Grabnicki, zwany „królem zapałek", stał na czele dużego przedsiębiorstwa działającego w wielu branżach – od drewnianej przez spożywczą i metalurgiczną po bankową. Rodzina miała udziały w kopalniach węgla na Śląsku i kolejach. Z tego powodu ojciec Mili wciąż bywał w rozjazdach, ale gdy tylko mógł, starał się znajdować czas dla jedynaczki.

Grabnicki miał wtedy około czterdziestki. Wytworny na sposób angielski, z leciutką nutką nonszalancji, przystojny, nie nosił wąsów, co wydało się Ginie szalenie nowoczesne. Ucieszył się na wieść o tym, że córka, melancholiczka po matce, znalazła przyjaciółkę i trochę się ożywiła. Z wdzięczności i na wyraźną prośbę Mili zaprosił Ginę do operetki, a wcześniej zabrał obydwie panienki na zakupy do Hersego i przejażdżkę automobilem!

Dotychczas Gina nie znała nikogo, kto miałby własny samochód. Nawet Tomasz, hrabia Zajezierski, nie posiadał takiego cuda. Auto mknęło po wyłożonych drewnianą kostką ulicach lub podskakiwało na kocich łbach, rozwijając zawrotną prędkość dziesięciu kilometrów na godzinę, a ona upajała się widokami Warszawy i piszczała z wrażenia na widok niebotyków[4], których górne piętra zdawały się dotykać chmur. Trzymała w uniesionej dłoni łopoczącą na wietrze chusteczkę i niczym prawdziwa księżniczka posyłała uśmiechy zamyślonym urzędnikom, pannom służącym pochylonym pod ciężarem wypełnionych po brzegi koszy, owocarzom z wózkami i sacharzom[5] niosącym na głowach wanny z najsłodszą z pokus: lodami. Mijali dorożki, których pasażerowie wychylali się, by nasycić oczy tym nowomodnym wynalazkiem, wozy mleczarzy i chłopaków wymachujących płachtami popołudniówek. Wśród nich nie było nikogo, kto by nie otworzył ust na widok automobilu wiozącego dziewczęta.

Rolls-royce silver ghost miał kremowe nadwozie, mahoniową tablicę przyrządów, czerwone obręcze kół i takąż tapicerkę. Ojciec Mili usiadł z przodu, obok kierowcy, a dziewczynki ulokowały się na tylnej kanapie. Korzystając ze słonecznej pogody, opuszczono dach, by młode pasażerki mogły wszystko widzieć i same były widziane, przejażdżka autem należała bowiem do dobrego tonu.

Milę trochę raziła perspektywa włożenia do teatru sukienki od Hersego. Przejęta do głębi hasłami partii proletariackich, które piętnowały wyzysk człowieka przez człowieka, mimo młodego wieku wstydziła się bogactwa rodziny i pragnęła choć w niewielkim stopniu odciąć się od własnej sfery, na przykład uprawiając jakieś małe samoudręczenie. Musiała jednak kryć się z tym przed ojcem, który zawsze karcił ją za wszelkie grymasy, robiła więc dobrą minę do złej gry.

---

[4] Drapacze chmur, wysokie budynki.

[5] Lodziarze (ros.).

Natomiast Gina, której matka nigdy nie rozpieszczała, nie mając na to środków, była zachwycona! Przymierzając w sklepie sukienkę za sukienką, wyginała się, wdzięcząc do lustra i utwierdzała w swej kobiecości. Czy takie rzeczy mogłyby jej się przytrafić w Płocku?! Z pewnością nie! Od tego momentu wiedziała już na pewno, że wybór Warszawy był najlepszym z możliwych, i nigdy nie miała tej decyzji żałować.

Jej żywiołowa radość cieszyła Grabnickiego. Z przyjemnością patrzył na tę małą kobietkę o wręcz zaraźliwym entuzjazmie. W końcu Mila też dała się przekonać, że w swej różowej sukience z falbankami wygląda niczym anioł. Dla siebie Gina wybrała cytrynową, piękną jak marzenie. Po zakupach pojechali na obiad do restauracji Lijewskiego, mieszczącej się przy Krakowskim Przedmieściu na wprost kościoła św. Krzyża.

Jedenastoletnia Gina starała się na każdym kroku oczarować Grabnickiego. Zachowywała się nienagannie, wytwornie konwersując i uśmiechając się dyskretnie. Popatrywała na niego spod długich ciemnych rzęs. Doznawała przy tym całkiem nowego uczucia: fantazjowała, że ojciec przyjaciółki jest jej mężem. Wyobrażała sobie siebie w roli jego żony i dziwiła się matce Mili, że zamiast trwać murem przy boku tak wspaniałego człowieka, grymasi, jakby była dzieckiem. Ona sama, gdyby jej w udziale przypadł taki los, żyłaby pełnią życia, bawiąc się, podróżując i przyjmując gości, oraz robiła wszystko, by zadowolić swego mężczyznę. Kiedy o tym myślała, po raz pierwszy doceniła pryncypia szkoły sióstr kwietanek.

Grabnicki stanowił według niej ideał mężczyzny: przystojny, zaradny, dowcipny, z nienagannymi manierami. Dawał temu dziecku, które marzyło, by być już kobietą, poczucie oparcia i pewność, że w każdej sytuacji będzie się umiał znaleźć.

– Czy naprawdę jest pan Niemcem? – zapytała z lekką kpiną.

– Mam w sobie trochę niemieckiej krwi – odpowiedział podobnym tonem. – Moi przodkowie nazywali się von Grabnitz. Wywodzili się z Księstwa Kurlandii i Semigalii, która wtedy, połączona z Koroną, choć zachowywała autonomię, była częścią Polski. Oni też chyba mimo nazwiska w głębi duszy czuli się Polakami, toteż zmienili je na bardziej swojsko brzmiące. Uważam, że nazwisko jest ważne, w końcu pracujemy na nie przez całe życie, ale nie najważniejsze. Twoje na przykład brzmi z rosyjska, czy czujesz się Rosjanką?

– Nie! Ja nawet nie znam nikogo z rodziny mojego ojca, poza jednym stryjem, ale tylko z opowieści mamy, jak to nas skrzywdził, zabierając nam cały majątek.

– No widzisz. Kiedy dorośniesz, też zmienisz nazwisko. Będziesz się nazywała tak jak twój mąż.

– Chciałabym się nazywać Gina Weylen – powiedziała, wzdychając, a on popatrzył uważnie.

– Brzmi jak pseudonim aktorki – stwierdził pół żartem, pół serio, czym niechcący umocnił ją w powziętej wcześniej decyzji.

Po obiedzie pojechali w Aleje Ujazdowskie. Grabniccy zajmowali jedenastopokojowy apartament na czwartym piętrze eleganckiej secesyjnej kamienicy. Drzwi wejściowe ozdabiały olbrzymie kariatydy[6], podtrzymujące masywny

---

[6] Rzeźby przedstawiające kobiety w udrapowanych szatach, spełniające funkcję kolumny (gr.).

balkon. Portier stojący przed wejściem ukłonił się nisko i otworzył drzwi, wpuszczając ich do środka. W rozległym holu olbrzymie lustra w złoconych ramach odbijały wielkie doniczkowe palmy i delikatne, niczym rzeźbione z lodu, kryształowe kandelabry. Na piętro wiodły marmurowe schody przykryte dywanem. Oni jednak pojechali windą, co oszołomiło Ginę do tego stopnia, że na dłuższy moment zamilkła.

Dom przypominał trochę pałac Zajezierskich, ale urządzono go jeszcze bardziej elegancko i bogato. W Zajezierzycach też mieli windę, ale wożono nią jedynie potrawy z kuchni do kredensu. A tu można było usiąść na wyściełanej czerwonym pluszem kanapce lub wygodnie stać, kiedy urządzenie bez żadnego wysiłku z ich strony wiozło pasażerów w górę. Korytarz apartamentu, do którego prowadziły ciężkie drewniane drzwi, oświetlało światło słoneczne wpadające przez przeszklony dach. Okna w salonie dzieliły się na małe szybki ozdobione witrażami z motywami roślinnymi. W mieszkaniu był telefon, a nawet dwa, jeden w korytarzyku, drugi w gabinecie Grabnickiego. Ale Ginie najbardziej spodobała się elektryczność! Dziewczynka stała na środku salonu, kręcąc się z wyprostowanymi rękoma, jakby kąpała się w świetle spływającym na nią z zawieszonej u sufitu lampy, i próbowała dać upust radości, której tu doznawała.

Przyjaciółki paplały jedna przez drugą, dzieląc się wrażeniami. Gdy odpoczęły nieco, zjadły podwieczorek oraz zostały przez pokojową uczesane i ubrane do teatru. Cieszyły się, że mogą choć na chwilę zrzucić szkolne mundurki i wyglądać niczym prawdziwe, eleganckie kobiety.

Gdyby przełożona wiedziała, gdzie spędziły ten wieczór, pewnie nie obeszłoby się bez umoralniającej pogawędki, *Cygańską miłość* Lehára trudno bowiem uznać za najbardziej stosowne przedstawienie dla młodych panienek. Ojciec Mili nic sobie jednak z tego nie robił. Mrugnął szelmowsko i powiedział, że to będzie ich tajemnica, a jeśli jej dochowają, za tydzień, skoro tylko będzie w Warszawie, znów je gdzieś zabierze. Dziewczęta z piskiem radości zgodziły się na taką konspirację. Bawili się świetnie. Messalka[7] w roli Ilony grała bajecznie. Gina całą sobą chłonęła to, co działo się na scenie, od czasu do czasu łapczywie podjadając czekoladki z ogromnego pudła kupionego przez Wiktora w kawiarni teatralnej Semadeniego.

Po oszałamiającym spektaklu wybrali się jeszcze na wycieczkę do Wilanowa. Wracając w Aleje, gdy wpatrywały się z Milą w rozgwieżdżone niebo, poszukując spadających gwiazd, Gina sformułowała w myślach swoje dwa najgorętsze pragnienia: chce zostać aktorką i żoną Grabnickiego. Nie powiedziała o tym nikomu, ale przez lata pozostała im absolutnie wierna. Pokochała tego mężczyznę miłością dziecka i marzyła o szczęściu, jakim kiedyś, gdy wreszcie dorośnie, być może go obdarzy.

Niedzielny poranek znów spędzili razem. Po zjedzeniu w domu Grabnickich sutego śniadania poszli na mszę do kościoła św. Aleksandra przy placu Aleksandra, stamtąd udali się na Krakowskie Przedmieście do Hotelu Europejskiego, by w znanym atelier Mieczkowskiego zrobiono panienkom portrety. Zmęczone pozowaniem, z radością przyjęły propozycję wypicia filiżanki czekolady i wciąż niesyte wrażeń, pozwoliły się zawieźć do Młocin.

Pożegnanie w niedzielne popołudnie było przez obydwie dziewczynki skropione nieoczekiwanymi łzami. Mila

---

[7] Właśc. Lucyna Messal, aktorka, śpiewaczka i tancerka operetkowa.

żegnała ojca, który od dawna nie poświęcił jej tyle czasu, Grażyna zaś pierwszego mężczyznę obdarzonego przez nią tak żywiołowym, gorącym uczuciem. Te dwa cudowne dni Gina zapamięta na zawsze. A tamtą fotografię będzie wozić wszędzie niczym najcenniejszą pamiątkę i zawsze stawiać na stoliku w swej garderobie.

Przeżycia minionych dni zapisały się na zawsze w pamięci Grażyny Toroszyn, utwierdziły jej przyjaźń z Milą Grabnicką i postawiły Ginę na drodze wiodącej ku wielkiej miłości, pieniądzom i sławie. Ale najważniejszą rzeczą była zmiana, jaka zaszła w dziewczynce pod wpływem spotkania z Wiktorem Grabnickim. Dlaczego akurat ten mężczyzna tak na nią wpłynął, że we wszystkim, co robiła, miała na uwadze jego aprobatę? Czy gdyby ojcem Mili był ktoś inny, stałoby się to, co się później wydarzyło? Czy bardziej działała tu niezaprzeczalna osobowość Grabnickiego, absolwenta Oksfordu, człowieka wrażliwego na sztukę, poszukującego wciąż nowych wyzwań, czy też barwny świat, jaki dzięki swym możliwościom otworzył przed młodziutką prowincjuszką?

Ten, dla którego latanie balonem, pływanie statkiem po Missisipi czy polowanie na lwy w Afryce nie było żadnym wyczynem, a jedynie wypadkową posiadanego czasu i środków, który wciąż nie dość miał przygody, nagle pod wpływem impulsu porzucił wielki świat i nawrócił się na wychowanie córki. A właściwie dwóch córek, bo gdyby w jego i Mili życiu nie pojawiła się Gina, Wiktor prawdopodobnie nadal byłby tylko poprawnym ojcem, zajętym bardziej zarabianiem, a następnie trwonieniem pieniędzy, niż własnym dzieckiem.

Oczywiście za nic nie przyznałby się do tego, że nie przepadał za Milą. Nie spełniała jego oczekiwań, była zbyt zamknięta w sobie, nieśmiała, zahukana, smutna i... brzydka. Jeśli prosiła go o pieniądze, to tylko po to, by zaraz rozdać je żebrakom. Grabnicki bał się, że Mila zapadnie na tę samą chorobę umysłową, która dotknęła jego żonę, a to pogłębiało frustrację i niechęć do małej. Chciałby mieć syna, a jeśli już musiałaby być córka, niechby była taka jak Gina. Ona po prostu zarażała radością. Każda nowość budziła jej zachwyt. Zwykły obiad w restauracji, przedstawienie w teatrze wywoływały niekończące się okrzyki entuzjazmu. Przy niej i dla niej chciało się żyć.

„Chyba po prostu byliśmy dla siebie stworzeni. Taka sytuacja zdarza się raz na milion" – myśląc o Wiktorze Grabnickim, Grażyna Toroszyn, już jako Gina Weylen, napisze po wielu latach w swym pamiętniku, zatytułowanym *Moje najlepsze chwile*. Tymczasem jednak jako jedenastolatka na warszawskiej pensji, by stać się godną swego ideału, postanowiła zostać najlepszą uczennicą w historii szkoły. Przyszło jej to nie bez trudu, bo miała duże zaległości, ale dzięki determinacji i niewątpliwej inteligencji czyniła zadziwiające nauczycieli postępy. Były one tak spektakularne, że kiedy Kinga Toroszyn przyjechała w grudniu, aby zabrać córkę na święta Bożego Narodzenia, i otrzymała jej pierwszą warszawską cenzurkę, nie mogła uwierzyć w to, co widzi, a słuchając przełożonej, zastanawiała się, czy nie zaszła jakaś pomyłka.

Wtedy też, podczas kolacji, Kinga Toroszyn poznała Grabnickiego. Zrobił na niej korzystne wrażenie, jako człowiek poważny i odpowiedzialny. Ucieszyła się, że jej córka ma w Warszawie tak dobrą opiekę. Chcąc mu się jakoś odwdzięczyć, zaprosiła go wraz z rodziną na święta. Zaproszenie zostało przyjęte z wdzięcznością, ale największą radość sprawiło Grażynie, która od tej pory umierała ze strachu, by Wiktor nie pokochał przypadkiem wciąż pięknej i pociągającej, dwa lata od niego młodszej, jej matki Kingi.

Ale Grabniccy nie przyjadą ostatecznie na Boże Narodzenie do Długołąki ani w tym roku, ani w następnym, zimą bowiem stan zdrowia Danuty Grabnickiej na ogół się pogarszał, nie pozwalając na żadne eskapady, a podróż, zwłaszcza zimą, była męcząca i długa.

Ukończywszy szesnaście lat, Paul Connor definitywnie wyprowadził się z domu. Dość miał ojczyma, który w chwilach złości wyzywał go od przeklętych Polaków, wskazując jako negatywny przykład przyrodniemu rodzeństwu, a co najgorsze, chciał koniecznie przyuczyć do fachu boksera. Paul lubił i umiał się bić, chętnie załatwiał sprawy za pomocą pięści, niewiele się w tym różniąc od swego wuja, Jacka Blatko. I gdyby tamten tylko zasugerował mu wybór boksu jako sposobu na zarabianie pieniędzy, Paul na pewno by się zdecydował. Wobec Iry był jednak krnąbrny i uparty i gdy tylko mógł, sprzeciwiał się jego woli.

Doszło do tego, że nie słuchał również matki, którą kochał ponad wszystko, gdyż ta lojalnie stawała zazwyczaj po stronie ojczyma. Paul spakował się więc pewnego dnia i wyjechał bez pożegnania do Nowego Jorku, gdzie za sześć dolarów na tydzień dostał pracę w fabryce fortepianów. W Ameryce panowała akurat prosperity i biznes szedł dobrze, toteż wkrótce chłopakowi podniesiono uposażenie do dziesięciu dolarów. Czuł się bogaty, a przede wszystkim – wolny. W Chicago matka goniłaby go do nauki. Tu jako dorosły mógł i musiał decydować sam za siebie, toteż każdą wolną chwilę spędzał w kinie, odkładając na później zdobycie wykształcenia, na czym tak bardzo zależało rodzicom, a zwłaszcza Mariannie.

Ale mimo że żył sobie beztrosko i wygodnie, zarabiając przyzwoite jak na nastolatka pieniądze, a może właśnie dlatego, wciąż za czymś tęsknił, czegoś mu brakowało. I kiedy podczas seansu w nickelodeonie[1] zobaczył film ze zjeżdżającym z taśmy produkcyjnej fordem marki T, doznał olśnienia. Tak, to jego przyszłość, chce się zatrudnić w tej branży!

Wieczorem przejrzał gazety i zakreślił wszystkie interesujące go ogłoszenia dealerów automobilowych. Następnego dnia, nie mając jeszcze nowej posady, odszedł z fabryki fortepianów, choć szef chciał mu dać kolejną podwyżkę. Paul był jednak przekonany, że robi dobrze, co więcej, czuł jakiś dziwny, niewytłumaczalny przymus, by wejść w ten biznes, nawet gdyby miało to oznaczać na początku wyłącznie polerowanie karoserii.

Tydzień później dostał pracę w warsztacie i zaczął się uczyć naprawiania aut.

Dopiero wiosną Gina poznała matkę Mili, Danutę Grabnicką. Właśnie z myślą o niej i jej rozstrojonych wciąż nerwach Wiktor kupił był w podwarszawskim osiedlu Anin, należącym do gminy Wawer, dużą działkę zarośniętą pięknymi sosnami. Postawiono tu wygodną drewnianą willę andriollówkę[2] o nazwie Mon Trésor, z dwuspadowym dachem, trzema werandami od wschodu, zachodu i południa, które u szczytów zdobiła misterna drewniana koronka, na

---

[1] Tanie kino, do którego wstęp kosztował pięć centów (ang.).

[2] Nawiązującą do stylu stworzonego przez Michała Elwiro Andriollego.

parterze zaś przeszklone szybki o różnych kolorach. Dom pomalowany na żółto, miał nad oknami pięknie snycerskie zdobienia w kolorze sieny palonej, a w okiennicach wycięte cudowne serduszka, przez co wyglądał niczym bajkowa chatka z piernika.

Do Anina, położonego w rozwidleniu pomiędzy Traktem Brzeskim a linią kolei nadwiślańskiej, kilkanaście kilometrów od Warszawy, można było dojechać pociągiem (wtedy należało wysiąść na stacji Wawer) lub automobilem, jak to się zazwyczaj odbywało, kiedy Wiktor zabierał dziewczynki wprost z pensji. Wtedy przez wiadukt Pancera[3] i most Kierbedzia[4] kierowali się ulicą Aleksandrowską na Pragę. Skręcali w Moskiewską i Wołową, a potem Grochowską dojeżdżali do rogatek moskiewskich. Potem, jadąc prosto Traktem Brzeskim, docierali do stacji Wawer. Tu musieli zostawić automobil, gdyż nie przejechałby on przez piaszczyste leśne drogi Anina. Zazwyczaj czekał już na nich powóz, który Wiktor pozostawiał żonie do dyspozycji. Gdy nie było dużego ruchu, podróż trwała około godziny, dwóch, ale Mila i Gina czasem prosiły o postój w okolicach jakiejś gospody, najchętniej Karczmy Wawerskiej, by się napić kruszonu[5] lub zjeść pieczoną kiełbaskę, wtedy pokonanie tego dystansu trwało trochę dłużej.

Matka Mili, jeśli tylko lepiej się czuła i nie przebywała w szpitalu, rezydowała w Aninie od maja do pierwszych chłodów. Powietrze wokół domu przesycał zapach sosnowego igliwia, panowały cisza i spokój, jak to na wsi, a prze-

---

[3] Wiadukt w Warszawie łączący plac Zamkowy z mostem Kierbedzia; dawniej Nowy Zjazd.

[4] Obecnie most Śląsko-Dąbrowski.

[5] Orzeźwiający napój owocowy z pokruszonym lodem i owocami.

chadzki po pobliskim lesie, który zaczynał się tuż za Aleją Królewską, dopełniały uroku letniska. Danuta Grabnicka polubiła to miejsce, gdzie zamiast nawoływania fiakrów, zgrzytu tramwajów i rżenia koni za dnia można było posłuchać śpiewu skowronka, wieczorem zaś słowika, a czas płynął wolno i dostojnie.

Kiedy Gina zobaczyła ją po raz pierwszy, doznała dziwnego *déjà vu*. Były z Milą podobne niczym dwie krople wody. Matka, jak i córka, drobna, smutna oraz zamknięta w sobie, rzadko się odzywała i wyglądała na stale zmęczoną, choć nigdy niczego nie robiła. Nawet na wsi ubierała się wytwornie, w sprowadzone przez renomowany dom mody Maison de Couture Michaliny Koch najnowsze paryskie modele, długie wąskie suknie układające się blisko ciała, z podkreślonym przez drapowanie lub pasek biustem. Na to często narzucała szal lub cieniutką tunikę naszywaną dżetami[6]. Nie nosiła gorsetu, podobno dla zdrowia, a na głowie miała zawsze zamotany ozdobny zawój lub szarfę, w czym przypominała Ginie odaliskę mieszkającą w haremie szejka z jakiejś arabskiej baśni.

W domu rządziła Felusiowa, pulchna jejmość w średnim wieku, której oddano do dyspozycji sporą oficynę. W rzeczywistości miała na imię Agata i pełniła funkcję ochmistrzyni: pilnowała kucharki, pokojówki i lokaja, którzy przyjeżdżali z miasta, jeśli tylko państwo planowali dłuższy pobyt, a pod ich nieobecność robiła wszystko sama. Jej mąż – złota rączka zajmował się ogrodem oraz wszelkimi naprawami, pełnił też funkcję woźnicy.

Nad zdrowiem obu pań Grabnickich czuwał w Aninie, rezydujący tu od roku, znany warszawski lekarz Bazyli

---

[6] Kolorowe szkiełka do ozdabiania odzieży (ang.).

Maksymilian Leśnodorski, nazwany przez dziewczęta pieszczotliwie Bazylkiem, specjalista chorób nerwowych. Nie znajdował on wprost słów, by podkreślić zbawienny wpływ Grażyny na Milę. Dziewczynki kochały się jak siostry i jedna za drugą skoczyłaby w ogień. Obie jedynaczki, o różnych usposobieniach i temperamentach, uzupełniały się doskonale: Mila łagodziła szaleństwa Giny, ta z kolei zmuszała przyjaciółkę do robienia rzeczy, z których Mila, wiecznie wycofana i obawiająca się każdego ryzyka, na pewno z góry by zrezygnowała.

Ale w tych pierwszych latach Ginie poza bajkowym domem mało co się w Aninie podobało. Wolała miasto z jego ulicznym gwarem, tramwajami, dorożkami, wystawami sklepowymi, eleganckimi restauracjami i pięknymi kościołami. Lubiła koncerty filharmoniczne w Dolinie Szwajcarskiej, oglądanie wystaw w Towarzystwie Zachęty Sztuk Pięknych przy Królewskiej oraz podziwianie zbiorów starożytności, a także Gabinetu zoologicznego, mineralogicznego i figur gipsowych w gmachu Uniwersytetu. Minionej zimy nauczyła się jeździć na łyżwach i chętnie chodziła z Milą na ślizgawkę albo do Skating-Rinku[7] w Galerii Luxenburga przy Senatorskiej, gdzie zawsze panowały gwar i śmiech. Uwielbiała cyrk Cinisellego przy Ordynackiej i wyścigi konne na Polu Mokotowskim, a za teatrem wprost przepadała, bez względu na rodzaj sztuki. Czy był to wodewil, balet, operetka, farsa czy też tragedia, wszystko jednakowo rozpalało jej wyobraźnię.

Wszystkie te cudowności poznała dzięki Wiktorowi Grabnickiemu, on też pewnej niedzieli zaprowadził dziewczęta do kinematografu Kultura przy Marszałkow-

---

[7] Sala do jeżdżenia na wrotkach (ang.).

skiej 125. Gina doznała tu prawdziwego olśnienia. Duży teatr z kilkuset wygodnymi fotelami, elegancki i pięknie oświetlony, pokazywał ruchome obrazy dramatyczne, komiczne, przyrodnicze i krajoznawcze, a także najświeższe wydarzenia ze świata. Towarzyszył mu świetny zespół muzyczny. Dziewczęta obejrzały zobrazowane dzieło Orzeszkowej – *Meira Ezofowicza*, które wywołało ich niekłamany zachwyt oraz spowodowało pojawienie się setki kierowanych do Wiktora pytań o techniczną stronę przedsięwzięcia. Oczywiście wytłumaczył im wszystko z wielką dokładnością, ale niewiele z tego zrozumiały, dzięki czemu ich zachwyt dla iluzji ani trochę nie ucierpiał.

Czy w takim natłoku wydarzeń i przeżyć Gina mogła polubić Anin? Choć letnisko posiadało tramwaj konny, kursujący od Wawra do Starej Miłosny przez Kaczy Dół i Wiśniową Górę, nie mógł on się przecież równać z dwudziestoma liniami warszawskiego tramwaju elektrycznego. Ulice anińskie nie miały brukowanej nawierzchni, a jedynymi atrakcjami byli kataryniarz i objazdowy sklepik na wiejskiej furce, który zatrzymywał się pod bramą, i gdy furman anonsował swój towar, wołając głośno:

– Do jajek! Do warzyw! Do owoców! – z domów wybiegały panny służące, kucharki lub letniczki, by zaopatrzyć spiżarnię.

Anin zdecydowanie nie zasługiwał na miano miasta. Był letniskiem, nie miastem. Ale nie był też wsią, gdzie można wskoczyć na konia i pocwałować, dokąd oczy poniosą.

– Tu jest za cicho i zbyt spokojnie! – Grażyna narzekała podczas zabaw w ogrodzie. – Możemy sobie tylko szeptać, a ja nie lubię szeptać! Lubię mówić głośno, krzyczeć i śpiewać!

Mila rozumiała przyjaciółkę i współczuła jej, chociaż sama odzywała się bardzo cicho. Ale gdy w Aninie przebywała jej matka, Gina musiała powściągać swój temperament.

Początkowo jedynymi rzeczami godnymi uwagi były w tym domu patefon[8] i rower. Odtwarzanie płyt z nagraniami walców i nokturnów Chopina należało do ulubionych zajęć Giny. Robiła to jednak tylko wtedy, gdy pozwalał na to stan Danuty. Kiedy pani Grabnicka czuła się gorzej, wzywano lekarza i zaciągano grube story, a dziewczęta wypraszano na dwór. Wtedy brały ze składziku rower i ruszały wzdłuż Alei Leśnej. Pewną niedogodność stanowił fakt, że rower był tylko jeden, ale kiedy Wiktor Grabnicki zorientował się, ile frajdy sprawia dziewczętom jazda, dokupił tandem.

Nauka jazdy na rowerze zajęła Ginie kilka dni. Wykazywała taki upór i siłę woli, że wreszcie oporny stalowy rumak, podobnie jak wcześniej łyżwy i wrotki, skapitulował. Mila zawsze zostawała w tyle, ale mając wsparcie przyjaciółki, która zachęcała ją do wysiłku, również i ona pojęła wkrótce, na czym polega utrzymanie równowagi podczas jazdy na bicyklu. Bez Giny Mila pewnie nawet nie spojrzałaby na rower, taką przejmował ją trwogą. Ale podtrzymywana na duchu i zagrzewana do walki, w końcu zdołała pokonać opór materii.

Czasem Grabnicki wyjeżdżał w sprawach swoich firm do Rosji i potem cuda opowiadał o tym, w jaki sposób załatwia się tam interesy. Gina, zainteresowana wszystkim, co go dotyczyło, niby to bawiła się z Milą, w rzeczywistości jednak podsłuchiwała, jak rozmawiając z żoną, relacjo-

---

[8] Przenośne urządzenie do odtwarzania płyt dźwiękowych, wynalazek braci Pathé.

nował barwny *entourage* zawieranych transakcji. Podpisanie kontraktów zawsze poprzedzały kilkudniowe huczne zabawy z rosyjskimi partnerami. Słowo kupca liczyło się bardziej niż najdłuższa nawet umowa i trzeba było ważyć, by tego słowa nie dać byle komu. Rosjanie starali się poznać swoich kontrahentów. Dusza u nich szczera i otwarta, chętnie przyjmowali więc zaproszenia do wspólnej biesiady. Wiktor wynajmował zatem całą restaurację tylko dla siebie i swych gości, przez tydzień jadł z nimi i pił na umór, tłukąc po każdym toaście kryształowe kielichy, a potem do zdarcia gardła śpiewając czastuszki[9]. Jeśli pozyskało się przychylność swych partnerów, interesy od tej pory można było prowadzić „na gębę", a wszelkie umowy stanowiły jedynie ukłon w stronę nowoczesności, bo słowo kupca miało wartość najwyższą.

Grażyna słuchała tego wszystkiego jak urzeczona. Fascynował ją wielki świat, w którym Grabnicki tak swobodnie się poruszał. Dziwiło ją, że żona przyjmowała jego opowieści niemal znudzona, ledwie pozwalając mu skończyć. Marzyła, że mu to kiedyś wynagrodzi, że będzie podróżowała razem z nim, biorąc udział we wszystkim, co robił, zawsze obecna i szczerze zainteresowana, a nie jedynie na pozór i z grzeczności.

Jak to się stało, że nikt niczego nie zauważył? Przecież nie ukrywała swego przywiązania do Grabnickiego. Czyżby stała obecność tego dziecka uśpiła czujność dorosłych? Wciąż traktowano ją jak biedną sierotę i kiedy niby to przypadkiem przytuliła się do Wiktora, nikt, nawet on sam, nie zwrócił na to uwagi. Stało się to w dość szczególnej sytuacji, bo podczas pokazów awiacyjnych na Polu Mokotowskim, w których brał udział słynny Scipio

---

[9] Krótka, zazwyczaj improwizowana żartobliwa przyśpiewka (ros.).

del Campo, a Grabnicki odbył swój pierwszy samodzielny lot. Nic więc dziwnego, że w takich okolicznościach fakt, iż Grażyna po szczęśliwym wylądowaniu przypadła do Wiktora, jakby witała zmartwychwstałego, nie wzbudził komentarzy.

On tego nie zapamiętał, a dla niej było to najważniejsze wydarzenie lata, pierwszy krok w kierunku uwiedzenia mężczyzny, który w przyszłości miał należeć do niej – bez względu na wszystko.

Kiedy jesienią wróciły z Milą na pensję, Gina rozpoczęła realizację planu numer dwa, równie ważnego albo i ważniejszego niż pierwszy. Nie potrafiła sobie wyobrazić sytuacji, że zostaje żoną Wiktora, przecież miał już żonę. Mogła tylko pełnić rolę jego metresy[10], jak to z Milą wyczytały w jakimś romansie kolportowanym skrycie przez którąś z koleżanek. Musiała więc zostać aktorką, po prostu nie było innego wyjścia. Aktorką, czyli kobietą upadłą.

Zgłaszała się zatem do wszelkich recytacji i publicznych wystąpień, by ćwiczyć głośne i wyraźne mówienie. Dowiedziała się też od panny Jolanty Dąbskiej, że w Warszawie istnieje szkoła aplikacyjna Zalewskiego, w której naucza się aktorstwa. Tyle na razie musiało jej wystarczyć.

---

[10] Kochanka, utrzymanka (fr.).

1995

Choć rekonwalescencja Celiny Hryć przebiegała dość wolno, w połowie sierpnia dało się zauważyć spektakularne postępy. Starsza pani codziennie chodziła przez co najmniej kwadrans z pomocą balkonika, siadała już samodzielnie, potrafiła też dać sygnał, że czegoś potrzebuje. Oczywiście daleko jej było do wcześniejszej kondycji, a lekarze nie dawali nadziei, że pełna sprawność kiedykolwiek powróci. Iga liczyła jednak na to, iż przynajmniej zdoła jeszcze kiedyś z babką porozmawiać.

Celina Hryć pozostawała jedyną osobą, która miała wpływ na jej ojca. I był to wpływ tak duży, że jej dezaprobata wobec Heleny oznaczałaby bezapelacyjne zerwanie. Czując się niezręcznie w towarzystwie kochanki ojca, Iga wyszła do babki. Zastała ją na oglądaniu jakiegoś filmu. Śmiała się dziwnym, chrapliwym, nieswoim śmiechem, ale niewątpliwie rozumiała, co dzieje się na ekranie.

– Za-awne – powiedziała, gdy wnuczka ucałowała ją w głowę.

– Tak?

– A-dzo.

– To fajnie. Posiedzę z tobą, dobrze?

Starsza pani skinęła głową, nie odrywając wzroku od ekranu. W tej chwili zadzwonił telefon. Iga podniosła słuchawkę, przekonana, że to ojciec wzywa ją do powrotu.

Układała już sobie nawet jakąś ciętą ripostę, gdy usłyszała twarde:

– Pani Hryć?

– O co chodzi? – zapytała, nie wiedząc, czy warto zawracać babce głowę.

– Nie uważa pani, że zadawanie się pani syna z mężatkami jest co najmniej niestosowne?

– Z jakimi mężatkami? – zdziwiła się Iga, ale rozmówczyni, nie wiadomo dlaczego, zakończyła rozmowę. – Z mężatkami? – Iga powtórzyła sama do siebie i uśmiechnęła się szeroko.

– Oczywiście, że wiem. – Godzinę później Waldemar Hryć potwierdził ten fakt. – Gdybyś tylko chciała słuchać, na pewno sama byś to dawno wiedziała.

– Więc może nie robiłbyś z siebie pośmiewiska i nie narażał babci na tego typu telefony?

– Jak mam ją uchronić przed czymś takim? Helena jest w separacji, formalnie nie są już małżeństwem.

– Więc dlaczego się nie rozwiedzie?

– Bo nie ma się gdzie podziać.

– Tylko żebyś nie wpadł na pomysł umieszczenia jej w naszym domu! – Iga rzuciła twardo.

– Pozwolisz mi samemu o tym zadecydować? – Hryć był równie nieustępliwy, jak córka.

– Wiesz, co by się działo, gdyby babcia się o tym dowiedziała?

Zagrała nie fair, ale inny argument nie przyszedł jej do głowy.

– Kiedyś będzie się musiała dowiedzieć, bo zamierzam się z Heleną ożenić – sucho stwierdził ojciec, pozbawiając dalszą rozmowę sensu.

W życiu Barbary Zajezierskiej jedno słowo miało szczególną moc: obowiązek. Nauczona przez rodziców odpowiedzialności za siebie i innych, żyła zawsze w zgodzie z tą zasadą. Interesowała się losem swoich ludzi i gotowa była im służyć radą oraz pomocą, z uwagą słuchała, co mają do powiedzenia, nie wynosiła się ponad kmieciów i z obrzydzeniem opędzała, gdy próbowali całować jej dłonie. Przy tym wszystkim nikt nie miał wątpliwości, że hrabina jest wielką panią. I choć niczego niezwykłego nie robiła, jej spokój, szlachetność i mądrość powodowały, że ceniono ją w bliższej i dalszej okolicy.

„Starsza hrabina", jak z czasem zaczęto ją nazywać celem odróżnienia od Ady, jej synowej, dla wszystkich w okolicy była wzorem matki, obywatelki i parafianki. Pod płaszczykiem pozornej oschłości skrywała wrażliwość, dobre serce i życzliwość dla ludzi. Każdego, kto o to poprosił, wysłuchała z uwagą, pomagając w miarę swych możliwości.

Gdy wybierała się na zakupy do Gutowa, chłopi, z daleka poznając jej powóz ciągnięty przez dwa bułanki, zatrzymywali się i kłaniali w pas. U gutowskich Żydów miała nieograniczony kredyt, który spłacała sumiennie – w terminie i co do grosza. Prowadziła zresztą z nimi rozliczne interesy, sprzedając im to, co zdołało wyprodukować jej gospodarstwo, w zamian nabywając produkty potrzebne w domu. Kupowała tylko najlepsze towary, uważając, że na byle co szkoda pieniędzy.

Oszczędna, niemal na granicy skąpstwa, nie pozwalała, by cokolwiek się zmarnowało. Skibka chleba, ogarek świecy, wszystko musiało zostać całkowicie zużyte. Mawiała, że marnotrawstwo jest grzechem. Jednocześnie hojną ręką obdarowywała drogimi prezentami nie tylko swoje córki, syna, synową, zięciów i wnuki, lecz także sąsiadów i służbę. Nie wiedząc, że jest bystrą obserwatorką, zadawali sobie pytanie, jak to się stało, że odgadła ich upodobania i marzenia? Była rzetelna w interesach, mądra w radzie, sprawiedliwa w sądach, skuteczna w działaniu, cierpliwa w znoszeniu przeciwności, użyteczna i dobra dla potrzebujących. Stanowiła niedościgły wzór dla młodszych kobiet i dlatego takim szokiem stało się dla wszystkich jej odejście.

Skąd Barbara Zajezierska wiedziała, że za kilka miesięcy umrze, skoro nigdy na nic się nie uskarżała ani nie leczyła? Kiedy wiosną 1912 roku zarządziła wielkie sprzątanie pałacu, syn próbował odwieść ją od tego zamiaru. Twierdził, że niepotrzebnie się przemęcza, chcąc wszystkiego sama dopilnować, biorąc do ręki każdą zleżałą suknię z zamkniętego od lat kufra i wydając dyspozycje, co należy z nią zrobić po jej śmierci. Niezrażona hrabina stwierdziła, iż nie zamierza zostawić po sobie bałaganu, i prosiła syna o kilka dni cierpliwości. W tym czasie przez pałac przetoczył się istny tajfun. Wszystko zostało uporządkowane: papiery ułożone chronologicznie i podpisane, osobiste listy spalone, a przejrzana garderoba oddana do przytułku.

Zrobiwszy to wszystko, hrabina spisała u Przaski testament, w którym cały majątek przekazywała w zarząd synowi, córkom darowując złożone w Banku Ziemskim w Płocku niemałe lokaty. Tego samego dnia obstalowała też skromną trumnę, wychodząc z założenia, że nie ma co przepłacać na zbytki.

Po zbiorach wyjechała do Bielunia, na groby rodziców – Cecylii i Jana Sokołowskich, a w drodze powrotnej odwiedziła córki: Walerię Dobrosielską i Reginę Podedworską, w ich dworach: Zbylitowie i Stępniewicach. Ofiarując każdej jakiś pamiątkowy drobiazg z domu rodzinnego i fotografując się po raz ostatni z córkami, zięciami oraz ich potomstwem, dokonała symbolicznego pożegnania.

Po powrocie odwiedziła księży w okolicznych kościołach, każdemu pozostawiając ofiarę z intencją na wypadek swej śmierci. Dłużej zabawiła w Zajezierzycach. Tu, w pustej świątyni, przystąpiła do sakramentu spowiedzi. Zrzuciła po raz pierwszy jarzmo najcięższego grzechu, poczuła się lekka i pogodzona ze sobą.

Opuściwszy kościół, kazała się wieźć do chałupy Zuzanny Blatko. Ta, zauważywszy bryczkę, wyszła przed próg. Ocierając w spódnicę mokre dłonie, patrzyła pod słońce i zdumiewała się widokiem.

– Niech będzie pochwalony Jezus Chrystus! – usłyszała.

– Na wieki wieków! – odrzekła i przyjrzała się poszarzałej, zmęczonej twarzy starej hrabiny. – Zapraszam, zechciejcie wejść. Biednie tu u mnie, ale z serca proszę.

Barbara Zajezierska wysiadła z bryczki i niepewnie weszła do chałupy. Nie chciała rozmawiać z Zuzanną przy stangrecie, a i odmawiać nie wypadało.

– Co was sprowadza?

– Wy wiecie...

– Ano wiem i wy wiecie. My już w tym wieku, proszę łaski pani hrabiny, że nam dużo słów nie potrzeba.

Stały naprzeciwko siebie: zamożna dziedziczka i uboga wieśniaczka, dwie babki jednego polsko-amerykańskiego chłopaka, którego żadna z nich za swego życia nie miała ujrzeć.

– Przyszłam was przeprosić. Krzywda waszej córki to poniekąd moja wina i zawsze to sobie wyrzucam. Mój syn, dziedzic... On nie wie o dziecku, ale ja wiem i pamiętam.

– Chłopak ma na imię Paul.

Na hrabinie ta wiadomość zrobiła piorunujące wrażenie.

– Więc stało się... – Zadrżała, jakby do chaty wpadł podmuch lodowatego wichru.

– Ano tak.

Milczały przez dłuższą chwilę.

– To się musiało tak skończyć. – Hrabina smutno pokiwała głową, mając na myśli nie tyle tułaczy los Marianny, co przepowiednię wieszczącą kilka pokoleń wcześniej upadek rodu Zajezierskich, jakby zakładającą z góry wszystkie grzechy, których dopuści się jej syn.

– Niezbadane są wyroki boskie! – westchnęła Zuzanna.

– Wiedzieliście, prawda? Od początku wiedzieliście? – Barbara Zajezierska zapytała jakby z wyrzutem.

– Wiedziałam, ale proszę łaski pani hrabiny, proszę mnie nie ganić. Wierzcie mi, lepiej nie wiedzieć. Wtedy zawsze jeszcze pozostaje nadzieja.

– Więc to już koniec? Powiedzcie mi... – dodała z wahaniem, jakby nagle prośba wydała się jej zbyt zuchwała. – Koniec wszystkiego? – wyszeptała bezgłośnie.

„Czy to moja wina? Kara za mój grzech? To przeze mnie?" – myślała w panice, choć przecież za wszystko uzyskała już rozgrzeszenie

Zuzanna podniosła do góry palec w geście nakazującym milczenie, sięgnęła do skrzyni i podała gościowi fotografię. Portret przedstawiał uśmiechniętego młodzieńca na tle automobilu. Gdyby hrabina nie wiedziała, kogo przedstawia zdjęcie, mogłaby przysiąc, że to jej syn Tomasz, podobieństwo bowiem było uderzające.

– A! – wyrwał jej się mimowolny okrzyk zdumienia. – Jak się nazywa?

– Connor.

Barbara Zajezierska intensywnie wpatrywała się w fotografię. Przyrodni brat jej wnuka Pawła, choć bękart, patrzył na nią hardym wzrokiem hrabiego Tomasza.

– Connor. Paul Connor – powtórzyła, a fala czułości zalała jej serce. – Niech mu Bóg błogosławi! – dodała niespodziewanie.

– On wróci... Kiedyś tu wróci... – rzekła Zuzanna pocieszającym tonem.

– Taaak... – wyszeptała hrabina i pomyślała z żalem, że tego „kiedyś" już nie doczeka. Pożegnała się z Zuzanną, raz jeszcze prosząc ją o wybaczenie, i kazała się wieźć do pałacu dłuższą drogą.

Robiła w duszy obrachunek swego życia i sumienia. Wiedziała, że jej dni są policzone. Odpowiedziała na ten głos wewnętrzny, który informował ją, iż jej ziemska wędrówka właśnie dobiega kresu. Ale mimo że porządkowała metodycznie wszystkie sprawy, pozostawiała za sobą więcej pytań niż odpowiedzi.

I chociaż Pan w łaskawości swojej nie pozwoli jej oglądać ruiny domu Zajezierskich, tego domu, który budowała przez ponad pięćdziesiąt lat, poświęcając mu każdą minutę każdego dnia i głęboko wierząc, że to, co robi, jest słuszne i nie pójdzie na marne, to przecież zasiane dawno temu ziarno zagłady już wzeszło i wypełniają się właśnie wyroki boskie.

– Boże, bądź miłościw... – wyszeptała bezgłośnie, patrząc na piękno jesiennego krajobrazu i rysujące się w oddali drzewa zajezierzyckiego parku.

Po kolacji poprosiła do siebie hrabiego Tomasza. O czym rozmawiali, nie wiadomo, ale spotkanie trwało dość długo i syn wyszedł z pokoju matki wyraźnie poruszony. Widać to, co mu zakomunikowała lub o co go prosiła, zrobiło na nim wielkie wrażenie.

Następnego ranka pokojówka zgodnie z zaleceniami Barbary Zajezierskiej przygotowała jej odświętny, choć jak zawsze żałobny strój: prostą czarną suknię z długimi, lekko tylko bufiastymi rękawami, o delikatnym koronkowym wykończeniu w kształcie kryzki. Wezwano też synową, Adriannę Zajezierską, i wnuka Pawła, którzy co koń wyskoczy przyjechali z Płocka.

Trzy dni później pośród codziennej krzątaniny stara hrabina osunęła się nagle na podłogę. Gdy pokojówka do niej podbiegła, usłyszała tylko, jak zbielałe wargi Barbary Zajezierskiej wyszeptały jedno słowo:

– Błogosławię.

Wciąż ciepłe, lecz już bez życia ciało hrabiny zaniesiono do jej pokoju. Syn osobiście położył na zamkniętych powiekach zmarłej dwie srebrne monety, polecił zatrzymać wszystkie zegary, a lustra przesłonić kirem. Wysłano do kościoła chłopaka i w krótkim czasie po wsi rozległ się głos dzwonu. Zawtórowały mu dzwony w Cieciórce i dalszych osadach, niosąc wieść daleko, daleko, aż do gutowskiej fary.

Wieczorem umyte i ubrane w czarną suknię doczesne szczątki Barbary Zajezierskiej spoczęły w trumnie, ustawionej na katafalku otoczonym kwiatami i świecami w lichtarzach. W dłonie włożono książeczkę do nabożeństwa otwartą na Siedmiu Psalmach Pokutnych. Modlitewnik został obwiedziony różańcem z Ziemi Świętej, pamiątką po ojcu, dokładnie tak, jak sobie tego wcześniej życzyła.

Tomasz Zajezierski spędził tę noc przy matce na rozmyślaniach i modlitwie. Do północy towarzyszyli mu żona i syn, później hrabia poprosił ich, by zostawili go samego. O świcie pożegnała swą panią służba, a już wczesnym rankiem zaczęli się schodzić pierwsi żałobnicy: ludzie z okolicznych wsi i z miasteczka. Korowód nie ustawał aż do wieczora, kiedy to ksiądz Benedykt Ciura, proboszcz zajezierzycki, wraz z grupą kwietanek przybyłych z Gutowa rozpoczęli całonocne czuwanie. Odmawiano kolejne dziesiątki różańca.

Rankiem czarny karawan zaprzężony w czwórkę karych koni z wplecionymi w grzywy czarnymi wstążkami odwiózł trumnę do kościoła. Cały dzień trwały modły za duszę zmarłej, a tłum zgromadzony we wnętrzu nie rzedł, chociaż pogrzeb miał się odbyć dopiero dnia następnego.

Takiej ciżby chyba jeszcze w tej świątyni nie widziano! Nie wszyscy, którzy przybyli na pogrzeb, zdołali się zmieścić. Wielu żałobników musiało stać na dziedzińcu, bo nieco spóźnieni, nie mogli nawet marzyć o tym, by wcisnąć się do środka. Eucharystię przy głównym ołtarzu sprawował zaprzyjaźniony z rodziną kanclerz kurii płockiej, ksiądz Walery Markowicz, przy ołtarzach bocznych proboszczowie z Zajezierzyc i Cieciórki. Proboszcz zajezierzycki, który znał hrabinę od dawna, wygłosił piękną mowę pożegnalną, w której nie zabrakło żadnej z jej cnót ani zalet.

Tego samego dnia w intencji Barbary Zajezierskiej modlili się również duchowni innych wyznań. Wraz z wiernymi swoich religii w gutowskiej synagodze nabożeństwo odprawił rabin Szlomo Bersztajn, w cerkwi zaś pop Artiom Osipowicz Rodniczew.

Po mszy zaniesiono trumnę do rodzinnego grobowca, gdzie Barbara Zajezierska spoczęła obok męża Henryka, teściów Konstantego i Jadwigi oraz córeczki Frani.

Gdy uroczystości pogrzebowe się zakończyły, licznie przybyli krewni i powinowaci: Zajezierscy, Pudłowscy, Sokołowscy, Dobrosielscy, Podedworscy, panie Toroszyn oraz sąsiedzi: Radziewiczowie, Rossoszyńscy, Hajdukiewiczowie, Markowiczowie, Siewierscy, Krzyccy, Jastrzębiec-Gawryszewscy, a także inni goście podjęci zostali sutym posiłkiem.

Stypę otworzył długim przemówieniem dziękczynnym hrabia Tomasz. Opowiedział o matce, o jej heroicznym zmaganiu z losem, samotności, w której wsparcie miała w swym oddanym kuzynie, świętej pamięci stryju Marcinie Zajezierskim, o życzliwości dla ludzi oraz pięknie duszy nieboszczki, czego wszyscy z obecnych mogli doświadczać i zapewne doświadczyli.

Po posiłku zgromadzeni w salonie żałobnicy wysłuchali testamentu hrabiny otwartego w ich obecności i odczytanego przez mecenasa Alfreda Przaskę. Ostatnia wola nie wzbudziła kontrowersji, jako że zmarła rozporządziła swym majątkiem niezwykle sprawiedliwie, nie zapominając o dalekich nawet krewnych ani służbie.

Późnym wieczorem goście rozjechali się do swych domów, zostawiając Tomasza, Adę i Pawła. Wszyscy troje mieli świadomość, że w ich życiu zakończyła się pewna epoka. Żal w sercach przysłonił im myśl, że łaskawy los pozwolił Barbarze Zajezierskiej zakończyć ziemskie bytowanie w chwili, gdy świat, jaki znała, wciąż istniał, choć dawało się już zauważyć pewne symptomy zmian. Nie domyślali się przecież, że odchodząc, odczuwała nieopisaną ulgę.

Nie doczekała czasów, kiedy niecałe dwa lata później, w huku starć, które ogarnęły całą Europę, zakończył się wiek dziewiętnasty, stulecie spokoju, dostatku, rodziny i trwania, ustępując miejsca wiekowi wojen, zniewolenia, jednostki i zmiany – dwudziestemu po Chrystusie.

Gdy Ada została jedyną panią na Zajezierzycach, musiała opuścić Płock, zostawiając służbie pieczę nad niemal dorosłym już Pawłem, i wrócić do pałacu. Od tej pory bardzo starała się, by wszyscy uważali, iż nic się właściwie nie zmieniło. Dla niej zmieniło się wszystko: przede wszystkim skończył się nienaturalnie przedłużony okres panieństwa i czas udawania, że sprawy praktyczne nie istnieją. Teraz nie mogła już nie wiedzieć, jak się robi masło, bo służba, karna i przyzwyczajona do posłuszeństwa, nie ośmieliła się w niczym decydować za nią. A gdy proszono o dyspozycje, musiała przecież mieć świadomość, czego żąda.

Adrianna z trudem wracała na wieś. Przez tyle lat zdążyła pokochać Płock z jego witalnością, wielkomiejskim gwarem, bujnym życiem duchowym. Początkowo niezwykle trudno było jej się przestawić na tryb życia, który wymagał znacznie wcześniejszego wstawania i przebywania w wielu miejscach naraz, wymuszał ograniczenie czasu na lekturę oraz powodował straszliwe zmęczenie.

Zdawała sobie sprawę z tego, że najlepiej zrobi, naśladując we wszystkim teściową. Czuła zresztą jej obecność na każdym kroku. Podejmując decyzje, zastanawiała się, jaką opinię w danej sprawie miałaby stara hrabina. Czasem w trudnych chwilach szeptała do zmarłej, jakby spodziewała się uzyskać jej pomoc. Teraz dopiero doceniła tę dzielną kobietę, jej nadzwyczajną pracowitość, skromność i oddanie sprawom rodziny oraz majątku.

Na Boże Narodzenie znów przygotowano prezenty dla służby i dzieci z folwarku. Podczas wigilii podano zupę migdałową i barszcz czerwony z uszkami, karpia w galarecie i szczupaka po żydowsku, śledzia po tatarsku ze smażonymi jarzynami, a na deser makowce, kutię i kisiel. Zaproszono też trochę gości, ale smutna to była wieczerza, bo wszyscy zachowywali się powściągliwie i z rezerwą, jakby Barbara Zajezierska oceniała ich ze swego pustego miejsca u szczytu stołu.

I choć ducha starej hrabiny czuło się jeszcze długo, coś się w pałacu z jej odejściem powoli zaczęło zmieniać. Przede wszystkim hrabia Tomasz, który już wcześniej poczuł był w sobie zamiłowanie do polityki i działalności społecznej, zamierzał na znacznie większą niż dotąd skalę otworzyć swój dom. Teraz zapraszało się nie tylko rodzinę, lecz także gości.

Z Gutowa, Płocka, nawet z Warszawy przyjeżdżali członkowie i aktywiści Kół Ziemian, arystokraci, działacze gospodarczy, znani artyści. Początkowo były to przyjęcia robocze, gdyż wciąż trwała żałoba po Barbarze Zajezierskiej, kiedy jednak zwyczajowy czas powagi dobiegł końca, przyjęcia i polowania wieńczyły bale, na których bawiły się setki gości.

Zajezierski prowadził rozmaite interesy i wiele w owym czasie działał. Mechanizował swe gospodarstwa, zakładał spółki, folwarki połączono siecią telefoniczną, a z Pleci doprowadzono nawet linię kolejki wąskotorowej do stacji kolejowej Ciesioły, gdzie wybudowano dużą bocznicę służącą do załadunku drewna i innych towarów.

Wszystkie te zamierzenia udawało się realizować dzięki ścisłej współpracy z Joachimem Radziewiczem, nie tylko sąsiadem i przyjacielem, lecz także wspólnikiem w interesach. Połączeni spółką mogli bowiem podejmować o wiele bardziej ryzykowne inwestycje. Razem działać znaczyło działać na większą skalę, to się po prostu opłacało. Wkrótce do tego swoistego koła rolniczego dołączyli inni okoliczni właściciele, stwierdzając naocznie jego niewątpliwą skuteczność. Dzięki wspólnemu inwestowaniu mogli byli podjąć się nawet utwardzenia drogi z Zajezierzyc do Gutowa i wybudowania mostu! We wsiach pojawiły się sklepiki, zorganizowano kilka oddziałów Ochotniczej Straży Pożarnej.

Przedsięwzięcia te, wynikające z dobrze pojętej wspólnoty lokalnych interesów, w pewnym sensie pozostawały w zgodzie z duchem czasu: podniesieniem poziomu świadomości społeczeństwa i rozwojem przemysłu, co przekładało się na powolny, ale widoczny wzrost zamożności.

Ponieważ Zajezierscy od dawna wiedli prym wśród okolicznej szlachty, zobowiązywało ich to do przyjmowania gości. Pierwszą i najbardziej widoczną zmianą, jaka zaszła po śmierci matki hrabiego, było zainstalowanie na dachu pałacu wysokiego masztu, na którym powiewała flaga z herbem Zajezierskich. Dzięki temu z oddali dało się zauważyć, czy hrabiostwo są w domu. Tego obyczaju, podpatrzonego gdzieś za granicą, Tomasz nie odważyłby się wprowadzić za życia Barbary, krytycznie nastawionej do wszelkiej ostentacji. On jednak był inny, a zwłaszcza teraz uznał postawienie masztu za bardzo dobry pomysł.

Kolejna zmiana polegała na zatrudnieniu prawdziwego francuskiego kucharza, który dbałby o poziom wydawanych posiłków. Chodziło o to, by odpowiednio przygotowywał sprowadzane coraz częściej, a dotychczas niezwykle rzadko pojawiające się na pałacowym stole: kawior, langusty, mule czy homary oraz egzotyczne warzywa i owoce. Zresztą kuchnia francuska była znacznie bardziej finezyjna od polskiej, uznawanej przez starą hrabinę za tańszą i zdrowszą.

Zajezierscy hodowali więc na swój stół bażanty oraz ślimaki. Przyrządzano rozmaite ryby z jeziora Nyć, przede wszystkim uwielbianego przez Tomasza szczupaka, ale również sielawę, karpia, węgorza i lina. Ryby świeże lub wędzone dostępne były codziennie, a zupa rakowa należała do ulubionych dań. Po każdym polowaniu do lodowni trafiała nowa porcja dziczyzny: kaczek, kuropatw, zajęcy i sarniny. To wszystko trzeba było podać od razu lub odpowiednio zabezpieczyć przed zepsuciem.

Posiłki serwowano zatem o wiele bardziej eleganckie. Nawet jeśli Zajezierscy nie spodziewali się gości, spożywali je na porcelanie srebrnymi sztućcami. Była to godna oprawa fileta wołowego montmorency, cielęciny marengo, kotletów jagnięcych, pulardy po nicejsku, zająca w śliwkach, kotleta z sarny z wiśniami czy innych dań klasycznej kuchni francuskiej. Nie zrezygnowano jednak całkowicie z tradycyjnych potraw polskich, takich jak barszcz ukraiński, bigos, kołduny w rosole czy barszcz z pasztecikami.

Wykwintnych dań mieli czasem okazję spróbować i służący, których wybierano starannie, tak bowiem pokojowe, jak lokaje czy kredensowy świadczyli o poziomie domu. Ponieważ potraw niezjedzonych nie przechowywano, resztki dojadała służba. A było kogo karmić. W tym czasie hrabiostwo zatrudniali w domu kamerdynera, ochmistrzynię, kuchmistrza, piwniczego, kredencerza, trzech lokajów, dwie pokojówki (jedną porządkową, drugą dbającą o fryzury Ady), garderobianą z dwiema pomocnicami, krawcową, dwie praczki, frotera, dwie kucharki i dwie podkuchenne. Oprócz tego było jeszcze trzech kuczerów, kilku parobków, pisarz, koniuszy, łowczy, ogrodnik i dwóch pomocników. Od czasów Barbary Zajezierskiej służba dostawała sute posiłki, bo uznawano, iż w ten sposób skłania się ją do lepszej pracy i zapobiega kradzieży.

Oczywiście stoły dzielono. Przy najważniejszym, pierwszym, jadali państwo, dzieci i znaczniejsi goście, a także rządca, w przypadku gdy był kawalerem. Do drugiego zasiadali leśniczy, gorzelany[1], lokaj, pokojowe i woźnice. Trzeci obejmował praczki, pokojówki i chłopców, jeśli nie mieli na miejscu rodziny. W zależności od tego, kto miał jaką pozycję w domu, tam go sadzano.

Czasami jedynym, co odróżniało posiłek państwa od służby, były desery, zarezerwowane dla pierwszego stołu. Pieczono wszelkie rodzaje ciast: drożdżowe rogaliki i placki, francuskie na słodko i słono, andruty, baby piaskowe, biszkopty, ptysie i drobne kruche ciasteczka ozdabiane marmoladą lub lukrem oraz pierniczki. Zajadano się kisielkami, budyniami, galaretkami, owocami w cukrze, lodami, sorbetami i blamażami[2].

Do tego podawano kawę z pianką lub czarną, angielską herbatę z mlekiem, a latem kruszony, poncze, kompoty i soki. Wina sprowadzano specjalnie z Włoch, Francji i Alzacji. Hrabia pił przede wszystkim czerwone, hrabina zaś przeważnie białe z wodą. Dla gości znajdował się także szampan, niepodawany na co dzień, miód pitny, wciąż popularny w tych stronach, ale i rum, brandy, whisky oraz polska starka, a dla pań cały zestaw likierów.

*

---

[1] Nadzorca gorzelni.

[2] Rodzaj mlecznego kremu (zapis fonetyczny fr. *blanc-manger*).

W tym wszystkim młoda hrabina musiała się choć z grubsza orientować. Początkowo dreptała posłusznie za ochmistrzynią, potem z wolna zaczęła rozeznawać się w tym, jak dysponować obiad (miała liczne książki, chociażby *Kucharkę litewską* nieocenionej Wincenty Zawadzkiej, oraz prowadzone przez lata z buchalteryjną wprost skrupulatnością notatki Barbary Zajezierskiej), co komu zlecić, jakie czynności, kto i kiedy w ciągu dnia powinien wykonać. Chodziło nie tylko o to, by dom funkcjonował sprawnie, lecz także o to, by ludzie nie mieli zbyt dużo wolnego czasu.

Zimą służba wstawała o szóstej rano. Zaczynało się sprzątanie i rozpalanie w wygasłych przez noc piecach. Lokaj do śniadania musiał uporać się z porządkami w holu, pokoju stołowym, kredensie, kancelarii oraz gabinecie hrabiego. Wtedy zmieniał ubranie robocze na garnitur i nakrywał do stołu. Po siódmej wydawano ze spiżarni produkty na śniadanie (pieczywo, wędlinę, masło, sery, miód, dżem, często, zwłaszcza zimą, pożywną zupę, białą kawę, herbatę), które kredencerz serwował między ósmą a dziewiątą. Latem dla pana domu nierzadko było to już drugie śniadanie, gdyż dziedzic przychodził o tej porze z pola po pierwszym objeździe.

Do południa w pałacu trwało sprzątanie oraz oprawianie lamp naftowych, których wciąż używano w niektórych mniej reprezentacyjnych pomieszczeniach. Około trzynastej podawano obiad. Potem znów następowało sprzątanie. Co kilka tygodni ochmistrzyni dysponowała duże pranie. Między szesnastą a szesnastą trzydzieści zaczynały się przygotowania do kolacji. Jeśli był to piątek, pieczono chleb razowy i pytlowy, który starczyć miał na cały tydzień. Rogaliki i bułki z mąki pszennej wypiekano dwa razy w tygodniu. O siedemnastej zazwyczaj serwowano podwieczorek, o dwudziestej kolację.

Do gospodarstwa hrabiego należał folwark, hrabina zaś zajmowała się pałacem, parkiem i ogrodami. Każde z nich miało też swoje fundusze i własną służbę. W domu hrabiego obsługiwali dwaj lokaje, zatrudniano także specjalną praczkę dbającą wyłącznie o jego koszule.

Te wszystkie zwyczaje, stanowiące kontynuację zasad gospodarowania wprowadzonych przez Barbarę Zajezierską, przetrwały wiele lat niczym niewidzialny pomnik starej hrabiny.

1995

Doktor Rafał Poniemirski, kierujący pracami wykopaliskowymi pod rynkiem w Gutowie, miał w sierpniu urlop. Ponieważ wybierał się na Mazury, postanowił odwiedzić Igę i zapytać, czy nie dowiedziała się czegoś nowego w sprawie pierścienia. Zastał ją, tak jak przypuszczał, w cukierni za ladą. Ucieszyła się na jego widok. Zrobiła kawę i usiadła przy stoliku obok gościa.

– Już nigdy mi się tak nie uda, żebym kopał prawie pod cukiernią! – westchnął z żalem. – To miasto jest magiczne! – dodał.

Iga wbrew oczekiwaniom nie podjęła tematu.

– Daj spokój, mam już wszystkiego dosyć.

– E tam, każdemu zdarza. Jakieś nowości?

– Poza tym, że mój ojciec zwariował? Nie uważasz, że to na razie wystarczy?

– No dobra, przejdźmy do interesów. Mam dla ciebie prezent – powiedział Poniemirski z tajemniczą miną. – A właściwie nawet dwa. Nie ciesz się, to nie jest pierścionek zaręczynowy.

– Pozostanę równie ponura, jak dotychczas.

Pochylił się i najciszej, jak mógł, wyszeptał:

– Była najprawdopodobniej Żydówką!

Iga popatrzyła na niego poważnie. W głowie kłębiły jej się najrozmaitsze myśli, nie wiedziała, od czego zacząć, powiedziała więc tylko:

– Lilith Cukierman? Myślisz, że to ona?

– Nie wiem, może uda ci się to jakoś sprawdzić.

– Jak?! Mam na głowie ojca i jego kochanicę, chorą babkę, sklep w środku sezonu, a ty mi każesz się teraz grzebać w historii! Nie chcę mi się! Też chciałabym sobie wyjechać jak najdalej stąd i zapomnieć o tym całym bajzlu! A właściwie skąd wiesz, że była Żydówką? – zmieniła nagle temat.

– Kawałek mezuzy.

– Czego?

– Takie pudełeczko z tekstem. Leżało sobie obok. Niewiele z niego zostało, ale kumpel hebraista mi to potwierdził.

– I dopiero dziś mi to mówisz?! – wściekła się Iga.

– A jak myślisz, od kiedy sam wiem?

– Od wczoraj?

– Nieważne. Druga rzecz to korytarze. Nie odkopaliśmy wszystkich, ale jest niemal pewne, że rzeczywiście mogły łączyć farę z klasztorem.

– Świetne miejsce do ukrywania Żydów. Ale w takim razie dlaczego tylko ona jedna tam przebywała? – dziewczyna myślała na głos.

– Tego nie wiemy. Tylko ona zachowała się w stanie pozwalającym na identyfikację. Wielu Żydów zginęło w getcie, innych wywieziono do Treblinki. Jej się prawie udało.

– Prawie. Ale nadal nie wiemy, skąd miała ten pierścień.

Przed śmiercią Zuzanna dużo rozmawiała z córką. Marianna pisała jej głównie o dzieciach: Annie, która miała tak wielki talent muzyczny, że planowali z Irą oddać ją do konserwatorium, Marku, że się dobrze uczy i nie nastręcza żadnych kłopotów wychowawczych, no i o Paulu z matczyną troską, bo był awanturnikiem i rozrabiaką jak jego wuj Jack, wyprowadził się z domu i rzadko pisywał.

Listy Marianny Zuzanna sylabizowała z trudem, bo skończyła zaledwie trzy klasy. Nosiła je zawsze przy sobie, traktując jak największy skarb, i znała niemal na pamięć. Wieczorami kładła arkusiki przed sobą i dotykała lekko palcami. Podobał jej się delikatny papier, piękny, równy, lekko zaokrąglony charakter pisma córki, kolorowe znaczki na kopercie. Sama nie pisała do Ameryki. Nie miała za co wysłać listu, zresztą musiałaby w tym celu pójść do Gutowa, a po śmierci starego Sęka, wiele lat temu, została sama i wciąż borykała się z niedostatkiem.

Ciężko jej się żyło, ale nikogo nie obciążała swoimi problemami. Pomagała ludziom, czyniła uroki, leczyła, słuchała. Od jakiegoś czasu i ona zaczęła niedomagać. Straszne bóle przeszywały jej ciało i żadne zioła, proszek z wysuszonej na słońcu żmii ani miód wymieszany z roztworem bursztynu nie dawały im rady. Zuzanna chudła, trawiona straszliwą chorobą, której nazwy nie znała. Czuła jednak, że koniec powoli się zbliża, a nieustające cierpienie przygięło sylwetkę zielarki do ziemi i całymi dniami nie pozwalało wstać z łóżka. Jednak nie poszła do pałacu prosić o lekarza, zresztą podobnie jak babka, która nauczyła ją wszystkiego o ziołach, nie wierzyła w medyków. Wystarczała jej wiara w Boga i Jego mądrość.

– Kiedyś każdy musi umrzeć. Widać to mój czas – myślała.

Do chaty położonej na uboczu mało kto zaglądał i gdy umarła ostatnia zielarka we wsi: nie wiadomo, z choroby, z głodu czy pragnienia, nikt nawet tego nie zauważył. Ludzie, zajęci swoimi sprawami, dowiedzieli się o jej odejściu dopiero wtedy, kiedy ktoś, przejeżdżając obok, przypadkiem zauważył wybiegającego z chaty młodego lisa.

Wieś urządziła pogrzeb. Zajezierscy kupili trumnę i szli za nią w pierwszym rzędzie, jako że Zuzanna nie miała nikogo bliskiego, ale bardziej jeszcze z tego powodu, że karmiła hrabiego własną piersią. Alfred Przaska, który utrzymywał z Marianną rzadkie kontakty, powiadomił ją o zgonie matki i poinformował, że miała lekką śmierć i piękny pogrzeb.

Przeczytawszy list, Marianna znów zapragnęła przyjechać do Polski. Problem jednak stanowiły pieniądze, bo wszystko, co do tej pory zdołała zaoszczędzić, w tajemnicy przed Irą wydała na polskie bondy[1] wolnościowe emitowane przez bank Smulskiego, mając nadzieję, że przyczynia się tym do odzyskania przez ojczyznę niepodległości.

[1] Obligacje (ang.).

„Po co to czytać?! Z czytania zawsze tylko jakieś nieszczęście wyniknie" – mawiała Felusiowa, ale nikt jej nie wierzył, bo wszyscy w rodzinie Grabnickich czytali dużo, zachłannie, namiętnie. Dziewczęta i mama Mili lubiły wielką literaturę, która na szczęście nie stroniła od opisywania gorących uczuć i namiętności niemających szans na spełnienie, a Wiktor najchętniej sięgał po dzieła podróżnicze, skąd czerpał pomysły do swych eskapad, ale także historyczne i ekonomiczne. Mila i Gina uwielbiały zagłębiać się w skomplikowany świat bohaterów Jane Austen, ale i Rodziewiczówny, Orzeszkowej, a zwłaszcza Sienkiewicza.

I kto by przypuszczał, że to nie im, którzy wyśmiewali pod nosem jej chłopskie marudzenia, ale prostej służącej los w końcu przyzna rację? Kiedy po deserze w domu w Aninie następowała obowiązkowa godzina absolutnej ciszy mającej sprzyjać trawieniu, dziewczęta siadywały z książkami na jednej z werand lub w ogrodowej altanie i wsiąkały w świat bohaterów literackich, same na chwilę wcielając się w ich postacie. Gdy lektura była szczególnie obrazowa, trudno im się czasem wracało do rzeczywistości, wciąż przebywały w nieistniejącym świecie, ledwie zauważając, co się wokół nich dzieje.

Romantycznie usposobionej Mili zdarzało się to szczególnie często, aż pewnego razu, już po powrocie na pensję, przelała swe gorące uczucia z bohatera papierowego na żywego człowieka. Nazywał się Orest Węglarczyk i był chłopcem aptecznym w składzie Staniszewskiego. Zobaczyła go po raz pierwszy podczas zakupów i gdyby nie pojawił się znowu, pewnie szybko by o nim zapomniała. Jednak jeszcze kilka razy przynosił jej lekarstwa, czasem jakieś drobiazgi, mydło czy pastę do zębów. Pojawiał się też w domu w Alejach Ujazdowskich, gdy Grabniccy zamawiali coś telefonicznie.

Ciemny blondyn o brązowych oczach, brwiach zrastających się tuż nad nosem, niskim głosie i ujmującym uśmiechu mógł zawrócić w głowie niejednej pannie. Ale i on wobec powłóczystych spojrzeń Mili nie pozostawał, zdaje się, obojętny. W ich uczuciu uczestniczyła też z konieczności Gina jako powiernica i listonosz.

W tym roku kończył się sześcioletni termin[2] Oresta w aptece. Pryncypał wydał mu już pozytywną opinię, a także zgodę na rozpoczęcie dwuletniego kursu na prowizora farmacji[3] przy wydziale lekarskim uniwersytetu. Chłopak bardzo się cieszył, że będzie miał teraz wolne nie tylko jedno środowe popołudnie, bo dotychczas praca w aptece zabierała mu całe dnie (firma działała od ósmej rano do dziesiątej wieczorem), a okazję do wyjścia miał tylko wtedy, kiedy posyłano go do klientów. Ponadto chciał się uczyć i był rad, że zostanie studentem.

To bardzo komplikowało sprawę, jako że upadał jedyny pretekst, jaki mieli z Milą, by się od czasu do czasu choć na krótko spotkać. Dziewczyna rozpaczała, co z kolei doprowadzało do rozpaczy Ginę, która nienawidziła sytuacji bez wyjścia. Jednak one same nie mogły praktycznie nigdzie z pensji wychodzić. Dlatego Grażyna podziwiała przyjaciółkę, gdy ta tygodniami czekała na jakąkolwiek sposobność zobaczenia ukochanego, choćby z daleka podczas mszy w zatłoczonym kościele Wizytek.

Dziewczęta wiedziały, że ojciec Mili wkroczyłby natychmiast, gdyby tylko się dowiedział, jak duże wrażenie

---

[2] Tu: staż (łac.).

[3] Dawniej farmaceuta, absolwent kursów farmacji (łac.).

Orest robi na jego córce. I tak też się stało. Kiedy podczas pasterki wychodzącemu z kościoła studentowi udało się mimowolnie wcisnąć w dłoń podnieconej Giny krótki liścik miłosny, ta natychmiast oddała go przyjaciółce. Niestety, Mila nie zachowała dostatecznych środków ostrożności, zostawiając list na swym biurku. Trafił wprost do rąk Wiktora Grabnickiego.

Nie było żadnej awantury. Wiktor nigdy nie podnosił głosu. Poprosił córkę do gabinetu i długo ze sobą rozmawiali. Czy ją przekonał? Nie wiadomo, bo nie chciała o tym mówić, stała się tylko jeszcze bardziej cicha, zamknięta w sobie i małomówna.

Ale z czytania nie zrezygnowała.

Wiosną w Aninie gruchnęła wieść, że sąsiad Grabnickich, aktor Warszawskich Teatrów Rządowych[1] Piotr Hryniewicz, właściciel willi Marzenie, miejscowymi siłami wyreżyseruje spektakl amatorski według *Znawcy kobiet* Przybylskiego. Kiedy Wiktor przekazał dziewczętom tę nowinę, nie mogły doczekać się dnia premiery. Dziwne wydawało się to, że choć bywały w zawodowym teatrze dość regularnie, w każdym razie przynajmniej raz na miesiąc, właśnie amatorskie przedstawienie wywołało tak wiele komentarzy.

Gdy wreszcie nadszedł ten uroczysty, gorący letni wieczór, towarzystwo okoliczne tłumnie pośpieszyło powozami do teatru w odległym o niespełna milę Kaczym Dole, gdzie przy ogólnym aplauzie odbyła się przygotowana przez anińską młodzież premiera. Było dużo śmiechu i radości. Ginie i Mili z podniecenia płonęły policzki, po co celniejszej kwestii biły gorące brawa, a w drodze powrotnej usta im się nie zamykały, tak wielu wrażeń dostarczył im udział w wydarzeniu. Błagały Wiktora, który osobiście

---

[1] Instytucja powołana w 1810 roku, skupiająca na przestrzeni lat warszawskie teatry: Wielki, Mały, Letni, Nowy oraz Nowości. Istniała do 1915 roku.

znał reżysera, by przekazał mu ich gotowość, na wypadek przygotowywania kolejnych premier z młodzieżą.

Ten wieczór również Wiktor zapamiętał na całe życie. Wtedy właśnie, ciepłą lipcową nocą, gdy wracali powozem do Anina, uświadomił sobie z przerażeniem, że kocha Ginę. I że nie jest to platoniczna miłość przybranego ojca. Wiedział, iż za kilka dni ona odjedzie do Długołąki, i po raz pierwszy poczuł z tego powodu lęk.

„To tylko parę tygodni, we wrześniu znów zacznie się rok szkolny" – powtarzał w myślach, ale nie znajdował ukojenia, miał bowiem świadomość, że Grażyna może w nim wzbudzać jedynie uczucia ojcowskie, żadne inne. Bez wątpienia była już kobietą. Zdawał sobie sprawę z tego, że nigdy między nimi nie dojdzie do tego, czego nagle zapragnął.

Patrzył na jej piękne zęby, które nieświadomie odsłaniała w szerokim uśmiechu, na dłonie, na włosy. Karcił się za marzenie o dotykaniu jej drobnych piersi, które nagle zarysowały się wyzywająco pod letnimi bluzkami, za myśli, w których mu się oddawała, zupełnie naga, zawsze w jakimś dziwnym, egzotycznym miejscu: w wagonie sypialnym Orient Expressu, na łodzi pośrodku rwącej rzeki, w loży teatralnej podczas przedstawienia. Ich dzikie okrzyki miłości zagłuszał stukot kół, huk wezbranego żywiołu, głośne brzmienie teatralnej orkiestry.

Na razie panował nad tymi pragnieniami, co jednak będzie za rok, dwa, kiedy dziewczęta skończą szkołę i pójdą na uniwersytet? Czy uda mu się być dla Giny dobrym ojcem, skoro patrząc na nią, ciągle myśli o tym, jak wyglądałaby nago? Co ma zrobić, by się pozbyć demona, który go opętał?

Zresztą – to śmieszne – mógłby być jej ojcem, w zasadzie jest jej ojcem. Nie ma prawa traktować Giny jak kobiety, ponieważ to jego córka.

Mimo krążących od jakiegoś czasu pogłosek wszystkich zdumiało, że wojna rzeczywiście wybuchła. Hrabia Tomasz, który bardziej niż kobiety interesował się polityką, od początku twierdził, że z tego zamieszania może powstać wolna Polska, i wydawał się zadowolony. Nie zamierzał jednak angażować się czynnie po żadnej ze stron konfliktu, w końcu zarówno jedni, jak i drudzy byli wrogami. Nikt chyba, on również, nie wyobrażał sobie okropieństw przyszłej wojny, nie podejrzewał, ile cierpień i ile ludzkich istnień ona pochłonie, nie spodziewał się, jak jeszcze daleko do odrodzenia ojczyzny.

Pierwszego sierpnia Niemcy wypowiedziały wojnę Rosji. Ta zmobilizowała wielką armię i wydała odezwę, w której, odwołując się do czasów bitwy pod Grunwaldem, obiecywała Polakom zjednoczenie ziem wszystkich zaborów pod berłem rosyjskim, jeśli ci wystąpią przeciwko Prusakom.

– Tylko tego brakowało! – kwaśno skomentował hrabia, który jako jedyny mężczyzna w domu nigdy nie służył w rosyjskim wojsku, a i teraz, blisko pięćdziesięciolatek, również uniknął mobilizacji. – Niemcy obiecują to samo, ale pod swoimi rządami. A nie wierzę ani jednym, ani drugim. Na istnieniu wolnej Polski nikomu przecież nie zależy! – fuknął przy podwieczorku, wywołując tym pełne wyrzutu spojrzenie Ady.

Tymczasem zaraz na początku wojny Niemcy ostrzelali i spalili Kalisz, wywołując tym nienawiść Polaków. Rosjanie mimo agresywnej propagandy zaczynali przegrywać, armia generała Samsonowa rozbita w proch pod Tannenbergiem[2] wycofywała się w popłochu, co wywołało ten skutek, że zaczęły obowiązywać prawa wojny: nikt już nie wiedział, co robić.

Koniec wakacji 1914 roku Grażyna spędzała w Długołące. Nudziła się śmiertelnie, ale była to winna matce, która od trzech lat, to jest od śmierci jej babki, Antoniny Bysławskiej, znów borykała się z samotnością. Gospodarowały w opustoszałym majątku, pozostał im bowiem zaledwie ogród, sad i warzywnik, wszystkiego niecałe dziesięć morg[3], resztę zaś włóka[4] po włóce sprzedawały Zajezierskim, biedniejąc z każdym rokiem.

Czasami wyjeżdżały gdzieś na krótko, jak rok wcześniej do Połągi, ale nawet ta resztka majątku musiała mieć gospodarza i dłuższy wyjazd nie wchodził w grę. Rokrocznie na krótkie wakacje wpadała też Mila i to były najpiękniejsze momenty. Gina czekała wtedy z bijącym sercem na Wiktora, ciesząc się na jego przyjazd i z roku na rok coraz bardziej licząc na choćby krótkie chwile sam na sam.

Tego jednak roku Wiktor nie przywiózł Mili. Z powodu zbliżającej się, jak twierdził, wojny, umieścił córkę u swojej rodziny na Podolu, a sam zajął się zabezpieczaniem interesów. Zatelegrafował do nich, by uciekały w głąb cesarstwa, jeśli mają dokąd, albo przyjechały do Warszawy. Ale one – po raz pierwszy chyba zgodnie – postanowiły zostać w domu. Nie wiedziały, jak wygląda wojna, nie umiały za-

---

[2] 17 VIII–2 IX 1914 bitwa pod Tannenbergiem (Olsztynek), przegrana przez Rosjan.

[3] Morga „nowopolska" – 0,5598 ha.

[4] Włóka „nowopolska" – 16,79 ha.

tem sobie wyobrazić, że mogłaby ona zakłócić sielski spokój mazowieckiej wsi. Gdzieś tam z okolic Płocka dochodziły dziwne wieści: podobno Rosjanie 2 sierpnia opuścili miasto, ale po dwóch dniach wrócili. 13 sierpnia w Płocku ponoć znów pojawili się Niemcy, ale wyparli ich kozacy, którzy weszli 17 sierpnia, być może na dłużej.

Mimo że Gina bardzo chciała jechać do Warszawy, przez te kilka dni, póki nie rozpocznie się rok szkolny, postanowiła towarzyszyć matce. Wiedziała, że i tak wkrótce zostawi ją aż do Bożego Narodzenia. Pomyliła się jednak w swych rachubach, bo choć wojna nie dotarła jeszcze do Długołąki, toczyła się gdzieś całkiem niedaleko. Tak więc Kinga Toroszyn, chcąc mieć córkę blisko siebie, jak niegdyś zapisała Ginę do szkoły sióstr kwietanek i tym samym ostatecznie przekreśliła jej nadzieje na szybki powrót do stolicy. Obiecywała zresztą, że jeśli tylko w polityce trochę się uspokoi, a hrabia Zajezierski nadal zechce opłacać jej naukę, będzie mogła wrócić i zdać maturę na pensji. Gina złościła się i straszyła matkę, że nie da rady nadrobić zaległości i czas spędzony u kwietanek na pewno okaże się stracony. W Warszawie jest rodzina Grabnickich, oni zajmą się nią jak własną córką i nie dadzą jej skrzywdzić. Jednak tym razem Kinga Toroszyn pozostała konsekwentna.

Wojna była w życiu Giny wydarzeniem całkowicie nieplanowanym. Mijały tygodnie i ani w Gutowie, ani w Długołące na razie nic dramatycznego się nie działo. Ale powrót do Warszawy pozostawał pod znakiem zapytania. Gdyby wiedziała wtedy, jak długo potrwa krwawy konflikt i ile zamieszania wprowadzi w jej życie, kto wie, czy nie zdecydowałaby się na jakiś głupi krok, miała już przecież piętnaście lat, była prawie dorosła.

*

Wbrew pozorom nie dało się mówić o spokoju. Rosjanie chyba czuli, że nie dadzą rady bez końca opierać się Niemcom, nakazali więc ludności cywilnej ewakuację, sami zaś rekwirowali wszystko, co miało jakąkolwiek wartość. Wywozili w głąb cesarstwa tak dobra materialne, jak i całe instytucje. Zarządzono mobilizację koni, które we wrześniu mężczyźni odprowadzili na łąki pod Gutowem. Nie mieli tyle szczęścia, co w Płocku, gdzie gospodarze zmuszeni byli zjawić się ze zwierzętami na błoniach przy szosie Płock–Bielsk, ale gdy ktoś krzyknął, że zbliżają się Niemcy, rozbiegli się w panice, gnając konie na oślep ku swym wsiom. To ich uratowało, bo powtórnej mobilizacji nie zarządzono.

Jeszcze latem Zajezierscy z pomocą służby, głównie najbardziej zaufanego Zdzisława Pawlaka, zabezpieczyli skromną część rodzinnych pamiątek, pieniądze i papiery wartościowe, wywożąc do Płocka oraz zakopując w ogrodzie co cenniejsze skarby. Siedzieli praktycznie na walizkach, czekając na ostatni dzwonek, kiedy nie będzie już nadziei, że Rosjanie zwyciężą i wszystko zostanie po staremu. Zresztą decyzja o wyjeździe była rozpaczliwie trudna: ucieczka oznaczała porzucenie majątku na łaskę losu, a więc niemożliwe do oszacowania, lecz pewne straty, pozostanie zaś mogło równać się nawet utracie życia.

W dodatku musieliby opuścić syna, pobierającego nauki w płockim seminarium, a Paweł, choć w zasadzie dorosły, był przecież ich jedynym dzieckiem.

Trzy miesiące później Rosjanie wycofywali się zza Wisły, a za nimi postępowali Niemcy. Między 19 a 28 listopada Prusacy kolejny raz stanęli w Płocku, ale końcówka roku należała do Rosjan.

Odległość dwudziestu kilometrów z okładem, które dzieliły Gutowo od Płocka, poniekąd zapewniała mieszkańcom

Zajezierzyc bezpieczeństwo. Poprzedni sezon przyniósł kiepskie plony. Lato 1914 roku było deszczowe, niesprzątnięte zboża porastały pola, spóźniała się orka i siewy ozimin. Należało ratować, co się da, bo te wszystkie niekorzystne czynniki musiały odbić się na kolejnych zbiorach.

Boże Narodzenie zorganizowano jeszcze po staremu. Zajezierscy zaprosili gości: Kingę Toroszyn oraz Agnieszkę i Joachima Radziewiczów. Przy stole zastanawiano się, co zrobić, jeśli na wiosnę Rosjanie nie dadzą rady odeprzeć Prusaków za linię Wisły, a front zbliży się lub nawet dotrze do Gutowa. Hrabia Tomasz uważał, że trzeba wycofać się na wschód i tam przeczekać. W okolicach Bielunia Podlaskiego mieszkali krewni Barbary Zajezierskiej, którzy z pewnością przygarną uchodźców. Dalej jeszcze, na pograniczu litewsko-białoruskim, w Zbylitowie i Stępniewicach rodzone siostry Tomasza, Waleria i Regina, również nie odmówią gościny, jeśli zajdzie taka potrzeba.

Radziewiczowie, choć także skoligaceni z rozlicznymi rodzinami na Litwie, zdecydowani byli zostać. Ufali w opatrzność i własne szczęście. Bali się, że gdy opuszczą Cieciórkę, nie będą już mieli dokąd ani po co wracać.

– Trzeba pilnować dobytku! – stanowczo stwierdził Joachim.

Podobne zdanie miała Kinga Toroszyn. Ona z córką również zostawały.

15 lutego Niemcy ostatecznie zajęli Płock i zbierali siły, by wiosną uderzyć na Rosję. Podjęta w maju ofensywa doprowadziła do przesunięcia się frontu o kilkaset kilometrów na wschód.

Rosjanie, wycofując się z terenów kongresówki[1], skąd tylko mogli, czyli z przymusowo wysiedlanych terenów otaczających ich twierdze: Modlin, Łomżę, Brześć, Osowiec czy Różan, zabierali nie tylko konie, lecz także krowy, nierogaciznę i złożone w stodołach plony. Czego nie byli w stanie zagrabić, niszczyli. Palili młyny, spichrze, wysypywali zboże, wylewali spirytus z gorzelni wprost na ziemię. Uciekając w popłochu, wysadzali za sobą mosty i stacje kolejowe, choć ze względu na inny rozstaw szyn europejskie pociągi i tak nie mogłyby z nich korzystać. Ogołocone i opustoszałe wsie i miasteczka robiły przygnębiające wrażenie.

Na szczęście w najbliższych okolicach Gutowa nie trwały żadne walki. 85 Zapasowy Pułk Piechoty dawno się już był wyniósł, ale wycofujące się wojska rosyjskie niemal doszczętnie ogołociły okolicę. Zamożniejsi mieszkańcy wyje-

[1] Inaczej Królestwo Polskie; istniejące w latach 1815–1916 na terytorium polskim państwo pozostające w unii personalnej z Imperium Rosyjskim.

chali na wieś, bo tam zawsze łatwiej przeżyć. Żydzi, nie mając klientów, stali zdezorientowani przed sklepami i warsztatami, zastanawiając się, co dalej. Z nadzieją czekali na Niemców, licząc na to, że ci zaprowadzą jakiś porządek, w którym można się będzie szybko odnaleźć i – jak to na wojnie – robić dobre interesy.

Zajezierscy sami żywili się skromnie, nie wiedząc, jak długo potrwa wojna, ale mieli jeszcze trochę zapasów, które szybko topniały, jako że codziennie wydawano bezpłatnie ponad sto dodatkowych posiłków, przeważnie jakąś sycącą zupę. Gdy zaczęły się chłody, każdy potrzebujący dostawał też za darmo drewno opałowe. Do Gutowa wysłano dwa wozy wypełnione płodami rolnymi przeznaczone dla głodujących mieszkańców, w tym cierpiących niedostatek sióstr kwietanek.

W kwietniu, zanim w Gutowie pojawili się Niemcy, Zajezierscy, zapakowani zaledwie na dwie bryczki i powóz, odjechali w kierunku Bielunia. Pożegnanie z dworskimi było krótkie, we wszystkim ludzie mieli teraz słuchać Zdzisława Pawlaka, który zostawał na posterunku. Zajezierscy zaś, zabierając jedynie kilkoro służby: pokojową, lokaja, francuskiego kucharza i trzech kuczerów, bo ktoś musiał przecież powozić, ruszyli na wschód.

Na dwa tygodnie stanęli w Bieluniu, ale słysząc o wciąż posuwających się na wschód i południe wojskach pruskich, uznali, że trzeba ruszać dalej. Ani Podedworscy, ani Dobrosielscy nie zamierzali na razie uciekać. Czuli się niczym Zajezierscy w sierpniu ubiegłego roku: mieli nadzieję, że wojna do nich nie dotrze. Tomasz nie zamierzał siać defetyzmu i przekonywać sióstr oraz szwagrów, ci zwłaszcza mieli bowiem swoją mądrość i rozeznanie w sprawach międzynarodowych. Jednakże po kilku dniach odpoczynku, zaopatrzywszy się na drogę, nakazał swoim ruszyć w stronę Wilna. Tam pozostawili pojazdy i zabierając tylko ludzi oraz bagaże, pociągiem pojechali wprost do Petersburga.

To była dobra decyzja, gdyż na drogach, nawet bocznych, kłębiło się od uchodźców. Niemcy posuwali się w szybkim tempie, lada chwila mogli zająć Warszawę i kto żyw, uciekał za Bug, licząc na to, że szeroka rzeka znów na kilka miesięcy zatrzyma front. Z dworów ciągnęły całe tabory: powozy, bryczki, pędzono bydło i konie. Zwierzęta padały niejednokrotnie z braku wody. Za bieżeńcami[2] szła rosyjska armia w rozsypce. Brudni, zmęczeni i głodni żołnierze wlekli się, ledwie powłócząc nogami.

Hrabia Tomasz, studiując mapę, kręcił głową.

– Oby Dniepr ich zatrzymał… – I nie dzieląc się swymi obawami z żoną, zaczął przewidywać najczarniejsze scenariusze rozwoju sytuacji. Uznał, że im prędzej znajdą sobie jakieś przytulisko w Petersburgu, tym lepiej, bo wojna może potrwać długo, a swej stolicy Rosjanie będą bronić do samego końca. Na razie nie ma tam paniki, ale jak się zacznie, pozostanie jeszcze dalsza wędrówka, być może do samej Moskwy.

Rzeczywiście Petersburg przywitał ich piękną pogodą i beztroską atmosferą, choć dał się zauważyć spory tłok. Dopiero dzięki zawartej kilka lat wcześniej korespondencyjnej znajomości z baronem Olenskim, którego odnaleźli czym prędzej, i jego nieocenionej pomocy udało się wynająć duże mieszkanie w kamienicy książąt Dołhorukich przy Newskim Prospekcie. Utrudzeni kilkutygodniową podróżą, Zajezierscy ze swymi ludźmi mogli wreszcie odpocząć. Choć wojskowych rozmaitych formacji spotykało

---

[2] Uciekinierzy (ros.).

się na każdym kroku, w zatłoczonej stolicy cesarstwa nie czuło się nastroju wojny. Wręcz przeciwnie, miało się wrażenie, jakby już było po wszystkim.

Zajezierscy porównywali Petersburg do innych znanych sobie miast europejskich i trzeba przyznać, że stolica carów wypadała na tym tle imponująco. Poprzecinana trzema rzekami: Newą, Majką i Fontanką, miała imponujące bulwary i wiele pięknych mostów. Przy szerokich ulicach wznosiły się wspaniałe budynki: prywatne pałace, budowle rządowe i obiekty sakralne, wszystkie utrzymane w imperialnym stylu, obliczonym na wywołanie wrażenia. Zwłaszcza teraz, podczas białych nocy, miasto wyglądało zjawiskowo.

Zjechał tu już cały polski beau monde: Tyszkiewiczowie, Platerowie, Lubomirscy, Czetwertyńscy. Życie towarzyskie kwitło i Zajezierscy również się w nie włączyli. Bywali w teatrze i operze, zwiedzali muzea, chodzili do restauracji, czytali lokalną prasę polskojęzyczną, działali w organizacjach charytatywnych, czymś się przecież trzeba było zająć. Przypominało to trochę przymusowe wakacje, aczkolwiek postępujący wciąż na wschód front burzył nieco dobre nastroje, a obawy o to, co się dzieje w domu i jak się miewa pozostawiony w seminarium Paweł, stanowiły przedmiot ciągłej zgryzoty.

By nieco ukoić zbolałe serca, Zajezierscy chodzili do kościoła św. Katarzyny przy Newskim Prospekcie, w którego podziemiach spoczywały szczątki ostatniego króla Polski, Stanisława Augusta Poniatowskiego. Ada wciąż modliła się o szczęśliwy powrót i łaskę boską dla syna.

I choć w podręcznikach historii żadnej wzmianki o tak małej bitwie nie ma, to Niemcy, posuwając się z Płocka na wschód, ostrzelali Gutowo, Zajezierzyce i Długołąkę.

Kinga dosłownie w ostatniej chwili wysłała kuczera do klasztoru po Ginę. Woźnica zacinał konie w szaleńczym pędzie, starając się przekrzyczeć wybuchające w oddali pociski. Nad polami na południe od miasta wisiał balon, a ktoś siedzący w środku kierował ostrzałem. Cud, że nie zginęli wtedy oboje, ona i woźnica. Grażyna w zasadzie była bezpieczniejsza w grubych murach klasztoru, ale Kinga, kierując się iście kobiecą logiką, wolała mieć córkę przy sobie. Ona sama przebywała już w pałacu. Zdecydowała się na wyjazd do Zajezierzyc pod naporem argumentów Pawlaka. Była to jedna z najsłuszniejszych decyzji w jej życiu, bo drewniany dwór długołącki niemal doszczętnie spłonął, podobnie jak większość zabudowań otaczającej go wsi, z której po pruskim ostrzale artyleryjskim pozostały jedynie kominy sterczące wśród zgliszcz i leje po wybuchach bomb.

Od tej pory nie posiadały prawie niczego, gdyż Kinga, uciekając w panice pod ogniem dział, zabrała tylko kilka drobiazgów. Tak stały się, chcąc nie chcąc, rezydentkami pałacu. Pawlak opiekował się nimi, jak mógł, a kiedy Niemcy poszli dalej na wschód, zabrał się do porządkowania gospodarstwa.

W okolicy zostali żołnierze niemieccy, którzy jako nowi okupanci dokończyli rabunku rozpoczętego przez Rosjan. Jego skala była wprost niewyobrażalna, a samowola, z jaką rekwirowali nawet przedmioty domowego użytku, wołała o pomstę do nieba. Ludzie opowiadali, że Niemcy zabierali nie tylko wyposażenie fabryk, którego nie zdołali wywieźć Rosjanie – zresztą w okolicy fabryk działało niewiele – lecz także silniki elektryczne, wymontowywane z maszyn rolniczych i młynów, oraz dynamomaszyny. Nie gardzili żadnym metalowym przedmiotem, który tylko znalazł się w zasięgu ich wzroku. Poszukiwali miedzi, mosiądzu, aluminium i niklu. Rozbierali ogrodzenia, wyjmowali klamki z drzwi, wyrywali z zawiasów drzwiczki do pieców, rekwirowali wanny, kurki od kranów, moździerze i garnki, nie dbając o to, jak będą żyć ci, którzy zostali ich pozbawieni.

Poszukując cennych przedmiotów, posuwali się do tego, że zrywali w mieszkaniach podłogi i przekopywali piwnice, a jeśli trafili na kosztowności, na przykład zegarki, platery czy srebro, one też padały ich łupem.

Jeśli metalowe przedmioty zostały oddane dobrowolnie, ich właściciele otrzymywali rekompensatę, przeważnie pozbawione wartości pokwitowania, ale w przypadku gdy zarekwirowano je po ustalonym terminie – przepadały na zawsze.

Niemcy, budując drogi i linie telefoniczne, masowo wycinali też drzewa. Pawlak nic nie mógł zrobić, gdy Prusacy zabrali się do karczowania lasów zajezierzyckich, wielkiej miłości hrabiego i podstawy gospodarki majątku.

By wykarmić swą armię, okupanci wprowadzili reglamentację żywności. Zabierali z dworów cielaki, jeśli się jakiś jeszcze gdzieś uchował, kury, świnie oraz – co najgorsze – ziarno przeznaczone na siew, które każdy, kto tylko posiadał jakiekolwiek zasoby, ukrywał, gdzie się dało, choćby i w zakopanych w ziemi beczkach. Zdzisław Pawlak niejednokrotnie narażał własne życie, by uchronić to i owo, ale jak to na wojnie bywa, obowiązywało prawo silniejszego.

Przy pierwszej bytności Pawlaka i Kingi w Płocku po ustaniu bombardowań okazało się, że dom Zajezierskich przy Kolegialnej został zajęty przez pruskich oficerów, którzy rezydowali w nim jak u siebie. Paweł ledwie zdołał zabrać z własnej biblioteki trochę książek, ale i tak musiał prosić księdza Walerego o wstawiennictwo u biskupa, a ten z kolei interweniował w magistracie u samego burmistrza.

Gdy Kinga i Pawlak stanęli osłupiali w progu domu, usłyszeli tylko obojętne:

– Es ist Krieg[3]!

Nie było mowy, żeby wydobywać ze skrytek zamurowane w nich kosztowności. Pozostawała tylko modlitwa, by Niemcy nie zechcieli ich szukać. Na razie okupanci zajmowali się głównie niszczeniem eleganckiego miejskiego domu Zajezierskich, na co Kinga nie mogła patrzeć. Na nic się zdało posłuchanie u gubernatora wojennego, barona Wangenheima, u burmistrza Wartzego, wreszcie u landrata[4] Mallinctodta – wszyscy rozkładali ręce, powtarzając znienawidzoną frazę o wojnie, a oficerowie w domu przy Kolegialnej mieszkali nadal, rujnując go doszczętnie.

Nie to jednak było teraz największym powodem zmartwień. Włościanie z Długołąki, którzy stracili domy, nie mogli ich odbudować, bo Niemcy położyli swą ciężką łapę na lasach. Gnieździły się więc całe rodziny w wykopanych w ziemi dołach, byle jak tylko przykrytych deskami i słomą, a ich prowizoryczne schronienia niejednokrotnie podchodziły wodą. Kinga zamartwiała się, co będzie z tymi ludźmi, gdy nadejdą mrozy. Musieli się nimi z Pawlakiem zająć, pomagając w miarę możności, by nie pomarli z głodu i zimna.

[3] Jest wojna! (niem.).

[4] Urzędnik administrujący powiatem (niem.).

Jesienią również w Petersburgu dały się zauważyć trudności aprowizacyjne. Niemcy zablokowali cieśniny duńskie, tym samym zatrzymując rosyjską żeglugę na Bałtyku, kupcy zaś nie nadążali ze sprowadzaniem towaru zatłoczonymi ponad wszelkie wyobrażenie pociągami. Zapanował chaos. Przed sklepami zaczęły się tworzyć długie kolejki, a zdobycie najpotrzebniejszych żywności, jak chleb, mąka, kasza, cukier czy mięso, graniczyło z cudem. Francuski kucharz rwał włosy z głowy, bo nikt go nie nauczył przyrządzać prostych potraw. Lokajczyk biegał na Aleksandrowski Rynek, ale i stamtąd nie zawsze udało mu się cokolwiek przynieść.

Widząc trudną sytuację Zajezierskich, baron Olenski, który sam musiał zostać w stolicy, zaproponował im gościnę w swoim majątku Bieriozowoje w okolicach Narwy nad Bałtykiem. To znów oznaczało podróż, ale też koniec problemów z zaopatrzeniem. Zdecydowali się więc niemal natychmiast. Pojechali pociągiem z Dworca Bałtyckiego. Na stacji Sosnowy Bór czekały już na nich sanie, którymi dotarli na miejsce.

Letnia rezydencja Olenskiego okazała się rozległym, choć nieco zaniedbanym pałacem. Zajezierskich oczekiwali już młodziutka i piękna baronowa Maria-Elena Igorowna wraz z córkami: Tanią i Wierą oraz pasierbami: Włodzimierzem, Artiomem i Sergiuszem oraz z towarzyszącą im liczną służbą. Było gwarno i wesoło, jakby dookoła nie toczyła się jedna z najkrwawszych wojen w dziejach ludzkości. Najstarszy z Olenskich, Włodzimierz, młodzieniec niemal w wieku swej macochy, smutno za nią popatrywał, jakby był zakochany, a i ona, zdaje się, nie była mu nieprzychylna.

Choć sytuacja aprowizacyjna i towarzyska była nie do porównania, bo właściwie niczego im tu nie brakowało, zarówno hrabia, jak i jego żona dotkliwie odczuwali pustkę codzienności. Często rozmawiali o tym, co może się dziać w płockim seminarium, czy Paweł nie cierpi głodu, co dzieje się w majątku, jak radzi sobie Pawlak, jak czują się Kinga, Gina i siostra Emilia.

Boże Narodzenie ich przygnębiło, nie było tu bowiem ani kościoła, ani żadnych Polaków, po kolacji złożyli więc sobie życzenia jak najrychlejszego końca wojny i powrotu do kraju.

Tymczasem Niemcy na terenach okupowanych wprowadzali swe rządy. Najpierw zaczął obowiązywać przymus paszportowy.

– Widać oni się u nas zamierzają zadomowić na dłużej... – Zdzisław Pawlak drapał się po głowie w wielkim frasunku, stojąc wraz z gromadą zmarzniętych zajezierzyczan zwołanych tego dnia na plac przed dawnymi rosyjskimi koszarami. Odbywało się tu gromadne fotografowanie ludności. Chłopi zjawiali się całymi wsiami i karnie stali kilka godzin na zimnie, czekając swojej kolejności. Fotografowie usadzali ich w rzędach, wydając każdemu numer, potem robiono zdjęcie, rozcinano papier i przyklejano do dokumentów. Było z tego powodu wiele śmiechu, bo rzadko kto mógł siebie poznać na wklejonej do paszportu fotografii.

Choć wydawałoby się to nie do uwierzenia, podatki zaprowadzone przez Niemców były bardziej dotkliwe niż za Moskala, a jeśli ktoś się spodziewał, że dzięki sławetnej niemieckiej organizacji nastanie ład i porządek, bardzo się w swych rachubach mylił. Niemcy czuli się całkowicie bezkarni, na każdym kroku łamali prawo, a na protesty i żale mieli zawsze jedną i tę samą odpowiedź:

– Es ist Krieg!

Traktując ziemie polskie jak darmowy spichlerz dla swej armii, położyli ciężką łapę okupanta na produkcji rolnej, a w celu ograniczenia spożycia żywności wprowadzili kartki z głodowymi racjami. Byli pazerni i wszędzie węszyli okazję do wzbogacenia się, czasem jeden z drugim jeździł po wsiach i rekwirował na własną rękę pozostały przy gospodarzach inwentarz, a potem odsprzedawał z zyskiem. Kwitów za uiszczone podatki nie można się było doprosić, a jak kto nie miał, znaczyło, że podatku nie zapłacił.

Chłopi, którzy nigdy suto nie jedli, teraz marzyli wręcz o zacierkach na chudym mleku, kaszy okraszonej kawałkiem słoniny, postnych kluskach z ziemniaków albo zupie z pokrzywy lub szczawiu. Ale w miastach działo się jeszcze gorzej. Tu można było liczyć tylko na kartki albo kontrabandę, na czym zresztą odważniejsi i bardziej pomysłowi zaczęli się nieźle bogacić. Toteż na każdym kroku zdarzały się fałszerstwa żywności i nawet jeśli ktoś miał jeszcze jakieś ruble, to, co mógł za nie kupić, często nadawało się jedynie do wyrzucenia. Sprzedawano mąkę ze sporyszem[1], mietlicą[2], zmielonymi żołędziami, owocami dzikich kasztanów, łubinu, z dodatkiem mąki bobowej, ziemniaczanej, owsianej czy jęczmiennej, a nawet wiórami drewna! Chleba nie dopiekano, a żeby więcej ważył, dodawano doń nawet piasek! Masło fałszowano gipsem, kredą i tłuszczem wołowym, kolorowano szafranem, kurkumą i marchwią, zatem ludzie często chorowali na tyfus, czerwonkę i rozmaite niestrawności, a śmiertelność była znacznie większa niż przed wojną.

---

[1] Przetrwalniki buławinki czerwonej (pasożytniczego grzyba), powodujące halucynacje oraz przykurcze mięśni prowadzące do niedokrwienia i martwicy tkanek.

[2] Rodzaj trawy.

Z powodu szalejącego zwłaszcza wśród Żydów tyfusu plamistego, roznoszonego przede wszystkim przez wszy, Niemcy zbudowali w Gutowie na Zarzeczu lausoleum[3]. Domów zaś, w których już ktoś chorował na tyfus, nikomu nie wolno było opuszczać. Wkrótce wszystkie te zarządzenia okazały się fikcją, bo ludzie wymykali się z chałup po ciemku albo dając jakieś drobne pilnującemu ich żołnierzowi. Podobnie felczer, który miał wrzucać do wrzątku odzież w lausoleum, za pięć marek wydawał świadectwo wykonania nakazanej czynności, nie ruszając nawet palcem.

Niemcy nakładali na mieszkańców najróżniejsze obciążenia, z których wyjątkowo dotkliwy wydał się w Zajezierzycach podatek od psów. Należało go uiścić za poprzedni rok w wysokości dwudziestu pięciu, a za bieżący – trzydziestu marek. Chłopi przyszli do Pawlaka, który był człowiekiem rozsądnym i trochę znał niemiecki, by się poradzić. Razem umyślili strajk. Postanowili, że Niemcom za swoje psy nie zapłacą. Wójta wyśmiali i kiedy przyjechał osobiście landrat z Gutowa ze swą świtą, przyszli co prawda z uwiązanymi na sznurkach zwierzętami, ale oświadczyli, że nie stać ich na jedzenie, bo wszystko im władza zabrała, więc z czego mają wziąć na podatek? A kiedy urzędnik zażądał, by odprowadzili psy do hycla[4], stwierdzili, że buty są za drogie, żeby je zdzierać bez potrzeby, a jeśli pan landrat sobie życzy, to niech sam weźmie psy.

Wściekły landrat zagroził wszystkim aresztowaniem, na co chłopi pokiwali tylko głowami, mówiąc, że przy-

---

[3] Odwszalnia (niem.).

[4] Osoba zajmująca się zawodowo wyłapywaniem bezpańskich psów; rakarz.

najmniej w więzieniu będą mogli najeść się do syta, więc niech ich zabierze razem z psami. Urzędnik z tłumaczem i piątką uzbrojonych żołnierzy zabrali się ze wsi, pozostawiając i psy, i chłopów, którym opłaciła się ta solidarność, a za dobrą radę każdy podziękował Pawlakowi, jak umiał.

W końcu podatek zmniejszono do dziesięciu, piętnastu marek, ale wtedy już niewiele psów było po wsiach, bo ludzie i tego płacić nie chcieli. Wówczas Niemcy wzięli się na sposób i kazali płacić za to, że psów nie ma.

W marcu obowiązywały już kartki na chleb, mąkę i mięso. Racja chleba wynosiła 20 łutów[5] dziennie, mąki pszennej ćwierć funta[6] dziennie, cukru ćwierć funta tygodniowo, a mięsa pół funta tygodniowo, w tym połowę stanowiły słonina i kości. Wieś jakoś się jeszcze żywiła, choćby z pomocą starych zapasów. Chłopi mieli pochowane zboże w beczkach zakopanych w ziemi, nocami wyciągali po trosze na powierzchnię i mełli w żarnach. W mieście było znacznie gorzej, bo nakładane coraz to nowe podatki zabierały ludziom ostatnie grosze, a towary wciąż drożały.

Takiego głodu na przednówku najstarsi ludzie nie pamiętali. Biedniejsi chłopi żywili się zupą z wody zaprawioną garstką mąki, jeśli ta jeszcze gdzieś się uchowała, zbierali szczaw i pokrzywę, by czymkolwiek zapełnić pusty żołądek. Wielu umarło tego roku z głodu i chorób. Sytuacja stała się tak tragiczna, że w Gutowie kilka pań z towarzystwa założyło kuchnię polową, gdzie przymierający głodem mogli dostać miskę ciepłej strawy.

---

[5] Jednostka masy równa 12,65 g.

[6] Jednostka masy, ok. 0,4 kg.

Niemcy również mieli problemy z aprowizacją. Zarządzeniem władz zobowiązano ludność do zgłaszania wszelkich zapasów żywności powyżej sześciu funtów kartofli, dziesięciu funtów cukru, ośmiu funtów masła i sześciu funtów słoniny na osobę. Niewielu zapewne dysponowało takimi zapasami, ci, którzy je mieli, musieli dobrze ukrywać te skarby lub odsprzedać je wojsku.

Specjalne wachy[7] rekwirowały żywność przewożoną środkami komunikacji publicznej ze wsi do głodujących miast, przeszukiwały też chłopskie wozy, więc babiny z osełką masła, gomółką sera, kilkoma jajami czy kurą w koszyku polami przedzierały się do Gutowa i sprzedawały towar nie na rynku, gdzie byle żołnierz mógł go za bezcen zabrać, dodatkowo kopniakiem częstując na odchodnym, tylko szły wprost do znajomych domów i tam cichaczem dokonywały handlu.

Wieprzowina chodziła po siedemdziesiąt pięć kopiejek za funt, wołowina – sześćdziesiąt, bułka – dziesięć kopiejek, chleb – dwanaście, miód – pięćdziesiąt kopiejek za funt, kaczka – sześć rubli, mleko – dwadzieścia kopiejek, śmietana – rubel za kwartę[8]. W tym czasie marka kosztowała około pięćdziesięciu kopiejek i równolegle funkcjonowały obie waluty. Mimo że Rosjanie przegrywali, rubel był w wyższej cenie.

Wskutek powszechnego braku towarów, drożyzny i wybicia psów rozpanoszyło się po wsiach i w miastach złodziejstwo. Nie tylko napadano na dwory, rabowano też podróżnych, a nawet samotnych przechodniów, by zabrać im pieniądze lub ubranie. Niemiecka policja nie kwapiła się do łapania złodziei, zresztą na miejscu przestępstwa

---

[7] Straż, warta (niem.).

[8] Jednostka objętości równa 1,125 litra.

zjawiała się następnego dnia albo i później, zadowalając się spisaniem protokołu i odkładając go *ad acta*[9]. Od samego niemal początku bowiem ograniczała swą działalność do bicia ludzi, grzebania przekupkom w koszykach i nakładania kar pieniężnych za najdrobniejsze przewinienie.

Skoro stosowane dotychczas metody rekwizycji żywności nie odnosiły skutku, Prusacy uciekli się do podstępu. Od dworu do dworu jeździł rzekomy wysłannik z głodującej Warszawy i skupował z upoważnienia Komitetu Obywatelskiego po wyższych niż urzędowe cenach nadwyżki żywności, zostawiając zaliczkę i kwit. Kilka dni później u tych, którzy dokonali transakcji, między innymi u Radziewiczów w Cieciórce, pojawił się ten sam człowiek w asyście wojska i zażądał zwrotu zaliczki, wydania żywności oraz nałożył karę w wysokości dziesięciu tysięcy marek. Ponieważ Radziewiczowie jedzenia nie dali ani nie zapłacili żądanej kwoty, Joachim, podobnie jak kilku innych ziemian, został aresztowany i wywieziony najpierw do Gutowa, a potem do Płocka, gdzie przy Oddziale Policyjnym przesłuchano ich na tę okoliczność, bijąc i lżąc nielitościwie, wreszcie zamknięto na trzy miesiące pod kluczem, by postraszyć innych.

Niektóre pomysły nowej władzy były tak dziwne, że nie chciało się wierzyć, iż praktyczni, zdawałoby się, Niemcy mogą coś tak głupiego zarządzić. Należał do nich choćby nakaz sadzenia buraków cukrowych, które polecono uprawiać na polach ze wschodzącymi oziminami. Pawlak tłumaczył bezsens takiego rozwiązania najpierw wójtowi, który z niemieckiego rozporządzenia przyszedł to obwieścić, potem zaś jakiemuś urzędnikowi z Gutowa. Nic nie po-

[9] Do akt, między sprawy załatwione (łac.).

mogło, trzeba było pod groźbą kary i aresztu zaorać jęczmień i nasadzić buraki.

Niemcy, chcąc nieco do siebie przekonać ludność polską, pozwolili zorganizować w Gutowie obchody rocznicy Konstytucji Trzeciego Maja. Tego dnia miasto wprost rozkwitło biało-czerwonymi flagami i proporcami, a w oknach wielu mieszkań wystawiono białe polskie orły w koronie. Dziewczęta ze szkoły kwietanek ubrane w odświętne mundurki szły w pochodzie tuż za duchowieństwem, Strażą Ogniową, cechami rzemiosł i przedstawicielami inteligencji, wśród których zgodnie obok siebie kroczyli lekarze, prawnicy i nauczyciele. Pochód, radośnie śpiewając *Boże, coś Polskę*, przedefilował od rynku niemal do końca ulicy Płockiej, wywołując wybuchy entuzjazmu i brawa zgromadzonego tłumu oraz wyglądających przez okna gapiów. Na placu targowym zawrócił ku rynkowi i rozwiązał się przed magistratem. Przez cały czas biły dzwony kościoła farnego, a w jego rytm uderzało serce Giny, która nigdy wcześniej nie czuła się tak bardzo Polką.

W klasztorze robiło się coraz ciaśniej, ponieważ siostry przyjmowały wiele biednych i głodujących dzieci. Na ich utrzymanie dziewczęta ze szkoły kwestowały w pierwszym tygodniu czerwca na gutowskim rynku. Sprzedawały biało-czerwone chorągiewki i własnoręcznie wykonane znaczki, które przypinały przechodniom do ubrań, a ci rzucali co łaska do metalowej skarbonki.

Rok szkolny zakończył się dla Giny pomyślnie, dostała bezwarunkową promocję i na całe lato mogła wrócić do domu. Tu czekała ją niespodzianka: w ostatnich dniach maja zakwaterowano w Zajezierzycach niewielki oddział intendentury niemieckiej i choć to samo w sobie było przykre, bo nagle po pałacu i obejściu zaczęli się kręcić obcy ludzie, ich dowódca, porucznik Fritz Thalberg, kulturalny jak niewielu okupantów, trzymał swoich ludzi twardą ręką, nie pozwalając im tak bardzo się rozpanoszyć, jak to Niemcy mieli w zwyczaju gdzie indziej.

Był Bawarczykiem, nie Prusakiem, co podkreślał na każdym kroku. Znał języki, z Kingą mówił po francusku, z Pawlakiem próbował po rosyjsku, zresztą szybko nauczył się też podstawowych polskich zwrotów. Mniej więcej trzydziestoletni blondyn z książęcymi manierami miał do dyspozycji auto, co prawda ciężarowe, ale dla Giny to i tak była frajda.

Bezczelnie wykorzystywała fakt, że porucznik chętnie jej towarzyszy w różnych okolicznościach, i niby to prosząc go o zabranie do płockiego teatru, kinematografu czy cukierni Vincentiego, odwiedzała w seminarium Pawła, dowożąc mu i jego kolegom prowiant, jako że bryczki powożonej przez porucznika ani prowadzonego przezeń samochodu stacjonująca na rogatkach płockich wacha nie śmiała tykać.

Jeździli wspólnie konno, on uczył ją niemieckiego, grali na fortepianie, Gina uśmiechała się doń słodko, udając głupszą, niż jest, przez co często przymykał oczy na jej występki, zostawiał w spokoju hodowane przez Kingę kury, nie widział, jak pod jego bokiem szlachtowali prosiaka, a potem robili z niego kiszki i kiełbasy. Sam zresztą chętnie wraz z nimi biesiadował.

Jakie szczęście, że Pawlak umiał to wszystko zrobić! Kinga nie miała przecież pojęcia o gotowaniu, w końcu we dworze zawsze była jakaś kucharka. Tu, w pałacu, też, choć z powodu wojny została tylko jedna i jedna podkuchenna, jej córka, reszta służby zaś wyjechała, uciekła przed frontem, gdzieś się rozproszyła. W efekcie dramatycznie brakowało rąk do pracy, co Kinga i Grażyna musiały we własnym interesie zrozumieć i zaakceptować.

Po żniwach Gina znów zatęskniła za Warszawą. Miała nadzieję, że uda jej się jakoś wyciągnąć matkę i pojechać do stolicy choćby na dzień lub dwa. Okazało się jednak, że najprostsza podróż, to jest statkiem, stała się naraz bardzo droga. Bilet drugiej klasy zdrożał do sześciu marek, a przy tym trzeba było mieć przepustkę, świadectwo zdrowotności i braku wszy, zapłacić za bagaż, a także wziąć ze sobą prowiant na drogę, gdyż w Warszawie podobno panował jeszcze gorszy głód niż w Płocku. Cała eskapada zamknęłaby się kosztem pięćdziesięciu marek, czego Kinga absolutnie nie mogła zaakceptować i pomysł wycieczki spalił na panewce.

Jesienią Niemcy nakazali wójtom zwerbować bezrolnych chłopów na wykopki w Rzeszy. Niewielu chciało jechać, toteż dawali łapówki, by uniknąć wywozu. Ale nie wszyscy mieli się czym opłacić, ci musieli podążyć w głąb Niemiec. Zresztą okupanci wpadali do domów i siłą wyciągali mężczyzn niemal w jednej koszuli, nie bacząc na to, czy który nie jest jedynym żywicielem rodziny. A jeśli ktoś oponował, bili, póki nie spokorniał. Na dodatek wieś musiała dać na ten cel podwody[10]. Zapanowała powszechna rozpacz, bo akurat było przed zbiorem kartofli i jesiennymi pracami polowymi. Sekwestrowi[11] zaczęły podlegać

[10] Furmanka z zaprzęgiem, zwykle dawana władzom do podwiezienia kogoś lub czegoś.

[11] Konfiskata.

również wełna, skóry, wosk, wreszcie brukiew, powidła, a nawet suszone owoce!

– Niczym Hunowie dzicy stratują ten biedny kraj! – załamywała ręce Kinga, która takiego niedostatku nie widziała, jak żyje.

– Oby ich tylko zatrudnili przy wykopkach! – wzdychał Pawlak. – Kto wie, czy nie do kopania rowów na froncie albo i do wojaczki zwerbowani?

Tymczasem Niemcy zaczęli powoli opuszczać Gutowo i Płock, gdyż sytuacja na froncie zachodnim wymagała większej ilości wojska. Do wyjazdu szykowali się przygnębieni, bo z zachodniego frontu niewielu z nich wracało. Żołnierze też mieli dość wojny. Widzieli, że okupacja, rujnowanie gospodarki i kradzieże nie powiększają ich własnego dobrobytu. Mężczyźni byli na wojnie, w ojczyźnie nie miał kto pracować, kobiety w Rzeszy borykały się często z takimi samymi problemami jak Polki czy Belgijki pod niemiecką okupacją. Ta wojna niszczyła wszystkich.

Któregoś dnia pod koniec października przy kolacji Fritz zupełnie nie miał humoru. Podpytywany przez Pawlaka, co mu dolega, powiedział, że otrzymał rozkaz wymarszu. Za kilka dni odjeżdża. Nie cieszył go nawet fakt, że dostał urlop i przed zameldowaniem się w macierzystej jednostce będzie mógł odwiedzić rodzinę.

– Zobaczę ich tylko po to, żeby się pożegnać na zawsze – wzdychał. – Przecież z Francji nikt nie wraca. To rzeźnia.

Pawlakowi i Kindze żal było Fritza. Przyzwyczaili się już do jego obecności, a nawet zdążyli go polubić. Żegnając się wylewnie, wyjechał tydzień później.

*

Piątego listopada cesarz Niemiec Wilhelm II oraz cesarz Austro-Węgier Franciszek Józef I wspólnie proklamowali utworzenie samodzielnego państwa polskiego „z ziem panowaniu rosyjskiemu wydartych". Aby uroczystość odbywająca się w Płocku przed dawnym pałacem biskupim, obecnie zajętym przez magistrat i komendanturę, miała odpowiednią oprawę, po majątkach i okolicznych miejscowościach jeździli żołnierze pod bronią, którzy delikatnie, acz stanowczo wręczali zaproszenia nakazujące ludności tłumne przybycie.

Po Rynku Kanonicznym grupkami kręcili się ludzie, ale oczekiwanych tłumów, które wiwatowałyby i cieszyły się z zarządzenia, nie było. O dwunastej rozległy się dzwony. Na budynku magistratu obok niemieckiej flagi zatknięto polską. Potem zebranym rozdano ulotki z treścią manifestu. Zaproszeni goście wysłuchali proklamacji po niemiecku oraz jej polskiego tłumaczenia. Nie wywołała ona spodziewanego aplauzu ani wśród duchowieństwa, ani wśród inteligencji czy ziemian. Niemcy zawiedli się, bo okrzyków: „Niech żyje niepodległa Polska!", a tym bardziej „Hoch![12]", nikt nie wznosił, uczynili to jedynie okupanci.

Akt bowiem nie precyzował granic przyszłego państwa, zakładał natomiast stworzenie polskiej armii. Nowy organizm, pomniejszony, co oczywiste, o Galicję i Prusy, był bardzo okrojony. Cztery dni później generałowie-gubernatorowie niemiecki i austriacki zaapelowali do Polaków o ochotniczy zaciąg do tworzących się przy armiach państw centralnych polskich oddziałów, ani słowem nie wspominając o stworzeniu nawet na tym zaproponowanym skrawku ziemi polskiego rządu, co wywołało raczej

[12] Wiwat! (niem.).

kwaśne komentarze. Polacy przyzwyczaili się już do tego, że ze strony niemieckiej niczego dobrego spodziewać się nie można.

Dobitnie poświadczały to wieści o traktowaniu polskich robotników najemnych, napływające z Rzeszy. Ludzie pracowali tam ponad siły, mimo to byli źle żywieni i zakwaterowani w okropnych warunkach. Podobną nędzę cierpieli zresztą polscy legioniści w Warszawie. Żołnierze, którzy zaciągnęli się do polskiego wojska, mając jedynie pięć marek miesięcznego żołdu, głodowali, czekając w zimnych koszarach na jakąkolwiek zmianę i przeklinając swój los.

1995

Nikt nigdy nie spisał historii gutowskich Żydów. Nie wiadomo dokładnie, kiedy przybyli w te strony, pewne natomiast jest, że pod koniec XVII wieku zezwolono im na wybudowanie przy jednej z ulic na wschód od rynku domów, bożnicy i łaźni oraz założenie cmentarza na Zarzeczu, wówczas pobliskiej wsi. Prawdopodobnie nie obowiązywał tu przywilej *de non tolerandis Judaeis*[1] albo go nie przestrzegano. Od tej pory ulicę tę nazwano Żydowską.

Z początkiem XVIII wieku powołali swój samorząd gminny, czyli kahał, uzyskując prawo legalnego pochówku na istniejącym od dawna starym cmentarzu. W połowie XIX wieku żyło w Gutowie niespełna pięciuset wyznawców religii mojżeszowej, a pod koniec tego stulecia już półtora tysiąca.

Trudnili się handlem w pomieszczeniach dzierżawionych wokół rynku głównego, posiadali fabryki (mydlarnię, gorzelnię, młyn, szarparnię szmat, browar), brali też czynny udział w życiu politycznym, wystawiając niewielki oddział w powstaniu styczniowym. Społeczność żydowska w Gutowie była od początku zróżnicowana. Oprócz

---

[1] Przywilej o nieakceptowaniu Żydów (łac.); prawo usuwania Żydów poza mury miasta.

zamożnych kupców, fabrykantów i rzemieślników dużą część stanowiła biedota: robotnicy, domokrążcy, handlarze starzyzną.

Na czele gminy stał zarząd, kierowany przez przewodniczącego – parnasa, wspierany przez radę złożoną z najbardziej szanowanych obywateli.

Żydzi znacznie ucierpieli w wyniku zniszczeń spowodowanych przez odwrót Rosjan podczas pierwszej wojny światowej w 1915 roku. Spłonęła drewniana bożnica, a wiele zakładów przemysłowych wywieziono bądź zniszczono. Zmniejszyła się też ich liczebność.

Po odzyskaniu przez Polskę niepodległości społeczność żydowska postawiła nową bożnicę, łaźnię, dom rabina oraz cheder[2]. Podczas pierwszego spisu ludności w 1921 roku wykazano w Gutowic 2050 osób pochodzenia żydowskiego. W tym czasie Żydzi stanowili około połowy radnych miejskich.

Tego wszystkiego Iga dowiedziała się całkiem przypadkowo od wuja Grzegorza. Jego uczniowie zgłębiali bowiem temat na zajęciach dodatkowych. Swoje badania wydali w formie skryptu, który dostępny był w bibliotece szkolnej i miejskiej oraz Towarzystwie Przyjaciół Gutowa.

Iga pochłonęła dokument w jeden wieczór, znajdując wiele ciekawych informacji, zrodził on jednak jeszcze więcej pytań, a zwłaszcza podstawowe: o związki Lilith Cukierman z rodziną Cieślaków. Na to mogła odpowiedzieć tylko babka Celina lub ktoś, kto pamiętał tamte czasy, na przykład jej przyjaciółka Lucyna Wyrwał. Wiedząc już, o kogo ma pytać, Iga umówiła się ze starszą panią na kolejne spotkanie.

---

[2] Wyznaniowa szkoła początkowa dla chłopców (hebr.).

– Lilith Cukierman? Pamiętam, naturalnie. – Starsza pani kiwała głową, jakby do swoich wspomnień. – To jej panieńskie nazwisko. Wyszła za mąż jakoś tuż przed wojną, chyba latem trzydziestego dziewiątego. Pamiętam, bo nagle zniknęła z cukierni, gdzie wszyscy kupowaliśmy lody. Jej mężem został Maks Apfelbaum.

– Na pewno? Nie myli się pani?

– Nie, moja droga, młodość pamiętam znacznie lepiej niż to, co się zdarzyło w zeszłym tygodniu. Była trochę starsza od nas, właściwie dużo starsza, kilka lat. Nie miała semickiej urody, raczej słowiańską: złota blondynka z zielonymi oczyma. Zawsze wesoła, ale jakaś taka dostojna. A czemu właśnie o nią pytasz, dziecko?

– Bo to właśnie jej rodzina miała wcześniej tę cukiernię, prawda?

– Pod Aniołem? Tak, od kilku pokoleń. Dopiero Niemcy im ją odebrali, ale ten Papke tylko zmarnował interes. On był piekarzem, nie cukiernikiem. Zresztą moich rodziców i tak nie było stać na lody.

– Pani jest nieoceniona! – Iga krzyknęła z radością. – Gdyby tak jeszcze udało się znaleźć jakieś zdjęcia tej Lilith…

– A czemu ona tak cię nagle zainteresowała?

– Bo widzi pani, parę tygodni temu szukali jej młodzi Amerykanie.

– Amerykanie?

– Wnuki jej męża, Maksa. Kiedy tu byli, nie mogłam im pomóc, bo nawet nie kojarzyłam faktów. Dzięki pani wiem, że Lilith Apfelbaum to pierwsza żona ich dziadka. Chcieli odnaleźć jej grób.

– To Maks zdołał uciec? – sama do siebie powiedziała pani Lucyna. – Bogu dzięki, że przynajmniej on!

Zima przyszła chłodna i długa. Jeszcze w połowie kwietnia padał śnieg, a na Wielkanoc był przymrozek. Zamarzniętą Wisłą nie dało się spławiać zarekwirowanych towarów, które gniły w nieopalanych magazynach. Mimo to wciąż trwały rujnujące gospodarzy rekwizycje[1]. Żeby się przed nimi uchronić, skrywano wieprzki w wykopanych pod ziemią norach, podobnie czyniono ze zbożem i ziemniakami.

Ludzie w mieście plotkowali, że przez Warszawę przejechało osiemnaście pociągów z niemieckimi żołnierzami, którzy zamarzli na froncie wschodnim – niektórzy uznawali to za początek końca wojny.

6 kwietnia w reakcji na wznowienie przez Niemcy nieograniczonej jedynie do uczestników konfliktu wojny podwodnej oraz tak zwany Telegram Zimmermanna[2] Ameryka wypowiedziała państwom centralnym wojnę. 5 czerwca

---

[1] Konfiskaty.

[2] Tajna nota ministra spraw zagranicznych Cesarstwa Niemieckiego, proponująca Meksykowi sojusz przeciwko Ententcie i USA. W zamian za pomoc Niemcy obiecywały Meksykowi pomoc w odebraniu Stanom Zjednoczonym ziem utraconych przez ten kraj na rzecz USA podczas wojny 1846–1848.

rozpoczęła się rejestracja poborowych. Paul zgłosił się do wojska na ochotnika, niesiony falą dziwnego, nie do końca uświadomionego patriotyzmu, który udzielił się wtedy wielu młodym ludziom. Pobór obejmował mężczyzn od dwudziestego pierwszego do trzydziestego pierwszego roku życia, a on miał w grudniu ukończyć dwadzieścia dwa lata. Podczas komisji otrzymał klasę I, literę A.

Marianna nie wiedziała o jego planach. Wojna toczyła się daleko, a Paul od dawna mieszkał w Nowym Jorku i wydawał się bezpieczny. Ale nagle zjawił się w Chicago późnym latem i nim zdążył powiedzieć, z czym przybywa, ona już wiedziała. Jakże był podobny do Zajezierskiego! Gdy nań patrzyła, widziała Tomasza, który wciąż śnił się jej po nocach, choć tak odległy, niedostępny, choć skrzywdził ją, oszukał, pozbawił czci, choć minęło dwadzieścia dwa lata…

A teraz stał przed nią jego syn. Ich syn. Młody mężczyzna, który chciał pojechać do Europy na wojnę. W tym wieku nie myśli się o śmierci, a przecież wojna i śmierć są nierozłączne. Czując w żołądku wielki, straszliwy lęk, Marianna pomyślała, że oto przyszła chwila prawdy. Nie była na nią gotowa, ale poza nimi nikt się nie kręcił po domu, co trochę ją ośmielało. Poszła do sypialni, spod pościeli równiutko ułożonej w szufladzie wyjęła małe pudełko i położyła je przed Paulem. Ręce jej drżały, a głos odmawiał posłuszeństwa.

To musiało kiedyś nastąpić, przeczuwała, że gdy ta chwila nadejdzie, wyzna mu wszystko bez wahania. Czekała jednak, aż on dojrzeje, aby zrozumiawszy choć trochę, jak skomplikowane mogą być ludzkie losy, pochopnie jej nie osądzał. Marianna zdawała sobie bowiem sprawę z tego, że pozbawiając go ojca, wyrządziła synowi ogromną krzywdę. I nigdy nie da się już stwierdzić, czy gorsze dla niego byłoby, gdyby urodził się w Polsce, czy też w Ameryce. Tu wszak miał przybranego ojca i papiery obywatelskie. Ira nie był złym człowiekiem, starał się, jak mógł, ale nigdy nie udało mu się zapomnieć, że wychowuje pod swoim dachem bękarta.

Dzięki Bogu czas mijał, Paul dawno dał spokój, nie dopytywał się o ojca, jakby mu na tym przestało zależeć. Tu, w Ameryce, miał swoje życie, innego nie znał. Zresztą widywali się rzadko, jeszcze rzadziej do siebie pisywali, a jeśli już ktoś to robił, to ona, donosząc, co u nich, i nie licząc na rychłą odpowiedź.

– Co to jest? – spytał Paul, zaglądając do pudełka.

– To jedyna pamiątka z Polski, chciałabym, żebyś go zabrał ze sobą.

Paul ujął delikatnie pierścień i przyjrzał mu się z bliska.

– Jest złoty?

– Nie wiem.

– Dlaczego mi go dajesz?

– Bo nic innego nie mam.

– Co to za pierścień?

– Należał do twojego ojca.

– Mojego prawdziwego ojca?

– Nazywał się Tomasz Zajezierski.

Paul patrzył na pierścień z odrazą.

– To jemu zawdzięczam zaszczytne miano bastarda[3]? – syknął.

– Nie mów tak!

– Czemu, skoro to prawda?

– Ludzie nie zawsze mogą robić to, co by chcieli.

[3] Bękart, nieślubne dziecko (fr.).

– Powiedzcie raczej, że nie zawsze ci, co zawinili, ponoszą konsekwencje.

– To prawda. Ale jesteś już dorosły i wiesz, że w takich sprawach uczestniczą zawsze dwie osoby.

– Co chcecie zasugerować, matko?

– Że bardzo się o ciebie boję. Wojna to straszna rzecz, nie wiadomo, co może się stać, nie kłóćmy się w takiej chwili. Wybacz mi, weź ten pierścień i niech cię Bóg prowadzi – powiedziała przez łzy.

Paul ukląkł przed nią i, jak to kiedyś bywało, położył głowę na jej kolanach.

– Nic mi się nie stanie, nie lękajcie się.

Marianna głaskała go w zamyśleniu po włosach, a trwożliwe myśli przemykały jej przez głowę. Obrazy wojny, krzyczących ludzi, huk wystrzałów, jęki konających, snujący się nad polami bitew czarny dym, bezimienne groby zakotłowały się, ściskając jej serce nieznośnym bólem. Tuliła go i całowała po włosach. Płacząc z bezsilności, błagała o wybaczenie, bo straszliwe przeczucie, że widzi go po raz ostatni, nie dawało jej spokoju.

Paul został powołany do 42 Dywizji „Tęczowej". Była to jedyna formacja, w której skład weszli rekruci aż z dwudziestu sześciu stanów oraz dystryktu Columbia. Na Paulu ten fakt nie robił wrażenia. Ludzie jak ludzie, wszędzie są tacy sami. Pod koniec sierpnia był już wraz z innymi w Camp Mills, obozie na Long Island. Młody człowiek, który jeszcze nie widział wojny i niewiele w gruncie rzeczy przeżył, traktował pójście do wojska jak męską zabawę. I choć później wielokrotnie zastanawiał się nad tym, co by się stało, gdyby został w Ameryce, nigdy nie żałował decyzji, która wywróciła jego życie do góry nogami.

❧

W Rosji od dłuższego czasu panował chaos spowodowany przedłużającym się konfliktem, a władza wymykała się carowi z rąk. Nawet w stolicy pełno było biedoty. Bezdomne dzieci szukały jedzenia po śmietnikach. Wynędzniali, głodni, zdesperowani ludzie jedyną swą nadzieję upatrywali w zmianie ustroju. Kto tylko mógł, opuszczał miasto.

Po rewolucji lutowej Mikołaj II abdykował, ster rządów zaś przejął powołany przez Dumę Rząd Tymczasowy. Proklamował on kontynuowanie wojny aż do zwycięskiego końca. W odpowiedzi na stan kraju oraz tę niemającą pokrycia w możliwościach państwa deklarację zawiązała się w Petersburgu Rada Delegatów Robotniczych i Żołnierskich. Sprawa Polski znów stanęła na porządku dziennym. Liberałowie rosyjscy odkładali ją co prawda do czasu uformowania się Zgromadzenia Konstytucyjnego, jednak Manifest z 30 marca mówił wreszcie o „niepodległej Polsce". To samo stwierdzenie znalazło się także we wcześniejszej deklaracji Rad Delegatów Robotniczych i Chłopskich, ale te, jak się wydawało, nie miały realnej szansy, by wprowadzić swe zapowiedzi w czyn. Były głośne i miały ogromne żądania ze zmianą ustroju włącznie, ale słabe i mało liczne, sprawiały groteskowe wrażenie.

Tomasz Zajezierski z radością, ale i niepokojem obserwował rozwój wydarzeń. Przymusowy pobyt nad Bałtykiem, choć dostatni i obfitujący w rozrywki, był w rzeczywistości nudny i stresujący. Teraz zaś, kiedy Lenin ze swoimi robotnikami buńczucznie podnosił głowę, a może nawet szykował się do przejęcia władzy (aczkolwiek nikt chyba nie brał tej możliwości poważnie), hrabia uznał, że w Rosji może być znacznie bardziej niebezpiecznie niż na froncie, który ustabilizował się gdzieś na zachód od Rygi i niemal prostą linią biegł na południe aż do Morza Czarnego. Żadnych działań w związku z chaosem w kraju nie prowadzono, co dawało szansę na bezpieczne przeprawienie się na zachód. Zresztą od dawna już Zajezierski, czytając skąpe wieści, które w cenzurowanych przez okupanta listach koślawą niemczyzną przekazywała mu Gina, wiedział, że mogli zostać i przeżyć. Wyrzucał sobie tchórzostwo, stwierdzając niemal filozoficznie, iż jeśli miałby umierać, chciałby to zrobić we własnym domu.

Baron Daniła Wasylicz Olenski również z troską myślał o przyszłości, przeczuwając, że takim jak on ziemia zaczyna się palić pod stopami.

W Rosji było coraz niespokojniej, front niby przycichł, ale lada moment państwa centralne znów mogły ruszyć do ataku. Jedna z możliwości ucieczki wiodła przez morze. Tę drogę wybrał. On sam zostawał w kraju, ale swoją rodzinę ekspediował jak najdalej, na razie do Szwecji, gdzie przez Baranoffów był skoligacony z Nierothami i Cronströmami.

Tak więc Maria-Elena wraz z dziećmi miała się lada dzień udać na wynajętym statku do Sztokholmu via Helsingfors[4]. Zajezierskim baron proponował to samo, a oni, rozważywszy wszystkie „za" i „przeciw", wyrazili zgodę.

Na morzu też nie było bezpiecznie. Nieprzyjacielskie statki i okręty podwodne patrolowały bowiem wody Zatoki Fińskiej. Koleją Bałtycką dojechali do Tallina, by stamtąd najkrótszą morską drogą przeprawić się na drugą stronę. Tu Olenscy się pożegnali, a baron prosił hrabiego o opiekę nad swą rodziną. Zajezierski nie wyobrażał so-

[4] Helsinki.

bie, by mogło być inaczej, zwłaszcza że najstarszego syna, Włodzimierza, Olenski postanowił zatrzymać przy sobie.

Przeprawiali się nocą, podczas burzy. Ryzykowali wiele, ale zła pogoda przynajmniej zatrzymała niemieckie jednostki w portach. Nad ranem, po kilku koszmarnych godzinach, podczas których ledwo żyli z powodu ataków choroby morskiej i strachu o przetrwanie, dotarli wreszcie do Helsingforsu. Tu odpoczeli około tygodnia i znów nocą, ruszyli dalej.

Niemal na cud zakrawało, że wyprawa dla wszystkich zakończyła się szczęśliwie. W Sztokholmie już bezpiecznie mogli przyglądać się z ubocza rozwijającym się w zawrotnym tempie wypadkom, które miały na kolejnych dwadzieścia lat zmienić oblicze Europy.

W maju na terenie Królestwa weszły do obiegu polskie marki. Przedstawiony na nich orzeł był tak obrzydliwie chudy, że ludzie żartowali, iż karmiono go wciąż zmniejszającymi się kartkowymi racjami. Zaufanie do nowych pieniędzy było nikłe, a za prawdziwy pieniądz wciąż uważano rubla, zwłaszcza w złotych monetach. Równocześnie Niemcy wpadli na pomysł, że cały posiadany przez gospodarzy inwentarz także odchudzą, i zarządzili, by w każdym gospodarstwie zamieszkał żołnierz, który będzie trzymał klucz od spichrza i wydawał gospodarzowi tyle paszy dla zwierząt, ile uzna za stosowne. Ten natomiast miał zapewnić swemu nadzorcy rację żywnościową w ilości jednego litra mleka, funta chleba i mięsa oraz kilku jaj, za co otrzyma zapłatę w wysokości jednej marki i dwudziestu fenigów.

Po wsiach rozeszły się tumult i złorzeczenie, ale niedługo okazało się, że władza robi swoje, a ludzie swoje. Wśród wojaków wielu było rannych na froncie, zwłaszcza pochodzących z Poznańskiego i ze Śląska, czujących się Polakami. Ci, znając życie, a i mając się u gospodarzy niezgorzej, nie trzymali się wcale nakazu, czasem nawet brali się z nudów do roboty. Tylko kazali głośno na siebie narzekać, by władza była zadowolona z ich służby.

Takim sposobem udało się obejść kolejne niemieckie zarządzenie. Wkrótce zresztą się z niego wycofano, bo i te kaleki, które się przez parę miesięcy na polskim wikcie odpasły, okazały się potrzebne na wojnie, więc Pawlak dostał z powrotem swoje klucze do spichrza i sam mógł decydować o ilości paszy, jaką zada inwentarzowi.

Wiosną w Gutowie i okolicach zanotowano wiele zgonów spowodowanych trychinozą[5]. Rzeźnicy sprzedawali bowiem mięso niewiadomego pochodzenia, a przy ogólnym braku i głodzie nikt nie pytał o badania. Iście cudownym zrządzeniem losu młody lekarz Damian Lewczuk postanowił kupiony przez siebie kawałek wieprzowiny włożyć pod mikroskop. To, co zobaczył, zdenerwowało go tak bardzo, że wszczął w mieście alarm. Natychmiast stanowczo nakazał swojej kucharce wyrzucić świeżo upieczony kawałek szynki, wprawiając ją w rozdrażnienie, bo bardzo była dumna z faktu jego zdobycia.

Gdy dowiedział się, w której jatce służąca kupiła wieprzowinę, pobiegł tam wraz z milicjantem i zmusił handlarkę, starą Ruchlę Wininger, do wyjawienia, kto u niej tego dnia robił zakupy. Ku jego przerażeniu okazało się,

[5] Inaczej włośnica, groźna choroba pasożytnicza spowodowana zakażeniem człowieka lub zwierzęcia włośniem krętym.

iż duża część prosiaka powędrowała do szkoły kwietanek!

Dziewczęta były już po obiedzie. Lewczuk natychmiast powiadomił przełożoną, a wszystkie uczennice oraz siostry, które jadły tego dnia zarażone mięso, dostały środki wymiotne i na przeczyszczenie. Było dużo narzekania wśród sióstr i znacznie więcej śmiechu wśród pensjonarek, bo nigdy jeszcze cała pensja nie odbywała zbiorowego seansu torsji.

Chociaż alarm wszczął doktor Lewczuk, siostry z początku podejrzewały, że to kolejny żart Grażyny Toroszyn. Oczywiście zauważyły, że warszawskim nauczycielom udało się znacznie utemperować charakter ich najbardziej pomysłowej pensjonariuszki, co przekładało się na oceny, ale z przyzwyczajenia jej właśnie przypisywały wszystkie dziwne i niewyjaśnione sytuacje, jakie zdarzały się w szkole. Ostatecznie żadna z dziewcząt nie poniosła uszczerbku na zdrowiu, a historię tę wspominano długo i ze śmiechem.

Rwetes zrobił się też w mieście. Rzeźnicy sarkali, że doktor psuje im interesy, w sprawę wkroczył nawet burmistrz, bo dopiero co wszystkimi wstrząsnęła wieść o spowodowanej trychinozą śmierci całej rodziny Rossoszyńskich z Kuzaków, z których pięcioro jedno po drugim wywożono na cmentarz z gutowskiego szpitala.

Kto wie, ilu ludziom dzielny doktor Lewczuk uratował tego dnia życie, jako że trefne mięso kupiła również Miejska Rada Opiekuńcza do prowadzonej przez siebie kuchni dla ubogich – z całą pewnością zaś ocalił Grażynę Toroszyn.

Gina miała za kilkanaście dni zakończyć edukację u kwietanek i przystąpić do matury w II Gimnazjum Męskim w Płocku. Wszystko już było ustalone, jej świadectwo szkolne z poprzedniego roku (z samymi niemal ocenami celującymi, obyczajami określonymi jako „chwalebne" i pilnością uznaną za „wytrwałą") bardzo się tam spodobało. Kinga miała trochę kłopotów z załatwieniem wszystkich formalności, proponowano bowiem Ginie przystąpienie do egzaminu w Szkole Udziałowej Żeńskiej, dziewczyna jednak się uparła i ostatecznie zdała maturę w męskim towarzystwie, z doskonałymi zresztą wynikami.

Stały się one poniekąd przyczyną niezadowolenia Kingi, gdyż od razu w wakacje Grażyna zapisała się w Płocku na sześciotygodniowy kurs dla nauczycieli początkowych prowadzony pod egidą Macierzy Szkolnej. Wśród dziewięćdziesięciu słuchaczy przeważali nauczyciele z okolicznych szkółek wiejskich, często bez matury i wyższych klas gimnazjum, ona była chlubnym wyjątkiem i po raz pierwszy w życiu prymuską, co okazało się na dłuższą metę niezwykle męczące.

12 sierpnia kurs zakończył się mszą w katedrze płockiej i rozdaniem świadectw. Teraz Gina miała już zawód. Natychmiast znów pomyślała o wyjeździe do Warszawy, ale nagle wybuchła w Płocku epidemia krwawej dyzenterii[6] i aby się przed nią uchronić, niezadowolona wróciła na wieś. Zresztą wieści, jakie nadchodziły ze stolicy, były tak złowróżbne, a matka z Pawlakiem zasiali w jej sercu na tyle głęboko ziarno niepokoju, iż sama uznała, że poczeka jeszcze miesiąc, dwa, póki sytuacja się jakoś nie ustabilizuje, zwłaszcza w zakresie aprowizacji. Ta zaś na wsi bardzo się poprawiła, bo urodzaj tego roku był piękny. Smażyły więc z kucharką powidła, suszyły owoce, robiły zapasy na

[6] Inaczej czerwonka; ostra choroba zakaźna jelit, której objawem jest obecność krwi w stolcu.

zimę. Część zbiorów Pawlak sprzedał w Gutowie, część odwiózł do seminarium i klasztoru, gdzie zawsze witano go z otwartymi ramionami, bo z powodu wyekspediowania tysięcy ton płodów rolnych do Rzeszy ich cena stale rosła.

We wrześniu Niemcy oddali w polskie ręce sądownictwo, w październiku zaś szkoły. Z tymi radosnymi nowinami przyjechał do Zajezierzyc Alfred Przaska. Zawsze był w pałacu miłym gościem, bo przywoził wieści z okolicy i ze świata. Tym razem powiedział coś, co Pawlakowi dało do myślenia:

– Wolność przyjdzie z zachodu.

Przaska wyróżniał się zadziwiającą polityczną intuicją. Kilka już razy podczas tej wojny rozmawiali, często sprzeczając się ostro, i zawsze potem racja była po jego stronie. Dużo jeździł i miał lepszą orientację niż pilnujący spraw majątku, wypuszczający się najwyżej do Płocka Pawlak. Ten nie wierzył w żadne deklaracje mocarstw, uważając, iż sprawa Polska jest jedną z kart w rękach nieuczciwych graczy, którzy co prawda chętnie wyciągają ją z talii i trzymają uniesioną, mają jednak pełną świadomość, że to tylko blotka[7]. Europa zdążyła się już przyzwyczaić do tego, że Polski nie ma, podobnie jak nie ma Irlandii, i nikomu ten fakt zdawał się nie przeszkadzać.

Przaska twierdził, że Irlandia również ma teraz swoją szansę. Podczas gdy wojska brytyjskie walczą na kontynencie, Irlandczycy powinni zrzucić jarzmo niewoli. Opowiadał też o rzeczach znacznie bliższych, o wyborach do Rady Miejskiej w Gutowie, do której sam wszedł jako członek, oraz o objęciu stanowiska burmistrza przez inżyniera Michała Wolskiego.

[7] Karta o niskiej wartości (fr.).

– Mamy dużo pracy, ale będzie jeszcze więcej, kiedy wreszcie nastanie wolna Polska! – Zacierał ręce z ogniem w oku, gdyż zawsze lubił być tam, gdzie wiele się działo.

Jak z rękawa sypał ploteczkami, w które zajęty gospodarowaniem, starający się o swych ludzi Pawlak nawet nie chciał wierzyć. Otóż w okolicznych majątkach było całkiem sporo szlachty, która wzbogaciła się na drożyźnie. Zawyżając niebotycznie ceny płodów rolnych, niektórzy ziemianie bezlitośnie łupili ludność miast. Ich nazwiska były wszystkim znane, na ogół chodziło o te same osoby, które współpracowały z Niemcami i w płockim Hotelu Angielskim potrafiły przegrać w jedną noc nawet trzydzieści tysięcy marek, opróżniając przy okazji kilka szampanów po sto marek za butelkę, u siebie zaś, nie bacząc na wojenny czas, organizowały bale i zabawy dla przyjaciół i popleczników.

– Miasto jest oburzone na ten zbytek, ale co zrobić, wojna. Podczas wojny nie obowiązują żadne reguły – frasował się Przaska. – Ale zdarzają się i sytuacje zabawne. Wyobraźcie sobie państwo, że syn ziemianina Siewierskiego, ten młody Kornel, jeszcze zimą sprzedał wszystkie plony Żydom, a teraz na obowiązkowe dostawy nie miał Niemcom co oddać. Kiedy okazało się, że jego spichrze są puste, przysolili mu karę pięciu tysięcy marek.

– Bo i kto to uwierzy, że z takiej gospodarki nic na przednówek i zasiewy nie zostało, toż to niepodobna! – Pawlak oburzył się nie bez racji.

– Otóż to! – przytaknął mu Przaska. – Ale on powiedział, że nie zapłaci, bo nie ma z czego. Karmił ludzi, wspierał klasztor i darmową kuchnię w Gutowie, tak więc całe zapasy mu się rozeszły.

– I ktoś w to uwierzył? – spytała rozbawiona Gina.

– Jasne, że nie, ale co było robić? Nie kijem go, to pałką, zabrali go do więzienia. I co? Tylko się z tego śmiał. Powiedział, że sobie odpocznie.

– Jaki to odpoczynek, w więzieniu? – zdumiał się Pawlak.

– A żaden, bo rodzinie nie pozwolili ani jedzenia dostarczać, ani więźniowi swojej odzieży czy pościeli zabrać. Już pewnie on to więzienie dobrze popamięta i na przyszły rok dwa razy się zastanowi, zanim zechce powtórzyć taki żart. Ale cóż, młodzik hardy jest, chciał się postawić. Tymczasem pieniądze w banku procentują.

– W przyszłym roku to i może już koniec pruskich porządków nastanie? – rozmarzyła się Gina.

– Oby tak było! – Milcząca dotąd Kinga, poruszona opowieścią, nagle włączyła się do rozmowy. – Ale jednak właśnie w takich momentach ludzie, a zwłaszcza szlachta, powinni pamiętać o swoim pochodzeniu! W końcu *noblesse oblige*[8]!

– Szanowna pani, człowiek jest tylko człowiekiem i w każdej okoliczności szuka przede wszystkim zysku dla siebie, czy to szlachcic, czy chłop prosty. Myślenie społeczne wydaje się u nas w całkowitym zaniku. Te kilka pań, paru księży, Rada Miejska czy te paręnaście osób będzie w stanie pomóc wszystkim potrzebującym? Czy zresztą tylko o pomoc tu idzie? Przed nami budowa państwa. Chyba nawet nie wyobrażamy sobie ogromu wyzwań.

– I ja bym chciała pomóc! – wyrwała się Grażyna. – Jeśliby pan coś dla mnie znalazł. Mam maturę i kursy nauczycielskie, też chciałabym coś robić!

---

[8] Szlachectwo zobowiązuje (fr.).

– A pewnie, pewnie! Wykształceni ludzie są nam bardzo potrzebni!

– Gdzie ty się, dziecko, znowu pchasz? – mitygowała ją matka. – A tu to szkoła niepotrzebna? Nasze dzieciaki mają być gorsze od gutowskich?

I nawet jeśli za słowami Kingi stały jedynie matczyna troska i lęk, trudno było nie przyznać jej rozumowaniu racji. Tak więc Gina na kolejny rok pozostała w Zajezierzycach, gdzie z niewielką pomocą Rady Gminnej uruchomiła trzyklasową szkołę elementarną.

Osiemnastego października Marianna przyjechała do Nowego Jorku, by pożegnać syna. Przez cały ten czas prosiła Boga, by wojna zdążyła się skończyć, zanim Paul wyruszy do Europy. Wiedziała, że odpływa na Liberty, ale nie dane jej było już go uściskać. Stała w tłumie gapiów, zadzierając do góry głowę i płacząc, machała chusteczką w nadziei, że on ją może dojrzy.

Flotylla wielu jednostek, dużych i małych, towarzyszyła Amerykańskiemu Korpusowi Ekspedycyjnemu płynącemu na stary kontynent, by pod dowództwem generała Johna Pershinga ostatecznie zakończyć toczącą się tam od trzech lat wojnę. Amerykanie wszystkich narodowości, którzy żegnali swoich chłopców, odczuwali tego dnia dumę z nowego kraju, albowiem byli przekonani, że właśnie im się to w końcu uda.

Początkowo pobyt Paula w Europie wyglądał jak wycieczka krajoznawcza. Amerykanie, którzy we Francji wylądowali z początkiem grudnia 1917 roku, nie brali udziału w walkach, a jedynie budowali zaplecze: tory kolejowe i sieć telefoniczną. Paul napisał do matki, że na wojnę jakoś dowódcom nieśpieszno, on sam zaś czuje się dobrze, czego i jej życzy.

Jednak i jego dywizję wreszcie włączono do walki, a gdy to się stało, szybko pożałował lenistwa, randek na migi z Francuzkami, świeżych rogalików i ciepłej kawy na przepustkach. W okopach głodni żołnierze nie spali po dwie, trzy doby, jedli suchary, pili deszczówkę, mając wroga niemal w zasięgu ręki. Raz, w jakiejś przerwie między natarciami, usłyszał nawet coś, co przypominało mu polskie słowa. U Prusaków ktoś się chyba głośno modlił. Krzyknął więc w tamtą stronę:

– Ej, bracie!

Przez dłuższą chwilę nie było żadnego odzewu. A potem jakiś piskliwy, niepewny głos zawołał:

– Skądeście?

– A z Njujorku, kameradzie. W Czikago rodzony.

– Toście Amerykan?

– Z matki Polki.
– I musim się zabijać? – westchnął tamten i umilkł.

Paul nigdy go nie zobaczył ani więcej nie usłyszał. Może któryś z żołnierzy z jego jednostki go zabił? Może on sam go zabił? Od tego dnia nie patrzył już z taką dumą na lufę armaty ozdobioną zapożyczonym od Brytyjczyków zaklęciem: „May it be a happy ending"[1]. Zdanie tamtego zbyt często brzmiało mu w uszach.

Myślał wtedy dużo o matce. Przychodziła do niego w krótkich chwilach drzemki, taka promienna i jasna. Machała dłonią, jakby witając go powracającego z wojny. Miała na sobie jakąś zwiewną sukienkę i była skąpana w słońcu. Te rojenia dawały mu siłę, by wytrwać mimo strachu, głodu i zimna. Właściwie nie bał się śmierci, tylko cierpienia. Ubrany w dwie pary sukiennych kalesonów, dwie koszule, marynarkę zimową i palto oraz płaszcz od deszczu, dodatkowo obciążony bronią, amunicją i granatami ręcznymi, ledwie mógł się poruszać.

Dookoła ziemia kotłowała się od kul z karabinów maszynowych, a ukryci niedaleko snajperzy wroga wychwytywali każdy ruch. Paul zaczął się wtedy modlić. Nigdy nie był specjalnie religijny, a to, co tu widział, najżarliwszego wyznawcę mogło pozbawić wiary w Boga. Jednak potrzebował modlitwy i wiary, że to, co robi, nie jest całkowicie pozbawione sensu. Czy ludzie naprawdę muszą się aż tak nienawidzić? Przecież się nie znają, a zabijają innych, sami nie wiedząc dlaczego i po co. Gdzieś nad ich głowami ktoś podejmował decyzje, każąc im walczyć. Amerykanin, którego kraj nie leży w Europie, i Polak, który nawet nie ma swojego kraju, mają się tu, na tym polu

---

[1] Oby szczęśliwie trafiła do celu! (ang.).

pozabijać, bo ktoś odgórnie to zadekretował. Przecież to idiotyczne!

Francja, ten wspaniały kraj, który zrobił na nim takie wrażenie, była straszliwie zniszczona. Wiele pięknych domów i kościołów leżało w gruzach. Codziennie umierali jego koledzy i Paul wiedział, że któregoś dnia może do nich dołączyć. W zasadzie był na to gotów, bał się tylko bólu.

– Lord, have mercy[2]... – szeptał, myśląc o tych, którzy zginęli, o sobie samym i o tamtym Polaku, po drugiej stronie ziemi niczyjej.

Wiosną wybuchła we Francji epidemia grypy hiszpanki. Kładła całe bataliony i kto wie, czy to nie wirus uchronił Europę przed Niemcami, bo gdy szykowali się do ostatecznego natarcia na Paryż, przegrupowawszy wojska z odblokowanego dzięki rewolucji sowieckiej frontu wschodniego, okazało się, że kompania za kompanią wędruje do lazaretu.

Amerykanie też chorowali. Hiszpanka była groźniejsza niż wrogi pocisk, przed którym można było spróbować się ukryć w okopach, niż nieporadne niemieckie czołgi, niż gaz, bo przecież prawie wszyscy mieli maski. Grypy nikt nie widział, a umierało na nią wielu.

Jakoś w połowie kwietnia Przaska pchnął do Zajezierzyc chłopaka ze straszliwą wieścią: Niemcy rozbierają organy w farze! Mówiło się również o tym, że zagrożone są i dzwony we wszystkich okolicznych kościołach. Pawlak

---

[2] Boże, zmiłuj się (ang.).

natychmiast pojechał do księży Okopca i Formeli, proboszczów zajezierzyckiego i ciecierskiego, by naradzić się, gdzie na wszelki wypadek ukryć dzwony. Trzeba to zrobić w jak największej tajemnicy, pod osłoną nocy i możliwie szczupłymi siłami najbardziej zaufanych parafian, bo było jasne, że nie obejdzie się bez śledztwa.

O ukryciu dzwonów nie wiedział nikt, ani Kinga, ani Gina, i obie bardzo się zdziwiły, nie usłyszawszy bicia dzwonu przed niedzielną mszą. Na wszystkich zresztą parafianach ta złowieszcza cisza zrobiła straszliwe wrażenie. Ten właśnie moment wykorzystali Niemcy, by dać ludziom dowód swej niesłabnącej potęgi, wiarę w którą zachowali chyba tylko ich najzagorzalsi zwolennicy.

Prusacy otoczyli kościół i widząc, że dzwonnica jest pusta, po mszy wszczęli śledztwo. Ponieważ nikt im nie zdradził miejsca ukrycia dzwonów, zabrali księdza Okopca i Pawlaka do płockiego więzienia celem dalszych przesłuchań. Podobnie uczynili z Joachimem Radziewiczem i księdzem Formelą.

W poniedziałek rano Kinga i Gina wraz z Edwardem i Agnieszką Radziewiczami pośpieszyli do Płocka, by starać się o uwolnienie wszystkich czterech uwięzionych. Tam dopiero się okazało, że nie są jedynymi. Wraz z nimi osadzono w płockim więzieniu sześciu innych księży oraz tyluż ziemian. Trzymano ich pod kluczem, choć pozwolono zostawić rodzinom żywność i ciepłą odzież.

Bliscy więźniów natychmiast udali się do burmistrza, by złożyć protest. Kinga Toroszyn zawiadomiła też księdza Walerego Markowicza, który upewnił ją, że biskup został już powiadomiony i wszczął działania swoimi kanałami. Jednak w tym czasie stała się rzecz jeszcze straszniejsza, bo Niemcy, wyłamawszy zamki od dzwonnicy, zrzucili na bruk Zygmunta, płocki dzwon katedralny, wielką rozpacz wywołując w mieście i w cień spychając problemy okolicznych wiosek. W dodatku próbowali zaszczepić ciemnemu ludowi podejrzenie, że to księża i panowie przehandlowali dzwony, a oni teraz tylko odbierają swoje. Co mądrzejsi nie wierzyli, ale w takich czasach każda, najgłupsza nawet plotka znajdowała słuchaczy. Zwłaszcza że nasilała się robotnicza i ludowa propaganda, nakazująca traktować wszystkich panów i fabrykantów jako krwiopijców, nie robiąc dla nikogo różnicy, czy który miał serce i postępował jak człowiek, czy też był ostatnim łobuzem.

Ostatecznie dzwony zajezierzycki i ciecierski pozostały w ukryciu, a księży i ziemian, w tym Pawlaka, który swoje odsiedział niejako *per procura*[3], choć nie był bez winy, wypuszczono mniej więcej po dwóch tygodniach. Kinga odczuła z tego powodu wielką ulgę, bo nastał czas zbiorów i ktoś musiał doglądać ludzi w polu.

W tym zamieszaniu dość niespodziewanie, bo poczta nie funkcjonowała jak dawniej, pojawili się w Gutowie Zajezierscy. Stali prawie rok w Sztokholmie, najpierw w gościnie u przejętych ich losem Nierothów, gdzie zatrzymali się także Oleńscy, potem w hotelowym apartamencie, z nadzieją wyczekując końca wojny.

Podróżowali od dłuższego czasu, ze Sztokholmu drogą morską do Hamburga, potem pociągiem przez Berlin, Bydgoszcz do Włocławka, stamtąd statkiem do Płocka, gdzie stanęli na noc. Z samego rana zaś odwiedzili Pawła. Dużo łez się polało, gdy po pięciu długich latach rozłąki uściskali wreszcie jedynaka. Na szczęście zastali go w dobrym zdrowiu. Przez ten czas wyrósł i zmężniał. Był

---

3 W zastępstwie (wł.).

pięknym klerykiem. Po wizycie w seminarium ruszyli powozem do Gutowa.

Zdrożeni byli wielce, zrobili jednak mały popas na rynku, by się rozejrzeć, zasięgnąć języka i rozprostować kości. Wszędzie ich oczom ukazywały się te same straszliwe widoki zniszczenia i biedy. Zabudowania wsi Długołąka, prawie doszczętnie spalone, wyrwały głęboki szloch z piersi Ady. Wysokie drzewa okalające dawny dwór, wśród których bawiła się z siostrami, gdzie wypoczynku zaznawali niegdyś jej rodzice, a wcześniej dziadkowie, zostały wycięte lub porozrywane przez pociski. Samotnie na połaci ziemi sterczał jedynie kikut komina wędzarni. Pola, zryte przez bomby, pełne głębokich lejów, stały nieuprawione. Porastały na nich chwasty, a z nasion niesionych przez wiatr wysiewały się młode brzózki.

Zatroskani o to, co zobaczą u siebie, w milczeniu jechali dalej. Gdy minęli bramę, odetchnęli z ulgą: pałac ocalał. Wśród budynków dworskich również nie widać było większych strat. Na dziedzińcu przywitały ich zdziwione spojrzenia krzątających się po obejściu niemieckich żołnierzy, którzy przyjechali dopilnować młocki.

Za chwilę wybiegła do gości garstka służby oraz Grażyna Toroszyn.

– O mój Boże! – krzyczała, podskakując z radości. – A myśmy się was spodziewały dopiero za tydzień!

Adrianna Zajezierska wysiadła z powozu i uściskała siostrzenicę.

– Ależ tyś wyrosła! – Okręciła ją, przyglądając się ślicznej pannie, która stała przed nią, nic a nic się nie spłoniwszy. – Wszyscy u was w dobrym zdrowiu? – spytała z niepokojem.

– Tak, ciociu. Wszyscy zdrowi. Mama właśnie pojechała do Płocka zawieźć zioła kobylaku przeciwko dyzenterii i do Gutowa po drodze wstąpi, więc będzie pod wieczór.

Weszli do środka. W kuchni już krzątała się kucharka, przygotowując szybki podwieczorek, krojąc chleb i smarując cienko masłem, lokaj zaś nastawiał samowar.

Tomasz Zajezierski bez słowa usiadł na jakimś chybocącym się krześle, strudzony podróżą, i mocno potarł dłonią czoło. Po drodze widział zniszczenia wojenne, miał świadomość również, że podczas wojny reguły czasu pokoju nie obowiązują, ale w jego pamięci pałac wciąż pozostawał pięknym, świeżo pomalowanym budynkiem, klomb przed nim porośnięty był kwiatami, podjazd wysypany świeżym żwirem, pola uprawione, a ludzie uśmiechnięci.

Tymczasem we własnym domu był niemile widzianym gościem! Ktoś pilnował jego lokomobili, spisując liczbę wymłóconych worków ziarna, a potem zabierał je ze sobą. Hrabia zagryzł wargi i prawie się tego dnia nie odzywał.

Nazajutrz z samego rana pojechał złożyć kwiaty na grobie matki. Modlił się długo i żarliwie, prosząc ją o wsparcie. Patrzył z przerażeniem na powiększony nienaturalnie zajezierzycki cmentarz, pełen nowych grobów. Wodził wzrokiem po krzyżach, czytał nazwiska i próbował przypomnieć sobie ludzi, których już nigdy nie spotka. Przed wojną byli mu obojętni, a gdy śmierć nieoczekiwanie ich zabrała, nagle stali się bliscy. Byli to wszak jego ludzie.

Gdy później z Pawlakiem objechali majątek, obraz zniszczeń wstrząsnął dziedzicem. Warzywnik, sad i ogród ziołowy plonowały, ale park z braku ogrodnika zarastał. Budynki, zdewastowane i rozkradzione ze wszystkich niemal cenniejszych sprzętów, wołały o remont, w pustych oborach i stajniach prawie nie było inwentarza.

Zbliżał się wrzesień i zima, a po niej przednówek, który należało jakoś przetrwać z tą garstką ludzi, którzy nie zginęli, nie rozpierzchli się po świecie, których nie zdziesiątkowały głód, tyfus i krwawa dyzenteria. Gdyby nie obecność rządcy, hrabia pewnie by zapłakał z bezsilnej złości.

– Taki piękny majątek... – powiedział tylko.

– Panie hrabio, ja... – Pawlak myślał, że Zajezierski czyni mu wymówki. – Niewiele mogłem... Niemcy rekwirowali zboże, siano, konie, trzodę. Za wszystko dawali kwity. Nazbierałem tego na ponad trzydzieści tysięcy marek. Kiedy przyszło do wypłaty, zakwestionowali wysokość, mimo że wcześniej wyznaczali ceny niższe od rynkowych, więc już tylko jedną czwartą wartości zabranych płodów chcieli wypłacić. Kiedy napisałem skargę do generała-gubernatora, podniósł wartość na piętnaście tysięcy, ale wzięli kwit dla rzekomego sprawdzenia, a oddali inny, o niższym nominale, potem zaś część wypłacili mi w markach, a część w papierach wartościowych, których żaden bank nie chciał przyjąć, w każdym razie nie w cenie nominalnej – mówił ze łzami w oczach.

– Dobry z was rządca, panie Zdzisławie. Dziękuję, żeście tu zostali. Ja też powinienem był... Trzeba było zostać. – Hrabia smutno pokiwał głową. Wstydził się, że kiedy on czekał końca wojny gdzieś w odległych stronach, nudząc się, dywagując o polityce i romansując, cała odpowiedzialność za dziedzictwo Zajezierskich spoczywała na obcym człowieku. Być może sam niewiele więcej mógłby poradzić, wtedy jednak nie miałby sobie nic do wyrzucenia. Spojrzał na Pawlaka, który stał przed nim zafrasowany, jakby czekał na awanturę. Tymczasem hrabia poklepał go po ramieniu. Pawlakowi wyrwało się z piersi westchnienie ulgi.

– Dobrze, że państwo wrócili! A majątek odbudujemy, byle tylko zdrowie dopisało!

– Tak! – powiedział z nagłym ożywieniem Zajezierski, wciąż nie mogąc zapomnieć o nowych krzyżach na cmentarzu. – Ale zaczniemy od sprowadzenia lekarza! W majątku musi być przynajmniej felczer[4]. I położna. Jeszcze szkoła i poczta.

– Panie hrabio, szkołę już mamy. – Rządca uśmiechnął się na ten nagły zapał Tomasza. – Panna Grażyna jest nauczycielką.

– Tak, wiem, ale co ona sama poradzi? Dzielnieście się tu sprawowali! Mam nadzieję, że i ja się wam na coś przydam?

– Ano, roboty mamy na lata całe!

– Nie szkodzi. Jeszcze się na tamten świat nie wybieram.

Hrabina Ada również zakasała rękawy i włączyła się w normalny tryb prac. Czasem trzeba było szorować podłogi i okna, czasem pomóc w kuchni, innym znów razem w polu. Po latach zastanawiania się i martwienia, była wreszcie u siebie. Poczuła jakąś dziwną energię, zapragnęła razem z mężem odbudować dawną świetność pałacu. Na razie zresztą o żadnej świetności nie mogło być mowy, raczej o przywróceniu normalności. Na szczęście w sadzie były owoce, na warzywniku jarzyny, w lesie grzyby. Musieli sposobić się do kolejnej zimy. Zajezierscy już wcześniej przywykli do skromniejszego życia, nie krzywili się na podawaną przez kucharkę zupę zacierkową, krupnik czy kartoflankę. Zresztą nie mieli wyjścia.

---

[4] Pomocnik lekarski mający średnie wykształcenie medyczne.

Kilka dni po powrocie, odpocząwszy nieco, hrabiostwo pojechali do Płocka. Złożyli wizytę landratowi i gubernatorowi wojennemu, chcąc odzyskać kamienicę oraz zamurowane w jej ścianach pamiątki. Zostali przyjęci z szacunkiem, obiecano też, że kamienica zostanie uwolniona jak najszybciej, aczkolwiek konkretnej daty nikt nie sprecyzował. Odzyskają ją ostatecznie dopiero za kilka miesięcy, doszczętnie zniszczoną i rozgrabioną. Nic w budynku nie będzie przypominało jego dawnej świetności.

Jedna ze skrytek w ścianie została odnaleziona przez rabusiów, którzy prawdopodobnie opukiwali w tym celu ściany. Na szczęście metalowa szkatuła z dokumentami i pamiątkami rodzinnymi zakopana w piwnicy ostała się grabieży.

Hrabia interweniował w tej sprawie u władz, ale nic nie wskórał i w końcu zrozumiał, że remont domu będzie musiał opłacić z własnej kieszeni.

Wśród Niemców tej jesieni panowały zresztą kiepskie nastroje. Chłopi się burzyli, nie chcąc oddawać zboża ani ziemniaków. Zabijali w zasadzkach pojedynczych żołnierzy, za co wsie całe cierpiały, a niewinnych ludzi czasem tylko na podstawie pomówienia skazywano na śmierć. W powietrzu czuło się jakieś rozprzężenie i każdy, nawet okupanci, wyczekiwał końca wojny.

Gina zamierzała po cichu spakować się i wyjechać, widząc, że matka z ciotką jakoś sobie wspólnie radzą, szepcząc po kątach i śmiejąc się niczym nastolatki, a Pawlak i wuj Tomasz z werwą planują zasiew ozimin. Dostała do pomocy w szkole drugą nauczycielkę, bez matury co prawda, ale chętną i pracowitą, sądziła więc, że wyrwanie się na kilka dni do Warszawy nie będzie stanowiło problemu. Wtedy jednak przyplątała się do Zajezierzyc hiszpanka!

Zachorowali niemal wszyscy: najpierw Grażyna, potem Kinga, Pawlak, ciotka Ada i na końcu hrabia Tomasz.

Doktor Lewczuk, przyjechawszy do pałacu, stwierdził, że Gina jest w największym niebezpieczeństwie, zostawił dużą ilość chininy[5] i piramidonu, nakazał jak najwięcej pić i życzył jej zdrowia. Chorowała ponad tydzień, a potem była bardzo osłabiona. Gdy tylko nieco przyszła do siebie, musiała opiekować się matką i ciotką, a także zastąpić swoją zmienniczkę w szkółce elementarnej, bo biedaczka wyzionęła ducha, co bardzo wszystkich przygnębiło. Znów trzeba było odłożyć myśl o wyjeździe. W pierwszej kolejności musiała zająć się pogrzebem, pozbawioną środków rodziną zmarłej i dziećmi pozostawionymi bez nauczyciela.

Paul nie złapał grypy. Został trafiony przez snajpera. Był sierpień i jego brygada brała udział w bitwie pod Saint-Mihiel. Wybiegali właśnie z okopów z bojowym okrzykiem na ustach, kiedy poczuł dziwne ciepło rozlewające się po klatce piersiowej i coś rzuciło nim do tyłu. Przemknęło mu przez głowę:

– Nie napisałem listu! – I stracił przytomność.

Kiedy się ocknął, leżał w ruinach jakiegoś kościoła, a nad głową miał niebo. Pomyślał, że już nie żyje, ale czuł przeszywający, kłujący ból w piersiach i to była mimo wszystko dobra wiadomość. Zagryzł wargi, by nie krzyczeć, i znowu zemdlał. Ocknął się, usłyszawszy czyjeś wycie. Było mu zimno. Trząsł się cały, szczękając zębami. Jakiś ranny rozpaczliwie wzywał pomocy. Ktoś się pochylił i dokładnie

[5] Organiczny związek chemiczny pozyskiwany z kory drzewa chinowego, ma właściwości przeciwgorączkowe, przeciwzapalne i przeciwbólowe.

okrył Paula derką, która cuchnęła trupem. Bolało tak bardzo, że pragnął umrzeć, ale po chwili znów zemdlał.

Nie miał pojęcia, jak długo przebywał w zbombardowanym kościele: godzinę, dzień, może tydzień? Przestał cokolwiek rejestrować, jedynie modlił się o szybką śmierć, ból bowiem był nie do wytrzymania.

Ocknął się znów i już nie miał nad głową ruin, znajdował się w szpitalu. Leżał na sali operacyjnej, a nad nim pochylali się jacyś ludzie w bieli. Ktoś do niego coś mówił, ale głos był niewyraźny, jakby zza ściany. Paul poczuł, że przestaje go boleć, robi mu się ciepło i uznał, że teraz to już na pewno umiera.

Dochodził do siebie powoli, resekcja fragmentu prawego płuca na szczęście się udała, dni szpitalne płynęły nudnym, jednostajnym rytmem. Tu, w małym francuskim miasteczku, którego nazwy nawet nie znał, odnalazł go list z domu. Jego nazwisko i adres jednostki na kopercie, skreślone ciężkim, męskim pismem Iry, przestraszyły Paula.

„Co mogło się stać matce?" – pomyślał ze strachem.

Ojczym nigdy nie napisał doń ani słowa, dlatego też chłopak nie śpieszył się z otwarciem koperty. Minął jeden dzień, drugi i trzeci. Leżący na brzuchu żołnierza nieotwarty list zauważyła młoda pielęgniarka. Ale on był Amerykaninem, a ona nie znała angielskiego. Zaintrygował ją jednak, bo pierwszy raz spotkała się z taką obojętnością wobec wieści z kraju. Zaczęła się bliżej przyglądać żołnierzowi, częściej przychodziła zwilżyć mu usta. I stała się przypadkowym świadkiem chwili, gdy wreszcie otworzył przesyłkę. Szybko przebiegł oczami jej treść, a potem załkał:

– Mamo!

Dziewczynie również zwilgotniały oczy, ale by żołnierz tego nie widział, szybko się oddaliła. Rzuciwszy na niego spojrzenie z kąta sali, widziała, jak ukradkiem wycierał łzy. A potem dostał wysokiej gorączki. Opiekowała się nim, zmieniała kompresy, podawała leki, karmiła kleikiem. Kilka dni później, gdy lepiej się poczuł, zapytała:

– Jesteś Polakiem?

– Tak. – Kiwnął głową, zdziwiony, skąd ona może to wiedzieć. Odpowiedział jednak bez wahania i po raz pierwszy, od kiedy tu przychodziła, spojrzał na nią świadomie.

– Tak myślałam! – Dziewczyna uśmiechnęła się lekko. – Jak się dziś czujesz? – zagadnęła go jeszcze, jakby z obowiązku.

– Dobrze. To znaczy... Strasznie.

– Co powiedzieć doktorowi? – Stała obok niego, wyraźnie ociągając się z odejściem. Paul patrzył na śliczną pociągłą twarz z lekko opalonymi policzkami, na niesforne kosmyki włosów, chcących się koniecznie wydostać spod białego welonu, na zielone radosne oczy. Dziewczyna uśmiechała się do niego! Była jakby kwintesencją życia, czegoś, o czym w okopach zdążył zapomnieć. Koniecznie chciał powiedzieć coś, co ją zatrzyma, choćby na chwilę, bo przy niej wracała mu nadzieja i wiara, właśnie teraz, kiedy leżał tu, właściwie całkiem je utraciwszy.

– Że niezbyt dobrze – zaryzykował.

– Mam go wezwać? – zapytała bardzo poważnie.

– Nie. On tu nie pomoże. Moja matka nie żyje.

Dziewczyna się nie odezwała, jedynie westchnęła cicho.

– Ja jestem na wojnie, a ona umarła. Całkiem zdrowa położyła się do łóżka, a następnego wieczoru już nie żyła! – Paul w końcu dał upust swej bezsilności, a ona patrzyła nań ze smutkiem. – Na nic nie chorowała. Nigdy. I nagle z dnia na dzień umarła. Nikt do niej nie strzelał, nie miała ran. To była grypa. Nie mam już matki.

– Ja też nie – pielęgniarka wyszeptała bezgłośnie i wycofała się, by mógł zapłakać. Z własnego niedawnego doświadczenia wiedziała, że łzy najlepiej pomagają ukoić ból po stracie bliskiej osoby.

Nazywała się Magdalena Mielżyńska i była córką pochodzącego ze Śląska polskiego górnika, który za chlebem wyemigrował do Belgii, a potem do Francji. Pomieszkiwali w różnych miastach, przeważnie ośrodkach górniczych. Gdy wybuchła wojna, uciekali coraz dalej na zachód, bo kopalnie położone bliżej granicy szybko zostały zajęte i zrujnowane przez Niemców. Nie tylko żołnierze ginęli w starciach. Podczas bombardowań ucierpiało również wielu cywilów. Magdalena zgłosiła się na ochotnika do pomocy przy rannych kilka dni po tym, jak wojna zabrała jej matkę. Ojciec wciąż pracował w kopalni w Marles-les-Mines.

Oboje więc, tak ona, jak i Paul, byli sierotami, oboje byli również Polakami i choć żadne z nich Polski nie widziało na oczy, bo też nie istniała ona na żadnej mapie świata, dzięki wpojonej im przez nieżyjące matki miłości do kraju mieli wiele wspólnych tematów. Do najważniejszych należały spekulacje, czy w wyniku wielkiej wojny ojczyzna odzyska wolność.

Kiedy Paul zaczął wreszcie wstawać, dziewczyna zawsze znalazła czas, by przejść się z nim pod pozorem udzielania pomocy rannemu. Bała się, że go wypiszą ze szpitala i znów odeślą na front. Kiedy zebrała w sobie całą odwagę i zapytała o to lekarza, ten uśmiechnął się rozumiejąco:

– Nie, panienko, on już na front nie wróci. Zresztą niedługo pobijemy tych wstrętnych szkopów!

Była jesień 1918 roku i wkrótce się okazało, że lekarz przynajmniej w jednym miał rację: Paul stanął przed komisją i został zwolniony z wojska. Chcieli go odesłać do

Ameryki razem z innymi rannymi, ale prosił o możliwość pozostania w Europie ze względów rodzinnych, na co dostał zgodę.

Tymczasem rozglądał się za jakimś zajęciem, by pokazać ojcu Magdaleny, że nadaje się na zięcia. Ponieważ miał doświadczenie z samochodami, szukał pracy w jakimś niewielkim zakładzie naprawy automobili. Trudność stanowił język, Paul bowiem zupełnie nie władał francuskim, oraz zdrowie, ponieważ nie czuł się jeszcze najlepiej. Ale rąk do pracy wszędzie brakowało, toteż przyjęto go niemal od razu.

Chęć jak najszybszego stanięcia na nogi po demobilizacji pozytywnie nastawiła do Paula przyszłego teścia. Mielżyński nie oponował, gdy w niedzielne poranki chłopak towarzyszył Magdalenie do kościoła, a potem zjawiał się u nich na ugotowany przez córkę obiad czy zabierał ją po południu na wspólny spacer.

Zauważył, że Paweł, jak go nazywał, lekceważąc jego prawdziwe imię, jest bystry, grzeczny i rozumny. Cenił jego otwarty umysł i dokładnie sprecyzowany plan na przyszłość, zakładający, że świat idzie do przodu, a ludzie, pragnąc dotrzymać mu kroku, będą chcieli poruszać się szybciej. Paul miał absolutną pewność, że auta to dobry biznes, toteż planował przeznaczyć odprawę z wojska na uruchomienie jakiegoś interesu motoryzacyjnego.

Choć sam górnik, Mielżyński zastanawiał się, czy nie zainwestować oszczędzonych podczas pracy na emigracji pieniędzy i nie wejść z przyszłym zięciem w spółkę. Rodziło to pewne niedogodności, ale na razie jako jedynie wstępny projekt miało też wiele plusów. Obiecał zatem, że dołoży się do warsztatu, chociażby w formie wiana córki. Wiedział, że chłopak jest ambitny i nie pójdzie na jego chleb. Bardzo mu się to podobało.

W październiku coś dziwnego zaczęło się dziać na froncie wschodnim. Żołnierze austriaccy: Czesi, Madziarzy, Polacy, niepomni dyscypliny, zaczęli cichaczem opuszczać swe oddziały i wracać do domów. Cesarsko-królewskie wojsko topniało w tempie, którego nikt nie przewidywał. Garnizony pustoszały, a byli ck żołnierze kierowali się ku swym stronom rodzinnym. Dowódcy nie potrafili zapanować nad ogólnym chaosem i nie mając kim dowodzić, rozproszyli się również.

W końcu października niepodległość proklamowały Cieszyn i Kraków. 7 listopada powstał w Lublinie Rząd Tymczasowy złożony z socjalistów z Ignacym Daszyńskim na czele.

W tym samym mniej więcej czasie w Niemczech wybuchły rozruchy, które doprowadziły do abdykacji cesarza Wilhelma. 11 listopada podpisano zawieszenie broni i tym samym wojna się zakończyła.

Piłsudski, który dzień wcześniej zwolniony z więzienia w Magdeburgu, wysiadł na dworcu kolejowym w Warszawie, niemal natychmiast objął urząd głównodowodzącego polską armią. Złożył przebywającym w Warszawie Niemcom dżentelmeńską propozycję, by wyjechali, zanim cywile zechcą wziąć na nich odwet za lata poniżenia. Prusakom opuszczenie miasta zajęło raptem kilka godzin.

Niemcy zachowywali się dziwnie. Gdzieś uleciała ich dawna buta, młodsi rangą żołnierze nie salutowali starszym, nawet nastolatkom dawali się rozbrajać. Urzędnicy pod osłoną nocy niszczyli dowody swych oszustw lub uciekali ze zrabowanym majątkiem. Rozprzężone wojsko zaczynało się wycofywać. Żołnierze ciągnęli od wschodu ku zachodowi, wynędzniali i brudni, nie przypominając tych pysznych, butnych zdobywców z wiosny 1915 roku.

W tym samym czasie do wsi zaczęli napływać wypuszczeni z obozów niemieckich polscy jeńcy. Wracali wychudzeni, często okaleczeni przez wojnę, bez rąk i nóg, ociemniali. Nie sposób było nie dać im czegoś na drogę albo nie zezwolić na nocleg w jakiejś szopie.

Znów nasiliły się rozboje, bo Niemcy z własnej woli oddawali broń, a rabusie czuli się bezkarni. Co wieczór hrabina Ada, kładąc się spać, odmawiała do Matki Boskiej modlitwę „Pod Twoją obronę", hrabia zaś praktycznie nie rozstawał się z rewolwerem, choć miał świadomość, że za chwilę i tak zabraknie mu doń nabojów.

Prostym ludziom mącili też w głowach rozmaitego autoramentu agitatorzy rozlewającej się po świecie rewolucji socjalistycznej. Jak grzyby po deszczu powstawały Rady Robotnicze oraz oddziały Czerwonej Gwardii, czyli tak zwanej Milicji Ludowej. Mając wsparcie w jej karabinach, niejednokrotnie zrzucając legalnie wybranych członków, wchodzili do rad gminnych, miejskich i powiatowych, by tam rządzić w imieniu ludu, na jego ciemnocie budując nowy, rzekomo sprawiedliwszy porządek.

Namówieni przez nich chłopi zażądali wprowadzenia szkoły świeckiej, kompletnie nie rozumiejąc, iż chodzi o szkołę bezwyznaniową. Sądzili, że świecka to taka, w której wieczorem po zakończonych lekcjach dzieciaków oni sami będą się mogli przy świecach uczyć czytania i pisania, tak bowiem tłumaczyli to agitatorzy.

Tymczasem z miasta i okolicznych majątków dochodziły straszne wieści. Płocka Rada Robotnicza i Żołnierska ogłosiła wprowadzenie ośmiogodzinnego dnia pracy, za tym poszły inne żądania: płacowe i socjalne. Jej emisariusze jeździli po okolicy, podburzając ludność i zmuszając ją do występowania przeciwko właścicielom ziemskim.

W samą Wigilię Bożego Narodzenia, kiedy hrabina Adrianna wraz ze swą siostrą Kingą i siostrzenicą Grażyną Toroszyn rozdawały dworskim dzieciakom skromne prezenty, podjudzani przez nieustającą czerwoną agitację fornale zajezierzyccy zebrali się przed pałacem. Potrząsając widłami i pałkami, ostro zażądali rozmaitych ustępstw. Chcieli podniesienia pensji rocznej nawet do tysiąca dwustu marek, natychmiastowego wydania zapasów mięsa i mąki, a także dwukrotnego powiększenia ordynacji[6].

Hrabiego Tomasza oburzył sposób, w jaki sformułowali swe żądania, i stwierdził, że żadnych podwyżek nie będzie. Pawlak chciał negocjować z oficjalistami, przewidując najgorsze, ale dziedzic mu zabronił. Na to chłopi, czując za plecami wsparcie rezydującego w powiecie towarzysza, nakazali strajk wszystkim pracownikom pałacu, łącznie ze służbą dworską. Państwo mieli sobie od tej pory sami gotować i sprzątać, a także obsługiwać gości, których spodziewali się w święta.

Obawa o to, kto i jak usłuży gościom, nie dała w nocy zmrużyć oka ani Adzie, na której głowie pozostawało gospodarstwo domowe, ani Kindze. Gospodyni ugotowała jedynie kolację dla służby, a państwo sami mieli sobie zrobić posiłek. W podminowanej atmosferze strachu o życie Grażyna z matką podawały do stołu przygotowywane od rana potrawy. Hrabina Ada starała się pomóc, ale była w szoku i tylko przeszkadzała, wciąż popłakując. Tomasz Zajezierski, który uważał, że dla swych fornali robi więcej niż inni

---

[6] Część zarobków oficjalistów dworskich i robotników rolnych w dawnych majątkach ziemskich, wypłacana w naturze, np. zbożu lub ziemniakach (łac.).

ziemianie, poniżony i wściekły zamknął się w gabinecie i nawet nie chciał wyjść, by przełamać się opłatkiem.

Tylko Pawlak, rozumiejąc powagę sytuacji, próbował negocjować z chłopami. Niewiele jednak wskórał. Trzymający wszystkich oficjalistów twardą ręką Zbigniew Grzyb nawet jemu, jako najbliższemu współpracownikowi i prawej ręce hrabiego, zakazał karmić bydło i trzodę. Pozostawiwszy przy pałacu wartę, chłopi rozeszli się wreszcie do chałup.

Podczas pasterki zajezierzycka świątynia była nabita do ostatniego miejsca. Ksiądz proboszcz Okopiec miał twardy orzech do zgryzienia, widząc zimne, zacięte twarze chłopów i przestraszone, wstrząśnięte oblicza mieszkańców pałacu. Polityka nie mogła zdominować tej szczególnej nocy, Wigilii Narodzenia Pańskiego, a jednocześnie proboszcz, jako przedstawiciel Kościoła, czuł się w obowiązku opowiedzieć się po którejś ze stron. W kazaniu mówił więc nie o ludziach, lecz o powierzonym ich pieczy inwentarzu, i gdyby nie atmosfera podminowania i wrogości, wielu obecnych pewnie przez lata pamiętałoby wzruszające słowa. Tymczasem utonęły one w ogólnym zamęcie, zbyt piękne i poetyckie, by ostudzić rozgrzane głowy i ręce rwące się do bijatyki.

Nad ranem głodne zwierzęta straszliwym rykiem zaczęły domagać się paszy. Pawlak, wciąż pilnowany przez chłopską straż, wsiadł na sanki i pognał do przywódcy strajku, by naradzić się nad dalszym postępowaniem. Grzyb był silny w rękach, ale nie w radzie. Bał się samodzielnie podjąć jakąkolwiek decyzję, pojechali więc do Gutowa, by od Komisarza Ludowego Paczuskiego uzyskać zgodę na nakarmienie zwierząt.

Zastali go przy śniadaniu. Paczuski trochę marudził, ale wreszcie pozwolił napaść i napoić inwentarz, mógł to jednak zrobić wyłącznie Pawlak, hrabia lub ktoś z rodziny Zajezierskich. Krowy zaś miały pozostać niewydojone.

– Pan chyba nie wie, co mówi?! – wydarł się Pawlak. – Nawet Niemcy tego nie zakazywali. Mam skazać zwierzęta na śmierć?!

– Proszę mówić do mnie „towarzyszu" – niezrażony komisarz odpowiedział z pełnymi ustami.

– Był pan kiedyś na wsi?! – Pawlak krzyknął jeszcze rozdrażniony i wyszedł, trzaskając drzwiami. Uznał, że nim dotrze do Zajezierzyc, musi przeciągnąć Grzyba na swoją stronę. Początkowo jechał w milczeniu i tylko od czasu do czasu chrząknął albo energicznie kiwnął głową, jakby coś roztrząsał w myślach. Wreszcie, gdy opuszczając Gutowo, jechali przez mostek na Rudawce, ni z tego, ni z owego rzucił:

– Ja to panu powiem, panie Grzyb, że nawet jestem za tymi rządami socjalistów.

– Eee, pan rządca chcą mnie chyba nabrać. Przecie to nijak nie idzie uwierzyć.

– Oczywiście, gdyby tylko nie mieszali się do inwentarza. Bo miarkuj pan sobie: co ja mam z tego, że nabiegam się przez dzień cały i nafrasuję? Tylko siwe włosy. A jak już odbierzemy panom ich własność, to człowiek będzie miał tyle dobra, że nic robić nie będzie trzeba.

– Nie?

– Ano nie, bo wszystko będzie wspólne.

– Znaczy jak: wspólne?

– No, to, co wyrośnie na waszym polu, będę mógł zebrać ja i wy nic mi na to nie będziecie mogli powiedzieć – ciągnął spokojnie, patrząc przed siebie.

Grzyb, który był całym sercem po stronie rewolucji, dopóki chodziło o odbieranie panom ich własności, teraz się oburzył:

– Nic?! A przegonię rządcę widłami i do sądów podam!
– I nic nie wskóracie, panie Zbigniewie – spokojnie tłumaczył Pawlak – bo sądy będą po mojej stronie.
– Jakże to?
– Toście nie słyszeli, że u komunistów wszystko jest wspólne? I będziecie się mogli tylko przyglądać, jak waszą krowę biorę do mojej obory, a waszego konia zaprzęgam do mojego pługa.
– To mi się nie widzi. – Z każdą chwilą Grzyb coraz bardziej tracił rezon.
– Kiedy nastanie rewolucja, właśnie takie będą prawa. I jeśli komuś przyjdzie ochota położyć się do waszego łóżka, na ten przykład sąsiadowi, to wy też go przegonić nie będziecie w mocy.
– E, to bajki są jakieś! – Zdenerwowany fornal bardzo nie chciał uwierzyć w tę koszmarną perspektywę, spokojny zaś i rzeczowy ton rządcy, najwyraźniej pogodzonego już z nieuchronnym, przerażał go jeszcze bardziej.
– Bajki nie bajki, zobaczycie sami. A to Zajezierscy nie uciekli przed tą zarazą z Rosji? Tam – mówili – już władze zarządziły zniesienie kościołów i upaństwowienie żon. I ludzie się z tym strasznie męczą, ale co zrobić? Chodzi jeden z drugim do sąsiadki na noc, skoro tak prawo wymaga.
– A do dupy z takim prawem! – wydarł się Grzyb. – Moja żona najładniejsza we folwarku, to co mnie tera chłopy z łóżka gonić będą?
– Ja tam nie wiem, ale tak być może. Jednym stąd radość, innym frasunek, zależy kto jaką ma żonę.
Aż do Zajezierzyc Grzyb nie odezwał się już ani słowem. Kiedy stanęli na podjeździe, sytuacja wyglądała na opanowaną. Chłopi, odurzeni samogonem i nieznanym im wcześniej poczuciem mocy, chodząc po folwarku, upa-

jali się swą siłą oraz widokiem strwożonych pań, raz po raz uchylających rąbka firanki, by zobaczyć, czy z Gutowa nie wraca rządca z nowinami. Grzyb wyskoczył z sanek, poszeptał coś z chłopami, a rządca poszedł do hrabiego.

– Panie hrabio, możemy zadać paszę bydłu! – powiedział uradowany.

Tomasz Zajezierski siedział w fotelu, tępo patrząc przed siebie, jakby nie dosłyszał. Rządca wyszedł więc, by samemu zająć się inwentarzem. Przed pałacem zbici w ciasną grupkę oficjaliści słuchali Grzyba perorującego z zapałem. Na widok Pawlaka nagle zamilkł.

– Idę wydoić krowy! – krzyknął rządca, chcąc zbadać nastroje, ale nie spotkał się z żadną reakcją.

To był dobry znak. Nikt z chłopskiej bojówki nie zaprotestował. Chodzili nadal i strzegli pałacu, nie wiadomo przed czym, a rządca uwijał się jak w ukropie. Pomagały mu panie Toroszyn oraz hrabina. Hrabia nawet nie wyszedł z gabinetu.

Po zmroku na zziajanym koniu przyjechał Edward Radziewicz, by przekazać, że u nich również trwa okupacja dworu, chłopi z naostrzonymi i postawionymi na sztorc kosami pokrzykują: „Śmierć panom!", ale na razie nic złego się nie stało.

Radziewiczowie wydali cały zapas wódki i mięsa z lodowni oraz wypłacili każdemu po dziesięć marek, rzekomo tytułem zaległych pensji. To uspokoiło nieco nastroje, ale co będzie dalej, nie sposób przewidzieć. Jakieś ciemne typy jeżdżą po wsiach i szczują chłopów na ziemian, a jeśli wieś przeciw panom stawać nie chce, to przywożą obcych, by siali ferment, bo jest rewolucja i anarchia musi być! Dopiero bowiem z anarchii może narodzić się nowy porządek.

– Socjaliści poczuli się silni i nic sobie nie robiąc z prawa, wkładają rękę do naszej kieszeni. Co oni powiedzą, my musimy wykonać, inaczej być może i śmierć nas czeka! – dodał z rozpaczą w głosie.

– Co to będzie? Co będzie? – biadały panie.

– Z Płocka wysłano podobno oddział ułanów, by objeżdżał dwory i strzegł porządku. Ułani wystąpili w obronie Kwiatkowskich z Kozłowa napadniętych przez tłum, wywiązała się potyczka, byli zabici i ranni. Za pomocą jakiegoś fortelu wyprowadzono napastników w pole i ewakuowano Kwiatkowskich, jednak rozognione chłopstwo przyjechało do miasta, by mścić się na wojsku, i ledwo udało się zażegnać sytuację. – Zdenerwowany Edward relacjonował straszne wieści.

– Oskubią nas doszczętnie! – powiedział hrabia, stając w drzwiach. – A może i z domów wygonią?

Towarzystwo pokiwało głowami w zadumie, a kilka dni później okazało się, że przerażeni sytuacją ziemianie, by ochronić swe życie przed rozpaloną tłuszczą i przeczekać najgorszy czas, uciekają do Płocka, a nawet Warszawy.

Tym razem jednak hrabia zdecydował się zostać. Nauczony doświadczeniem niedawnej rosyjskiej tułaczki oraz ugodzony boleśnie przez własnych ludzi, postanowił wytrwać w rodzinnym majątku, choćby go to miało kosztować i życie.

Takie były pierwsze święta w wymarzonej wolnej Polsce, o którą jego matka modliła się podczas codziennego pacierza, dla której zginął jego dziad, której odrodzenie zakrawało na cud i w rzeczy samej było cudem (czy też, jak sądzili sceptycy – przypadkową, niczym niezasłużoną wygraną na loterii), a której on sam zrozumieć nie potrafił.

1995

Iga wracała do domu dość późno, zagadały się z Lucyną Wyrwał. Zresztą poszła tam już po ósmej. Teraz zbliżała się dziesiąta. Dziewczyna nie wzięła samochodu, bo starsza pani bardzo chciała poczęstować ją winem własnej roboty i mocno naciskała, aby Iga odbyła ten niewielki spacer na piechotę. I dobrze się stało, bo ledwie wyszła na ulicę, zobaczyła Rudą wysiadającą z jakiegoś samochodu. Nie było to auto Waldemara Hrycia, zresztą i tak Iga schowałaby się za krzakiem, jak to bez chwili zastanowienia właśnie uczyniła.

– No, mamuśka, dawaj… – szepnęła i wyostrzyła wzrok.

Mimo że ulica była rzęsiście oświetlona, nic więcej nie zdołała zaobserwować, poza tym, iż za kierownicą prawdopodobnie siedział mężczyzna. Facet nie pojechał, jak powinien, to znaczy wprost na nią, by jej zaprezentować w całej okazałości swą facjatę, tylko zakręcił i z kawalerskim piskiem opon ruszył przed siebie.

Ale i tak była to na tyle dobra wiadomość, że wróciła do domu w podskokach, jakby grała w klasy, miała bowiem głębokie przekonanie, że Rudej nie towarzyszył mąż.

Przeprowadzone 26 stycznia wybory do sejmu uspokoiły nieco nastroje. Pokazały też, że socjaliści i komuniści nie są tak wielką siłą, jak początkowo sądzono, i mają znacznie mniej zwolenników, niż się im samym wydawało. Ci, którzy na nich głosowali, zwiedzeni obietnicami dzielenia pańskich gruntów już następnego dnia po wyborach, poczuli się oszukani.

W Zajezierzycach odetchnięto z ulgą. Ludzie wrócili do pracy, co prawda nie wszyscy, przy robotach publicznych w Gutowie i Płocku płacono bowiem po dwanaście marek za dzień obijania się, podczas gdy w pałacu jedynie cztery marki, w dodatku pilnując efektów. Stąd rozpleniła się wśród chłopów wielka niechęć do jakiegokolwiek wysiłku, a ziemianie zaczęli obawiać się o przyszłe zbiory.

Pawlak starał się mieć oczy i uszy szeroko otwarte, namawiał też fornali do pracy, jednak bezskutecznie, wielu bowiem wolało osiem godzin za dobry grosz przestać, opierając się na łopacie i symulując robotę, niż w pocie czoła na pańskim męczyć się za bezcen.

– Z tymi socjałami to jedna bieda! – wzdychał Przaska, który bawił w okolicy i zajrzał do Zajezierskich na herbatę. – Takie czasy nastały, że darmozjady mają się jak najlepiej, a ludzie bogobojni i pracowici cierpią. Wyobraźcie sobie państwo, że nawet złodzieja trudno dziś z mieszkania usunąć! Miałem takiego w oficynie. Od lat nie płacił komornego. Niby był za stróża, ale niczego nie pilnował. Miał gromadę drobiazgu, więc go trzymałem, przymykając oczy na jego lenistwo, kradzieże i bezeceństwa. Wreszcie szalę mojej cierpliwości przechylił, okradając biedniejszych od siebie sąsiadów. Sąd co prawda nakazał eksmisję, ale zaraz do mnie przyleciała Milicja Ludowa z awanturą, że nie mogę go ruszyć, chyba że wynajmę mu inną stancję! A co się nasłuchałem, że ducha czasu nie rozumiem i że burżuje jeszcze zapłacą za krzywdę ludu! Moi państwo, tyle powiem: źle się dzieje!

Nie musiał im tego tłumaczyć. W Zajezierzycach codziennie doznawali upokorzeń od rozpolitykowanego i rozleniwionego chłopstwa, któremu teraz tylko kradzież pańskiego i parcelacja cudzego majątku była w głowie.

– Jak kto chce się dorobić, to wszak może! – konkludował Przaska. – Popatrzcie państwo na Sikorskiego. Pojechał do Ameryki raz i drugi, fachu się nauczył, ludzi zatrudnił i teraz co, największy przedsiębiorca budowlany w okolicy! Dom w Gutowie przy rynku kupił, pięknie wyremontował. Już żaden Żyd mu nie dorówna! To on ich zatrudnia i dobrze płaci, bo warto. Sikorski na okolicę teraz najlepszy fachowiec od budowlanki. W Sikorach zbudował remizę Ochotniczej Straży Pożarnej i Dom Ludowy, coś wspominają też o poczcie. Powiem państwu jedno: co głowa, to głowa. Ma trzech synów i na inżynierów chce ich kształcić. Hrabia będzie co chciał we wsi budować, to brać tylko Sikorskiego!

Zajezierski pokiwał głową, ale jego myśli popłynęły jakimś dziwnym, nieuświadomionym do końca strumieniem ku odległym, niemal zapomnianym czasom. Nagle przypomniał sobie bowiem Mariannę, to zwiewne, zawsze nieco zawstydzone dziewczę o zniewalającym głosie. Przemknęły mu przez głowę przypadkowe spotkania w pustym kościele, a później krótki romans, zakończony jej nagłym zniknięciem. Przygryzł wargę. Nie umiał sobie przypomnieć jej twarzy, miał w pamięci jedynie duże smutne oczy. Ludzie mówili, że wyjechała do Ameryki, a mogła być teraz panią Sikorską...

Gdy w marcu wyszedł z okolic Gutowa ostatni żołnierz niemiecki, rozpoczęła się akcja rozbrajania okolicznej ludności, bo przez lata wojny i okupacji każda niemal rodzina uzbierała niemały arsenał. Broń długą, krótką i białą należało zdawać, co czyniono niezbyt chętnie, bo nie wszyscy byli przekonani o końcu wojny, i zanim nowe państwo zbudowało swe struktury, duża część społeczeństwa miała poczucie bezkarności.

W tym też czasie pałac stał się miejscem rozdziału transportów z pomocą amerykańską. Od Polonii napływała żywność, pieniądze i ubrania, a miejscowi wiedzieli najlepiej, kto cierpi największą biedę. Chłopi traktowali te dary podejrzliwie, a żywności wcale nie chcieli, twierdząc, że mąka amerykańska jest zbyt biała, bo pewnie z kredą, cukier żółty szkodzi na żołądek, a smalec ani chybi z małp topiony. Plotki te rozpuszczali kupcy, którym darmowa żywność amerykańska psuła ceny, a ciemnota wierzyła.

W maju Kinga z Giną oglądały na wystawie księgarni mazowieckiej w Płocku przywiezione przez kogoś produkty żywnościowe z sowieckiej Rosji: kromkę chleba, z której wystawały kawałki słomy i plewy, oraz czarne ciastko wypiekane z kawowych fusów. Podobno te frykasy sprzedawano tam za bajońskie sumy, a i tak trzeba było po nie stać w wielogodzinnych kolejkach.

– Bożeż ty mój, żeby do nas ta zaraza nie dotarła! – Kinga Toroszyn przeżegnała się pośpiesznie.

Ale po wsiach i tak wciąż jeździli emisariusze bolszewizmu zwani delegatami i namawiali służbę folwarczną do strajków. Jeśli zaś który parobek chciał pracować, wiedząc, że ordynarii nie dostanie, gdy na czas kartofli nie zasadzi, to i obili czasem takiego dla posłuchu. Tych agitatorów, nawet złapanych przez policję, prokurator nie zamykał, twierdząc, że nie są niczemu winni. Nie tylko w powiecie gutowskim czy płockim, lecz także na terenie całego Mazowsza działy się podobne rzeczy. Trwało bezhołowie[1], a Zajezierscy z Pawlakiem zaczęli się zastanawiać nad stworzeniem z parobków jakiejś nocnej warty, bo sam stróż już nie wystarczał, by wszystkiego dopilnować.

W listopadzie 1918 roku zakończyła się wojna i po wielu latach zaborów odrodziła się Polska, Paul uznał, że jest winien nieżyjącej matce podróż do jej kraju rodzinnego. Chociaż kto wie, czy gdyby wcześniej nie poznał Magdaleny i nie dowiedział się, że razem z ojcem zamierza wrócić na Śląsk, w ogóle by o tym pomyślał? Wyleczony i zdemobilizowany, mógł jednak wyruszyć razem z nimi.

18 stycznia 1919 roku rozpoczęła się konferencja pokojowa w Paryżu, ale dopiero w czerwcu zdecydowano o przyszłości Śląska. Tę kwestię pozostawiono mieszkańcom, którzy w plebiscycie mieli wypowiedzieć się na temat preferowanej przez siebie przynależności państwowej. Mielżyński był niepoprawnym optymistą. Wierzył, że Polska obejmie cały Śląsk, pragnął tego i miał nadzieję,

---

[1] Dezorganizacja, nieporządek.

że obecność jego i Magdaleny podczas plebiscytu będzie miała znaczenie.

Wiosną pożegnał się więc z kopalnią i swym francuskim szefem, zabrał ostatnią wypłatę, wyjął trochę oszczędności z banku, wynajął wagon kolejowy, na który załadowali z Paulem cały dobytek, choć zapewne łatwiej byłoby im podróżować bez tej ilości bagażu. Oddawszy konsjerżce[2] klucze do wynajmowanego wcześniej mieszkania, ulokowali się w wagonie, czekając na jakikolwiek skład zmierzający w kierunku Niemiec, a potem Śląska.

Stało się to dość szybko, ale na kolei panował chaos, pociągi jeździły jedynie na krótkie dystanse, wagon, wciąż odłączany i przyłączany do różnych składów, kluczył po Europie niczym list bez adresata, co było bardzo uciążliwe i przygnębiające. Podróż z północnej Francji do Czech trwała ponad miesiąc, w ciągu którego mężczyźni stale musieli mieć się na baczności, bo rozprzężeni wojną, głodni ludzie wciąż szukali okazji, by cokolwiek ukraść. Paul ze swym przyszłym teściem przez całą dobę trzymali straż, zabarykadowani od środka niczym w twierdzy, z bronią w pogotowiu, pozwalając sobie tylko na krótkie drzemki.

Podczas jednej z zimnych nocy Magdalena nabawiła się przeziębienia, które minęło dość szybko, ale osłabienie wciąż dawało o sobie znać, była markotna, zlewały ją poty, wreszcie dostała wysokiej gorączki i zaczęła niepokojąco kasłać. Zdesperowany Paul siedział obok niej, nie mogąc nic zrobić poza zagotowaniem na kozie[3] wody i zrobieniem herbaty. Gdyby tylko pociąg chociaż na chwilę się zatrzymał, wyskoczyłby do jakiejś osady czy miasteczka i poszukał lekarza.

---

[2] Dozorczyni (fr.).

[3] Żeliwny wolno stojący piecyk na nóżkach, opalany drewnem.

Tymczasem, siedząc w wagonie, nie mieli żadnego kontaktu z maszynistą lokomotywy. Wreszcie, gdzieś w Czechach, skład stanął na bocznicy. Chora leżała rozpalona i majaczyła. Paul pobiegł do miasteczka. Dość długo nie wracał. Magdalena bredziła w gorączce, ściskając dłoń płaczącego z bezsilności ojca. Gdy chłopak wrócił po rekonesansie, spała, wstrząsana dreszczami. Musieli ją obudzić, przenieść do dorożki i zawieźć do szpitala.

Zmieniali się przy niej, na przemian pilnując chorej i pozostawionego w wagonie dobytku. W przerażeniu patrzyli, jak złe samopoczucie Magdaleny nasilało się z każdym dniem, a lekarze w maleńkim szpitaliku kręcili smutno głowami, tłumacząc coś, czego oni i tak nie rozumieli. Już prawie stracili z nią kontakt. Edward Mielżyński, który niedawno pochował żonę, w rozpaczy chwycił się ostatniej nadziei: poszedł do kościoła. Nie była to nawet świątynia katolicka, ale w tej dramatycznej chwili nie zwrócił na to uwagi. Oddałby duszę diabłu, byle tylko wyrwać jedyne dziecko z objęć śmierci, a samemu pozbyć się straszliwego poczucia niemocy. Modlił się długo, żarliwie, z nadzieją.

Wreszcie, po tygodniowych zmaganiach, nastąpiło przesilenie i lekarze zaczęli przypuszczać, że dziewczyna pokona chorobę. Rzeczywiście, dwa tygodnie później, choć jeszcze słaba, rekonwalescentka mogła już sama chodzić. Ruszyli zatem w dalszą drogę do Polski. Zostało im do pokonania ostatnie kilkadziesiąt kilometrów.

Ledwie umilkły odgłosy wojny, Kinga Toroszyn i Adrianna Zajezierska przystąpiły do szukania męża dla Grażyny. Panna miała już niemal dwadzieścia lat, wiek jak najbardziej stosowny, poza tym jeszcze jeden mężczyzna w rodzinie bardzo by się przydał.

Pierwszym kandydatem, który przyszedł obu niewiastom niemal równocześnie do głowy, był Edward Radziewicz, jedyny syn Joachima i Agnieszki Radziewiczów, z którymi Zajezierscy od lat utrzymywali bliskie stosunki. Chłopak jako niemal rówieśnik Giny mógł wydawać się trochę za młody, jednak cóż by z nich była za cudowna para! A ileż spraw by to uprościło! Grażyna tylko wydęła wargi ze wzgardą, lubiła Edusia, jak go wszyscy nazywali, chłopak jednak kompletnie jej nie interesował. Grywali czasem w tenisa czy jeździli konno, ale żeby go sobie brać na całe życie? Nie, to kompletnie nie wchodziło w grę – rzuciła matce i ciotce tonem nieznoszącym sprzeciwu, toteż niezrażone panie szukały dalej. Coraz dalej, bo dziewczyna na wszystkich kręciła nosem, twierdząc wręcz, że „kochane swatki tracą czas".

Kinga zdążyła przywyknąć do szczególnego charakteru córki, poczęła ją nawet szantażować, że jeśli Grażyna za mąż nie wyjdzie, to ona, jej matka, sama zdecyduje się na ten desperacki czyn.

– Wiesz, mamo, to świetny pomysł, skoro ja zamierzam niedługo wyjechać! – Gina stwierdziła z zadowoleniem. Wcale jej nie przeraziła ta perspektywa. – A coś mi się widzi, że piękna by z was była para – dodała z uśmiechem.

– Z nas? O kimże ty mówisz, dziecko? – Kinga potrząsnęła głową.

– O tobie i panu Pawlaku.

Kinga Toroszyn nie rozważała nigdy perspektywy zostania żoną rządcy i nawet jeśli czuła coś do Pawlaka, który niezmiennie traktował ją z wielkim szacunkiem, nie brała tej myśli poważnie. To się nie godziło! Zajęta wojenną codziennością, nie zadawała też sobie pytania, dlaczego Pawlak mimo przekroczonej czterdziestki wciąż jest samotny.

– A dajże spokój, nie pora na żarty! – ofuknęła córkę ze złością, jednak naturalny ton, jakim Grażyna wypowiedziała swoje spostrzeżenie, nakierował jej myśli na tego mężczyznę, który przez lata sprawdził się bardziej niż niejeden ślubny małżonek.

– Żarty? – Grażyna zmarszczyła brwi. – Mamo, on byłby dla ciebie najlepszy! To chodzący ideał. Jeśli ktoś mógłby kiedyś odbudować Długołąkę, to tylko on!

Rzeczywiście, Pawlak był dobrym człowiekiem i zaradnym gospodarzem. Inteligentnym, pracowitym i uczciwym, sumiennym oraz oddanym, o czym wszyscy w pałacu mieli się okazję wielokrotnie przekonać. Nigdy nikogo nie zawiódł, a gdy trzeba było, brał sprawy w swoje ręce, nie oglądając się na innych. Jednak tu tkwił problem, bo ani razu też nie dał Kindze odczuć swego zainteresowania.

Kiedy po rozmowie z Giną zastanawiała się nad tym, we wszystkim przyznawała córce rację, co więcej, zrozumiała, że i jej Zdzisław nie jest niemiły. Ale co by powiedzieli Zajezierscy? Jak przyjęliby kolejne szaleństwo z jej strony? Przecież ma ojcowiznę, nie powinna się u nich zasiadać dłużej, niż potrzeba. Tak! Należy odbudować dom! Tylko jak się do tego zabrać?

Kinga Toroszyn, która kiedyś celem złowienia męża zdobyła się na próbę otrucia własnej siostry, teraz nie wiedziała, jak zapytać bliskiego jej mężczyznę, czy ją zechce. Co więcej, starzejąc się, straciła cały swój niegdysiejszy tupet i teraz nie wiedziała nawet, którą rozmowę powinna przeprowadzić jako pierwszą: tę ze szwagrem czy tę z ewentualnym kandydatem na męża? Wreszcie Grażyna, która zauważyła, jak bardzo matka się męczy, kluczy i nie umie wziąć sprawy w swoje ręce, wybrała się z hrabią Tomaszem na konną przejażdżkę. Myliłby się ten, kto by pomyślał, iż robi to dla niej. Nic podobnego! Miała na myśli tylko i wyłącznie rozwiązanie swojego podstawowego problemu, sądziła bowiem, że matka, zajęta układaniem sobie życia na nowo, nie będzie cierpiała z powodu jej wyjazdu.

– Nie uważasz, wuju, że należałoby odbudować Długołąkę? – zapytała niedbałym tonem, kiedy zsiedli, by napoić konie.

– A któżby miał tego dokonać? Za co i dla kogo? – zdumiał się Zajezierski. Na razie dość miał własnych zmartwień. W pałacu nie brakowało miejsca, Kinga może tam mieszkać choćby i do śmierci, a Gina pewnie kiedyś wreszcie wyniesie się do majątku męża. – Wiesz, jak wielką mitręgą w obecnych czasach byłoby takie zamierzenie? Przy tej drożyźnie, swawoleniu robotników, co tylko potrafią się oglądać na zapłatę, ale robić im się nie chce? To niepodobna! – machnął ręką, zamykając temat.

Gina zrozumiała, że należało zacząć od kogo innego. Wybrała się do Płocka, rzekomo w sprawach szkolnych, akurat wtedy, kiedy Pawlak jechał tam na odczyt Towarzystwa Ogrodniczego. Rozmawiali o tym i owym, wreszcie zwierzyła się mu z zamiaru odkładanego od miesięcy.

– Chce nas panienka naprawdę opuścić? – zapytał rządca ze szczerym smutkiem.

– Był pan dla mnie przez te lata jak ojciec, więc powiem panu w tajemnicy, tylko proszę mnie nie zdradzić...

– Cóż takiego? Może nie powinna panienka...?

– W Warszawie jest ktoś, kogo kocham, i albo połączę się z nim, albo umrę jako stara panna.

– Niech Bóg broni, toż byłoby panienki żal!

– A pan, dlaczego się nie ożenił?

– Jakoś się nie złożyło... – odpowiedział po dłuższej chwili milczenia.

– Powiem panu coś w zaufaniu – drążyła Gina. – Ale proszę przysiąc, że nigdy pan tego nie powie mojej matce.

– Nie mogę, czego panienka ode mnie żąda?! – fuknął oburzony.

– Mężczyzna, którego kocham, ma żonę – dodała znienacka.

– Jezus Maria, panienko! Toż despekt[4] dla rodziny! – Pawlak zmartwił się nie na żarty. Wychowany tradycyjnie i wierzący w porządek rzeczy, który wpoili mu rodzice, przeraził się tym, co powiedziała. Ginę traktował niemal jak córkę, z całym szacunkiem i poważaniem dla niej i jej matki. Zwierzenie dziewczyny mu pochlebiało, jednak wprawiło jednocześnie w zakłopotanie, bo w tym przypadku nie mógł być lojalny wobec obu pań.

– A gdybym została starą panną, to nie byłby despekt? – podchwytliwie zapytała Grażyna.

– Nie mnie to oceniać.

– Panie Zdzisławie, uważam, że jeśli się kogoś kocha, trzeba zrobić wszystko, żeby z nim dzielić życie.

– Gdyby to było takie proste, jak panienka przedstawia... – westchnął smutno i umilkł.

I choć z pozoru nic się nie zmieniło, ta rozmowa również Pawlaka skłoniła do rozważań nad jego starokawalerstwem. Szanował Kingę, czcił niby bóstwo, ale nigdy by się nie ośmielił podnieść na nią oczu, a cóż dopiero wyciągnąć rękę! Zresztą, kiedy tylko o tym pomyślał, od razu stawała mu przed oczyma. Niemal słyszał, jak wykpiwa jego nieśmiałe pytanie. Mimo że od kilku ostatnich

---

[4] Afront, obraza.

lat żyli niemal pod jednym dachem, dzieląc liczne troski i rzadkie radości, traktowali się z respektem i dystansem należnym osobom z innej warstwy. Przyjmowali świat takim, jakim był, a wpojone przez rodziców wartości wciąż były u nich w cenie. Odwrotnie Grażyna, jeśli czegoś zapragnęła, wyciągała po to rękę, nie oglądając się na konsekwencje.

Kiedy pewnego razu niby od niechcenia wspomniała leżącą w ruinie Długołąkę, Pawlak się zapalił. Okazało się, że od jakiegoś czasu myśli o tym, jakim kredytem należałoby obciążyć hipotekę pozostałych przy Kindze gruntów, by odbudować dwór. Mówił to z takim przejęciem, że polubiła go jeszcze bardziej. Któż inny był bardziej godny tego, by dać jej matce wsparcie na starość? Połączywszy tych dwoje, ona mogłaby spokojnie zająć się swoim życiem.

I widać wystarczyła maleńka iskra, jakieś wypowiedziane półgębkiem słowo, jakieś napomknienie mimowolne, by odnaleźli ku sobie drogę. Lekko zażenowana Kinga przyjęła oświadczyny Pawlaka, który wcześniej poprosił o jej rękę hrabiego Tomasza, nieco wytrąconego tym faktem z równowagi. Dobry rządca był mu potrzebny bardziej niż najlepszy nawet szwagier. Zresztą uważał, że Kinga popełnia kolejny w swym życiu poważny błąd. Może nawet mezalians? Bynajmniej nie bronił jej wychodzić za mąż, mogłaby jednak poszukać kogoś ze swojej sfery!

Przez to planowane na Boże Narodzenie małżeństwo wszystko się znów bardzo skomplikowało! Ustalili, że tymczasem Pawlak utrzyma swe miejsce, zresztą nie myślał nigdy o odejściu. Po ślubie zamieszkają w pałacu, póki długołącki dwór nie będzie gotów. Pawlak prosił o to, by w jego wzajemnych stosunkach z hrabią nic się nie zmieniało. Obaj uznali, że tak będzie wobec ludzi najlepiej.

❧

W połowie sierpnia wagon, w którym jechali Mielżyńscy wraz z Paulem, został odczepiony w Katowicach przy bocznicy towarowej, a oni sami mogli wreszcie stanąć na ziemi. Nie mieli nawet sił, by krzyczeć z radości, jak sobie obiecywali podczas tej długiej drogi powrotnej. Teraz należało szybko wynająć jakieś lokum, by wyczerpana chorobą Magdalena mogła w ludzkich warunkach przyjść do pełnego zdrowia.

Tego samego dnia znaleźli dla niej stancję tuż przy dworcu, meble złożyli w magazynie firmy spedycyjnej, resztę gotówki w banku i intensywnie przeczesywali miasto, poszukując odpowiedniego mieszkania. Zajęło im to tydzień, aż kiedy już całkiem opadli z sił, trafili na bardzo ładny czteropokojowy apartament z południowo-północną wystawą przy ulicy Warszawskiej. Paul i Magdalena zajęli się jego urządzaniem, a Mielżyński, który, jak twierdził, już się dość naleniuchował, zaczął szukać posady. Znalazł ją zaskakująco szybko w kopalni Ferdynand, a ponieważ miał duże doświadczenie, pracując w zaawansowanych technologicznie kopalniach Francji i Belgii, zatrudniono go na stanowisku nadsztygara. Pensja, jak się spodziewał, była mniej więcej o połowę niższa niż w Belgii czy Francji – nikt rozsądny stamtąd nie wracał – ale Mielżyński miał odłożone pieniądze na starość i niewielkie wymagania, zresztą wkrótce zamierzali coś przedsięwziąć z Pawłem, czekali tylko, aż sytuacja polityczna się wyklaruje, bo na razie ni to Polska była, ni Niemcy.

Paul, choć słabo znał język, dzięki przyszłemu teściowi dostał tymczasowe zajęcie w warsztatach mechanicznych przy kopalni. Kiedy już obaj panowie rozpoczęli pracę, Edward Mielżyński uznał, iż pora pomyśleć o zalegalizowaniu związku dwójki młodych, bo wszak to nie wypada, by pod jednym dachem mieszkali panna i kawaler nienależący do rodziny.

Ślub odbył się w kościele Mariackim w Katowicach, a na skromne wesele przyjechała jedynie z Gleiwitz[5] siostra Edwarda Mielżyńskiego, Alicja Staube, z mężem i dorosłymi dziećmi: Ferdynandem, Heinrichem i Teresą. Rodzeństwo widziało się po raz pierwszy od dwudziestu lat, toteż opowieści, radości i płaczu było co niemiara.

Polsko-niemiecko-amerykańska rodzina szybko uporała się z żurkiem, zrazami wołowymi, kluskami śląskimi i modrą kapustą oraz kompotem z rabarbaru i ciastem drożdżowym na deser. Po południu młodzież wyszła na spacer, by się trochę przewietrzyć, starzy zaś, wciąż niesyci swych opowieści, rozmawiali o tym i owym, wszak Mielżyński wyjechał z Polski jako młodzieniec, a w listach nie sposób opowiedzieć wszystko. Edward trochę miał za złe siostrze, że wydała się za Prusaka, ale wyglądało na to, że się dogadują, tylko te ich dzieci – jakieś takie całkiem niemieckie...

19 czerwca w katedrze płockiej Paweł Zajezierski z rąk biskupa Antoniego Juliana Nowowiejskiego otrzymał święcenia kapłańskie. Jako pierwsza organizowana w wolnej Polsce, uroczystość miała bardzo podniosły charakter. Mimo gorącego politycznie czasu Adrianna i Tomasz Zajezierscy przyjechali do Płocka kilka dni wcześniej, starając się odnaleźć wewnętrzne skupienie, aby godnie uczestniczyć w tej niezwykle ważnej dla swego jedynaka chwili.

[5] Gliwice.

We mszy wzięli również udział najbliżsi: Grażyna i Kinga Toroszyn, Zdzisław Pawlak, rodzina Radziewiczów oraz Alfred Przaska.

W czasie mszy hrabina płakała. Jej najsłodszy, najukochańszy synek spełnił oto swe marzenia: został księdzem. Za kilka dni wyjedzie gdzieś na prowincję, by służyć ludziom, o czym dawniej wielokrotnie rozmawiali. Paweł wyglądał bardzo poważnie. Dojrzał podczas wojny. Skupiony i uduchowiony, sprawiał wrażenie księdza z powołania.

Tego dnia hrabina rozstała się w duchu z synem, oddając go ludziom i Kościołowi, którym miał służyć do końca swych dni.

Uznając swą misję za spełnioną, Grażyna znów zaczęła szykować się do wyjazdu. Rok szkolny właśnie się skończył – dwudziestkę podopiecznych wypuściła na wakacje, wydając im cenzurki na urzędowych blankietach przywiezionych z Gutowa. Praca w szkole bardzo jej się podobała, dzieci były wdzięczne, choć czasem niesforne, ale Gina tęskniła do wielkich rzeczy, serce jej rwało się ku miastu, powiadomiła więc gutowskiego inspektora szkolnego, że od września musi zatrudnić nową nauczycielkę.

Tymczasem Kinga, widząc przygotowania córki do wyjazdu, załamywała ręce.

– Matko Boska, dokąd? Czasy takie niespokojne!

– Nie mam zamiaru marnować życia, siedząc na wsi. Wyjeżdżam do Warszawy.

– Po co? – padło zupełnie rozsądne pytanie.

Grażyna nie mogła wyjawić matce, że jedzie, by oddać się mężczyźnie, który jest dwa razy starszy od niej i w dodatku ma już żonę. A tym bardziej, że pragnie zostać aktorką. Rzuciła więc lekko:

– Chcę się uczyć.

Liczyła na to, że matka nie będzie zbyt drobiazgowa w dociekaniach. Tymczasem rozmowa przybrała nieoczekiwany obrót:

– A wiesz, może to i dobrze? Gdybyś tak nauczyła się buchalterii... – na głos rozmarzyła się Kinga.

– Buchalterii? Po co?

– Bo to taki popłatny zawód. Znalazłabyś pracę w Gutowie albo i w Płocku...

– Ale ja już mam zawód! Zresztą nie ma mowy! – Gina stanowczo ucięła te projekty, ryzykując jeszcze większą aferę. – Jeśli będę się czegoś uczyć, to tylko aktorstwa!

– Oszalałaś chyba?! Nigdy się na to nie zgodzę!

– Czyżbyś się bała, że zszargam nasze cudowne nazwisko? – zapytała z przekąsem, a matka dobrze wiedziała, że i tak nic nie wskóra.

Sto nocy przepłakała, zanim ostatecznie pogodziła się z postanowieniem Grażyny. Zapomniała już, jak kiedyś sama zarządziła swym losem, w znacznie zresztą bardziej dramatyczny sposób. Zajezierskim powiedziały, że Gina zapisze się na uniwersytet. Kończyło się lato, najodpowiedniejsza pora, by wznowić naukę.

Stangret odwiózł Grażynę do Płocka i tam pomógł wsiąść na statek oraz nadał na bagaż jej kosz paryski. Był to duży, pakowny i lekki kufer, obity czarną ceratą i opasany rzemieniem, z dwiema szufladkami oraz bomboniastym wiekiem, który pamiętał jeszcze panieńskie czasy sióstr hrabiego Tomasza. Jego zawartość była tak załośnie uboga, jak żałośnie ubogie były w tej chwili Gina i jej matka. Co prawda Ada dała siostrzenicy trochę swojej odzieży, ale panna przewyższała ciotkę o pół głowy i to, niestety, od razu rzucało się w oczy.

Gdy statek odbił wreszcie, a Wzgórze Tumskie poczęło się powoli oddalać, Grażyna, bardzo zadowolona, westchnęła głęboko. Dostała trochę pieniędzy od hrabiego, od Ady mały szafirowy naszyjnik, od matki rozmaite przestrogi na drogę i niewielką kwotę w markach polskich. Czuła w sobie mnóstwo siły i chęci, by rozpocząć nowy, ekscytujący etap w swoim życiu.

Kiedy wiele lat później usiłowała spisać swoje wspomnienia i przywołała ten dzień, uśmiechnęła się, myśląc z czułością o naiwnej dziewczynie, którą wtedy była i której młodość pozwoliła nie bać się przyszłości. Nie przewidywała bowiem żadnych przeszkód, a nawet jeśli jakieś by się pojawiły, była gotowa się z nimi zmierzyć, ponieważ nie miała najmniejszych nawet wątpliwości, że oto rusza na podbój świata.

Świat się jednak przyszłej Giny Weylen nie przestraszył. Przyjął ją raczej obojętnie, jeśli nie wręcz chłodno. Gdy wysiadła na nabrzeżu, stwierdziła ze zdumieniem, że Warszawa bardzo się przez czas wojny zmieniła. Nie przyszło jej początkowo do głowy, że to chodzi o szyldy i napisy wyłącznie po polsku. Przede wszystkim czuła radosną atmosferę miasta. Ludzie się do niej uśmiechali i Ginie bardzo się to podobało.

Nie mogła ze swym bagażem wsiąść do tramwaju. Na szczęście wciąż były dorożki i warszawscy dryndziarze! Jednemu z nich kazała się z szykiem wieźć w Aleje Ujazdowskie, do Grabnickich. Miała niezachwiane przekonanie, że ledwie się pokaże w drzwiach, Wiktor lub Mila rzucą się na nią z dzikim okrzykiem radości i nigdy już nie będą się musieli rozstawać. To, że nie odzywali się podczas wojny, o niczym przecież nie świadczy. Wojna to wojna, ma swoje prawa. Ale teraz wreszcie zapanował pokój i trzeba wszystko zacząć od nowa.

Gina miała wielkie plany: chciała pójść do szkoły aktorskiej przy Teatrze Wielkim, a potem dzięki kontaktom Wiktora dostać angaż w jakimś dobrym teatrze, żyć pięknie i beztrosko, jeździć samochodem, palić długie papierosy, ubierać się w spodnie, a wreszcie ściąć włosy, czego jej matka uparcie broniła. Już pierwszy punkt warszawskiego planu spalił na panewce, bo gdy chciała wejść do kamienicy, w której przed wojną mieszkali Grabniccy, odziany w niebiesko-czerwoną liberię portier zagrodził jej drogę. Usłyszawszy, że jest przyjaciółką państwa Grabnickich, stwierdził jedynie sucho:

– Już tu nie mieszkają, panienko.

– A gdzie?! – Gina zapytała wściekła, bo tymczasem odprawiła fiakra.

– A bo mnie to wiedzieć? Takie państwo się nie opowiada! – portier odrzekł obojętnie, uznawszy sprawę za zamkniętą.

Grażyna rozejrzała się niepewnie. Dokąd ma pójść? Jej plan nie uwzględniał sytuacji awaryjnych, ani przez chwilę nie pomyślała, że Wiktora w Alejach Ujazdowskich nie będzie. Może zresztą jest gdzieś niedaleko, tylko ona o tym nie wie. Ta świadomość doprowadzała ją do rozpaczy. Zbliżał się wieczór, czas było pomyśleć o noclegu, a i kiszki grały jej marsza. Postanowiła zaryzykować i wsiadłszy do dorożki, kazała się wieźć na pensję pani Sikorskiej. Fiakier spojrzał na nią spode łba, lecz nic nie powiedział. Dosłownie minutę później zatrzymał się przed kilkupiętrowym gmachem przy Alejach Ujazdowskich 40.

Wysiadła. Stojąc przed wysokim budynkiem, zadzierała głowę do góry. Wszystko się zgadzało poza pierwszym słowem. Na szyldzie widniał bowiem napis: Państwowe Gimnazjum Żeńskie im. Królowej Jadwigi.

Niezrażona, weszła i zapytała woźnego o przełożoną. Jadwigę Sikorską zdziwiła nieoczekiwana wizyta, jednak przyjęła Ginę ciepło i we własnym mieszkaniu udzieliła byłej wychowance gościny.

– I cóż ty, moja duszko, teraz zamierzasz? – zapytała, patrząc z uśmiechem, jak dziewczyna, niepomna zasad dobrego wychowania, w pośpiechu wcina butersznyty[6]. – Przydałoby się chyba kontynuować naukę?

– No... Tak. W zasadzie po to przyjechałam – gładko kłamała Gina. W rzeczywistości nie miała najmniejszego zamiaru wstępować na uniwersytet, tylko do szkoły dramatycznej, najlepiej od razu jutro rano. Straciła już przecież tyle czasu!

Starsza pani upiła łyk herbaty i spojrzała na wychowankę sponad drucianych oprawek okularów:

– Rozumiem, że należałoby cię teraz zapytać, co kryje się pod owym tajemniczym „w zasadzie"? Masz zamiar dalej się uczyć, czy też nie?

Przełożona znała Ginę na tyle, by wiedzieć, że jej poglądy i pomysły niekoniecznie muszą zgadzać się z powszechnie obowiązującymi, toteż nie zdziwiła się wcale, usłyszawszy entuzjastyczne, z głębi gorącego serca płynące:

– Tak! W szkole dramatycznej!

– Paradne! – Uśmiechnęła się lekko. – Kiedy przypomnę sobie wasze przedstawienia, a zwłaszcza to ostatnie przed wojną, pamiętasz, to o królowej Jadwidze, któreście pokazały na moje imieniny w dziewięćset trzynastym, jak to już dawno było... Otóż nie uwierzysz, ale pamię-

[6] Kanapki (niem.).

tam jak dziś, pomyślałam wtedy, że tyś się urodziła na aktorkę.

– Naprawdę tak pani pomyślała? – zachwyciła się Gina, przełykając ostatni kęs kanapki.

– I w gruncie rzeczy, moja duszko, nie dziwisz mnie wcale. Masz urodę, która może nie powala, ale twoje rysy są regularne, twarz miła, masz dobrą postawę, ciekawy głos, potrafisz śpiewać i – co najważniejsze – gdy zechcesz, kłamiesz jak z nut, a to jest według mnie podstawa wszelkiego aktorstwa.

Gina opuściła oczy, czując się zganioną.

– Ależ nie zrozum mnie źle. Za stara już jestem, by komukolwiek wystawiać cenzurki – powiedziała przełożona i parsknęła niczym pensjonarka. – Powiesz, że robię to przez całe moje życie i będziesz miała rację. Ale to nie są świadectwa moralności. W życiu każdy musi sam zadbać o tę ocenę. Jednak o to mniejsza. Powiedz mi, moja duszko, a masz ty aby na czesne?

Gina tylko w milczeniu pokręciła głową.

– Rozumiem... Więc nie masz wyjścia i musisz zagrać *va banque*. Idźże jutro do cukierni Bliklego. Pamiętasz ją? Stoi tam, gdzie zawsze, przy Nowym Świecie. Przed rozpoczęciem sezonu odwiedzają ją dyrektorzy teatrów. To nieoficjalna giełda aktorska. Spróbuj, kto wie, może i do ciebie uśmiechnie się szczęście?

Rzadko zdarzały się sytuacje, kiedy zdumienie odbierało Grażynie Toroszyn mowę. „Duszka" nie skrytykowała, nie wyśmiała jej marzenia, wręcz przeciwnie, poparła je całym swym pedagogicznym autorytetem. Któż by się spodziewał?

– Przez kilka dni możesz się zatrzymać u mnie. Całe dnie i tak przesiaduję w gimnazjum. Zaraz zaczynamy nowy rok szkolny.

*

Następnego ranka pojechały razem tramwajem linii 14. Przełożona udała się w Aleje Ujazdowskie, Gina zaś wysiadła przy Nowym Świecie. Zanim zanurzyła się w kusząco pachnącym wnętrzu cukierni Bliklego, dziarskim krokiem pomaszerowała w górę ulicy, by sprawdzić, czy przy Krakowskim Przedmieściu 31, niedaleko Hotelu Saskiego, wciąż funkcjonuje ów słynny Skład Apteczny i Perfumeria Staniszewskiego, którego jednym z najlepszych klientów był Wiktor Grabnicki.

Niestety, subiekt[7] z działu aptecznego powiedział jej, iż nikt od państwa Grabnickich nie pokazywał się w sklepie od początku wojny, nie było też żadnych zamówień telefonicznych, co sprawdził w leżącej obok książce, więc nie dysponuje aktualnym adresem klienta.

Ta wiadomość ją przybiła. Pozostawał już tylko Anin, ostatnie miejsce, które przychodziło jej do głowy, w którym mogłaby znaleźć Milę i Wiktora. Nie namyślając się długo, porzuciła plan powrotu do cukierni Bliklego, wskoczyła natomiast do tramwaju linii 4 i pojechała na Pragę, by tam na stacji Most wsiąść do kolejki jabłonowsko-wawerskiej.

Zamyślona, patrzyła przez okno tramwaju na połyskującą w dole Wisłę, na ludzi idących przez most ku miastu, na tętniące ruchem i nowym życiem ulice. Gdy w Wawrze wysiadała z wagoniku, serce waliło jej jak młotem. Tak dawno tu nie była! Wciągnęła w płuca pachnące już jesienią żywiczne powietrze letniska i przekroczywszy tory kolejowe, skierowała się ulicą Tramwajową ku alei Środkowej. Anin, cichy i senny, niewiele się przez czas wojny zmienił. Gina popatrywała na prawo i lewo, mijała znajome domy, kłaniała się ludziom, którzy jej nie poznawa-

---

[7] Sprzedawca (łac.).

li, bo nie była już przecież tamtym dzieckiem. W głowie znów układała sobie słowa powitania. I znowu na próżno. Dom Grabnickich stał smutny, z zamkniętymi okiennicami, furtka na posesję obwiedziona lekko przyrdzewiałym łańcuchem nie pozostawiała wątpliwości, że gospodarzy dawno tu nie było.

Zachciało jej się płakać. Czepiając się resztek nadziei, zapytała o Grabnickich w kantorze kolei nadwiślańskiej. I tam jednak nikt od dawna ich nie widział, a i o Felusiowej nie potrafiono powiedzieć niczego pewnego. Podobno przeprowadziła się gdzieś na Wawer czy Sadul[8], tam trzeba by zapytać, ale gdzie, kogo, nie wiadomo.

Udręczona brakiem jakichkolwiek wieści, Grażyna wróciła do miasta. Było już dobrze po południu, a ona czuła, że zupełnie zapomniała o swoim żołądku, który teraz, jakby odczekawszy na odpowiednią chwilę, właśnie o sobie przypomniał dotkliwym ssaniem.

Bez nadziei, bo w takim dniu nic się przecież nie może udać, poszła jednak do cukierni Bliklego. Zjadła pączka i zasępiła się, nikt z gości bowiem nie rzucił się ku niej z propozycją zaangażowania w teatrze. Jedynym plusem było to, że podsłuchała jakąś rozmowę, z której wynikało, jakoby poszukiwane były szansonistki[9] do Czarnego Kota przy Marszałkowskiej. Postanowiła to niezwłocznie sprawdzić.

Dyrektorem powstałego w 1917 roku teatru był Kazimierz Wroczyński, dziennikarz i autor z ambicjami artystycznymi. Choć repertuar obejmował raczej gatunki zaliczane do lekkich, pisało dlań wielu popularnych i ce-

---

[8] Osiedla sąsiadujące z Aninem.

[9] Śpiewaczki kabaretowe (fr.).

nionych autorów, w tym Tuwim, Or-Ot czy Winawer, a występowali znani Ginie aktorzy, tacy jak Wincenty Rapacki junior czy Mieczysława Ćwiklińska. Czyżby i ona miała szansę stanąć kiedyś u ich boku? Tymczasem jednak nie znalazła w sobie odwagi, by wejść do środka i poprosić dyrektora o przesłuchanie. Zawsze pełna animuszu, często nawet ponad wszelką miarę, teraz poczuła lęk i cofnęła się w ostatniej chwili.

Wróciwszy wieczorem do mieszkania przełożonej, zdała jej relację ze swych niepowodzeń. Jadwiga Sikorska surowo nakazała wychowance następnego dnia powtórzyć próbę zdobycia angażu.

Dobrze, że kochana Duszka wykazała taką przytomność i wiarę w umiejętności aktorskie Giny, bo gdyby nie ona, kto wie, czy przyszła gwiazda teatru, kabaretu i filmu nie wsiadłaby tego samego dnia na statek do Płocka i nie wróciła jak niepyszna do Zajezierzyc! Ale nie mogła spojrzeć przełożonej prosto w oczy i narażając się na śmieszność, powiedzieć, że stchórzyła. Nie, już śmierć ze strachu lepsza.

Tak więc następnego dnia, parząc usta gorącą herbatą, siedziała zdrętwiała przy stoliku.

– Wolne to miejsce? – usłyszała nagle nad głową. Podniosła wzrok i zobaczyła najpierw pulchną buzię, potem dwa dołeczki w policzkach, następnie śliczne różowe usta i w końcu zielone oczy pod kaskadą lekko kręconych kasztanowo-rudych włosów.

– Tak, proszę – odpowiedziała uprzejmie.

Nowo przybyła usiadła i rozejrzała się po sali. Była w wieku Giny lub nieco starsza. Ubrana dość pospolicie, aczkolwiek nie bez pretensji do elegancji.

– Angażują? – zapytała szeptem.

Gina pokręciła głową na znak, że nie ma pojęcia.

– Aktorka? – padło kolejne pytanie.

Tym razem ruch głowy oznaczał potwierdzenie.

– Pola Łączyńska – powiedziała nowa.

– Gina Weylen.

– Oczywiście pseudonim?

– Oczywiście. – Wybuchły śmiechem i już były przyjaciółkami.

– Gdzie grałaś? – zapytała Pola.

– Nigdzie – przyznała Gina szczerze.

– To tak jak ja – westchnęła tamta. – Ciągle ta prowincja... Chciałoby się wreszcie zaczepić w stolicy... – Rozmarzyła się rzewnie i rozejrzała po sali. – Tego w kącie znam, on jest dyrektorem w Płocku.

– Płock nie! – Gina krzyknęła jak oparzona. Tylko tego brakowało, żeby musiała stanąć oko w oko z Zajezierskimi, którzy w płockim teatrze abonowali lożę tuż obok sceny! Chybaby się ze wstydu spaliła. A co zrobiłby wuj Tomasz? Wszedł na scenę i za pomocą laski wygonił ją z teatru? Widzom mogłoby się to nawet wydać zabawne. Ale ciocia Ada pewnie nie przeżyłaby takiej konfuzji. Płock stanowczo nie wchodził w rachubę.

– Ćśśś! – syknęła Pola. – Ktoś tu idzie!

– Pozwolą panie, że się przedstawię! – powiedział wysoki, tęgi mężczyzna po czterdziestce. – Brykało jestem. Prowadzę najlepszy kinoteatr w Lublinie. Poszukuję tancerek i żeby też trochę śpiewały. Reflektują panie?

– Witamy, panie Brykało! – odparła Pola tonem gwiazdy i z całej siły ścisnęła pod stołem dłoń Giny. – Miło nam poznać tak sławnego antreprenera[10]. Oczywiście angaż do Lublina jest naszym marzeniem. A kontrakt pan może ma przy sobie, abyśmy mogły nań rzucić okiem?

---

[10] Przedsiębiorca teatralny, impresario (fr.).

– Jedną chwileczkę, miła pani, jedną chwileczkę! – powiedział Brykało i smyrgnął ku swojemu stolikowi, gdzie z niechętną miną, świadczącą o zmęczeniu, braku entuzjazmu i obojętności na wszystko, a zwłaszcza na słynne bliklowskie pączki, siedział jego wspólnik, niejaki Sitnicki. Brykało wyszarpał z rąk Sitnickiego teczkę, wyjął jakiś papier i z triumfalną miną położył przed Polą na stoliku.

– Otóż i jest! Warunki nie są może rewelacyjne, ale same panie rozumieją – wojna i ten tego...

– Panie Brykało... – Pola przerwała mu chłodno. – My z koleżanką byłyśmy podstawowymi siłami w Płocku. Tym kontraktem może pan nas tylko rozśmieszyć. Czekamy tu na dyrektora teatru Sfinks i jeśli nie podniesie pan gaży, obawiam się, że nasza znajomość jeszcze dziś się zakończy.

Impresario podrapał się po głowie, podszedł do wspólnika, coś mu poszeptał na ucho, tamten otworzył i zamknął oczy, co jak się potem okazało, było dowodem najwyższego zainteresowania. Brykało wziął drugi angaż, z kwotami o jedną trzecią wyższymi, choć i tak głodowymi, i położył przed dziewczętami.

– A jak by się panie zapatrywały na taką propozycję?

Pola spojrzała na Ginę, Gina spojrzała na Polę, skinęły sobie głowami.

– Rozumiem, że angażuje pan nas obie? – zapytała dla formalności Pola.

– Naturalnie, że obie! – Na obliczu Brykały rysowała się wyraźna ulga, ale jeszcze większą czuły w swych sercach dwie świeżo upieczone artystki teatru Alhambra, które tydzień później miały po raz pierwszy stanąć na lubelskiej scenie.

*

Lublin przypominał Ginie Płock. Zamieszkały z Polą u pewnej wdowy, dla oszczędności w jednym pokoju, i niemal wszystko robiły razem. Kiedy tylko rozlokowały się w swojej kwaterze, wyszły pospacerować ulicami miasta. Krakowskie Przedmieście skąpane w popołudniowym słońcu, w tej magicznej godzinie, kiedy wszystko tonie w różowości, nastroiło dziewczęta swawolnym humorem. Najpierw zaczęły chichotać, potem zaczepiać przechodniów. Miały ochotę zrobić coś zwariowanego i kiedy mijały zakład fryzjerski, Gina wpadła na pomysł:

– Obetnijmy włosy!

Włosy Grażyny stanowiły przedmiot dumy jej matki. Lubiła je gładzić, niekiedy nawet sama szczotkowała, by nadać im piękny połysk. Ale Kingi Toroszyn nie było w pobliżu, by wezwać dziewczynę do opamiętania. Gina i Pola rozgadane weszły do zakładu. Z niecierpliwością postukiwały stopami o podłogę, czekając na swą kolej. A gdy wreszcie usiadły w fotelach, jedna obok drugiej, i zażyczyły sobie ostrzyżenia na krótko, fryzjerka, gotowa układać im najbardziej wymyślne koki, oniemiała. Nie tylko nie wiedziała, jak się do tego zabrać, lecz także wręcz bała się zeszpecić panienki!

Pobiegła do patrona. Starszy fryzjer wyszedł z zaplecza, wysłuchał obu stron, pokręcił nosem i już chciał powiedzieć, że takiej usługi się w jego zakładzie nie wykonuje, kiedy młody fryzjerczyk z działu męskiego zasugerował odważnie, że jeśli pannom bardzo zależy, on może się podjąć zadania.

Pola i Gina przytaknęły, fryzjerczyk dobrał sobie najlepsze nożyczki, wokół, niczym przed egzekucją, zebrała się grupka gapiów i w jednej chwili piękne, połyskujące jak skrzydło kruka loki Grażyny spadły na podłogę, a ona sama zobaczyła w lustrze kogoś, kogo nie spodziewała się tam ujrzeć: siebie samą, nagle młodszą o kilka lat, chłopak bowiem zrobił jej dziecięcą fryzurkę, strzygąc na pazia. Włosy zostały obcięte na wysokości szczęki, z przodu nieco dłuższe, z tyłu krótsze, z równą grzywką na czole.

„Co ja zrobiłam!" – pomyślała Grażyna, zdjęta grozą.

W tym czasie Pola, gotowa uciec sprzed lustra, zbierała w sobie całą odwagę, by w odruchu solidarności oszpecić się podobnie jak przyjaciółka. Pozostawała jej tylko nadzieja, że włosy szybko odrosną. Z nosami na kwintę zapłaciły, wcisnęły jak najgłębiej kapelusze i wbiwszy wzrok w trotuar[11], wróciły do domu.

Następnego dnia początkowo nie zdjęły kapeluszy w teatrze, a gdy to wreszcie uczyniły na wyraźne żądanie dyrektora, Brykało omal nie dostał apopleksji.

– C... co to za menażeria?! Panie mi tu rewolucję chcą zrobić?! Tu nie jest Paryż, tu nie jest Rosja! Tu jest Lublin! Ja tu prowadzę porządny teatr! Do mnie przychodzą obywatele z żonami, jak ja mam aktorki w takim stanie na scenę wypuścić?! Jeszcze pomyślą, żeście po tyfusie, i mi z teatru uciekną. A jak uciekną, to już tak prędko nie wrócą. Skaranie boskie z tymi pannami! Marsz na próbę, a podczas występów bez peruk mi się nie pokazywać i zgorszenia nie siać, bo tygodniówkę obetnę!

Po tym wstępie, starając się niepotrzebnie nie tracić czasu na życie towarzyskie, Brykało rozdał powielone ręcznie egzemplarze wodewilu i przydzielił role. Aktorzy kilkakrotnie przeczytali całość, potem z pianistą próbowali swoje partie wokalne. W domu pozostawało im nauczyć się na pamięć jak najwięcej tekstu mówionego.

Przygoda z obciętymi włosami, które zresztą rzeczywiście szybko odrosły, spowodowała, że Gina zaczęła za-

---

[11] Chodnik (fr.).

glądać do modystek, a z czasem wymyślne kapelusze stały się jej znakiem rozpoznawczym. Było to już jednak w Warszawie, kiedy mogła sobie na nie pozwolić, na razie zadowalała się jednym przywiezionym z domu kapelusikiem, który kupiła jej jeszcze matka i w którym wciąż wyglądała na pensjonarkę.

Jako początkująca aktorka w prowincjonalnej antreprzyzie[12] Gina codziennie przeżywała chwile zadziwienia. Przede wszystkim oszołomiło ją tempo pracy. Pola, która ukończyła Szkołę Aplikacyjną przy Warszawskich Teatrach Rządowych oraz przepracowała dwa sezony w objazdach, była jej przewodniczką w świecie teatru. Przy niej Grażyna zrozumiała całą głębię słowa „debiut". Pierwszym zaskoczeniem było to, że spektakl od kulis wygląda zupełnie inaczej niż od strony publiczności.

Do tej pory teatr był w jej oczach rodzajem świątyni, a przedstawienie swoistym misterium rozgrywającym się w pięknych miejscach. Gdy z ciemnych kulis weszła po raz pierwszy na scenę, ta magia rozpłynęła się wśród poklejonych listewkami tyłów dekoracji, które z foteli widzów tworzyły piękny park lub pałac. Stroje aktorek nie miały wiele wspólnego z elegancją. Choć z daleka skrzyły się bogactwem, po bliższym przyjrzeniu raziły sztucznością.

Skupiając uwagę, by się na czymś nie potknąć, nie przydepnąć sukni swojej lub partnerki, Gina zauważyła, że scena dla aktorów to nie czarowny dom modlitwy, a miejsce pracy, gdzie liczy się punktualność, uwaga i dobre przygotowanie. Na szczęście jej pierwsze role liczyły zaledwie po kilka zdań w rodzaju: „Powóz zajechał" czy „Przyniesiono

---

[12] Teatr.

list", toteż schowana w kulisach mogła zachłannie obserwować kolegów i od nich uczyć się gry aktorskiej.

Pola wprowadziła ją w tajniki makijażu scenicznego, ona pokazywała Ginie, jak należy chodzić i mówić. Wiele też przyszła artystka zawdzięczała reżyserom, którzy widząc jej potencjał i niesłabnący zapał do nauki, chętnie pracowali z nowicjuszką. Dziewczęta bawiły się świetnie, przygotowując nowe premiery, trochę też flirtowały z kolegami, ale nie na poważnie, bo miały wielkie ambicje i bardzo chciały się wybić. Z tego powodu dostały wspólny pseudonim: „Hrabianki". Na razie Gina szła krok za Polą, nie miała przygotowania ani doświadczenia, dlatego dostawała mniejsze rólki, robiła jednak postępy i fantazjowała, że nazwisko Gina Weylen wkrótce zabłyśnie na warszawskim firmamencie. Na razie jej umiejętności nie doganiały marzeń, ale to Ginie zupełnie nie przeszkadzało.

Z powodu dużej ilości pracy nie pojechała, jak początkowo miała w planach, na Boże Narodzenie do Zajezierzyc. Wraz z Polą zostały zaproszone na skromną kolację do swej gospodyni, Zajezierscy zaś przy jeszcze krótszym niż rok wcześniej stole usiedli do wieczerzy wraz z Kingą Toroszyn, Zdzisławem Pawlakiem oraz służbą. Jak zwykle podano zupy: grzybową z łazankami oraz czerwony barszcz z grochem, potem kapustę z grzybami, fasolę w sosie, smażonego karpia, śledzia z cebulą oraz kluski z makiem. W poczuciu niepewności i lęku o przyszłość życzono sobie przede wszystkim zdrowia.

Pierwszego dnia świąt odbył się skromny ślub Kingi Toroszyn z rządcą zajezierzyckim Zdzisławem Pawlakiem. Wesela ani podróży poślubnej państwo młodzi nie planowali.

1 lutego powstała w Opolu powołana na mocy traktatu wersalskiego Międzysojusznicza Komisja Rządząca i Plebiscytowa, która miała dopilnować sprawiedliwego przebiegu plebiscytu na Górnym Śląsku. W sekretariacie jej powiatowego oddziału przy ulicy Warszawskiej w Katowicach, jako osobista sekretarka i tłumaczka pułkownika Blancharda, znalazła zatrudnienie Magdalena Connor. Praca była pasjonująca i dobrze płatna, chociaż ani ojcu, ani Paulowi nie podobało się, że mężatka, zamiast siedzieć w domu i pilnować garów, całe dnie, a nieraz i wieczory spędza w pracy.

Obiecała im, że ten stan rzeczy długo nie potrwa, a kiedy komisja zakończy działalność, ona innej pracy szukać już nie będzie. W duchu postanowiła, że rzuci posadę, gdy poczuje się przy nadziei. Na Śląsku było niespokojnie, szalał terror, najwyraźniej Niemcy nie chcieli dopuścić do ewentualnej utraty uprzemysłowionego, bogatego Śląska. Pod koniec maja niemieckie bojówki zaatakowały Polski Komisariat Plebiscytowy w Bytomiu, dlatego uznała, iż tak będzie bezpieczniej. Ale na razie nie pojawiały się żadne oznaki, że wkrótce zostanie matką, siedzenie zaś w domu i wykonywanie wciąż tych samych nudnych prac w oczekiwaniu na ojca i męża wydawały się jej po prostu stratą czasu.

– No i doczekałem się na stare lata we własnym domu sufrażystki[1]! – niby to złościł się Mielżyński, ale kochał córkę i był z niej dumny. Oczywiście czekał też na wnuki i właściwie nie miał wątpliwości, że kiedy nadejdzie odpowiedni czas, Magdalena podobnie jak jej matka będzie wiedziała, jakie tak naprawdę są obowiązki żony i matki.

Tymczasem wojna wciąż nie chciała się skończyć. Mimo proklamowania niepodległości i podpisania traktatów pokojowych na wschodzie kraju niemal przez cały czas trwały walki, Rosja Radziecka postanowiła bowiem wyzwolić europejski lud pracujący i dopomóc w przekształceniu na swój obraz i podobieństwo kilku innych krajów, gdzie przywództwo objęłyby zależne od niej Rady Robotnicze i Żołnierskie. Polska miała nieszczęście sąsiadować z ojczyzną proletariatu, dlatego jej właśnie przypadła rola stawienia oporu kolejnemu, tym razem sowieckiemu imperializmowi.

W kraju, który po wielu latach niewoli dopiero zaczynał budować swą państwowość, ogołoconym przez zaborców i okupantów ostatniej wojny niemal doszczętnie, panowały bieda i głód, a jednocześnie wielki oraz powszechny entuzjazm towarzyszący odzyskanej niepodległości. Młodzież masowo wstępowała do wojska, a kościoły były pełne.

Pola i Gina zadebiutowały w burlesce *Jak uwieść milionera?*, która szła kompletami przez dwa tygodnie, co w Lublinie stanowiło ewenement. Ich rólki, choć podrzędne, zostały zauważone i docenione w prasie. Repertuar zmieniał się co tydzień, toteż na brak pracy nie mogły narzekać.

[1] Emancypantka (ang.).

Dzięki temu dziewczęta nie myślały o głodzie i chłodzie. Jeśli nie próbowały akurat nowych numerów, to szyły sobie z jakichś resztek kreacje, by godnie prezentować się podczas organizowanych przez miejscowych notabli przyjęć, które były często jedyną okazją, aby się najeść do syta.

Po latach Gina z wielkim sentymentem będzie wspominać w pamiętnikach ten krótki, pierwszy w swej karierze sezon lubelski, zakończony odgłosami zbliżającego się frontu wojny polsko-rosyjskiej:

„Tak więc, choć wcale nie było mi źle, przeciwnie, czułam się po roku jak u siebie w domu, musiałam wyjechać z Lublina w obawie, że Sowieci wkroczą tam lada dzień i zacznie się nowa, teraz już radziecka, okupacja. Zresztą wielu ludzi myślało podobnie i w kierunku Warszawy latem 1920 roku ciągnęły od strony Lublina liczne tabory uciekającej ludności cywilnej, a pociągi były przepełnione. Nie byłam więc sama"[2] – pisała u schyłku życia.

Tymczasem z Zajezierzyc docierały wieści, że z chwilą, gdy w końcu czerwca groźba podejścia bolszewików pod Płock stała się całkiem realna, Eduś Radziewicz z dużą grupą okolicznej młodzieży zaciągnął się do polskiego wojska i po krótkich ćwiczeniach wyruszył wraz ze swoją 8 brygadą kawalerii na front.

Nastał lipiec, Gina wracała z niewieloma rzeczami, ale z ogromnym bagażem doświadczeń. Połknęła bakcyla sceny, mnóstwo się nauczyła, miała kajet recenzji z lubelskiej prasy, mogła wreszcie pójść do Czarnego Kota i z podniesionym czołem starać się o angaż.

Postanowiła też na nowo rozpocząć poszukiwania Wiktora. W ciągu ostatniego roku żyła tak intensywnie, że jego postać nieco w jej myślach przyblakła. Czasami przy-

---

[2] Gina Weylen *Moje najlepsze chwile*, Londyn 1956, s. 54.

chodziła Ginie do głowy straszna myśl, że on nie żyje. Zastanawiała się, co mogło stać się z całą rodziną Grabnickich, a zwłaszcza z jej ukochaną Milą, dlaczego do niej nie pisze?

W lipcu Magdalena Connor zrozumiała, że jest w ciąży. Nie krwawiła od dwóch miesięcy i nie mogło to oznaczać nic innego. Zastanawiała się, czy od razu złożyć wymówienie w pracy, czuła się jednak dobrze, nic jej nie dolegało, toteż nic nikomu nie mówiąc, uznała, że poczeka do końca miesiąca.

17 sierpnia prasa niemiecka dała wyraz myślenia życzeniowego, zamieszczając fałszywą pogłoskę o zdobyciu Warszawy przez bolszewików. W mieście zrobił się tumult, niemieckie bojówki zaczęły demolować sklepy, sądząc, że rychły jest koniec polskich rządów na Śląsku. Niedaleko siedziby Powiatowego Inspektora Komisji Międzysojuszniczej doszło do wymiany ognia. Żołnierze francuscy zabili kilku bojówkarzy. Niemcy zaś niemal na oczach Magdaleny zamordowali doktora Andrzeja Mielęckiego.

Co prawda udało jej się bezpiecznie przedostać do domu, ale w nocy miała bardzo silne bóle w dole brzucha, w wyniku których zaczęło się krwawienie. Nad ranem obudziła Paula. Przeraził się stanem żony. Pobiegł po dorożkę i pół godziny później byli już w szpitalu. Lekarze zahamowali krwotok, ale dziecka nie dało się uratować. W dodatku tak duża utrata krwi zagrażała życiu matki.

Paul, skamieniały z bólu, jak wtedy w Czechach, siedział przy łóżku, trzymał jej dłoń i mówił o swojej miłości, o domu, który dla niej zbuduje, i dzieciach, które będą się przed nim bawić. Magdalena próbowała się do niego uśmiechać, ale oddychała szybko, jakby nie mogła złapać tchu. Miała duszności i było jej zimno, a jednocześnie obficie się pociła. Na papierowo bladej twarzy rysował się wyraz niepokoju. Wzywała matkę, jakby ją widziała.

Następnego dnia już nie żyła.

Śmierć Magdaleny wydawała się jej ojcu i mężowi ponurym żartem. Siedzieli w szpitalu i nie wierzyli. To nie mogło się stać tak nagle, tak nieoczekiwanie, tak bez żadnego powodu! Przecież jeszcze wczoraj jadła z nimi kolację! Owszem, uskarżała się na ból brzucha, ale przecież od tego się nie umiera! Wyrzucali sobie, że nie domyślili się, iż jest w ciąży, i nie zabronili jej tego dnia pójść do pracy. Któż jednak mógł się spodziewać, że wypadki potoczą się aż tak tragicznie?

Pogrzeb Magdaleny Connor odbył się tydzień później. Za trumną szły trzy osoby: ojciec, mąż i ciotka nieboszczki, Alicja Staube. Wszyscy troje płakali.

Wróciwszy do mieszkania, Paul i Mielżyński upili się i znów płakali.

– Kiedy umarła Gabriela, myślałem, że już nic gorszego nie może mnie spotkać. Bo przecież nawet bym nie pomyślał, że przyjdzie mi grzebać własne dziecko! – powiedział Mielżyński dziwnie trzeźwo. – A teraz stracę jeszcze syna – dodał i umilkł, jakby oczekiwał, że Paul zaprzeczy. Ale on myślał dokładnie o tym samym. Żałował teścia, lecz w gruncie rzeczy byli przecież obcymi ludźmi.

Miesiąc później podjął decyzję o powrocie do Ameryki. Nie miał tu dla kogo zostawać. Ten zrujnowany kraj napawał go przerażeniem. Paul był zmęczony wojną, pragnął wrócić do Nowego Jorku i zapomnieć o wszystkim, co wydarzyło się od dnia, kiedy po raz pierwszy wszedł do okopu. Wahał się jeszcze kilka tygodni, nie chcąc zostawiać teścia samego. Ale czuł, że aby wydobyć się z nastroju przygnębienia, musi coś w swoim życiu zmienić. Nie może zostać w tym mieszkaniu, gdzie snuł z Magdaleną plany na przyszłość, gdzie kochali się po raz pierwszy, a także ostatni, gdzie usłyszał od niej tyle tkliwych słów. Gdzie był najszczęśliwszy i najbardziej nieszczęśliwy. Najchętniej ruszyłby przed siebie, dokąd oczy poniosą. Byle jak najdalej.

Mielżyński wyczuwał jego nastrój. Na razie nic nie mówił, ale wiedział, że chłopak odjedzie. Zresztą życie przed nim, nie może spędzić go nad grobem Magdy, ona by sobie tego na pewno nie życzyła.

Pod koniec października Paul wyjechał z Katowic do Warszawy. Chciał udać się do Zajezierzyc, korzystając z jedynej być może okazji, aby zobaczyć okolice, gdzie wychowywała się jego matka, Marianna. Organistówka, w której mieszkał dziadek, zapewne jeszcze stoi, podobnie jak pałac i zabudowania, w których prowadziła szkołę. Jadąc zatłoczonym pociągiem w kierunku Warszawy, Paul patrzył na kraj, który wzbudzał w swych obywatelach tak wiele entuzjazmu, za którym potrafili tęsknić latami, a którego odwiedzenie obiecywali sobie niczym spełnienie największego marzenia. Ten kraj nie był jego ojczyzną, przyglądał mu się chłodnym okiem obcego. Na każdym kroku widział biedę, brak dobrej organizacji, zacofanie gospodarcze.

Zrozumiał, że jego miejsce jest gdzie indziej.

Wysiadając na Dworcu Kolei Warszawsko-Wiedeńskiej, wciąż nie miał sprecyzowanych planów, dokąd się udać i czy obejrzeć Warszawę, stolicę tego dziwnego państwa, czy też od razu poszukać połączenia do Zajezierzyc. Ponieważ jednak zbliżał się wieczór, wsiadł do taksówki i kazał się wieźć do hotelu.

Pojazd długo krążył ulicami, wreszcie przystanął przed niewysokim gmachem, który przy całej nieznajomości miasta wydawał się Paulowi dziwnie bliski dworca. Nie skomentował tego spostrzeżenia, zapłacił, ile mu kazano, z tabliczki na drzwiczkach zapamiętał jednak adres przedsiębiorcy, obiecując sobie, że nie puści sprawy płazem.

Kiedy następnego dnia stanął na ulicy Leszno przed firmą AutoGarage, zastanawiał się, po co tu w ogóle przyszedł? Czy zostanie zrozumiany? W Stanach taką rzecz uznano by za przestępstwo, tu może jest czymś normalnym? Nie znał kraju, nie był jego obywatelem. I choć miał w żyłach słowiańską krew, czuł się bardziej Amerykaninem niż Polakiem.

Zapytany o bossa, młody człowiek w roboczym kombinezonie wskazał na kantor w głębi sali.

Gdy Marian Cieślak zobaczył wysokiego, przystojnego bruneta rozmawiającego z mechanikiem, pomyślał, że to może ktoś z ogłoszenia. Firmie Partyka i Cieślak Cie[3] udało się kupić z wojskowego demobilu kilka aut, przerabiano je właśnie na taksówki, wciąż brakowało jednak przeszkolonych, doskonale znających miasto „jeźdźców".

Człowiek, który stał w drzwiach, wyglądał na niewiele ponad dwadzieścia lat i nim się jeszcze o to zwrócił, miał już posadę w kieszeni. Otworzywszy drzwi do kantoru, odczekał chwilę, aż szef zakończy rozmowę i odłoży słuchawkę na widełki.

– Czym mogę służyć? – spytał Cieślak.

– Pan Cieślak?

– Słucham?

– Wczoraj pana człowiek z Dworca Głównego do Hotelu Metropol wiózł mnie cały kwadrans. Ja dziś na piechotę

---

[3] Spółka (skrót od fr. *Compagnie*).

szedłem tą trasą trzy minuty. Czy tu, w Polsce, jest taki zwyczaj, czy to była jego własna idea? – powiedział jakąś dziwną, twardą polszczyzną.

Nieoczekiwanie Cieślak się roześmiał.

– Pana to śmieszy? – Młody człowiek wydawał się skonsternowany.

– Nie, oczywiście nie! Bardzo przepraszam, myślałem, że jest pan kandydatem do pracy, dałem ogłoszenie. Zwrócę panu za kurs. Ile pan zapłacił? – Sięgnął do szuflady.

– Pan mnie nie zrozumiał. Nie chodzi o pieniądze, tylko o zasadę. Wy budujecie nowy kraj, chcecie go oprzeć na nabieraniu obcych? Oszustwo ma krótkie nogi, panie Cieślak! – Paul mówił jak w natchnieniu, a Cieślak słuchał go z otwartymi ustami.

– Czego pan sobie życzy?

– Ja? Nic. Przyjechałem z Francji, żeby zobaczyć ten kraj, i pomyślałem, że moja matka bardzo by tego nie pochwaliła. Dlatego do pana przyszedłem.

Zaimponował Cieślakowi.

– Pana matka to mądra kobieta. Na długo pan przyjechał?

– Sam nie wiem. Chyba nie…

Cieślak spojrzał na zegarek. Dochodziła dwunasta.

– Zjadłby pan ze mną obiad? – zagadnął.

Było trochę za wcześnie na obiad, ale Paul chętnie poradziłby się Cieślaka, jak najlepiej dojechać do Płocka, z przyjemnością też porozmawiałby z nim o samochodach. Mimo wszystko ten niewysoki pulchny jegomość o szybkich ruchach wzbudził w nim sympatię.

– Czemu nie.

Poszli Pod Łososia. To była zwykła żydowska knajpa przy Lesznie, niezbyt wytworna, to fakt, ale wyśmienicie tu karmili, na stołach leżały zawsze czyste obrusy i nigdy zbyt długo nie czekało się na kelnera. Cieślak zamówił rolmopsy i dwie duże wódki na początek. Patrzył, jak młody człowiek je z ochotą, i żałował, że Bóg nie pobłogosławił mu synem. Szukanie męża dla jedynaczki nieustannie go dręczyło. Mimo niezłego posagu, jaki jej przygotował, żaden kandydat na zięcia nie pokwapił się na drugie spotkanie. A Zyta miała już dwadzieścia sześć lat! Spędzało mu to sen z powiek, aczkolwiek bynajmniej nie dziwiło.

Jej usposobienie trudno byłoby nazwać łatwym i żaden, nawet najlepszy posag nie był w stanie przesłonić tego faktu. Kapryśna, apodyktyczna i złośliwa, szybko zniechęcała do siebie wszystkich młodych ludzi, co doprowadzało rodziców do zgryzoty.

W oczekiwaniu na schabowe z kapustą Cieślak zamówił po tatarze i kolejnej wódce. Udając zainteresowanie matką chłopaka, wypytywał go o plany na przyszłość, a kiedy dowiedział się, że są dość enigmatyczne i co prawda młody człowiek chciałby wrócić do Ameryki, ale w gruncie rzeczy aż tak bardzo go tam nie ciągnie, wpadł na genialny plan: ożeni go z Zytą! Dwudziestopięcioletni wdowiec, były wojskowy, Amerykanin, powinien sobie poradzić z jej humorami.

Słuchając, jak snuje opowieści o wojnie, Mielżyńskim i jego córce, Cieślak uznał, iż ten mężczyzna to najlepszy zięć, jaki mu się kiedykolwiek trafił. Może dostrzegł w nim silny charakter, może coś, co przypominało mu siebie samego sprzed lat, w każdym razie doznawał bardzo silnego uczucia, że się dogadają. Był tylko jeden problem: czy Amerykanin ją zechce i czy ona zechce jego? Przypominając sobie własne intrygi sprzed lat, pomyślał, iż być może konieczne będzie uplecenie jeszcze bardziej misternej, by tych dwoje połączyć, nawet wbrew ich woli.

1995

W sierpniu miejscowa prasa dużo pisała o reaktywowaniu od nowego roku szkolnego dawnej szkoły kwietanek. Ponieważ Celina Hryć była również jej uczennicą, Iga zaczęła śledzić te informacje. Okazało się, że siostry nawiązały korespondencję z Maurice'em Toroszynem, wnukiem swej najsłynniejszej absolwentki – Grażyny Toroszyn, który pozytywnie odpowiedział na zaproszenie i obiecał przyjazd do Gutowa celem odsłonięcia poświęconej babce tablicy pamiątkowej.

Na Idze ta wiadomość nie zrobiła aż takiego wrażenia, jak powinna. Minęło kilka dni i do cukierni przyszła osobiście siostra Justyna, nowa dyrektorka szkoły, z zamówieniem na ciasta, które miały być serwowane podczas uroczystego obiadu po zakończeniu uroczystości.

Iga powiedziała, co zostało wcześniej ustalone z ojcem, że firma zafunduje wszystkie wypieki. Siostra Justyna bardzo się wzruszyła, a gdy dowiedziała się, że chora obecnie właścicielka cukierni również uczęszczała przed wojną do szkoły, choć tylko przez rok, powiedziała:

– W takim razie będziemy się za panią Hryć modliły, by mogła wziąć udział w naszym uroczystym otwarciu.

Wydawało się to typowym pobożnym życzeniem. Raczej nie było szans, by Celina Hryć dała radę choćby zejść po schodach, zostało raptem dwa tygodnie, ale Iga grzecznie podziękowała, zanotowała wszystkie szczegóły i obiecała, iż wszystko będzie wykonane i dostarczone zgodnie z zamówieniem w dniu przyjęcia.

Potem zadzwoniła do Zajezierzyc. Igor Wolski nie krył podniecenia:

– Wszystko wiem! Mają tu przyjechać obaj: Maurice i Xavier, syn i wnuk Adama Toroszyna, zamówili już u mnie dwa pokoje! Że też dożyłem takiej chwili! Tak się cieszę! Oczywiście przyjedzie pani?

– Chyba jako sponsorka? – zakpiła Iga.

– A chociażby! Musi pani przyjechać, jeśli choć trochę interesuje się pani pałacem! Przecież Adam miał zostać usynowiony przez hrabiego! To wnuk Kingi, jego szwagierki, no wie pani, tej Bysławskiej z Długołąki. Hrabina Ada była z Bysławskich. Kinga, jej siostra, wyszła za mąż za Toroszyna, miała z nim córkę Grażynę...

Idze od nadmiaru informacji zakręciło się w głowie.

– Czy będzie pan potrzebował jakchś ciast? Już i tak pieczemy dla klasztoru.

Ale to nie był koniec wydarzeń tego szalonego dnia. Jakąś godzinę później zadzwoniła do sklepu Lucyna Wyrwał:

– Nie uwierzy pani! – ekscytowała się niczym nastolatka. – Moja bratowa znalazła zdjęcia!

– Czyje?

– Lilith Cukierman, to znaczy Apfelbaum, chociaż wtedy jeszcze chyba była Cukierman, tak, na pewno. Wpadnie pani obejrzeć?

Ostatecznie młody Connor nie pojechał na razie ani do Płocka, ani do Gutowa, a tym bardziej do Zajezierzyc. Cieślak, uwodząc go na wszelkie sposoby, roztoczył przed nim perspektywę kierowania przedsiębiorstwem taksówkowym, której młody, ambitny i lubiący samochody Paul nie potrafił się oprzeć. Zaproponowana pensja też była nie do pogardzenia. Szef najwyraźniej go szanował, odbywali często rozmowy dotyczące strategii firmy, Paul miał wolną rękę w nabywaniu nowych samochodów i szkoleniu ludzi. Dostał ogromny kredyt zaufania, na który chciał zasłużyć. Nie ciążyła mu odpowiedzialność, jaką złożono na jego barki. Był młody i często ryzykował, nie zaprzątając sobie głowy ewentualnymi stratami, a obracanie cudzymi pieniędzmi ułatwiało mu zadanie.

Cieślak przypominał mu wuja Jacka. Jowialny, lubił się zabawić i rzadko dawał do siebie przystęp smutkowi. Kochał życie, a dobre jedzenie i wypicie kieliszka wódki od czasu do czasu było jedynym, co mu jeszcze pozostało.

Nie mając nikogo w Warszawie, Paul bywał dość często u Cieślaków – zwłaszcza na niedzielnych obiadach – i chociaż nie zwracał specjalnej uwagi na Zytę, ona przyglądała mu się z zainteresowaniem. Ojciec zresztą chytrze utwierdział córkę w przekonaniu, że Paul, będący wciąż w żałobie po Magdalenie, na pewno jej nie zechce. Ta strategia zaowocowała: Zyta zrobiła się markotna, łagodniejsza, czasem nawet smutna. Podczas wizyt gościa w niczym nie przypominała dawnej złośnicy. Cieślakowie gratulowali sobie potajemnie i czekali na rozwój wypadków.

Na wiosnę Paul poprosił szefa o kilka dni urlopu. Wiedział już, że do Płocka najlepiej popłynąć statkiem, który odchodzi spod mostu Kierbedzia, na miejscu zaś wynająć auto lub dorożkę i jeśli obierze kierunek na Gutowo-Zajezierzyce, wieczorem będzie na miejscu.

Podróż zdezelowanym, zatłoczonym statkiem, sprawiającym wrażenie, jakby zaraz miał się rozpaść, nie należała do przyjemnych i Paul zastanawiał się, czy nie wysiąść na pierwszym postoju w Modlinie. Wytrwał jednak dzięki pięknej pogodzie i przypadkowo poznanemu podróżnemu, młodemu lekarzowi i działaczowi społecznemu Maurycemu Kępnemu z Płocka, z którym rozmowa bardzo go wciągnęła, przez co czas minął niepostrzeżenie. Pomógł on również zorientować się nowemu znajomemu, gdzie znaleźć powóz do wynajęcia, tak więc pod wieczór Amerykanin był już w Gutowie. Ponieważ zapadł zmrok, Paul postanowił zatrzymać się w mieście na noc. Bez trudu znalazł Hotel pod Orłem (dawny Cesarski), w którym po odświeżeniu się zjadł kolację.

Następnego dnia rano, rozglądając się w poszukiwaniu transportu do Zajezierzyc, został grzecznie zagadnięty przez bardzo elegancko ubranego starszego pana z laską.

– Uprzejmie przepraszam, pan chyba nietutejszy?

– Rzeczywiście, nie.

– Proszę mi wybaczyć śmiałość, czy nie wybiera się pan przypadkiem do Zajezierzyc?

Paula zaskoczyło to pytanie, ale ponieważ nie miał nic do ukrycia, odpowiedział zgodnie z prawdą:

– Zgadł pan. Szukam kogoś, kto mógłby mnie tam zawieźć.

– Cóż, ja oczywiście mogę to zrobić, ale nie ma się dokąd spieszyć, hrabiostwo wyjechali na kilka dni do syna. Nie napiłby się pan zatem kawy? Tu, w cukierni Pod Aniołem, przyrządzają znakomitą. Jak na nasze warunki oczywiście – dodał i zaśmiał się piskliwie.

Paul przystał na propozycję, weszli do cukierni, złożyli zamówienie. Starszy pan przez cały czas bacznie go obserwował, aż wreszcie zapytał:

– Pan przyjechał z Ameryki?

– Od kilku lat jestem w Europie, pan rozumie, wojna. Ale urodziłem się w Chicago.

– Czy pańska matka nie ma przypadkiem na imię Marianna?

– Znał pan moją matkę? – zdumiał się Paul. Nawet w tak małym miasteczku nie spodziewał się trafić na znajomych matki, coś się w nim zakotłowało, a głos z lekka zadrżał.

– Tak, podobnie jak pańskiego wuja, Jacka. Oboje ich wyprawiałem do Ameryki. Jak się mewają?

– Cóż, wuj chyba dobrze, choć dawno nie miałem od niego wieści. Matka zaś nie żyje. Zmarła na hiszpankę.

– To bardzo przykre. Była piękną i dobrą kobietą. – Nieznajomy zasmucił się, ale jakby chcąc odpędzić przykre myśli, potrząsnął głową. – A cóż pan zamierza? Czy mógłbym w czymś pomóc?

– Chciałbym zobaczyć Zajezierzyce, odwiedzić groby babki i pradziadka, to wszystko. Dziś jeszcze muszę wracać do Warszawy, inaczej szef urwie mi głowę.

*

Alfred Przaska nie tylko dał przybyszowi powóz z kuczerem, lecz także, chcąc dowiedzieć się o nim czegoś więcej, osobiście towarzyszył Paulowi do Zajezierzyc. Z daleka pokazał mu pałac, zajechali pod kościół i poszli na cmentarz. Patrząc na tego chłopca, Przaska widział prawdziwego syna dziedzica Zajezierzyc. I choć ksiądz Paweł był prawowitym następcą hrabiego, to właśnie ten przybyły z Ameryki młodzieniec, noszący irlandzkie nazwisko swego przybranego ojca, miał twarz, postawę i ruchy hrabiego Tomasza. Wyjątek stanowiła pewna bezpośredniość i brak wyniosłości młodego człowieka, ale w końcu był Amerykaninem, nazywał się wszak Paul Connor.

Przaska nie przyznał się, iż wie, że jest on synem hrabiego, bo młody człowiek nie musiał być tego świadomy. Ale równie dobrze mógł teraz gdzieś głęboko w kieszeni ukrywać pierścień z trzema gwiazdami, który przed z górą dwudziestu pięciu laty zginął z sejfu Zajezierskich.

Po skończonej wizycie w Zajezierzycach Przaska odwiózł Paula do Płocka. Nigdy więcej się nie spotkali.

Dla Jacka Blatko prohibicja oznaczała pieniądze. Czasami zastanawiał się, czy przypadkiem Amerykanie nie wymyślili zakazu sprzedawania alkoholu właśnie po to, żeby odważni i przedsiębiorczy ludzie tacy jak on mogli się bez większego wysiłku dorobić.

Na piecyku opalanym naftą ustawiało się miedzianą beczułkę z mosiężnymi rurkami skręconymi w kształcie sprężyny, z których skapywał do szklanego słoja przeźroczysty płyn. Obok w dużej beczce fermentowała melasa.

Samogon zwali tu „moonshine[1]" i robili, z czego się dało, chociażby z żyta, kukurydzy, kartofli, melasy czy suszonych owoców. Wystarczyło dodać cukru oraz drożdży – i gotowe. Klienci, zagadywani przy okazji robienia zakupów w jego sklepiku, niemal zawsze byli zainteresowani wydaniem dodatkowego dolara czy dwóch na to, czego nagle zabrakło w sklepach. Najwyraźniej człowiek nie jest stworzony do abstynencji.

Destylarnia okazała się jednak nie dość dobrze ukryta w kantorze na tyłach sklepu, bo po miesiącu federalni zwęszyli ją jakimś cudem i zaaresztowali Jacka.

Ten pierwszy areszt kosztował go trzysta dolarów kary, ale gazety, publikując to, co agenci zeznali w sądzie, a mianowicie że destylarnia Jackowa była najczystsza w okolicy, zrobiły mu taką reklamę, że gdy założył kolejny prohibicyjny biznes – dziesięciogalonowy miedziany pojemnik przymocowany pod ladą sklepową – popyt znów przewyższał podaż. Klienci szybko wrócili. Przekazując jedni drugim, że należy przyjść z własną flaszką, zostawiali w kasie mnóstwo dolarów.

Jacek napełniał tylko butelkę, podstawiając ją pod kranik, i żył niczym panisko.

W ten sposób szybko odbił się od dna, odrobił straty i uciułał trochę grosza na czarną godzinę. Niestety, nie trwało to długo, bo policja znów coś zwietrzyła. Tym razem kara była dotkliwa: tysiąc dolarów. Na szczęście adwokatowi udało się wynegocjować jej rozłożenie na kilka rat.

Wydawałoby się, że to będzie koniec Jacka Blatki jako przedsiębiorcy, ale nic bardziej mylnego! Wpadki zmobilizowały go tylko do jeszcze lepszego ukrycia sprzętu. Po

---

[1] Światło księżyca, księżycówka (ang.).

tym drugim oskarżeniu Jacek stał się znany w środowisku hurtowników alkoholu. Jeden z nich zaproponował mu współpracę, która polegałaby na sprzedaży dostarczonego przezeń towaru.

Nie przyszło do głowy, by postawić się mafii, zgodził się więc i ani przez chwilę nie żałował. Robota była jeszcze prostsza niż dotychczas: czysta i dochodowa. Hurtownik opłacał się federalnym, toteż kiedy przyszli po kilku tygodniach na kontrolę, niczego nie znaleźli, a złoty interes trwał w najlepsze. To wreszcie pozwoliło Jackowi stanąć na nogi.

I kiedy z rzadka robił rachunek sumienia, klepiąc się po swoim coraz bardziej zaokrąglającym się brzuchu, mówił do siebie:

„Moja kobieta ma futro z lisów, ja mam trzy garnitury, jeden zimowy i dwa letnie, w domu radiację, elektrykę, gaz, wodę, radio, fortepian na rolki, pluszowe meble, na podłodze dywany, przed domem karę[2], który pan hrabia miał za moich czasów lepiej w Polsce?".

Gdy Wiktor Grabnicki zobaczył w jakiejś gazecie zdjęcie z przedstawienia w teatrzyku rewiowym Czarny Kot, początkowo nawet mu się nie przyjrzał. Szukał reklam producentów mebli, bo kilka lat nieobecności w kraju spowodowało, że miał kiepskie rozeznanie na rynku. Ledwie wrócili z Milą do Warszawy po dłuższym pobycie za granicą, gdzie w 1917 roku zmarła jego żona Danuta. Grabnicki, chcąc zaoszczędzić córce przykrych wspomnień, pozbył się mieszkania w Alejach Ujazdowskich, kupił zaś

[2] Samochód (ang.).

niewielką willę na Żoliborzu, która wymagała urządzenia.

Przytłoczony wielką liczbą spraw, żył w pośpiechu i nie miał czasu ani nastroju na bywanie w teatrze, zresztą z powodu wojny wiele jego interesów podupadło, rozkradzionych i zbombardowanych, musiał więc bardzo się starać, by wyciągnąć nieistniejące firmy na powierzchnię. Nie był już najmłodszy, przekroczył pięćdziesiątkę i czuł ciężar wieku. Wojnę co prawda spędzili z żoną i córką w neutralnej Szwajcarii, ale Danuta podczas nawrotu choroby rzuciła się z okna pensjonatu, w którym mieszkali, co było strasznym ciosem i mocno nadwątliło jego stalowe nerwy. Teraz miał już tylko córkę. Namawiał ją do pozostania w Szwajcarii, Mila błagała jednak, by wrócili do Warszawy. Początkowo zamieszkali w Hotelu Polonia-Palace[3], a za kilka tygodni mieli wprowadzić się do nowego domu.

Tknięty jakimś dziwnym przeczuciem, Grabnicki raz jeszcze spojrzał na fotografię. Zdjęcie przedstawiało cztery girlsy[4] w dość skromnym odzieniu. Przybrane strusimi piórami, trzymały się za uniesione do góry ręce, jakby zaraz miały się kłaniać. Pomyślał, że Warszawa, ten Paryż północy, mimo wojennych ran bardzo pragnie zabawy. Już przerzucał stronę gazety, kiedy coś ponownie przykuło jego wzrok. Jedna z tancerek wydała mu się podobna do…

„Nie, nie, to jakiś absurd!” – potrząsnął głową i w tej samej chwili zrozumiał, że dzisiejszy wieczór spędzi w Czarnym Kocie.

---

[3] Elegancki i drogi hotel w Warszawie przy Alejach Jerozolimskich.

[4] Tancerki w teatrze rewiowym (ang.).

*

Kiedy zobaczył ją na scenie, wszystko, co wydawało się zapomniane i wyleczone przez długie wojenne lata, wróciło w dwójnasób. To była ona, Gina! Zupełnie do siebie niepodobna, a jednak ta sama. Już nie dziewczynka, lecz młoda kobieta w cudownym rozkwicie. Aksamitnym altem śpiewała w przedstawieniu dwie piosenki i tańczyła trzy numery. Wiktor był dumny i skrępowany. Siedział w dalekim rzędzie, bo nie chciał się zdradzić. Patrzył na przysłonięte jedynie cienkim tiulem kobiece kształty, a kiedy razem z koleżankami podniosła ręce, by się ukłonić, nie mógł oderwać wzroku od jej wygolonych pach.

Następnego dnia znów przyszedł na spektakl, a trzeciego wysłał jej kwiaty, wielki bukiet piętnastu pąsowych róż, bez bileciku, bo wciąż nie potrafił zdecydować się, kim chce dla niej być. Zresztą bał się reakcji Giny, bał się nieuniknionego spotkania, ponieważ przeczuwał, był tego niemal pewien, że ona ma kogoś, a on jest tylko starym pajacem, który zakochał się w młódce.

Otrzymawszy kwiaty podczas ukłonów, Grażyna rozejrzała się po sali, jakby szukała ofiarodawcy. Jednak reflektory, świecące prosto w oczy, nie pozwoliły jej dojrzeć siedzącego daleko Wiktora. Po przedstawieniu oczekiwała w garderobie męskich odwiedzin i zaproszenia na kolację, bo tak się to zazwyczaj odbywało, ale nikt się nie zjawił.

– Nieśmiały! – komentowano ironicznie, a ona tylko wzruszała ramionami. Bukiet oddała za jedną trzecią ceny w najbliższej kwiaciarni, co było powszechną praktyką wśród młodych aktorek, i zainkasowała pięćdziesiąt marek polskich, akurat na dobrą kolację.

– Nie zostawisz ich? – zapytała Pola, myśląc o kwiatach. – Są takie piękne!

Gina wzruszyła ramionami:

– Wolę świeże bułki!

Nie mogła wiedzieć, że ofiarodawcą jest Wiktor, który szybko opuścił teatr, a potem długo jeździł samochodem po mieście, próbując ochłonąć. Myślał o sobie i o niej, zdecydowany nie wkraczać w jej życie. Na następne przedstawienie nie poszedł, zamówił jedynie kwiaty, które codziennie miała dostawać podczas finału.

W teatrze zawrzało: Gina Weylen ma adoratora! Im żywiej zaprzeczała, tym bardziej oczywiste stawało się, iż młoda i piękna wybijająca się gwiazdka uwiodła wreszcie kogoś z wyższych sfer. Plotka poszła w miasto, dotarła również do Wiktora, a wreszcie do Mili, która zażądała stanowczo, by ojciec poszedł z nią do teatru. Myślała, że przyjaciółka wyszła za mąż, zaszyła się gdzieś na wsi, wybierała się nawet do Długołąki, by ją odwiedzić, ale zajęta urządzaniem nowej siedziby, wciąż nie mogła znaleźć czasu. Tymczasem okazuje się, że Gina jest tuż obok, stała się sławna, jak zapowiadała, to ci dopiero nowina!

Wieczorem Wiktor kolejny raz obejrzał Ginę na scenie. Kupili oczywiście z Milą kwiaty, bo przecież nikt oprócz niego nie wiedział, kto jest ofiarodawcą piętnastu róż. Tego dnia Grażyna dostała zatem dwa bukiety. Po spektaklu poszli do jej garderoby. Czekała na nich, uradowana. Rzucili się sobie w objęcia, dziewczęta paplały, jakby znów wróciły na pensję. Grabnicki, nieco skrępowany, patrzył na te dwie młode kobiety i czuł się zbędny. Zaprosił obie panie do zamówionego wcześniej gabinetu w hotelowej restauracji, ale ponieważ był koniec maja, ostatecznie usiedli w ogrodzie restauracyjnym.

Na zewnątrz panował przyjemny chłód. Grabniccy rozmawiali, wolno smakując potrawy. Grażyna przeciwnie: gryzła szybko, prawie pożerała kolejne dania, widać było, że ostatnio jej się nie przelewało i zapewne oszczędzała na jedzeniu. Wiktor skonstatował to z bólem i smutkiem, jakby obserwacja dotyczyła jego własnego dziecka. Nie mógł oderwać od niej wzroku, wzruszało go wszystko, co odkrywał z tamtego podlotka sprzed wojny, a jednocześnie niezwykle silnie działała na niego jako kobieta.

Słuchał opowiadań Giny o debiucie w teatrze lubelskim, o tym, co podczas wojny działo się w Długołące i jakie ma plany na przyszłość. Uważnie przyglądał się dziewczynie i raz czy dwa miał wrażenie, że ona go kokietuje. Kiedy Mila wspominała o latach szwajcarskich, śmierci matki i tęsknocie za krajem, Grażyna wydawała się nie zwracać na to szczególnej uwagi. Chaotycznie przeskakiwały z tematu na temat, ożywiając się jeszcze bardziej, gdy przypominały sobie pensję, swoje nauczycielki i przełożoną.

Zabawiał je, jak umiał, ale chyba nie czuł się najlepiej, bo po uregulowaniu rachunku poszedł do pokoju, zostawiając dziewczyny ich śmiechom, pogaduszkom i wspominkom.

Grażyna pożegnała się, przybrawszy radosną minę, ale zrobiło jej się przykro. Nie mieli okazji, by porozmawiać, a chciała mu tyle powiedzieć! Raz czy dwa skrzyżowali spojrzenia, ale pojawiło się w nich coś dziwnego: zawstydzenie. Czy to możliwe? A jednak! To dało jej pierwszą iskierkę nadziei. Skoro Wiktora krępuje jej obecność, możliwe, iż wszystko, co usiłowała zawrzeć w swoim spojrzeniu, odczytał prawidłowo. Musiał go wprawiać w zakłopotanie fakt bycia uwodzonym przez przyjaciółkę córki, zresztą obecność Mili dla obojga była równie krępująca.

Zastanawiając się, co ma zrobić, by spotkać się z nim sam na sam, na razie umówiła się z Milą na zakupy u Braci Jabłkowskich i kawę w Ziemiańskiej.

*

Tym razem były same, rozmawiało im się swobodniej. Paplały więc, jakby nadal chodziły do trzeciej klasy, i raz po raz wybuchały śmiechem. Gina bez przerwy szukała jakiegokolwiek punktu zaczepienia, który pozwoliłby jej zbliżyć się do Grabnickiego. Ale pozostawało tylko czekanie na okazję. Przecież nawet jeśli (co wydawało się wielce wątpliwe) coś do niej poczuł, w obecności córki nie będzie mówił o rzeczach intymnych. Może gdyby znaleźli się sam na sam. Jako przyjaciółka domu, osoba dorosła, w dodatku obracająca się w świecie, gdzie normy moralne zazwyczaj dostosowywano do ludzkich słabości, z natury rzeczy mogłaby go rozgrzeszyć.

– Szukasz trudności tam, gdzie ich nie ma! – Pola wzruszała ramionami, słuchając w garderobie jej opowieści. – Wystarczy, żebyś kiwnęła palcem, a pójdzie za tobą nawet na klęczkach!

Ale Gina nie wierzyła, by zdobycie Wiktora mogło być aż tak proste. Zresztą nawet tego nie chciała. Spodobały jej się cierpienie i ból, jakie poczuła, kiedy zostawił ją i Milę przy stoliku, odchodząc do swoich spraw. Ceniła jego niezależność. Nie pragnęła zamieniać go w swego niewolnika. Zresztą nawet nie wiedziała, jak miałaby to zrobić, bo choć trudne do uwierzenia, jej doświadczenie w kwestiach miłości i kontaktów seksualnych wciąż było jedynie czysto teoretyczne.

Na razie czekając na moment, gdy będzie mogła mu wreszcie powiedzieć to wszystko, co w niej wrzało, karmiła się wyobraźnią. Tu miłość nie miała końca, nie znała zdrady, zazdrości, bólu rozstania. Bo skoro odnaleźli się po tylu latach, to oczywisty znak, że jeszcze wiele może się wydarzyć.

*

Jakieś trzy tygodnie później spotkali się przypadkiem podczas przyjęcia zorganizowanego w gmachu Towarzystwa Wzajemnego Kredytu Kupców i Przemysłowców. Organizatorzy zaprosili Ginę, by zaśpiewała kilka piosenek ze swego repertuaru, Wiktor przyszedł załatwiać interesy. Przy kilkudziesięciu okrągłych stolikach pięknie przyozdobionej sali bankietowej siedziała ponad setka gości. Panowie we frakach, panie w eleganckich paryskich toaletach, etolach[5] z białych lisów, z wpiętymi we włosy diademami[6] lub egretami[7]. Kryształowe kieliszki, srebrne sztućce, adamaszkowe obrusy, wytworne dania i najlepszy szampan tworzyły wielkopańską atmosferę. Nic dziwnego – spotkali się tu najbogatsi ludzie stolicy.

Gina obserwowała to wszystko schowana za kurtyną, czekając, aż mistrz ceremonii wezwie ją podczas wetów[8], bo wtedy przewidziano program artystyczny. Była głodna, ponieważ nigdy przed występem nie jadła, nikt też nie zaproponował jej nawet kieliszka wina. Miała tylko nadzieję, że po występie, jako że należało to do dobrego tonu, ktoś ją zaprosi, by dołączyła do towarzystwa, i wreszcie będzie się mogła najeść. Trochę żałowała, że nie nauczyła się sprawniej operować grabkami i nożykiem, w związku z tym, nie chcąc narażać się na kompromitację, nie może pokusić się o jedzenie owoców. Miała ochotę na zupę, pieczyste, sałatę, ale kiedy podejdzie do stołu, pewnie już niewiele zostanie. Kelnerzy uwijają się tak szybko, zabierając ledwo napoczęte potrawy!

[5] Narzutka futrzana, szal (fr.).

[6] Przepaska wysadzana drogimi kamieniami (gr.).

[7] Ozdobna kita z piór strusich albo jej imitacja z metalu i klejnotów (fr.).

[8] Deser, legumina na zakończenie posiłku (niem.).

Myśląc więcej o swym głodzie niż o piosenkach, które zaraz miała wykonać, usłyszała zapowiedź prowadzącego. Wyszła w światło reflektorów. Na sali nie od razu ucichło. Wiedziała z doświadczenia, że pierwsza piosenka zawsze idzie na straty. Goście wciąż jedzą, kończą dyskusje, odstawiają kieliszki, odkładają sztućce. Dlatego zaczynała swój występ liryczną włoską canzonettą[9], dawała towarzystwu czas na zamilknięcie, a potem uderzała w bardziej dramatyczne tony, by na koniec znów ostudzić emocje jakąś rzewną, smutną melodią. Program ten opracowała ze swym korepetytorem muzycznym i kompozytorem większości przebojów Czarnego Kota – Jerzym Ehrlichem, on też dziś zasiadł przy pianinie.

Gdy Wiktor usłyszał zapowiedź, drgnął lekko. Siedział tyłem do scenki, rozmawiając z Genowefą Bartkiewicz, żoną jednego ze swych wspólników. Miał świadomość, że sukces w biznesie często zależy od tego, czy przekona się do inwestycji żonę partnera, toteż nie żałował nigdy czasu na obłaskawianie połowic swoich kontrahentów. Ale kiedy ze sceny rozbrzmiał głos Giny, Grabnicki zapomniał, o czym mówił. Poczuł, jak po plecach przebiegają mu ciarki. Odwrócił się. Stała tak blisko! Powoli rozmowy przy stolikach milkły, a goście poddawali się magii muzyki.

Pierwszą piosenkę zakończyły brawa. Gina ukłoniła się z uśmiechem. Wyglądała na lekko speszoną. Naraz ich spojrzenia się skrzyżowały. Żadne jednak nie dało nic po sobie poznać.

„Nie zauważyła mnie – pomyślał Wiktor. – Ma światło prosto w oczy".

„Co to za kobieta siedzi obok niego? – zastanawiała się Gina. – Wyglądają na bardzo zżytych".

---

[9] Pieśń (wł.).

Ale nadszedł czas na kolejny numer. Wiktor rozejrzał się po sali: mężczyźni pożerali ją wzrokiem. Nie podobało mu się to! Był o nią zazdrosny! Jeszcze nie wiedział, czy to zazdrość ojca wypuszczającego dorastającą córkę z rąk, czy mężczyzny, który się właśnie zakochał. Chciał podbiec do sceny, porwać ją na ręce, posadzić w aucie i pojechać przed siebie, jak najdalej od przyglądających się zachłannie gości.

Gina właśnie zakończyła swój program i kłaniała się, przykładając dłoń do piersi. Spojrzała na niego, jakby szukała akceptacji. Bijąc wraz z innymi brawo, pokiwał nieznacznie głową.

Po programie wyszła na chwilę, a kiedy wróciła zza kulis, towarzyszył jej pułkownik Bodzęta. To Wiktora zaniepokoiło. Gracjan Bodzęta, owiany legendą bohaterskich czynów minionej wojny, były hallerczyk i znany w Warszawie uwodziciel, który jeszcze nie przekroczył czterdziestki, był potencjalnie niebezpiecznym rywalem.

Uśmiechając się zalotnie, Gina zajęła miejsce przy jego stoliku. Czyżby to on ją tu zaprosił? Zajęta rozmową nie zwracała na Wiktora uwagi. Kilka minut później przyniesiono mu do stolika bilecik.

Wyjąwszy karteczkę z koperty, zmarszczył brwi i przygryzł wargi, aż siedząca obok żona przemysłowca Bartkiewicza zapytała z przejęciem:

– Złe wieści?

– Przeciwnie – odrzekł, nie patrząc na nią, lecz na Ginę. Pragnął z jej oczu wyczytać, czy skreślone pośpiesznie w toalecie zdanie: „Proszę przyjść jutro po spektaklu do mojej garderoby!" znaczy to, co chciałby, aby znaczyło. Umówiła się z nim na schadzkę, czy też potrzebuje jedynie jego rady lub pomocy? Tak czy inaczej, gotów był służyć swej przybranej córce, nie zdradzał się jednak przed towarzystwem, że zna artystkę osobiście. I jak do niedawna szczerze podziwiał pułkownika, tak dziś równie szczerze go znienawidził.

Kiedy rozpoczęły się tańce, oczywiście Bodzęta zerwał się pierwszy! Ledwie jej podziękował, wokół Giny natychmiast zakotłowało się od mężczyzn, a Wiktor znów poczuł się zagrożony. Dopiero po północy udało mu się zaprosić ją do walca. Lekko wstawiona, śmiała się rozkosznie. Obejmując wiotkie dziewczęce ciało, myślał tylko o tym, jak niezwykle trudno będzie mu się go wyrzec, bo wiedział, że powinien to zrobić.

– Czy dostanę dziś odpowiedź na mój list? – zapytała kokieteryjnie.

– Pisałaś pani do mnie? – odpowiedział pytaniem, zatapiając na chwilę usta w jej włosach. – W jakiej sprawie?

– To doprawdy drobiazg. Kilka tygodni temu powstało Towarzystwo Ratowania Panien Zagrożonych Upadkiem imienia Świętej Felicyty i pomyślałam, że pan może zechciałbyś je wspomóc swoją radą i doświadczeniem – zmyślała, chichocząc.

– Poczytywałbym to sobie za największy zaszczyt, proszę mną w każdym razie dysponować.

– Doskonale. Musimy porozmawiać na temat statutu organizacji – szczebiotała, a on upajał się tańcem, jej obecnością i tym, że (jak egoistycznie zaczął uważać) jest dla niej ważniejszy od pułkownika.

Nad ranem Bodzęta odwiózł Ginę na Lwowską do jej skromnego apartamentu, wynajmowanego wspólnie z Polą. Żegnając się, sugerował niedwuznacznie, że spodziewa się rychłego ponownego spotkania. Wiktor samotnie wrócił do hotelu, jednak to w jego kieszeni spoczywał bilecik, w którym proponowała spotkanie!

Tej nocy obydwoje nie mogli zasnąć. Jeszcze nic się nie wydarzyło i wszystko było możliwe. Wszystkie nadzieje miały prawo się ziścić i nikt nie stał na drodze do ich szczęścia.

Rozgorączkowana Gina postanowiła postawić wszystko na jedną kartę. Gdy zobaczyła dziś Wiktora, utwierdziła się w przekonaniu, że pragnie dzielić z nim życie. Chciała mu to powiedzieć od chwili, kiedy dowiedziała się, że jego żona odeszła. Znów bowiem ożyły dziecięce marzenia. Był co prawda znacznie starszy, ale dla niej równie atrakcyjny, jak dawniej. Bała się tylko, że on ją wyśmieje, odrzuci i że to będzie koniec wszystkiego. Bardzo obawiała się narazić na śmieszność.

Wiktor też miał swoje lęki. Wcale nie był pewien, czy ona nie oczekuje jakiegoś rodzaju pomocy, czy zwyczajnie nie chodzi o pieniądze? Czasy były niełatwe, a ich dawniejsze wzajemne stosunki uprawniały ją do tego rodzaju prośby. Wiedział, że Grażyna lubi stroje i błyskotki, a teatralna gaża z pewnością nie wystarczała na zaspokajanie zachcianek. Zresztą jej strój o tym świadczył. No i ten Bodzęta!

Oboje nie zmrużyli oka, układając sobie w głowach możliwe scenariusze jutrzejszego spotkania. I żadne nie przewidziało, że kiedy on wejdzie do garderoby, ona, niepomna na nic, po prostu rzuci się w jego kierunku i przytulając doń swe szczupłe ciało, wyszepce:

– Boże, jak strasznie za tobą tęskniłam! – a on przytuli ją, dziękując w duszy Bogu i zastanawiając się, co ma odpowiedzieć.

– Wyjdźmy stąd! – rzucił przez zaschnięte gardło, czym ją przeraził, ale posłusznie zabrała swoje rzeczy i poszła za nim.

Wsiedli do samochodu. Wiktor ruszył i jechał dość długo bez słowa. Zatrzymał się dopiero przed jakimś domem na Żoliborzu. Była to niewielka secesyjna willa w cichej ulicy. Osadzona na wysokiej podmurówce, z mansardowym dachem, w którym umieszczono okna piętra, miała dwa widoczne z ulicy balkony: jeden tuż nad drzwiami wejściowymi, do których prowadziły z prawej i lewej kilkustopniowe schodki, drugi zaś z prawej, na półkoliście wygiętej ścianie salonu.

Ogrodzenie porastał bluszcz. W żadnym z okien nie paliło się światło. Wiktor otworzył furtkę, potem drzwi, przekręcił kontakt, weszli do środka. Pachniało świeżą farbą i widać było, że nikt tu nie mieszka. Brakowało mebli, dywanów, bibelotów. W salonie, którego okna wychodziły na ogród, w metalowym wiaderku chłodziła się butelka szampana, obok stały dwa kieliszki, Wiktor wyciągnął korek, nalał wino i podał Ginie. Umoczyła zaledwie usta i odstawiła kieliszek:

– Czemu nic nie mówisz? – zapytała z drżeniem w głosie.

– Bo się boję – odpowiedział smutno.

– Czego?

– Jesteś... Nie jesteś już dzieckiem.

– To prawda. Jestem dorosła.

Zbliżyła się. Ujęła jego twarz w dłonie i powiedziała wolno:

– Kocham cię od dnia, w którym cię zobaczyłam. Pamiętam każdą chwilę, którą spędziliśmy razem. Czekałam na ciebie przez te wszystkie lata i umierałam ze strachu, że cię już nigdy nie zobaczę.

Wspięła się na palce i pocałowała go w usta. Jej oddech, dotyk, zapach skruszyły ostatnie opory. Porwał ją w ramiona i tulił, całował, i szeptał do ucha to wszystko, co zbierało się w nim od tamtego lipcowego teatralnego wieczoru przed siedmioma laty, gdy poczuł, że jest dla niego kimś więcej niż córką. Rozpinał guziki jej bluzki, by wreszcie dotknąć nagiego ciała i całować te wszystkie miejsca, o których marzył tak długo, sądząc, że nigdy się przed nim nie otworzą. Wreszcie wziął ją za rękę i poprowadził na piętro, do sypialni. Tu miał przeżyć kolejną niespodziankę tego wieczoru:

– Jesteś dziewicą? – zapytał zdumiony.

– Tak – odpowiedziała wśród pocałunków. – Czekałam na ciebie.

Następnego dnia teatr zatrząsł się od plotek. Gina nie potwierdzała ani nie zaprzeczała, ale jej twarz promieniała radością i szczęściem. Lekceważyła kąśliwe uwagi koleżanek, że ustrzeliła starca, chcąc się ustawić. Dla niej Wiktor nie był starcem, był jej mężczyzną, kochała go i wiedziała, że wreszcie będzie szczęśliwa.

Podczas spektaklu przeszła samą siebie, co zresztą nie uszło uwagi nikogo z zespołu. Jej taniec miał więcej żywiołowości, a głos brzmiał dźwięczniej niż zwykle. Pola domagała się wyjaśnień. Teraz wreszcie Gina mogła opowiedzieć o swojej wielkiej miłości. Obiecywała, że przedstawi jej Wiktora po spektaklu, i tak też się stało.

Nie rozmawiali długo, bo zakochani niecierpliwili się, by uciec przed wszystkimi do swego gniazdka. Znów pojechali na Żoliborz. Na razie pragnęli bowiem tylko samotności we dwoje.

Na Polę magnetyzm Wiktora nie podziałał.

– Wolałabym pułkownika, jest przystojny jak młody bóg – powiedziała następnego dnia.

Rozśmieszyła Ginę:

– Chyba jak bóg w średnim wieku! – prychnęła.

– Od kiedy ci to przeszkadza?

– Znam Wiktora, cenię jego charakter, kocham mojego tatuśka. A Bodzęta to bawidamek, znudziłabym się mu po tygodniu. Nie daj Boże z takimi zaczynać.

– Chcesz wyjść za mąż?

– Życie nauczyło mnie, by nie robić żadnych planów poza jednym: czy jutro wieczorem on znów po mnie przyjdzie? Za kilka dni przeprowadzają się z Milą do nowego domu i w naszym gniazdku zrobi się tłoczno.

Kiedy czasem wracała do wspomnień, oglądając stare fotografie, lub gdy jakiś szczegół przywołał w pamięci Grażyny Toroszyn tamte tygodnie, niezmiennie odczuwała podobne wzruszenie. Przypominała sobie wielki wybuch namiętności, która wbrew rozsądkowi połączyła ją i Wiktora Grabnickiego, pchając ku sobie wciąż i wciąż na nowo. Uśmiechała się na wspomnienie wynajmowanych pokojów hotelowych albo dojmującego zimna w nieopalonym domu w Aninie, pocałunków pod gwiazdami, dotyku jego dłoni, spojrzenia, w którym nigdy nie gasło pragnienie.

Wiktor był nie tylko czuły, lecz także hojny. Mimo że się zżymała, ubierał ją od stóp do głów w suknie od Hersego i Zmigrydera, futra od Chowańczaka, kapelusze od Henriette, buty od Hiszpańskiego, rękawiczki od Kowalskiego.

– Żebyś nie musiała przed ludźmi świecić gołym tyłkiem!

– Przed nikim nie świecę gołym tyłkiem!

– Jak cię widzą, tak cię piszą. Nie możesz chodzić jak oberwaniec i udawać, że jesteś gwiazdą. Ludzie, patrząc na ciebie, mają tracić dech w piersiach i myśleć: „To jest ktoś z innej planety!". Nie waż mi się włożyć żadnego stroju dwukrotnie! W twoim zawodzie to niedopuszczalne.

– Co będę robiła z tyloma rzeczami? – pytała skonsternowana.

– Biednych nie brakuje.

– Biedni nie noszą sukni wieczorowych! – syczała w złości.

Chociaż powinna się cieszyć jego szczodrobliwością, mając w pamięci trudne, wojenne lata, uważała to za marnotrawstwo. Teraz zresztą wcale nie było dużo lepiej i Pola, która nie miała tak bogatego adoratora, z chęcią przyjmowała wszelkie odzieżowe dary.

Kiedy już szafa Giny pękała w szwach, Wiktor posłał ją do szkoły! Wynajął nauczycieli: manier, języków, gry aktorskiej, muzyki, tańca i śpiewu.

– Żebyś przestała wymachiwać rękami na scenie i wiedziała, jak się zachować, kiedy cię zaczną przyjmować w pałacach!

Nie marzyła o tym, by kiedykolwiek ktoś chciał ją przyjmować w pałacu, zresztą nie zależało jej na tym. Mimo że była siostrzenicą samej Adrianny Zajezierskiej, wybierając swą drogę życiową, Grażyna Toroszyn na własne życzenie się zdeklasowała. Matka i ciotka załamywały ręce, a ona, przekonana o własnej nieomylności, wierząc w swoje życiowe wybory, żyła tak, jak zawsze chciała żyć.

A Wiktor był niemożliwy! Zabrał jej każdą wolną chwilę! Od tej pory, gdy tylko nie miała próby, spektaklu lub randki, biegła z wywieszonym językiem na jakąś lekcję. Właśnie teraz, kiedy zaczęła dostawać już główne role w Czarnym Kocie! On jednak wiedział, co robi. Gina potrzebowała wiedzy dobrych nauczycieli aktorstwa i to dzięki Wiktorowi jej talent rozbłysnął wreszcie pełnym blaskiem. Do tej pory była tylko uzdolnioną amatorką, po kilku latach pracy z nauczycielami nikt już nie mógł tak o niej powiedzieć.

Grabnicki okazał się nie tylko czułym kochankiem i rzeczowym mentorem, lecz także wspaniałym kompanem w przygodzie. Zabrał ją latem na inauguracyjny rajd Automobilklubu Polskiego odbywający się na trasie Warszawa–Białowieża–Warszawa, cudowną i emocjonującą wycieczkę w wąskim zaprzyjaźnionym gronie. Strasznie jej się podobał w płóciennym kombinezonie, zebranym w talii skórzanym paskiem, tego samego koloru kaszkiecie, zawiązanym dookoła szyi jedwabnym szaliku i oprawionych w gumę okularach. Ona sama na wyprawę włożyła prosty angielski kostium z gabardyny, jedwabną bluzkę w kolorze beżu, płaskie pantofle, płócienny płaszcz, czapkę pilotkę, samochodowe okulary oraz długie rękawiczki z mankietem.

Pewnego znów razu spod teatru pojechali prosto na Dworzec Kolei Warszawsko-Wiedeńskiej, śmiejąc się przy tym jak dzieciaki. Na peronie czekał już na nich bagażowy z dwiema nowiutkimi walizkami.

– Wyjeżdżamy? – zapytała Gina. – Dokąd?

– Pociąg jedzie do Wiednia – Wiktor odpowiedział, chichocząc.

– Ale ja mam jutro przedstawienie! A rano próbę!

– Możemy wysiąść w Skierniewicach albo Częstochowie...

Nie wysiedli. Pojechali na trzy dni do Wiednia. Wiktor zapłacił wysoką karę za nieobecność Giny na próbach i przedstawieniach, ale bawili się cudownie. Poszli do opery, zwiedzili *Schönbrunn*, Wiktor kupił jej kilka scenicznych toalet, które wzbudziły potem zazdrość koleżanek.

Innym razem zabrał ją na pokład swego samolotu. Początkowo ogromnie się bała, ale opanowawszy strach, świetnie się bawiła, patrząc na świat z góry.

Nauczył ją prowadzić auto i kupił jej chevroleta. Po mieście jednak nie jeździła sama, miała kierowcę, który podwoził ją pod teatr, otwierał drzwiczki i czekał, póki „panna Weylen", jak ją niezmiennie nazywał, nie skończy próby lub przedstawienia.

To był najpiękniejszy okres w jej życiu. Bo choć później wiele jeszcze dokonała, grając coraz większe i bardziej odpowiedzialne role, utwierdzając się na pozycji pierwszej gwiazdy i królowej przedwojennego warszawskiego kabaretu, nigdy już nie była tak młoda, czupurna i zachłanna. Nigdy też nie przeżywała życia tak intensywnie.

Zajęty przeprowadzką Wiktor przez kilka dni nie dawał znaku życia, telefonował tylko do teatru, ale gdy się wreszcie zjawił, miał fantastyczne nowiny: wynajął pięciopokojowy apartament w Alejach Ujazdowskich, w tym samym domu, w którym kiedyś mieszkali Grabniccy. Gina mogła się tam przeprowadzić choćby jutro.

– Nie będzie nam za ciasno? – zapytała z obawą.

– Chciałbym, żebyś nocą nie musiała wracać na Lwowską, tylko mogła zostać w łóżku do samego rana.

– Sama do samego rana – westchnęła, a on pocałował ją w policzek.

– Już niedługo, zobaczysz.

To był piękny sen. I jak każdy piękny sen musiał się kiedyś skończyć. Ginę męczył z tego powodu jakiś dziwny, nieodczuwany wcześniej lęk. Było jej zbyt dobrze, czuła się zbyt szczęśliwa. Okazuje się, że Wiktor też o tym myślał. Kiedy pewnego razu zapytała go, czemu wciąż jest smutny, odpowiedział:

– Mam wrażenie, jakbym się objadał kradzionymi cukierkami.

– Nie smakują ci?

– Nigdy już nic innego nie będzie mi tak smakować.

Pułkownik Bodzęta nie dawał za wygraną. Chociaż Gina odmówiła mu raz i drugi, z uporem wracał do teatru, skopiował pomysł z piętnastoma bordowymi różami, przez co sądziła, że wszystkie pochodziły od niego. Pisał listy, telefonował, błagał o spotkanie. Im bardziej się wykręcała, tym bardziej napierał. Nie chciał przyjąć do wiadomości, że ona jest zajęta kim innym.

Kończyła się jesień, a oni ciągle nie powiedzieli Mili, co się między nimi wydarzyło. Chyba żadne nie miało odwagi zmierzyć się z jej spojrzeniem. Bali się, jak przyjmie nowinę, przewidując słusznie, że nie będzie zachwycona.

Wynajęcie mieszkania miało duży plus, ale tylko na krótką metę. Jeśli mieliby się kiedyś pobrać, musieliby kupić znacznie większy apartament lub dom. Mila mogłaby wtedy zostać na Żoliborzu.

– Kiedy jej powiemy?

– Jak najszybciej, ale pozwól mi wybrać moment, zgoda?

– Jak najszybciej to już nie będzie, wiesz o tym równie dobrze jak ja.

Wciąż nic się nie zmieniało i Gina zaczynała mieć trochę dość tej gry w ciuciubabkę. Osobno spotykała się z Wiktorem, osobno z Milą, przed którą udawała, że nic jej o tym nie wiadomo, jakoby on miał „jakąś babę". Mila nie miała co do tego pewności, zauważała jednak u ojca niespotykany wcześniej pośpiech, roztargnienie, jakąś nienaturalną wesołość.

– I strasznie późno wraca, nigdy wcześniej mu się to nie zdarzało! – dzieliła się z Grażyną swoimi spostrzeżeniami. – Co mam robić?

– Najlepiej nic. Twój ojciec nie jest młodzieniaszkiem i na pewno nie popełni żadnego głupstwa. A już z pewnością nie zrobi ci krzywdy! – Gina twierdziła z przekonaniem, uspokajając przyjaciółkę.

– Mam tylko nadzieję, że nie wpadł w łapy jakiejś intrygantki!

Ależ to było trudne! Po południu wysłuchiwała zwierzeń Mili, a w nocy, kochając się z Wiktorem, prosiła go, by choć ten jeden raz nie wracał do domu, tylko został przy niej!

Trudna sytuacja nabrzmiewała, wszystkim trojgu zaczynała ciążyć. Wtedy Wiktor po raz pierwszy pożałował, że wbrew rozsądkowi dał się Ginie uwieść. Już dawno bowiem miał przeczucie, że to droga donikąd. I nawet nie chodziło o dzielącą ich różnicę wieku – jego znajomi miewali jeszcze młodsze kochanki – tylko o trójkąt, jaki tworzyli. Gdyby Mila miała męża lub co najmniej narzeczonego, być może wszystko ułożyłoby się inaczej. Ale żaden młodzieniec nie wydawał się Wiktorowi dość stateczny, a żaden mężczyzna w średnim wieku wystarczająco bogaty i rozumny.

Czekał więc, aż pojawi się ktoś, dla kogo Mila wreszcie sama straci głowę, ktoś na odpowiednim poziomie i z zabezpieczonym startem, żeby mógł mu ją powierzyć niczym swój najcenniejszy skarb. Ale czy ktoś taki w ogóle istniał?

W tym samym czasie Gina błagała go, by wreszcie dał jej coś więcej niż tylko ukradkowe spotkania i krótkie noce szalonej miłości, po których budziła się, by zjeść samotnie śniadanie. Poza pokojówką, lokajem i odźwiernym czasem nie miała do kogo ust otworzyć. Kiedy telefonował do teatru, że nie będzie miał dla niej czasu, zapraszała Polę i urządzały sobie wystawną kolację, a potem kładły się razem do łóżka, by plotkować, grać w madżonga[10], słuchać jazzu lub oglądać ilustrowane czasopisma i katalogi domów mody. W niedzielne poranki lubiły jeździć konno w tatersalu[11] przy Litewskiej lub ścieżką do jazdy konnej cwałować w Alejach Ujazdowskich.

– Może umów się z tym Bodzętą? – radziła Pola. – Masz teraz tyle wolnych wieczorów i ranków... Nie znam mężczyzny, którego rywal nie zdopinguje wreszcie do działania.

Gina początkowo się zżymała, ale w końcu, zazdrosna i zła na Wiktora, zaczęła rozważać ten pomysł. Nie zdążyła go ostatecznie zrealizować, ponieważ właśnie wtedy zdarzyło się coś strasznego. Pewnego dnia Wiktor nie zadzwonił ani nie pojawił się po spektaklu. I tak przez kolejne trzy dni. Grażyna się przestraszyła. Po następnych trzech wpadła w rozpacz. Ostatnio wydawał się przybity, smutny. Może ma jakieś problemy zawodowe? A może wreszcie wszystko wyznał Mili? Lub co gorsza, dowiedziała się prawdy od obcych? Przecież plotkowało już całe miasto. Teraz miała tylko ojca, na pewno nie chciał jej zrobić przykrości. Musiało się zdarzyć coś dramatycznego, skoro tak długo nie dawał znaku życia. Szlachetny i prawy Wiktor postawił córkę na pierwszym miejscu.

---

[10] Gra pochodzenia chińskiego, rozgrywana 144 kostkami lub kartami, polegająca na kolejnym eliminowaniu par.

[11] Sala do jazdy konnej, ujeżdżalnia (ang.).

„Jak Mila mogła zareagować na jego wyznanie? Rozpłakała się pewnie, pomyślała, że straci ich oboje, błagała ojca, by już się nie wiązał z żadną kobietą". – Gina gryzła poduszkę, a Pola pocieszała ją po babsku. Następnego dnia zapuchnięte oczy aktorki dały wszystkim do myślenia. Dziwne było tylko to, że co wieczór dostarczano na scenę taki sam bukiet piętnastu pąsowych róż. Czując smutek i przygnębienie, Gina niezmiennie wyrzucała go do kosza.

Nie mogła zrozumieć, dlaczego Wiktor postąpił tak podle? Dlaczego nie powiedział po prostu, że między nimi wszystko skończone? Dlaczego dawał jej nadzieję? Gdyby nie przyszedł tamtego dnia do garderoby, cierpiałaby zapewne, ale nie tak bardzo jak teraz, kiedy poznała rozkosz w jego ramionach. Potworny zawód i żal, jakich doznawała w tych dniach, spowodowały, że nie mogła się skupić na próbach, zapominała słowa tekstu, myliła kroki tańców. Ale jej sceniczne interpretacje zachwyciły recenzentów, którzy nie omieszkali zwrócić uwagi publiczności na „wzrastający poziom artystyczny piosenek w wykonaniu młodej gwiazdki teatru Czarny Kot, panny Giny Weylen".

A ona, pochłonięta jedynie spekulacjami dotyczącymi tego, co się stało, i dlaczego Wiktor potraktował ją w sposób tak nieelegancki, rozdarta między nadzieją, że może jeszcze wróci, a pewnością, że to już koniec najwspanialszego romansu, z obojętnością godną wielkiej gwiazdy potraktowała niespodziewaną wizytę reżysera filmowego Henryka Bamberga. Pojawił się w jej garderobie po jednym z przedstawień i zaprosił Ginę na kolację, podczas której zaproponował jej główną rolę w filmie!

Bamberg współpracował z Fritzem Langiem przy jego wczesnych obrazach. W Polsce nakręcił już dwa własne filmy i do kolejnych produkcji szukał aktorki o ciekawej urodzie. Przyniósł kontrakt na trzy role – zostawił scenariusze, dając Grażynie zaledwie trzy dni do namysłu.

Gdyby nie złamane serce, oszalałaby z radości. Film był od początku jej wielkim marzeniem, dzięki niemu mogła zdobyć popularność, stać się sławna i bogata. Ponieważ jednak wszystkie myśli miała zajęte czym innym, zgodziła się od razu, nie przeczytawszy scenariuszy i nie wyrażając ani odrobiny entuzjazmu, co lekko dotknęło Bamberga, spodziewał się bowiem wszystkiego poza obojętnością!

Gina wróciła do domu i przez resztę wieczoru płakała. Kiedy następnego dnia powiedziała Poli wśród szlochów, że dostała od razu trzy role w filmie, ta rzuciła się na nią z poduszką:

– Uduszę cię! Zabiję, a potem przebiorę się w twoje rzeczy i sama tam pójdę! Zagrasz w filmie, ty idiotko! Nie rycz! Jesteś szczęściarą!

– Nieeee! – wśród łez wyszlochała Gina. – Bo on mnie zostawił!

– Kto?

– Wiiiktooor.

– Znajdziesz sobie innego!

– Nie chcę innego! Tyle lat na niego czekałam, dlaczego mnie zostawił?!

– Wiesz, jacy oni są, zawsze mają te swoje bardzo ważne sprawy... – Pola ciężko westchnęła. Przyjaciółka powinna się już przyzwyczaić, takich zawiedzionych miłości obie widziały wśród młodych aktorek zbyt wiele. Dlaczego ta właśnie miała przetrwać próbę czasu? Pola była przekonana, że praca, a zwłaszcza sukces, który jej wróżyła, wkrótce wyleczą zbolałą duszę Giny.

*

Dwa tygodnie później Wiktor wrócił. Przyszedł do garderoby po przedstawieniu jak gdyby nigdy nic, choć jakiś poszarzały na twarzy.

– Gdzie byłeś tyle czasu?!

– Wybacz mi. To się stało tak nagle... Mila...

– Powiedziałeś jej o nas?

– Musiałem ją zawieźć do szpitala – powiedział i zwiesił głowę, a Gina poczuła się obrzydliwie. – Wiem, że powinienem odezwać się wcześniej, ale nie chciałem cię obarczać tym wszystkim.

– Czym?

– Pamiętasz tego chłopaka z apteki? Na pewno nie, to było tak dawno... Kiedy jej powiedziałem o nas, wydawało mi się, że nawet się ucieszyła. Kamień spadł mi z serca, bo obiecywałem sobie, że jeśli ona będzie miała coś przeciwko temu... Rozumiesz chyba? Następnego dnia pojechałem do biura, miałem wieczorem spotkać się z tobą, ale zatelefonowano z hotelu, że nie ma jej od kilku godzin. Szukaliśmy wszędzie, odchodziłem od zmysłów. Wreszcie znalazłem ją w nocy w Aninie. Dom był zamknięty. Siedziała na schodku, przemarznięta, nie wiedziała, gdzie jest ani jak się tam znalazła. Nie pamiętała swojego imienia ani nazwiska. Powtarzała jedynie: „Orest się ożenił!".

Zabrałem ją do doktora Leśnodorskiego i razem pojechaliśmy do Drewnicy. Zostawiłem ją tam i szukałem tego Oresta. To ten chłopak od Staniszewskiego, właściwie już mężczyzna. Pamiętasz go? Okazuje się, że przez całą wojnę pisała do niego listy. Oddał mi, nierozpieczętowane. Ma aptekę w Józefowie, rzeczywiście się ożenił. Pojechała do niego i powiedziała, że nic już nie stoi na przeszkodzie. On nie zrozumiał, nawet jej nie poznał, chyba miała atak. Rozumiesz, że w tej sytuacji...

Grażyna się zawstydziła. Przytuliła się tylko do niego i długo nie mogła nic powiedzieć. Cóż zresztą było mówić? Kiedy przez lata wyobrażała sobie swoje szczęśliwe życie u boku Wiktora, nigdy nie widziała tam Mili. Chyba że jako uśmiechniętą mężatkę z gromadką ślicznych bobasów. Tymczasem, znając Wiktora, wiedziała, że jeśli terapia okaże się nie dość skuteczna, on będzie się opiekował Milą z takim samym oddaniem, z jakim troszczył się o zmarłą żonę, a wtedy przyjaciółka stanie się jej największą rywalką.

Mila została pod opieką doktora Leśnodorskiego przez dwa miesiące. Gdy jej stan nieco się poprawił, Wiktor przywiózł ją do willi na Żoliborzu. Od tej pory miała zawsze opiekę pielęgniarki, a ataki, choć nieco przytłumione przez leki i niekiedy wymagające hospitalizacji, pojawiały się kilka razy do roku.

Z powodu licznych obowiązków zawodowych Gina nie mogła wyjechać na święta do Długołąki, Wiktor zaprosił ją więc na Żoliborz. Od czasu, kiedy Mila wyszła ze szpitala, jeszcze się nie widziały. Grażynę dręczyły wyrzuty sumienia, dlatego też przyjęła zaproszenie dość niechętnie, obwiniała się o to, na co przecież nie miała wpływu, bo choroba Mili była dziedziczna. Wiedziała, z jakim trudem przyjdzie jej spojrzeć przyjaciółce w oczy i udawać, że nic się nie stało. Wiktor ją jednak przekonywał, twierdząc, że powinni zachowywać się wobec Mili jak gdyby nigdy nic.

Kiedy weszła do willi Grabnickich z prezentami dla przyjaciółki i jej ojca, na dźwięk głosu Giny Mila wybiegła do sieni i rzuciła się na nią z radosnym okrzykiem:

– Mamo!

Gina zmartwiała, myśląc, że to jakiś okrutny żart, że Mila chce ją upokorzyć. Ale kiedy spojrzała w twarz przyjaciółki, nie dostrzegła tam ironii ani złośliwości, lecz bezgraniczną miłość. Mila niczym mała dziewczynka tuliła się do niej, obejmując wpół i kładąc głowę na jej ramieniu.

Grażynie pociekły łzy. Głaskała przyjaciółkę i płakała nad nieszczęściem, które Mila dawno temu, jako jedenastolatka, chcąc zaimponować nowej koleżance, sama sobie niechcący przepowiedziała.

1995

Kogo przedstawia to zdjęcie? – zapytała Iga.

– Wie pani, zupełnie zapomniałam, że w ogóle je mamy. Nie oglądałam go od wieków. Zresztą mnie tu nie ma, to wszystko tłumaczy, ja byłam dla nich za smarkata. Więc tak, po kolei. Oni stoją w cukierni, za ladą oczywiście Lilith, prawda, że była piękna?

– Bardzo, nawet według dzisiejszych kanonów urody.

– Właśnie. Ale wtedy też. Tu obok stoi mój brat, a tu Zygmunt. Ależ on na nią patrzy! Zupełnie jakby był zakochany! – dodała, jak gdyby ze zdziwieniem.

– Zygmunt? – Iga powtórzyła bezwiednie.

– No, wasz Zygmunt, to znaczy Cieślak, brat Celiny. Wiedzieliśmy, że się w kimś nieszczęśliwie kochał, ale to nie mogła być Lilith, nie, przecież ona miała już wtedy narzeczonego, tego Maksa…

– Apfelbauma?

– No właśnie.

– Zygmunt i Lilith – powiedziała w zamyśleniu Iga. – Zygmunt i Lilith…

Chciała jak najszybciej wrócić do domu i raz jeszcze obejrzeć wszystkie fotografie z kolekcji babki. Lilith Cukierman, tak, to mogła być ona… A jeśli ona, to wuj Zygmunt bardzo dobrze się ukrywał, skoro nikt go o to nie podejrzewał. Dlaczego pozwolił jej wyjść za mąż, skoro się kochali? Nie mogli dokądś uciec? Prawda, miał zaledwie szesnaście lat, choć tu wygląda na jakieś dwadzieścia. A ona? Nie mogła odmówić Maksowi swej ręki? Czyżby w grę wchodziły jakieś rodzinne umowy? Może Cukiermanowie byli winni pieniądze Apfelbaumom? A może oni po prostu nie zdawali sobie jeszcze sprawy z tego, że są w sobie zakochani?

Właściwie to Marian Cieślak sam się w końcu oświadczył Paulowi. Znał chłopaka dość dawno i nie miał żadnych wątpliwości, że nadaje się na zięcia. Jedyne, czego się bał, to odmowy, bo co prawda Paul był zawsze wobec Zyty szarmancki, ale nigdy nie próbował jej uwodzić. Trochę to przyszłego teścia martwiło. Wolałby nawet, żeby w drodze już było dziecko, choćby i bez ślubu, by pozostawało tylko przypieczętować konsekwencje świadczące o zażyłości tych dwojga. Ale na nic takiego się nie zanosiło i Cieślak, poganiany przez żonę, postanowił w końcu wziąć sprawy w swoje ręce.

Pewnego dnia zabrał Paula Pod Złotego Kura, jak miał w zwyczaju, kiedy chciał z nim omówić jakąś ważną firmową sprawę, i bez owijania w bawełnę zaczął:

– Co powiesz o mojej córce?

– A co by pan chciał usłyszeć?

– Że ci się podoba.

– Podoba mi się, owszem. Jest bardzo ładna.

Cieślak, którego serce skoczyło nagle z radości, cmoknął niezadowolony:

– Ładna, ładna! Sam wiem, że jest ładna! I co z tego, skoro nikt jej nie chce! W jej wieku powinna mi już wnuki rodzić, a ona co? W domu siedzi! Wstyd rodzinie przynosi!

– Dlaczego: wstyd? Przecież nie ma męża.

– No właśnie! Wszyscy pytają, kiedy nasza Zyta wreszcie wyjdzie za mąż. A kogo pytają? Mnie pytają!

– Czemu pana?

– Bo to ja, wyobraź sobie, powinienem znaleźć kandydata! Czasem myślę, że już by lepiej było, jakby uciekła z jakimś grajkiem! – Cieślak wyrzucał z siebie całą frustrację, a Paul, wczuwając się w ból ojca, zastanawiał się, jak mu pomóc. Był tylko jeden sposób, ale on nie wiedzieć czemu go nie proponował. Cieślak zebrał więc w sobie całą odwagę i w desperacji rzucił: – Ożeniłbyś się z nią?

Paul spojrzał nań uważnie, chyba żeby sprawdzić, czy szef nie żartuje, i po dłuższej chwili, podczas której prawdopodobnie rozważał wszystkie „za" i „przeciw", odpowiedział wreszcie ku wielkiemu zaskoczeniu przyszłego teścia:

– Tak.

Film *Upadły anioł* z Giną Weylen w roli głównej rozpoczął długoletnią współpracę aktorki z reżyserem Henrykiem Bambergiem. Gdy wchodzili do kinoteatru Sfinks na pokaz premierowy, Grażyna czuła potworną tremę, ale obraz bardzo się podobał, a dwa kolejne, *Porwanie* i *Gdy zapada zmrok*, utwierdziły jej status gwiazdy. Nie rezygnowała jednak z teatru, lubiła jego wąskie korytarzyki, niewielką scenę, znajome twarze na widowni. Jej piosenki, pisane przez najlepszych autorów, śpiewała cała Warszawa.

Była na ustach wszystkich. Jej toalety komentowano i naśladowano, kobiety strzygły się „na Ginę", cukiernicy serwowali ciastko nazwane jej imieniem. Przypominała świeży powiew wiosny: młoda, radosna, zakochana w przystojnym i bogatym mężczyźnie. Zawsze promienna i uśmiechnięta, potrafiła oczarować nawet swoje konkurentki. Jej naturalny wdzięk i szczera radość udzielały się innym. Gina kochała życie, jakie wiodła. Tak je sobie właśnie zawsze wyobrażała: jako cudowne spełnienie marzeń, niekończące się pasmo sukcesów, miłość bez granic. Taka była wersja oficjalna, bo kiedy gasły reflektory, opadała kurtyna, a bankiet dobiegał końca, wracała do swej niełatwej rzeczywistości.

Bardzo szybko pożegnała się z nadzieją, że wyjdzie za mąż za Wiktora. Nie było jej to zresztą do niczego potrzebne. Ale chciałaby mieć swego mężczyznę obok, a nawet nie zamieszkali razem! Ceniła bardzo swoją niezależność i fakt, że potrafiła utrzymać się sama. Pozostała w mieszkaniu w Alejach Ujazdowskich – pięć pokojów to było dla niej samej aż nadto.

Nigdy się nie skarżyła. W końcu jej marzenie się spełniło. Miała go, była pewna jego miłości. Kiedy tylko mógł Milę i swoje interesy zostawić na nieco dłużej, zaszywali się w Alejach albo wyjeżdżali gdzieś na parę dni. To zdarzało się rzadko, bo ona też miała mnóstwo zajęć, ale wtedy czuła się najszczęśliwsza.

W Wiktorze, poza urodą, obyciem, wiedzą, poczuciem humoru, pewnością siebie i pieniędzmi, podobało jej się coś jeszcze: tajemnica. Był nieprzenikniony. Miała poczucie, że nigdy nie dowie się o nim wszystkiego. Odkrywał się przed nią powoli, niewiele o sobie opowiadając. Zresztą nie był typem gawędziarza, już raczej słuchacza. Patrzył uważnie, nieruchomiejąc niczym posąg. Miał kocie oczy. Było w nich coś magicznego i podniecającego zarazem. Gdy o czymś myślał w wielkim skupieniu i mrużył powieki, trzymał ją na uwięzi swego wzroku, sprawiając, że gubiła wątek. Odrzucała wtedy głowę do tyłu, jakby strząsała jego spojrzenie, kilkakrotnie mrugała i wracała do tematu.

Miał swój świat, którego z nim nie dzieliła, świat wielkiej finansjery, biznesu, ale też świat przygody, szaleństwa, bo wciąż gdzieś wyjeżdżał, by przeżyć ekscytację, rzucając swoje życie na szalę. Zawsze wtedy wariowała z niepokoju, jeśli w porę nie dostała obiecanej depeszy.

Pewnego razu wybrali się do Zajezierzyc. Gina, tak bardzo pewna siebie i swoich uczuć, chciała przedstawić Wiktora rodzinie. On początkowo się opierał, wyobrażając sobie nie bez racji, jak piorunujące wrażenie wywrze na wszystkich wieść, że ma z tym dzieckiem romans. Dość długo się spierali, jedno przekonywało drugie i każde miało rację:

– Twoja matka mnie znienawidzi!

– Ucieszy się, wiedząc, że się mną opiekujesz.

– Pomyśli, że zeszłaś na złą drogę!

– Zobaczy, że jestem szczęśliwa.

– Będą pytali, kiedy ślub.

– To im powiemy.

Wreszcie go przekonała. Pojechali pewnej słonecznej soboty. Kinga Pawlak wciąż mieszkała z mężem w bocznym skrzydle pałacu, oddanym jej do dyspozycji przez hrabiego Tomasza, ale kiedy Adrianna Zajezierska zobaczyła przez okno automobil sunący podjazdem, zadysponowała obiad i nie było mowy, aby się wykręcić.

Wiktor zresztą wypadł świetnie, ale co zabawne, wszyscy poza Pawlakiem wydawali się tacy skonsternowani! Ciocia Ada chyba ani razu nie spojrzała gościowi prosto w oczy. Przez cały czas miętła w zdenerwowaniu chusteczkę. Hrabia udawał jowialnego i nowoczesnego, a był skrępowany i sztywny. Patrzyli na Ginę, która dla nich wciąż pozostawała dzieckiem, i myśleli zapewne, że niedaleko pada jabłko od jabłoni.

Kinga Toroszyn była krnąbrna i uparta, jej córka nie może być inna. Matka, którą Gina przygotowywała od dawna i która przecież znała Wiktora lata całe, też nie umiała się odnaleźć. Speszył ją! Cóż, nikt nie oczekiwał, że wystąpi w takiej właśnie roli. Gdyby przyjechał prosić o rękę Grażyny, zachowywaliby się zupełnie inaczej. Traktowaliby go jak przyszłego zięcia, prawie członka rodziny. Tymczasem ona od razu na początku rozmowy przecięła wszelkie spekulacje, mówiąc:

– Pamiętacie Wiktora? Jeżeli się domyślacie, że jesteśmy kochankami, to macie słuszność. I jeszcze jedno: nie zamierzamy się pobierać.

Hrabia się zakrztusił! Tylko jeden Pawlak zachowywał się naturalnie. Kiedy pokazywał Grabnickiemu, głównemu fundatorowi długołęckiego dworu, postępy prac budowlanych, nawet żartowali. Gina widziała w jego wzroku, że pamięta tamtą rozmowę sprzed lat! Uściskała go na pożegnanie jak ojca! Widziała po minie matki, że jest szczęśliwa, i to ją uspokajało. O sobie mówiła niewiele, zresztą oni wszystko wiedzieli z gazet. Starali się zobaczyć każdy jej film, cóż było więcej opowiadać?

Mimo to wizyta przełamała pierwsze lody, nieufność i obawy oraz zaowocowała wieloma następnymi, podczas których Grabnicki witany był w Zajezierzycach niemal jak członek rodziny. Potem zresztą został doradcą hrabiego w sprawach uprzemysłowienia gospodarstwa, co pomogło pchnąć majątek na nowocześniejsze tory specjalistycznej produkcji. Zajezierski dziękował mu wielokrotnie za pomysł uprawy chmielu, a także ziół, w tym waleriany i ślazu, których ceny nie spadały tak bardzo jak ziemniaków czy zboża, a całe zbiory na pniu kupował rozwijający się przemysł farmaceutyczny.

To również Wiktor doradził reprezentowanemu przez hrabiego Kółku Rolniczemu bank, który mógłby najkorzystniej sfinansować długoterminowy kredyt, on wreszcie przysłał kontrahentów po płody wyhodowane przez zawiązaną między Zajezierskimi a Radziewiczami spółkę rolną.

Dużo i z pewnym niepokojem rozmawiali o reformie rolnej, która jednak ostatecznie nie weszła w życie, dzięki czemu majątek trwał w całości. Grabnicki namawiał hrabiego, by nie oszczędzał na pracy chłopa, do czego ten sam już zresztą doszedł. Nie mając wciąż dziedzica (bo wszak Paweł nie mógł nim zostać), inwestował w wieś i jej rozwój.

Jakoś wtedy właśnie Gina zrozumiała, że coś się niedługo zmieni. Kiedy Wiktor dowiedział się o ciąży, nie mógł uwierzyć! Śmiał się i przerażony łapał za głowę, czuł lęk i rozpierała go radość. Zupełnie nie wyobrażał sobie, że kiedykolwiek jeszcze mógłby zostać ojcem!

„Jestem za stary, za stary!" – myślał z przerażeniem i gryzł się w obawie, że nie zdąży wychować syna. Bo nie miał wątpliwości, że to będzie syn.

– Jak damy mu na imię? – zapytał, obejmując ją czule w łóżku.

– Adam. Adam Toroszyn – uściśliła, a on zapalił lampkę nocną, by spojrzeć jej w twarz.

– Nie Adam Grabnicki? – zapytał. – Chcesz, żeby był tylko twój?

– Nigdy nie będzie tylko mój. Nazwisko nie ma najmniejszego znaczenia, pamiętasz, jak mi to kiedyś mówiłeś?

– Może dla kobiety – wysapał z udawanym żalem. – Będę miał syna! – powiedział jeszcze i wyciągnął rękę, by przyciągnąć ją do siebie.

Na wiosnę Gina Weylen zniknęła nagle z warszawskich salonów, a kolejne premiery teatralne odbywały się bez niej. Mówiono w mieście, że wyjechała na kilka miesięcy do Berlina, ale dość długo nie pojawiał się też żaden jej nowy film i tylko bardzo wąskie grono zaufanych dowiedziało się, że późnym latem urodziła w Aninie syna Adama.

Wiktor, rozdarty między dorosłą, zdradzającą objawy szaleństwa córką a kochanką z malutkim synem, ciągle robił sobie wyrzuty, że dla każdej ma zbyt mało czasu. Gdy był z Milą, myślał o Ginie, gdy z Giną – o Mili. Przy tym wszystkim dużo pracował, chcąc ich wszystkich zabezpieczyć, wreszcie pomagał Ginie w odbudowie Długołąki, bo widząc, jak tam się wszystko ślimaczy, postanowiła wziąć koszt budowy dworu na siebie.

– Potraktujcie to jak prezent ślubny – powiedziała ze śmiechem, gdy zawiozła matce pierwsze duże pieniądze, zarobione na filmie. – Zresztą Adam musi mieć porządny dom, a pieniądze trzeba wydać szybko! – dodała.

Kinga i Pawlak czuli się trochę zażenowani, ale argument o domu dla wnuka przemówił im do rozsądku, szalejąca zaś inflacja nie skłaniała do oszczędności.

Wróciła triumfalnie, trzema obrazami naraz. Krytycy pisali, że przerwa dobrze jej zrobiła, bo publiczność zatęskniła za swoją gwiazdą i tłumnie zapełniała kina podczas projekcji każdego z filmów. Twierdzono, że artystka zyskała jakąś dojrzałość i pewność siebie. Wyglądała zniewalająco pięknie i uwodzicielsko. Właściwie bez przerwy pracowała.

Do dziecka przyjęła mamkę, co było oczywiste w jej zawodzie. Nie pokazywała się z synem publicznie, wciąż nazywana „panną Weylen", i gdy tylko zakończono odbudowę dworu w Długołące, zawiozła dziecko do babki. Tam Adam Toroszyn spędził swe najszczęśliwsze dziecięce lata. Zawsze przyjeżdżali do niego na Wielkanoc. Zabierali wtedy ze sobą Milę i mimo że dwór w Długołące pomieściłby wszystkich, nie mogli odmówić Zajezierskim.

Święcone w Zajezierzycach! O tym by można było napisać książkę! Takich smaków, zapachów i kolorów już się dziś nie spotyka. Do pałacu tradycyjnie przychodził ksiądz proboszcz, który święcił baranka z ciasta umieszczonego na zielonym postumencie z rzeżuchy, okolonym niezliczoną liczbą pięknie ozdobionych kraszanek. Ślinka ciekła na widok kiełbas białych i wędzonych, pieczonej szynki z ponacinaną skórką, prosięcia pieczonego w całości, glazurowanego indyka. Aż chciało się rękę wyciągnąć po kawałek lukrowanej baby drożdżowej, tortu czy mazurka.

Gdy ksiądz poświęcił już pański stół, przechodził do stołu służby. Tam też wszystkie potrawy czekały, w równie dużym i smakowitym wyborze. Widać było, że do pałacu i folwarku powrócił dostatek. Potem nadchodził czas obżarstwa i pierwszych wiosennych spacerów. Wielkanoc Gina lubiła chyba jeszcze bardziej niż Boże Narodzenie.

Jeśli czegoś im brakowało, to chyba tylko ptasiego mleka. Marian Cieślak, znalazłszy wreszcie zięcia, był tak szczęśliwy, że na niczym nie oszczędzał. A kiedy Paul zgodził się przyjąć nazwisko teścia i spolszczył swe imię, o co usilnie prosiła go przyszła żona, Cieślak zrobił Pawła swym wspólnikiem, oddając mu bez żadnego wkładu własnego przedsiębiorstwo taksówkarskie AutoGarage.

Patrząc na szacunek, jakim się nawzajem darzyli, na zrozumienie, jakie sobie okazywali, na podobny styl zarządzania firmą i myślenia o biznesie, można było powziąć podejrzenie, że Paweł ożenił się bardziej ze swym teściem niż z jego córką, która zresztą dość szybko po ślubie pokazała prawdziwe oblicze despotki, osoby wiecznie niezadowolonej, narzekającej i kłócącej się z byle powodu. Cieślak uprzedził zresztą Paula, że tak będzie. Miał identyczne doświadczenia, ale nauczył się obchodzić ze swoją Zenobią niczym z jajkiem, kiedy trzeba – ustępować, kiedy trzeba – przekupić prezentem lub czułym słówkiem i to samo doradzał zięciowi, który okazał się w tych sprawach pojętnym uczniem.

Znosił zatem kaprysy małżonki z anielską cierpliwością, łagodząc jej temperament i ustępując we wszystkim, a kiedy nie dawał już rady, szedł z teściem na wódkę. Dodatkowym plusem wejścia do rodziny była dla Pawła osławiona zażyłość Cieślaków, gwarne święta w kilkudziesięcioosobowym gronie, majówki na Bielanach oraz hucznie obchodzone imieniny i urodziny każdego z grona sióstr i braci Mariana.

W tym czasie wszyscy byli w większych lub mniejszych biznesach i nie wspominali, co zrozumiałe, o swojej przestępczej przeszłości. Paweł dowiedział się o niej przypadkiem od Zyty, która chciała go w złości do nich porównać. Ale ku jej zdziwieniu stwierdził wtedy z całym spokojem:

– W Ameryce, żeby zacząć, też trzeba ukraść pierwszy milion. Najważniejsze, że teraz są uczciwi.

Zgasił ją tym na długo. Nigdy nie mogła zrozumieć, dlaczego trzyma z nimi, a nie z nią, bo choć pochodziła z ich rodziny, sama sobie wydawała się doskonała, podczas gdy wszyscy bez wyjątku Cieślakowie byli w jej oczach motłochem z Powiśla. Paweł nie podzielał tych uprzedzeń. Szanował ludzi za ich pracę i cieszył się, że ma tak liczną i lubiącą się rodzinę.

W tym samym roku przyszedł na świat owoc misternej intrygi Mariana Cieślaka, pierwsze dziecko Pawła i Zyty – Zygmunt.

Cieślak żałował tylko, że jego Zenobia tego wszystkiego nie doczekała. Straciła bowiem życie kilka miesięcy wcześniej, potrącona przez rozpędzony zaprzęg konny. Z tego powodu pojawiły się obawy o zdrowie ciężarnej, na szczęście jej smutek nie zaszkodził mającemu się narodzić dziecku. Paweł i Zyta do 1930 roku doczekali się pięciorga potomstwa. Po Zygmuncie urodziła się Celina, potem Weronika, Marian junior i wreszcie najmłodszy – Tadeusz.

❧

Podczas kolejnej wizyty lekarz zaproponował, by poza czytaniem znaleźć Mili jeszcze jakieś zajęcia. Uznał, z czym trudno się było nie zgodzić, że ciału pacjentki nic nie dolega, a jedynie umysł od czasu do czasu wykazuje się mniejszą niż u ludzi zdrowych sprawnością, toteż nie ma potrzeby nadmiernie chronić jej przed zmęczeniem. W krótkim czasie Grabnicki zatrudnił dla córki dwoje nauczycieli: rysunku oraz muzyki. Celem pobierania lekcji nie była rzecz jasna kariera pianistyczna czy wygrywanie konkursów plastycznych ani jakiekolwiek zarobkowanie, tylko wypełnienie czasu młodej kobiecie, która gnuśniała w domu, nieobarczona żadnymi obowiązkami.

Mila okazała się zresztą bardzo wrażliwa, a jej obrazy, naznaczone piętnem osobliwego metafizycznego bólu, były naprawdę dobre. Wiktor poszedł za ciosem i zapisał córkę na lekcje gry w tenisa. Sam zapalony tenisista, uważał, że sport ten trzyma jego ciało w ryzach, nie dając mu się roztyć mimo wielu późnych kolacji. Dziwne, że dopiero teraz o tym pomyślał! Kierowca Giny co tydzień woził Milę do klubu sportowego, skąd po godzinie lub dwóch wracali na Żoliborz.

Lekcje przyniosły niespodziewany efekt, bo Mila ni mniej, ni więcej, tylko zakochała się w swoim instruktorze! Gdy wsiadała do auta, jej oczy nieodmiennie błyszczały radością, a zaróżowione policzki i uśmiech na twarzy pozwalały się domyślać, że poza nauką gry może chodzić o coś więcej. Przy tym zachowywała się bardzo naturalnie, ani na chwilę nie tracąc przytomności umysłu.

Czym prędzej postanowiła zwierzyć się ze swych uczuć przyjaciółce, zadzwoniła więc do Giny. Głos miała lekko drżący, poza tym zupełnie normalny. Opowiadała o cudownym mężczyźnie, który nagle pojawił się w jej życiu, i o tym, jaka jest wreszcie szczęśliwa. Gina wysłuchała wszystkiego, pozwalając się Mili wygadać i nie zdradzając ze swymi wątpliwościami, które wyjawiła dopiero przed Wiktorem.

Grabnicki był w szoku. Nie wiedział, co robić. Z jednej strony trener tenisa miał dobry wpływ na Milę, która nie tylko odzyskała humor, ożywiła się, zainteresowała na nowo światem, lecz także zaczęła robić plany. Ale to właśnie one przeraziły jej ojca. Po pierwsze, nie życzył sobie, aby córka wiązała się z człowiekiem, który nie był jej w stanie utrzymać na poziomie, do jakiego przywykła. Po drugie, nie chciał nikogo skazywać na to, co sam przechodził z Danutą. Mila miała wszystkie objawy choroby matki i zapewne wkrótce nadejdzie czas, gdy znów ujawnią się one z całą mocą. Urodziwszy córkę, Mila powołałaby na świat kolejną nieszczęsną istotę, uzależniając ją od opieki innych. Patrząc na to wszystko realnie, nie mógł się zgodzić.

Jego decyzja była twarda, zdecydowana i niepodlegająca negocjacjom. Gina jednak miała wielki dylemat: wszak Wiktor jest tak bogaty, że Mila mogłaby żyć do śmierci w luksusie, nawet gdyby jej mąż nigdzie nie pracował.

– Mam oddać własne dziecko w ręce jakiegoś linoskoczka?! – odpowiedział jej ze złością. – Wiesz, jak by to się potoczyło?

– Nie wiem, dziwne, że ty wiesz – hardo rzuciła mu w twarz.

– Znam świat i takich przypadków widziałem co niemiara. On wkrótce przestałby pracować, żeby zająć się żoną, zabrałby ją do wód, dla rzekomego leczenia, podróżowałby i przepuszczał moje pieniądze. Potem, gdy wszystko wyszłoby na jaw, pewnie wziąłby rozwód, a ona byłaby jeszcze bardziej nieszczęśliwa.

– Masz paradne wyobrażenie o ludziach! – Gina nie poznawała Wiktora. – Nie wiesz jeszcze, kim jest ten człowiek, widziałeś go może raz w życiu, skąd czerpiesz przekonanie, że to szubrawiec?

– Czy powiedziałem coś takiego?

– Ale zasugerowałeś.

– Niczego nie sugeruję poza tym, że nikt poważny nie zajmuje się zawodowo nauczaniem gry w tenisa, że pieniądze ludzi deprawują, zwłaszcza ludzi z nizin, i że nie oddam mojej córki komuś takiemu. Zresztą musielibyśmy mu powiedzieć, że Mila jest chora, a wtedy on i tak zwinąłby chorągiewkę. Jeśli oczywiście jest nią zainteresowany, jak twierdzisz, a nie są to tylko rojenia chorej wyobraźni Mili.

– Więc w ogóle nie wierzysz, że oni mogliby się kochać?

– Ależ nie, mogą, jak najbardziej.

– Więc o co chodzi? Według ciebie miłość nie ma siły przenoszenia gór? Jeśli będą się kochać, nie mogą być szczęśliwi?

– Że też muszę ci tłumaczyć takie podstawowe kwestie! Małżeństwo nie ma nic wspólnego z miłością. To kontrakt. Miłość ma prawo skończyć się po tygodniu, z kontraktu należy się wywiązać. Ludzie zadziwiająco często mylą te dwa pojęcia, nakładając na małżeństwo swoje pojęcie miłości, i myślą, że uczucie będzie trwało wiecznie, a w każdym razie bardzo długo i na dodatek rozwiąże za nich wszystkie problemy bytowe.

Gina patrzyła na Wiktora z otwartymi ustami.

– Nie poznaję cię. Chcesz ją unieszczęśliwić?

– Wręcz odwrotnie. Za wszelką cenę nie chcę do tego dopuścić. Zduszone teraz, to głupie uczucie nie zapuści korzeni dostatecznie głęboko, a dzięki mojej reakcji Mila nie będzie cierpiała zbyt długo. Wkrótce zapomni.

– O Oreście nie zapomniała.

– Tak! Dobrze! Nie zapomni. Będzie cierpiała. Ale nie dopuszczę do tego, by jakiś obcy mężczyzna nią pomiatał. Biegał na dziwki, podczas gdy ona będzie miała atak.

– Ty jesteś o nią po prostu zazdrosny – powiedziała Gina z rezygnacją.

– Mylisz się. Gdyby była całkiem zdrowa, odradzałbym jej ten romans. Ponieważ jest chora i nie w pełni władz umysłowych, muszę myśleć za nią. Nie wierzę w miłość tego tenisisty, ale proszę, możemy się przekonać.

– Tylko nic nie rób! Ja tam pojadę.

Wiktor nie był zadowolony, ale w końcu się zgodził. Gina pojechała do klubu tenisowego w innej porze niż Mila. Grała z jej trenerem i poprosiła go o kilka lekcji. Wieczorem zadzwoniła do Grabnickiego przybita:

– Miałeś rację, to zwyczajny lowelas[1]. Od razu był gotów się ze mną umówić.

Usłyszała, że westchnął.

– Pojadę tam jutro.

Przed następną lekcją Mila, podniecona perspektywą zobaczenia ukochanego, wstała wcześniej niż zwykle i była gotowa o wpół do dziesiątej. Siedziała na krześle w holu, nerwowo poruszając nogą i raz po raz spoglądając przez okno, ale kierowca się nie zjawił. O dziesiątej zadzwonił telefon, jak zwykle odebrała pokojówka. Powiedziała, że kierowca zachorował. Mila zażądała, aby wezwano jej taksówkę, ale usłyszała tylko chłodne:

– Nie było dyspozycji.

Chciała wybiec na ulicę, znaleźć sobie jakiś pojazd, choćby nawet wsiąść do tramwaju, nie miała jednak pie-

---

[1] Uwodziciel, pożeracz serc (ang.).

nędzy, które zawsze dostawała od ojca. Wiktora nie było w domu, a ona nie znała numeru telefonu do biura. Pomyślała o Ginie, ale nie chcąc wtajemniczać pokojówki, czuła się całkowicie bezradna. Nie wiedziała przecież nawet, gdzie jest książka telefoniczna. Dotychczas, gdy chciała zadzwonić, służąca zawsze podawała jej słuchawkę po nawiązaniu połączenia. Mili nigdy to nie przeszkadzało, dziś jednak poczuła się niczym w klatce. Zdesperowana, poprosiła o połączenie z mieszkaniem panny Weylen.

Pokojówka posłusznie podeszła do aparatu, wykręciła z pamięci numer i zapytała o Ginę, po czym podziękowała i odłożyła słuchawkę.

– Panna Weylen ma próbę w teatrze.

Mila przeżywała męki, bo poza czekaniem nie mogła nic zrobić. Nawet gdyby wykorzystując nieuwagę pokojówki, wybiegła z domu, nie znała drogi do klubu. Nie śledziła trasy, jaką pokonywał samochód, nie obchodziło jej to. Patrzyła przez okno na mijanych ludzi, witryny sklepowe, bujając myślami w obłokach, teraz okazało się to zgubne. Zresztą sama nie odważyłaby się wybrać w podróż tramwajem na drugi koniec miasta.

Cóż, nie pozostawało nic innego, jak czekać na spotkanie z ukochanym cały długi kolejny tydzień. Dla Mili był to najdłuższy tydzień w jej życiu. Kiedy wreszcie minął, ani choroba kierowcy, ani inne przeszkody nie stanęły jej na drodze. Gdy uśmiechnięta i radosna wyszła wreszcie na kort, zobaczyła, że zmieniono jej instruktora! Na pytanie o pana Roberta usłyszała, że musiał pilnie wyjechać do Lwowa w sprawach rodzinnych.

Znów przyszło jej czekać, denerwować się i cierpieć. Po tygodniu znów nie spotkała swego trenera. W klubie powiedziano jej tylko, że już nie wróci. Lekcja się nie odbyła,

Mila wsiadła do samochodu i kazała się wieźć do domu. Na jej twarzy malowało się cierpienie.

Zdjęła buty i usiadła na krześle w holu, gdzie tkwiła bez ruchu niemal pół godziny, nie reagując na pytania pokojówki. Potem w swoim pokoju chodziła z kąta w kąt, mówiąc coś do siebie, tłumaczyła nieobecnemu ukochanemu, potem przekonywała ojca, skarżyła się Ginie. Raz głośno, raz cicho, coraz bardziej niewyraźnie, wreszcie jej słowa przeszły w bełkot, a oczy przesłoniła mgła. Pokojówka, zaniepokojona milczeniem, znalazła ją zwiniętą w kłębek na podłodze. Obudzona, wydawała się wciąż nieprzytomna.

Trzy dni później znów trafiła do szpitala i pozostała tam prawie pół roku. Wyszła na wiosnę jeszcze bardziej zamknięta w sobie i nigdy już nie wspominała nauczyciela gry w tenisa.

Pewnego wiosennego poranka przy niedzielnym śniadaniu Wiktor stwierdził nagle, że będzie musiał wyjechać. Pozornie była to informacja bez znaczenia, wyjeżdżał często na dzień, dwa, tydzień i wtedy Gina obejmowała pieczę nad jego żoliborskim domem oraz Milą.

– Kiedy? – zapytała więc tylko, by sprawdzić swoje terminy i ustalić rozmaite kwestie ze służbą.

– W przyszły piątek – Grabnicki powiedział szybko, jakby chciał mieć to już za sobą, i po krótkiej chwili dodał: – Gdyby mnie nie było dłużej niż przez dwa tygodnie, skontaktuj się z mecenasem Ludwikiem Delasale'em, adres jego kancelarii jest w książce telefonicznej.

– O czym ty mówisz? Chyba nie chcesz mi powiedzieć, że zamierzasz robić interesy z sowietami?! Dokąd wyjeżdżasz? Do krainy ludożerców?! – wykrzyknęła jednym tchem, oburzona i przestraszona jednocześnie.

– Nie. Na Grenlandię.

Gdyby usłyszała, że na Księżyc, nie zdziwiłaby się bardziej.

– Będziesz Eskimosom sprzedawać kozy? – prychnęła.

– To wyjazd turystyczny.

Nie powinien był tego mówić. Chciał zachować się uczciwie i to ją rozwścieczyło.

– Masz czas, żeby wyjeżdżać na Grenlandię?! Czyś ty oszalał?! Zostawiasz mnie tu z całym majdanem, a sam lecisz pojeździć sobie na nartach i żuć suszone mięso niedźwiedzie?! Proszę bardzo, jedź, droga wolna! Testament spisał, idiota! No, mam nadzieję, że będziesz się dobrze bawił! – krzyczała, a on milczał, nie wiadomo, skruszony czy rozbawiony jej perorą.

Nigdy się jeszcze nie kłócili, nie widział jej w złości, podobała mu się i nie żałował, że wybuchła, bo nabrał ochoty na seks, teraz, zaraz, nawet tu, przy stole. Miała na sobie tylko jedwabną koszulkę i lekki peniuarek. Podszedł do niej i zaczął powoli zsuwać go z jej ramion.

– Daj mi spokój! – warknęła, ale nie zamierzał jej posłuchać. – Daj mi spokój, mówię ci! Zostaw mnie, słyszysz?! – dodała ciszej, ale już miękła, mruczała coś niezrozumiale, poddając się jego pieszczotom. – To jeszcze nie znaczy – powiedziała, wstając – że aprobuję te dziecinne zachowania. – Po prostu sobie wyjeżdżasz? Rzucasz wszystko na dwa tygodnie?

– Na miesiąc.

– A niech cię diabli!

– Zrozum, muszę wyjechać. Zawsze to robiłem. Chcę trochę pomyśleć, trochę się zmęczyć, pobyć sam ze sobą.

– Nie możesz wyjechać do Anina?

– To nie to samo, zresztą na pewno wziąłbym ze sobą ciebie, Milę albo was obie.

– Ale Grenlandia?! Czy to nie przesada? I to akurat teraz, kiedy mam nagrywać swoją pierwszą płytę?!

– Jeśli mogę ci w czymkolwiek pomóc podczas nagrania, to oczywiście zostanę. Trzeba było od razu powiedzieć. Mam mruczeć w chórku? Mrrrrrr… Tak dobrze?

– Wariat!

– Sama widzisz. Poradzisz sobie. Jak zwykle będziesz splendid!

– A zobaczysz, że będę!

– I pamiętaj: Ludwik Delasale.

Cóż mogła powiedzieć więcej? Czuła się zupełnie tak samo jak wtedy, gdy wsiadał do samolotu na Polu Mokotowskim, a ona drżała z lęku. Tylko że tam miała go niemal przez cały czas w zasięgu wzroku, a jeśli coś mu się stanie na Grenlandii, nie będzie mogła zrobić absolutnie nic. Po co jej mówił o tym testamencie, teraz będzie się denerwować, póki on nie wróci. Oszaleć można!

Wrócił jednak cały i zdrowy, promieniejący radością i z mnóstwem pomysłów na przyszłość. Po tym pierwszym razie nastąpiły kolejne wyjazdy, ale za każdym razem Gina bała się coraz mniej. Wreszcie uwierzyła w jego i swoje szczęście, uznając, że nic złego nie może mu się stać, póki ona go kocha.

Testament złożony u mecenasa Delasale'a wciąż jednak tam był i przed każdym wyjazdem Wiktor Ginie o nim przypominał.

Zbliżając się do trzydziestki, Gina Weylen sama sobie wydawała się bardzo stara. Ale albo nie wszyscy tak uważali, albo starość nie była czymś wstydliwym, bo wtedy właśnie, w połowie sezonu 1925/26, dotychczasowa adeptka podkasanej muzy zadebiutowała na deskach szyfmanowskiego Teatru Polskiego! Rok ten okazał się ciężki dla Szyfmana, jego teatr miał długi i być może angażując znane nazwisko, dyrektor chwytał się brzytwy, bo aby spełnić żądania finansowe gwiazdy, musiał wziąć kolejny kredyt. Pikanterii sprawie dodawał fakt, że zadłużył się w banku, w którego Radzie Nadzorczej zasiadał Wiktor Grabnicki!

Gina przypuszczała, że bardziej chodzi o jej popularność niż o talent dramatyczny, podjęła jednak próbę zagrania na deskach „prawdziwego" teatru, za jaki nigdy nie uważała kabaretów typu Czarny Kot czy Qui Pro Quo. Teatr dramatyczny nobilitował ją i stawiał w rzędzie sław, o których historia nie zapomni, podczas gdy film i kabaret w jej mniemaniu dawały jedynie pieniądze.

Okazało się, że ten desperacki krok wyszedł wszystkim na dobre. Warszawa chciała zobaczyć byłą girlsę i piosenkarkę kabaretową w poważnym repertuarze. Dyrektor, mimo konieczności wypłacenia wysokiego honorarium, zanotował znaczne wpływy, a publiczność otrzymała doskonałą sztukę w świetnym wykonaniu. Początkowo Kazimierz Junosza-Stępowski, któremu miała partnerować, nie chciał nawet słyszeć o Ginie Weylen. Kiedy jednak przyszła na próbę w skromnym stroju i prawie bez makijażu, cicho siadła przy końcu stołu, mimo że miała grać główną rolę, a podczas przerwy zaofiarowała się, że przyniesie mu z bufetu herbatę – zaczął zmieniać o niej zdanie.

Sztuka szła kompletami przez trzy sezony, co było zasługą zarówno autora, reżysera, jak i aktorów. Grażyna Toroszyn znała licznych dramatopisarzy, bo już wcześniej zaczęto jej przysyłać rękopisy, bywała dość często na pięterku w Ziemiańskiej i spotykała się z wieloma z nich w pracy. Uważała autorów za kogoś w rodzaju uwodzicieli: wprawdzie głosili podniosłe prawdy, lecz nigdy się do nich nie stosowali. Ta dychotomia[1] zawsze ją zdumiewała.

Mieli też pisarze jeszcze jedną zastanawiającą cechę: mówili ludziom to, co ci chcieli usłyszeć. Jeśli zachowywali przy tym minimum szczerości, na ogół zyskiwali poklask i stawali się sławni. Jak niewielu z nich potrafiło wtedy zachować skromność i dystans do własnego dzieła! Widywała ich na przyjęciach i w kawiarniach, gdy z błyskiem w oku rozprawiali o swym nowym pomyśle, niepodobieństwem było im wtedy przerwać. Trochę zazdrościła autorom. Ich powieści, zapisane na papierze, przetrwają dla następnych pokoleń, podczas gdy przedstawienie teatralne jest ulotne i nietrwałe jak ludzka pamięć.

Wtedy też Gina zaczęła myśleć o pisaniu. Dziennik prowadziła od dawna, prawie od swego lubelskiego debiutu. Lubiła chwytać wydarzenia, utrwalać to, co za chwilę zostanie zapomniane. Jednak pisała tylko o teatrze, sprawach i ludziach z nim związanych. Swoje życie osobiste

[1] Podział na dwie wykluczające się części (gr.).

kryła w cieniu, nie chciała się nim dzielić. Podczas gdy anegdoty (taką miała nadzieję) pozwolą uchwycić kiedyś czytelnikom – choćby miały to być tylko jej wnuki – szczególną atmosferę teatru, jej życie i uczucia muszą pozostać tajemnicą.

Wydawało się to dość naiwnym przekonaniem w czasach, kiedy do dobrego tonu należało bywanie na salonach i w modnych restauracjach, granie w brydża i uczestniczenie w dancingach do białego rana. Żyjąc w ten sposób, traciło się anonimowość i narażało na plotki, a warszawski *beau monde* był mały.

Gina miała wrażenie, że wszyscy niemal ocierają się o siebie na „fajfach"[2], gdzie nie opłacało się nawet zdejmować płaszcza, bo już trzeba było pędzić dalej. Nie cierpiała tego przymusu bywania, zastanawiała się, kto i po co go stworzył? Nie mogli się jednak z Wiktorem wyłamać, ponieważ oboje byli w pewnym stopniu zależni od opinii publicznej.

Jedyne, co naprawdę lubiła podczas tych obowiązkowych przyjemności, to tańczenie. Bale, najczęstsze podczas karnawału, odbywały się jak rok długi. Były zatem doroczne Bale Mody, Wiadomości Literackich, Bal Akademii Sztuk Pięknych, Związku Autorów Dramatycznych, Bal Dziennikarzy i Stowarzyszenia Techników Polskich, Banku Gospodarstwa Krajowego, Bal Poczty i Telekomunikacji. Odbywały się zazwyczaj w hotelach i miały bardzo bogatą oprawę. Wszystkie panie czuły się w obowiązku zabłysnąć pomysłową toaletą. Pojawiało się tam wielu artystów i dzięki temu atmosfera nie była wymuszona.

---

[2] Popołudniowe spotkania taneczne odbywające się zazwyczaj między siedemnastą a dziewiętnastą (ang.).

Pompatycznie bywało jedynie podczas przyjęć rządowych na Zamku Królewskim.

Na swój pierwszy bal, w 1924 roku, Gina wybrała pudrową kreację uszytą z fularu[3], prostą przedłużoną koszulkę o niewielkim dekolcie z przodu i dość głębokim z tyłu, z długim trenem. Efektowny dodatek stanowił wachlarz ze strusich piór, ale i tak wszyscy zdumiewali się najbardziej na widok nakrycia głowy, nad którym modystka męczyła się przez cały tydzień. Był to głęboki, sięgający brwi czepeczek, do którego doczepiono sztywną półkolistą aureolę z drutu, a na niej umieszczono wykonane z drobniutkich perełek, promieniście rozchodzące się druciki, które przypominały promienie słońca. Takie same perełki, na kilku miękkich sznureczkach, przyczepione do czepka w okolicy uszu spływały w dół pod brodą. Obrazu całości dopełniał długi sznur pereł zamotany na lewej ręce i skromne, kryte pudrowym atłasem pantofelki.

Gina wiedziała, że zrobi wrażenie tą kreacją, nie podejrzewała jednak, że rozpocznie ona jej królowanie na balach, wymuszając coraz to nowe, pomysłowe toalety, o których dziennikarze chcieli pisać, a warszawianki pragnęły je naśladować.

Wiktor, ubrany we frak, bo nic innego nie wypadało na bal włożyć, podziwiał ubiór Giny i jej pomysłowość oraz odwagę. Wkrótce zresztą miała dojść do wniosku, że czas barokowych strojów balowych minął. Dojrzewała, a wraz z upływem lat zmieniał się jej gust, stając się coraz bardziej klasyczny.

Wiktor na szczęście lubił tańczyć, ale ani nie miał tyle siły, by dotrzymać jej kroku podczas szalonych pląsów, ani zbyt wielu okazji, bo Ginę z miejsca obstępował rój

---

[3] Lekka, cienka, nieprzezroczysta tkanina jedwabna.

wielbicieli, którzy koniecznie chcieli choć raz porwać ją na parkiet. Tak więc po polonezie, który należał zawsze do Wiktora, na bostona, shimmy i one stepa zapisywała w karnecie innych panów. Wracała do swego przyjaciela, by zatańczyć z nim tango i walca, i znów uciekała w objęcia innych do mazura, kotyliona (tu zawsze była niespodzianka, na kogo się trafi) i oberka. Bal kończył biały walc i krakowiak przetańczony znów z Wiktorem.

Na wiosnę 1926 roku Adaś przeszedł szkarlatynę, która była dla jego matki ważniejsza niż wszystkie zatrważające wydarzenia polityczne. Gina, bardzo zmęczona sezonem, graniem w dwóch teatrach i nakręceniem pięciu filmów, zrezygnowała z udziału w imprezie objazdowej (na ogół teatr wyjeżdżał do Galicji z obowiązkowym niemal miesięcznym pobytem we Lwowie) i postanowiła wziąć urlop. Pierwszy raz zamierzała wyjechać na dłużej z synem, który miał już cztery lata i mieszkając na stałe w Długołące, powoli zaczynał zapominać swą matkę. Było to bolesne, ale konieczne. Grażyna uważała, że na wsi dziecko będzie miało więcej swobody, a oddychając świeżym powietrzem, pozostanie zdrowsze.

Pierwsze wspólne wakacje postanowiła spędzić na Lazurowym Wybrzeżu. Ktoś jej polecił pensjonat Les Chrisantèmes w małej rybackiej wiosce Juan-les-Pins, prowadzony przez rosyjskie małżeństwo: doktora Winterfelda i jego żonę Larissę. W okolicy zresztą przebywało wielu Rosjan, przeważnie zbiegów ze Związku Radzieckiego. Po zakończeniu sezonu Grażyna wyjechała więc z synem do Francji i spędziła z nim aż trzy miesiące. Na cały sierpień dołączył do nich Wiktor, a kiedy trzeba było wracać, przyjechała do Francji Kinga Pawlak i została z chłopcem do następnego lata.

To były cudownie leniwe wakacje! Co prawda Adaś zupełnie nie mógł się przemóc i uparcie nazywał Wiktora „pan", a kiedy go poprawiała, strofując delikatnie, mówił to swoje „tata" takim tonem, jakby chciał dać im do zrozumienia, że się mylą, bo przecież on nie ma taty. Wreszcie, nie chcąc męczyć dziecka, dali za wygraną.

Że w tamtejszej małej społeczności rosyjskiej wieści rozchodzą się błyskawicznie, nie ulegało wątpliwości, ale zdarzyło się wtedy coś, co zdumiało Grażynę i zmusiło do refleksji nad zawiłymi ścieżkami życia.

Wybrali się z Wiktorem i Adasiem na kilkudniową wycieczkę samochodową do Nicei. Zamieszkali w eleganckim hotelu Negresco tuż przy Promenade des Anglais. Całe dnie spędzali na plaży lub wycieczkach wzdłuż wybrzeża. Ostatniego dnia, kiedy boj wynosił ich walizki do samochodu, wybiegła za nimi na ulicę pokojowa. Trzymała w dłoni zapomnianą zapewne w pokoju apaszkę Giny i nieśmiało ją zaczepiła:

– Mademoiselle Toroszyna[4]?

Gina zauważyła apaszkę w jej dłoni i choć mogłaby przysiąc, że przed wyjściem dokładnie sprawdziła, czy nic nie zostało w numerze, uśmiechnęła się i wyciągnęła rękę po zgubę:

– Ah, oui[5]!

Tamta zawahała się przez krótką chwilę i szybko zapytała:

– Excusez mon audace, mais je m'apelle Toroszyna, moi aussi[6].

---

[4] Panna Toroszyn? (fr.).

[5] Ach, tak! (fr.).

[6] Proszę wybaczyć mi śmiałość, ale ja też nazywam się Toroszyn (fr.).

– Vraiment[7]? – Gina zapytała z grzeczności.

Cóż ją mogło obchodzić nazwisko jakiejś francuskiej pokojówki, nawet jeśli przypadkowo przypominało jej własne, z którym notabene nie była wcale zżyta?

– Mon beau-père s'appelait Nikanor Timofiejewicz Toroszyn[8].

Grażynę przeszył niemiły dreszcz. Spojrzała na kobietę uważniej.

– Est-ce qu'il est mort[9]? – spytała bez satysfakcji.

– Oui. En 1915. Ils sont tous morts... La maudite révolution bolchevique[10]!

– Je comprends... – Gina pokiwała głową i jakby chciała jej jakoś wynagrodzić śmierć rosyjskich Toroszynów, dodała, wskazując na Adasia: – Et voilà Adam Toroszyn[11]!

Kobieta rzuciła szybkie spojrzenie na dziecko, potem na Wiktora i zmarszczyła brwi w wielkim skupieniu.

– Mais il n'est pas du tout pareil[12]...

Gina uśmiechnęła się z nieskrywaną satysfakcją:

– Parce qu'il est polonais, madame[13].

Kobieta zrozumiała. Dygnęła i odeszła w pośpiechu. Teraz Wiktor, który przez cały czas nie odezwał się ani słowem, chrząknął i powiedział:

– Gino Weylen! Oto zemściłaś się za swe krzywdy na całym narodzie rosyjskim!

---

[7] Naprawdę? (fr.).

[8] Mój teść nazywał się Nikanor Timofiejewicz Toroszyn.

[9] Czy on zmarł? (fr.).

[10] Tak. W 1915. Wszyscy umarli. Przeklęta rewolucja bolszewicka! (fr.).

[11] Rozumiem. A to jest Adam Toroszyn! (fr.).

[12] Ale nie jest wcale podobny... (fr.).

[13] Bo jest Polakiem, proszę pani. (fr.).

– Jej teść ograbił nas ze wszystkiego, a teraz ona musi pracować na obczyźnie jako pokojówka... – odparła Gina w zamyśleniu. – Cóż za ironia losu!

– Rewolucja... Módlmy się, by do nas nie dotarła...

1995

I co? – zapytał Grzegorz Hryć tonem trochę zbyt natarczywym. – Przespałaś się z nim wreszcie?

– Nie lubię, kiedy tak do mnie mówisz!

– Nie odpowiedziałaś.

– Nie. Ale przedstawił mnie córce.

– I co z tego? Ta mała diablica trzyma z moją matką, lata do niej codziennie, uczy ją chodzić, mówić. Jeśli Celina wróci do rządów, wszystko przepadnie.

– Naprawdę muszę się z nim przespać? – zapytała Helena, łasząc się do Grzegorza niczym kotka.

– Ustaliliśmy to chyba?

– No ale... On jest taki...

– Jaki?

– Nie kręci mnie – usprawiedliwiała się przepraszającym tonem.

– I co z tego? Najważniejsze, że na ciebie leci. Jeśli się tam wkręcisz, będziemy wiedzieli co i jak.

– Każe mi się rozwieść.

– To mu powiedz, że się już rozwiodłaś.

– Tak po prostu?

– A potem zrób coś takiego, żeby uwierzył.

– Dziwny jesteś.

– Ja?

– Nie kochasz mnie już?

Grzegorz Hryć spojrzał na kochankę wzrokiem, który zawsze przyprawiał ją o dreszcze.

– A po co to wszystko robię, jak nie dla nas? On śpi na forsie, musimy go trochę skubnąć. Sam tego nie mogę zrobić, prawda? W końcu to mój brat, ale ty...? Wiesz, że jako dyrektor nie mogę już jeździć tym starym gratem.

Wielkanoc Gina z Wiktorem znów spędzili w Zajezierzycach. Grabnicki lubił te wyjazdy, nawet jeśli się zawsze przy okazji pokłócił z Zajezierskim o politykę. Mając trzeźwy pogląd, widział, że sprawy idą złym torem. Gdyby przyszło mu wybierać, opowiedziałby się za Piłsudskim, politykę Dmowskiego uważając za szkodliwą dla kraju.

Tymczasem hrabia, przy całym szacunku dla jego zasług, nie mógł znieść Piłsudskiego. I tak się przerzucali argumentami – gdy jeden mówił o obsesyjnej antysemickiej polityce Dmowskiego oraz jego dziecinnym wręcz lęku przed masonami, drugi wytaczał armaty przewrotu majowego i polityki kadrowej marszałka, zasadzającej się na tym, co wyjdzie w pasjansie i co podpowie mu dworska kamaryla, od której nie potrafił się odciąć.

Gdy spór zabrnął zbyt daleko, na ogół gasiła go hrabina Adrianna lub – jeśli był obecny – Zdzisław Pawlak. Kinga uwielbiała te niby-kłótnie, sama w nich często zresztą brała czynny udział, by po wszystkim raczyć się z oboma panami jałowcówką lub likierem z pigwy. Dzięki wizytom Grażyny i Grabnickiego pałac ożywał. Służba się zawsze do nich bardzo starannie przygotowywała, jakby to Gina miała być ich przyszłą dziedziczką i panią.

*

Tuż po Wielkanocy, w kwietniu 1929 roku, rozpoczęło się pierwsze wielkie, trwające sześć tygodni europejskie tournée Giny Weylen. Odwiedziła Berlin, Wiedeń i Paryż, wszędzie śpiewając po kilka koncertów, zbierając entuzjastyczne recenzje i – mimo kryzysu – zarabiając krocie. Podziwiano jej stroje, fryzury, talent sceniczny. Porównywano do słynnej Yvette Guilbert, co było wielkim wyróżnieniem. W Berlinie nagrała też płytę.

Wprost z Paryża przyjechała w maju na jeden koncert do Poznania, zaproszona przez dyrekcję Poznańskiej Wystawy Krajowej, tu spotkała się z Wiktorem, którego firmy produkujące maszyny rolnicze zajmowały jeden z pawilonów. Ekspozycja przyciągnęła wielu zagranicznych przedsiębiorców, dlatego Wiktor ze swymi dyrektorami liczyli na zawarcie lukratywnych kontraktów. Osoba pięknej i młodej towarzyszki prezesa obecnej podczas rautów, wydawanych w najelegantszym z poznańskich hoteli – Bazarze, miała być dodatkowym atutem spotkań roboczych.

Po tak intensywnej wiośnie znów zrobili sobie dłuższe wakacje na Lazurowym Wybrzeżu, dokąd wyjechali z Adasiem, do Warszawy wracając dopiero w końcu sierpnia.

Czekał ich ważny rok – chłopiec miał przeprowadzić się do stolicy, bo skończył właśnie siedem lat i musiał zacząć naukę w szkole powszechnej. Trochę z tego powodu było sarkania i swarów w Długołące, bo wszak i w Gutowie, i w Płocku są dobre szkoły, do których Adaś mógłby uczęszczać, Grażyna jednak uznała, że syn powinien wreszcie zamieszkać razem z nią. Co prawda wciąż dużo pracowała, ale mogła sobie wybierać przedstawienia, dużo grała w filmie, a to nie było aż tak uciążliwe, a i Wiktor zaofiarował się, że w razie potrzeby zajmie się chłopcem.

Adaś poszedł więc od września do siedmioklasowej szkoły Towarzystwa Szkoły Mazowieckiej przy Klonowej 16. Codziennie był wożony i odbierany przez kierowcę. Przyzwyczajony do ciszy długołąckiego dworu i niemal całkowitej uwagi babki, początkowo nie mógł odnaleźć się w harmiderze i tłoku. Ze szkoły wracał bez humoru, nadąsany, niemal z płaczem, w poczuciu krzywdy nie chciał się do nikogo odzywać. Ale z biegiem czasu wszystko się jakoś ułożyło, znalazł kolegów, polubił lekcje, zwłaszcza gimnastykę. Szybko też dało się zauważyć jego uzdolnienia do przedmiotów ścisłych. Po kilku tygodniach co rano wstawał do szkoły z radością.

Na jesieni 1929 roku rozpoczął się światowy kryzys i ceny produktów spożywczych spadły aż trzykrotnie. Tomasz Zajczierski wprowadził liczne oszczędności w gospodarstwie, między innymi zrezygnowano z elektryczności na rzecz lamp naftowych.

– Mój Boże! – biadała Ada. – Nie mogę przywyknąć do tego światła. Ani czytać, ani zająć się robótkami, nic nie widzę. Żyjemy jak za króla Ćwieczka! Ciągle boli mnie od tego głowa.

– To się połóż, moja duszko – mawiał wtedy zawsze hrabia. – Nie czytaj przy sztucznym świetle.

Ale oszczędności były konieczne, bo na terenie majątku mieszkały cztery rodziny pracowników (buchalter, dwaj rządcy i ekonom) oraz ponad trzydzieści rodzin służby bądź robotników, w tym kilku emerytów otrzymujących dożywotnią rentę. Wszystkim przysługiwał deputat mięsny, mleko, drewno opałowe, do chorych wzywano na koszt pałacu lekarza.

Swych ludzi hrabia wespół z Pawlakiem trzymali twardą ręką. Nie tolerowano pijaństwa, lenistwa i rozpusty, surowo karano za kłusownictwo i alkoholizm. Wymagano czystości w obejściach i posyłania dzieci do szkoły. Winni tracili pracę, a więc i utrzymanie.

Zarabiano godnie, ale praca była ciężka. W majątku utrzymywano dwadzieścia koni, sto dwadzieścia dojnych krów oraz inny inwentarz. Rozpoczynano o szóstej (w czasie żniw o czwartej) i w najgorętszych okresach kończono nierzadko o północy z przerwą na obiad między dwunastą a czternastą. Hrabia kupował maszyny, które skracały i ułatwiały pracę, ale wiele czynności, zwłaszcza pielenie oraz zbiór ziół, trzeba było wykonywać ręcznie.

Kryzys mocno dał się we znaki również przedsiębiorstwu Cieślaków. Musieli sprzedać kilkanaście samochodów i zwolnić pracowników, bo taksówki całymi dniami stały bezczynnie. Ludzie znów brali dorożki lub, chcąc zaoszczędzić, po prostu poruszali się na piechotę. Paweł pojechał wtedy do Ameryki i przekonawszy do siebie dyrekcję Forda, dostał zgodę na otwarcie salonu tej marki w Warszawie.

To był moment, kiedy po raz ostatni widział swoje przyrodnie rodzeństwo: Marka i Annę. Ani jego przybrany ojciec Ira, ani wuj Jacek już nie żyli. Paweł pomodlił się na grobie matki i stwierdził ze zdziwieniem, że jest bardziej Polakiem niż Amerykaninem. Pewnie by ją to ucieszyło. Zrzekł się też wtedy na rzecz przybranego rodzeństwa wszelkich roszczeń do zostawionego przez Irę Connora majątku i wrócił do Polski z poczuciem, że tu jest jego miejsce.

Kryzys gospodarczy nie ominął również sceny. Właściciel Czarnego Kota, dyrektor Szumski biadał codziennie, że gaże aktorów, tekściarzy, orkiestry, personelu technicznego i baletu oraz rachunki za światło, a wreszcie podatki zżerają wszystkie jego dochody, bo zapanował snobizm, by przychodzić do teatru „na kartki", czyli darmowe wejściówki, a nie kupując bilety.

– Za dużo rozdajemy „kartek", za mało sprzedajemy biletów! Jak tak dalej pójdzie, trzeba będzie zamknąć taki piękny biznes! Zróbcie coś! – wołał w rozpaczy nie wiadomo do kogo, bo wszystkim się zdawało, że to „coś" właśnie robią.

Ale nikt nie przejmował się Szumskim. Tyle razy udawało mu się podźwignąć z bankructwa, że gdyby jakiś jego interes potrwał nieco dłużej, chyba on sam by się najbardziej zdziwił.

Tymczasem sytuacja zrobiła się tak trudna, że Szumski w połowie grudnia zamknął teatr i uciekł przed wierzycielami. Pod nieobecność dyrektora aktorzy zagrali jeszcze trzy spektakle, mając nadzieję, że, jak to często w przeszłości bywało, pojawi się znienacka, potrząsając w dłoni plikiem banknotów, które udało mu pożyczyć od jakiegoś łatwowiernego miłośnika sceny. Tak się jednak nie stało. Szumski ulotnił się jak kamfora i czwartego dnia podczas przedpołudniowego zebrania zespół podjął decyzję o samorozwiązaniu.

Nie było to pierwsze warszawskie bankructwo teatralne. Teatrzyki otwierały się i zamykały niemal codziennie. Zdumiewało jednak, że padła scena, która codziennie miała komplet widzów, gdzie grali najlepsi aktorzy i najlepsi tekściarze pisali szlagiery. Gina, związana z Czarnym Kotem niemal od początku swej drogi zawodowej, zastanawiała się nawet, czyby nie wziąć antrepryzy w swoje ręce, rozmawiała o tym z Wiktorem, ale on nie mógł jej wtedy wspomóc, bo sam był w kłopotach: akcje traciły na wartości z każdym dniem, fabryki nie miały zbytu, klienci na potęgę bankrutowali, tłumy ciułaczy oblegały banki z żądaniem wypłaty gotówki.

W tej sytuacji upadek teatru nie wydawał się ani niczym dziwnym, ani szczególnym. Aktorzy rozpierzchli się, szukając pracy gdzie indziej. Gina zresztą nagrywała wtedy swój pierwszy film dźwiękowy, produkowaną przez Sfinksa *Pułapkę miłości*. Premierę planowano w największym warszawskim kinie Colosseum przy Nowym Świecie tuż po nowym roku, a na realizację czekały kolejne scenariusze.

Zajęta tym wszystkim, a przede wszystkim stałą obecnością syna, co było dla niej całkiem nowym doświadczeniem, nie zauważyła zmiany, jaka w tym czasie zaszła w Wiktorze. Nigdy nie przypominali typowej mieszczańskiej rodziny. Mieszkali wciąż osobno, a spotykali się wtedy, kiedy on dysponował czasem. Dzięki temu nigdy właściwie nie mieli siebie dosyć, pozostając żarliwymi, wciąż stęsknionymi kochankami.

W związku z przeprowadzką Adasia do Warszawy Wiktor, który widywał chłopca jedynie podczas wakacji i krótkich wspólnych z Giną wypadów do Długołąki, cieszył się, że będzie go mógł wprowadzić w swoje ulubione męskie rozrywki. Chciał nauczyć chłopca jeździć na nartach, grać w tenisa, a z czasem prowadzić samochód i pilotować samolot.

Tuż po Bożym Narodzeniu, tradycyjnie spędzonym na Żoliborzu, pojechali we trójkę do Zakopanego. Bawili się świetnie i dlatego może Grażyna nie zwróciła uwagi na nieistotny jej zdaniem fakt, że tam właśnie po raz pierwszy Wiktor nie sprawdził się w nocy jako mężczyzna. Zażartowała nawet:

– Już ci się nie podobam?

– To tylko starość – powiedział ironicznie, a ona przyjrzała mu się badawczo.

– Co za bzdura! – niemal wykrzyknęła, jakby chciała przekonać jego, siebie i jeszcze kogoś, być może niewidzialnego, kto rządzi tym wszystkim tak niesprawiedliwie, że człowiek musi odchodzić właśnie wtedy, kiedy wreszcie cokolwiek zaczyna rozumieć.

– To zadziwiające i nie do uchwycenia w słowach, przynajmniej dla mnie, który nigdy nie byłem w tym dobry, ale wiesz, mam wrażenie, że po pięćdziesiątce człowiek nagle zaczyna tracić nieśmiertelność.

– Nie rozumiem.

– Ostatnio dużo o tym myślę.

– Po co?

– Może dlatego, że czas się zacząć przygotowywać?

– Przerażasz mnie! – szepnęła, obejmując go mocno, jakby ten uścisk mógł go uchronić przed nieuchronnym.

– Nie będę udawał, że się nie boję. Nie znoszę sytuacji, kiedy nie mogę się przygotować, być lepszym od przeciwnika, zaskoczyć go i wygrać.

– Nikt nie może, chyba że samobójcy.

– Tak, tylko samobójcy... – powiedział do siebie i czule ją objął.

Rano próbowała wrócić do tamtej rozmowy, ale tylko prychnął znudzony. Zresztą szli na narty, był piękny słoneczny dzień, śnieg się iskrzył, skrzypiąc pod butami, Adaś rzucał w nich śnieżkami, kto by w takiej chwili chciał rozmawiać o śmierci?

Nigdy nie wrócili do tematu.

Z wiosną Wiktor znów nabrał werwy. Więcej czasu spędzał na swoich ulubionych męskich zajęciach: wyścigach samochodowych i pilotowaniu samolotu, a ponieważ Grażyna zajęta była dzieckiem i nie mogła mu towarzyszyć, cieszyła się, że odgonił złe myśli, żyje pełnią życia, rozkoszując się każdą chwilą. Zaczął planować nawet wyprawę samolotem do Afryki. Dużo też pracował, bo czas nadszedł taki, że aby zarobić tę samą złotówkę co kiedyś, trzeba było poświęcić dwa razy więcej czasu.

Kiedy wyjeżdżał, Gina prowadziła dwa domy: w Alejach i na Żoliborzu oraz zajmowała się dwojgiem dzieci: Adasiem i Milą. Ale cieszyła się, że on ma tak wiele planów, bo przynajmniej nie myślał o głupstwach.

Ona też miała mnóstwo zamierzeń, w tym jedno szalone – zaczęła rozważać, czy przypadkiem, śladem dwóch wielkich polskich aktorek, Heleny Modrzejewskiej i Poli Negri, nie ruszyć na podbój Stanów Zjednoczonych. Ludzie z wytwórni myśleli o tym od dawna, teraz te plany mógł pokrzyżować wynalazek dźwięku w filmie, bo angielszczyzna Giny, choć poprawna, a nawet dość płynna, nie była jednak pozbawiona słowiańskiego akcentu.

Pomysł na jej zabłyśnięcie za oceanem wytwórnia zamierza sprawdzić, organizując wielkie tournée po głównych ośrodkach polonijnych, poczynając od Nowego Jorku poprzez Chicago, Detroit, Filadelfię, Baltimore po Pittsburgh. Gina miała wykonywać swój europejski repertuar, śpiewając w pięciu językach. Wiktor nie mógł jej towarzyszyć przez cały czas, popłynął jednak do Nowego Jorku i wziął udział w premierze. Ze względu na porę roku – początek jesieni – nie wchodziło także w grę zabranie Adasia.

Zamierzała w Ameryce zostać przez trzy miesiące i wrócić dopiero przed świętami. Po powrocie chciała otworzyć w Warszawie swój własny teatr, do czego Wiktor namawiał ją od dawna, obiecując, że będzie pokrywał straty. W tę scenę Gina wierzyła bardziej niż w obietnicę zabłyśnięcia w Hollywood i całych Stanach, a sam wyjazd bardzo szybko zaczęła traktować jak pasjonującą, ale tylko przygodę. I choć mrzonki o amerykańskiej karierze porzuciła szybko i bez żalu, do tury, jak do każdego zresztą występu, przygotowała się skrupulatnie, wybierając najlepsze ze swych piosenek i najbardziej eleganckie z kostiumów. Oprócz tego przygotowywała stroje codzienne i wizytowe, nakrycia głowy, buty, futra.

Do Gdyni polecieli samolotem Wiktora, świeżo nabytą maszyną typu RWD-4, z której był bardzo dumny. Wylądował w Babimdole i tam też pod opieką zaprzyjaźnionego właściciela dużej łąki zostawił samolot, którym miał po miesiącu wrócić do Warszawy.

Wypłynęli z Gdyni na statku Polonia, kierując się ku Kopenhadze, by potem obrać kurs na Halifax i Nowy Jork. Na statku Ginę fetowano niczym perską księżniczkę. Posiłki spożywali wraz z Wiktorem przy stoliku kapitańskim, za dnia spacerowali lub leżakowali na pokładzie, wieczorami chodzili na dancingi. Byli szczęśliwi. By podziękować za honory, Gina dała uroczysty koncert, który został entuzjastycznie przyjęty przez licznie zgromadzoną publiczność (statek przewoził niemal ośmiuset pasażerów!).

Po trzech dniach spędzonych w Nowym Jorku, zostawiając ją opiece impresariów, Wiktor wsiadł na tę samą jednostkę wracającą do Polski.

Koncerty Giny Weylen podobały się i zyskały przychylne recenzje, których cały album artystka przywiozła ze sobą do Polski. Po jednym z występów poznała na przyjęciu samego Maurice'a Chevaliera, który słyszał jej śpiew i również namawiał do zostania. Jednak nocne jazdy pociągami były bardzo męczące i nie dawały potrzebnego wytchnienia. Samotność jej dokuczała, a parcie na sukces w Stanach gdzieś się ulotniło. Zdecydowanie wolała Warszawę, swoją publiczność i życie, jakie tu wiodła.

I mimo że swą pierwszą amerykańską przygodę zaliczyła do udanych, szybko nie zamierzała jej powtórzyć, albowiem jeszcze przed świętami pragnęła zająć się poszukiwaniem miejsca na teatr lub przynajmniej scenkę kabaretową, i to pochłonęło ją bez reszty.

Stało się jeszcze coś – coś strasznego, niepotrzebnego i złego – zakochała się w swym filmowym partnerze, Stanisławie Łabiszu. Najgorsze, że nawet jej się nie podobał! Był o pięć lat starszy od niej, więc przy Wiktorze młodzik, w dodatku bufon, choć przystojny. Ale omotał ją bez reszty. Rzecz niepojęta: jakaś jej część mówiła, że on to robi z chęci zaistnienia, bo choćby skandal z jej udziałem stanowił dla niego nobilitację. Ale jednocześnie wierzyła albo chciała wierzyć, że on ją wreszcie zrozumie jak nikt inny. Tęskniła za nim, wydzwaniała, spotykali się ukradkiem.

Łabisz oczywiście miał żonę, której istnienie Gina lekceważyła. Gdyby się w porę nie opamiętała, być może nawet odeszłaby od Wiktora. Wciąż sobie powtarzała:

– Przecież nie jesteśmy nawet małżeństwem.

A jednak czuła się podle i po trzech miesiącach, zerwawszy z tamtym, wszystko wyznała ukochanemu. Wiktor bardzo to przeżył. Oczywiście udawał, że nic się nie stało, ale miała świadomość, iż zadała mu straszny cios, na który niczym nie zasłużył.

W początku lat trzydziestych przedsiębiorstwo Cieślak & Cieślak sprzedawało w swych salonach wiodące marki samochodów. Przy Marszałkowskiej, Krakowskim Przedmieściu i Alejach Jerozolimskich otwarte zostały trzy salony: Forda, Chevroleta i Mercedesa. Interesy szły nieźle, choć wciąż trwał wielki kryzys, który w ciągu najbliższych lat miał się dać bardzo we znaki wielu firmom, nie oszczędzając Cieślaków.

Jako członek wielu stowarzyszeń handlowych i wytwórczych Paweł Cieślak miał rozmaite obowiązki, także towarzyskie. Musieli się z Zytą od czasu do czasu pokazywać w operze, drogich restauracjach, na wyścigach. Bywanie nie tylko należało do dobrego tonu, lecz także przydawało się w biznesie. Często w zacisznych gabinetach restauracyjnych urządzano nieformalne spotkania, urozmaicające żmudne negocjacje.

Na jednym z takich przyjęć Zyta Cieślak poznała jasnowidza, Stefana Ossowieckiego. Miał on w sobie jakiś magnetyzm, nikt nie mógł temu zaprzeczyć, ale nie wszyscy ulegali jego czarowi, nie wszyscy też to, co mówił, traktowali niczym prawdę objawioną. Nietrudno się domyślić, że Paweł Cieślak należał do tych drugich i kiedy wracając do domu, Zyta opowiadała mu, jaki to straszny los spotka Warszawę i jej mieszkańców podczas kolejnej, bliskiej już wojny i okupacji, tylko ją wyśmiał:

– Chyba w to nie wierzysz? Niemcy są za słabe. Jak miałyby komukolwiek zagrozić?

– Wspomnisz moje słowa: Warszawa zostanie prawie całkiem zrujnowana, wielu ludzi zginie, to będzie straszna wojna – oznajmiła złowieszczo.

– Skaranie boskie z tymi magikami! – Paweł westchnął ostentacyjnie. – Wirujące stoliki, magnetyzm, lewitacja! No, zastanów się! Przecież to na milę trąci hucpą!

Uwielbiał słowo „hucpa[1]", choć nikt mu nie potrafił wyjaśnić, co ono właściwie znaczy.

– Szukaj domu na prowincji! Wyprowadzam się!

Kto inny byłby się tylko zaśmiał, Paweł Cieślak wiedział jednak, że sprawa jest poważna, a jego żona bynajmniej nie żartuje.

– Jak to: wyprowadzasz się? Sama?

– Oczywiście, że nie! Z dziećmi.

– Tadzio jest za mały na jakąkolwiek podróż. Zresztą po pierwsze nie masz się dokąd wyprowadzić, a po drugie nikt nam jeszcze wojny nie wypowiedział. Jeśli chcesz znać moje zdanie, uważam, że to absurd. Ale zgoda, poszukam czegoś odpowiedniego. Gdy tylko sytuacja międzynarodowa się zaostrzy, zawsze będzie czas, żeby was wywieźć gdzieś na wieś. Może w strony rodzinne mojej matki? Gutowo, niedaleko Płocka, bardzo przyjemna okolica. Ale potrzebuję czasu i środków, a mamy kryzys. Zresztą nie zamierzam nic załatwiać na łapu-capu. W końcu chodzi o dzieci.

---

[1] Bezczelność, tupet, arogancja (jid. z hebr.).

Paweł Cieślak był troskliwym ojcem i mimo że nie przyjmował do serca ponurych przepowiedni wieszczących wojnę, postanowił wybrać się do Gutowa i poszukać tam nieruchomości, która pomieściłaby jego liczną rodzinę.

Rok 1931 rozpoczął się dla Giny bardzo intensywnie. Przede wszystkim postanowiła wyremontować mieszkanie w Alejach i urządzić je na nowo. Przypadkiem trafiła w Hotelu Europejskim do nowo otwartego sklepu Spółdzielni Artystów „Ład", a prostota stylu, który proponowano w meblarstwie i aranżacji wnętrz, tak jej przypadła do gustu, że zleciła „Ładowi" kompletne wyposażenie swego apartamentu. Trochę się z tego powodu pokłóciła z Wiktorem, on bowiem nie lubił surowości, sztuka ludowa tchnęła dlań prymitywizmem, narzekał, że pozbawione ozdób meble wyglądają na niedokończone, ale w końcu dał za wygraną. W końcu to ona mieszkała tam na co dzień, a on bywał tylko gościem.

Była to ich ostatnia większa kłótnia. Wiktor nigdy nie lubił się sprzeczać, zawsze szarmancki i uprzedzająco wręcz grzeczny, nie robiłby awantury o meble, zresztą równolegle organizowali teatr i przy rozmachu tego przedsięwzięcia remont mieszkania w Alejach zszedł na dalszy plan. Wynajęli już salę po dawnym kinie Fatamorgana przy Marszałkowskiej, miły lokal na dwieście miejsc, gdzie działalność mogli zacząć niemal natychmiast. Gina jednak bardzo chciała, aby teatr, który ochrzciła własnym imieniem, miał odpowiednią oprawę – eleganckie, zachęcające do częstych odwiedzin wnętrza, dobry repertuar z plejadą gwiazd i świetny bufet. Zorganizowanie tego wszystkiego wymagało czasu i przeciągnęło się aż do lata, dlatego uzgodnili datę pierwszej premiery na 6 września, kilka dni po powrocie Wiktora z kolejnych – jak obiecywał, ostatnich już – samotnych wakacji.

Przygotowywał się do nich nadzwyczaj starannie, leciał bowiem do Afryki i chciał przewidzieć wszystkie czekające go niespodzianki. Trasa wiodła z Warszawy przez Ateny, Kair, Chartum, Elizabethville, Lagos, Casablankę i Rzym. Gdy wspominała później, jak się zachowywał, co robił, co mówił, jaki był przed tym lotem, robiła sobie wielkie wyrzuty, że zlekceważyła zmiany, jakie zaszły w nim w tamtym czasie. A przecież je dostrzegała! Nawet ją trochę złościły. Był zamknięty, mrukliwy, niechętny, zmienny w nastrojach, co wcześniej rzadko się zdarzało. Pomyślała, że się starzeje i potrzebuje czasu, by zaakceptować ten stan, zżyć się z nim.

Wiktor odbył z nią długą rozmowę na temat Mili. Raz jeszcze wałkował tamtą decyzję sprzed lat, jakby szukał usprawiedliwienia, a przecież podjęli ją wspólnie. Powiedział, że to przez niego Mila jest sama.

– Nie przez ciebie, tylko z powodu swojej choroby! – zaprzeczyła Gina.

– Miałaby kogoś, kto by się nią opiekował – ciągnął swą myśl.

– Albo kto by ją zostawił ze złamanym sercem! My się nią opiekujemy.

– Zawsze, kiedy wyjeżdżam, mam wyrzuty sumienia, że jest ciągle sama.

– Ma przecież panią do towarzystwa i ma nas, mnie i Adasia.

– Za mało czasu jej poświęcam – powiedział z jakimś przejmującym smutkiem.

Ta rozmowa nie zaniepokoiła Giny, w jej rozumieniu była jedynie konsekwencją złego humoru, w jaki Wiktor ostatnio coraz częściej popadał. Niczego nie przeczuwała, a jeśli nawet czaił się pod tym wszystkim jakiś lęk, tłumiła go, zajęta wypełnianiem mnóstwa obowiązków. Angażowała tekściarzy i aktorów, pracowników administracji i zaplecza, jednocześnie doglądając remontu, grając w teatrze, zajmując się dwoma domami. Miała złe sny i nawet chciała wybrać się do wróżki, ale nie zdążyła.

Początkowo wieści o śmierci Wiktora w katastrofie lotniczej opatrzone były jedynie jego inicjałami i słowem „prawdopodobnie". Gina, która przygotowywała się nie tylko do nowej premiery w teatrze, lecz także do nowej życiowej roli i bardzo potrzebowała kogoś, z kim mogłaby o tym wszystkim porozmawiać, nie przyjmowała ich do wiadomości. Tyle razy już ginął i się odnajdywał, wychodził cało z takich opresji, że na pewno i tym razem mu się uda. Zresztą zawsze wracał, a ona nie miała jeszcze ochoty zaglądać do jego testamentu.

A jednak wiadomość, zrazu niepotwierdzona, obrastała coraz większą ilością tragicznych szczegółów. Gina nie mogła jeść ani spać, na próbach była nieuważna, premierę całkiem położyła. Wciąż jednak kurczowo trzymała się nadziei, bo szczątków samolotu nie odnaleziono – stwierdzono jedynie, że musiał spaść gdzieś nad Atlasem, ponieważ w Casablance już nie wylądował.

Czekała tydzień i drugi – powoli jej przekonanie, że Wiktor jest niezniszczalny, stawało się coraz słabsze.

Zaplanowana na 6 września pierwsza premiera w ich wspólnym teatrze odbyła się zgodnie z planem. Recenzje, choć nieentuzjastyczne, okazały się przychylne, a publiczność zadowolona. Gina w ostatniej chwili zmieniła program, wykonując same smutne piosenki, jak chociażby *Wróć do mnie nocą*. Śpiewała, nie kryjąc łez, była przygnębiona i nieszczęśliwa.

Wstrzymywała się trzy miesiące z pójściem do Delasale'a. Wreszcie on sam zadzwonił.

– Czy zechce mnie pani odwiedzić?

Musiała zebrać siły, ale pod koniec listopada nie było już szansy na powrót Grabnickiego.

– Szanowna pani, przypadł mi w udziale przykry obowiązek przekazania pani tego oto listu mojego klienta – powiedział adwokat i podał jej zaklejoną kopertę, po czym wyszedł z gabinetu.

Wyjęła napisane odręcznie pismo i przebiegła je wzrokiem:

Najdroższa!

Skoro to czytasz, stało się. Jestem już zapewne tam, skąd się nie wraca. Chcę Ci powiedzieć, że byłaś moją największą miłością. Dziękuję Bogu za każdy dzień spędzony z Tobą, a Tobie za to, że chciałaś mnie obdarzyć swym gorącym uczuciem. Uwierz mi, to jedyne wyjście. Wszystko przemyślałem i nic nie jest dziełem przypadku.

Twój kochający Wiktor

Kiedy kilkanaście minut później mecenas wrócił do gabinetu, Gina podniosła nań pytający wzrok. Delasale przygryzł wargi:

– Miał nowotwór. Niestety, nie było nadziei.

Teraz śmierć Wiktora wydała jej się jeszcze tragiczniejsza.

– Więc on... To było samobójstwo? – wyszeptała ze zgrozą.

– Szanowna pani, dla świata niech pozostanie nieszczęśliwym wypadkiem. O chorobie wiemy pani, ja i lekarz, niestety nie znam jego nazwiska.

– Jak to się stało, że niczego się nie domyśliłam? Niczego nie zauważyłam? Jak długo chorował?

– Nie wiem. List przyniósł mi tuż przed odlotem do Afryki. Powiedział, że tym razem nie wróci.

– Boże, jaka byłam ślepa! – wyszeptała Gina zdjęta grozą.

A więc ostatnia nadzieja upadła. Nie będzie się miała kogo poradzić w sprawie teatru i nawet jeśli Wiktor zostawił ją z zasobami wielokrotnie przewyższającymi jej potrzeby, to przecież nie o pieniądze chodziło. Odszedł ktoś, komu ufała, kogo kochała i kto ją kochał. Wyszła od Delasale'a chwiejnym krokiem, jakby była nietrzeźwa. W ciągu tej krótkiej wizyty straciła grunt pod nogami i przez następne tygodnie nie potrafiła sobie znaleźć miejsca. Dopiero teraz przyłapywała się na tym, że mówi do niego, odwraca się, słysząc kroki na schodach, wygląda przez okno na ulicę, gdzie zazwyczaj parkował, przyjeżdżając do niej. I za każdym razem, kiedy na nowo doświadczała jego nieobecności, miała wrażenie, jakby dotykała świeżej rany.

Nie licząc się z kosztami, wysłała w góry Atlasu ekspedycję poszukiwawczą, bo nie mogła go nawet pochować!

Adaś od razu zauważył, że coś się stało. Miał wtedy zaledwie dziewięć lat. Któregoś dnia usiadła naprzeciwko niego, wzięła głęboki oddech i powiedziała mu o wszystkim.

– Nie martw się – odparł tonem dorosłego. – Będę się tobą opiekował.

Zrozumiała wtedy, że musi wziąć się w garść, bo nie ma żadnego wpływu na to, co się stało, i choćby nie wiadomo jak rozpaczała, nie wróci życia Wiktorowi.

Pół roku później, a rok od wyruszenia Wiktora z Warszawy, nastąpiło formalne otwarcie testamentu. Poznała wtedy wielu dalszych członków rodziny Grabnickich. Rodzice Wiktora już nie żyli, podobnie jak dwoje rodzeństwa. Zjawiła się tylko najstarsza siostra, zamieszkała we Lwowie Melania Lipska. Przyjechała z dwójką dzieci: Ryszardem i Eugenią Łątewką. Oprócz nich było też trochę krewnych i powinowatych.

Gdy notariusz odczytywał testament, Gina miała wrażenie, że to Wiktor mówi do niej po raz ostatni. Zrozumiała wtedy, jak bardzo ją kochał i jak wielkie miał do niej zaufanie, bo poza drobnymi zapisami dla dalszej i bliższej rodziny, współpracowników oraz instytucji charytatywnych i kulturalnych, które zawsze hojnie wspierał, wszystko pozostawił jej, Mili i Adamowi. Stała się nagle osobą bardzo zamożną, ale też z wieloma obowiązkami, o których wcześniej nie miała pojęcia.

Mecenas punkt po punkcie odczytywał długą listę firm, których Wiktor był właścicielem lub miał w nich pakiety akcji, najpierw nieruchomości: ziemia, fabryki i budynki mieszkalne, potem co wartościowsze ruchomości, jak chociażby samochody, a ona przez cały czas płakała. Po zakończeniu formalności zaprosiła wszystkich obecnych do restauracji na obiad, który miał być nieformalną stypą. Wielu z jego krewnych widziała po raz pierwszy i ostatni w życiu.

W lutym, w wieku zaledwie pięćdziesięciu siedmiu lat, nagle odeszła Adrianna Zajezierska. Co prawda od roku uskarżała się na zmęczenie, wciąż była wyczerpana, męczyły ją nudności, ale przypisywała to naturalnemu upływowi czasu. Pojawiające się coraz liczniej na dłoniach czerwone plamki i wykrzywione jakby pod wpływem reumatyzmu palce hrabina skrzętnie ukrywała w rękawiczkach lub mitenkach[1]. Hrabia niczego nie zauważył. Jak większość mężczyzn, nie przyglądał się swej żonie zbyt dokładnie. On też nie miał już tyle sił co dawniej i z dnia na dzień zauważał, jak bardzo bolesny potrafi być niegroźny nawet upadek czy stłuczenie. Kiedyś zapomniałby o nim w kilka dni, teraz dolegliwości trwały miesiącami. Również jego pobolewały kolana, przytępił mu się wzrok, pojawiły się pierwsze problemy z nerkami, ale Ada była odeń dużo młodsza!

Niby narzekała na wątrobę, jednak poza piciem ziółek i ograniczaniem niektórych potraw nie leczyła się jakoś specjalnie. Kiedy jej cera przybrała niezdrowy żółtawy odcień, hrabia zabrał ją wreszcie do doktora Lewczuka, ale ku swemu przerażeniu usłyszał, że niewiele da się już zro-

---

[1] Rękawiczki damskie sięgające połowy palców (fr.).

bić. Hrabina nie była świadoma, co się z nią dzieje. Gdy już nie wstawała z łóżka, nie podawano jej po prostu lusterka lub przesuwano przed twarzą tak szybko, by nie zdążyła się sobie przyjrzeć.

Nie protestowała, do samego końca uważając swój stan za przejściowy. Utwierdzała ją w tym zresztą Kinga, która na czas choroby siostry przeprowadziła się znów do pałacu, zaniedbując męża i własny dom.

Gina, zajęta wydarzeniami związanymi z teatrem i śmiercią Wiktora, nie zdążyła się z ciotką nawet pożegnać. Zima była mroźna i śnieżna, zresztą Boże Narodzenie tradycyjnie spędzali z tego powodu w Warszawie. Ostatnie święta były szczególnie trudne. Wciąż odczuwała brak Wiktora, który zawsze podczas Wigilii podawał jej i Mili oraz Adasiowi opłatek, a także rozdawał złożone pod choinką prezenty. Jego istnienie nadawało sens jej życiu od tak dawna, że pustka, którą po sobie pozostawił, wydawała się Ginie nie do wypełnienia.

I oto Bóg zabierał z jej świata kolejną cząstkę! Z ciotką Adą Gina nigdy nie była zbyt blisko, może dlatego, że miały zupełnie różne charaktery, ale fascynowała ją ta piękna hrabina, zawsze zrównoważona, nieskazitelna i odległa. Z dzieciństwa zapamiętała jej obraz: zaczytana w altanie lub spacerująca pod parasolką, wyglądała tak eterycznie, jakby zeszła z obrazu Moneta. Kiedy Zajezierscy wrócili po wojnie, Gina zdziwiła się, dostrzegając w ciotce zmianę. Nie była już tamtą, zapamiętaną przed laty piękną panią, jej rysy się zaostrzyły, brzydkie bruzdy nadawały twarzy wyraz niezadowolenia i smutku.

Podczas pogrzebu wuj Tomasz stał przygarbiony i raz po raz ocierał oczy. Ten widok zrobił na Ginie duże wrażenie. Może dlatego że nigdy wcześniej nie widziała, by hrabia płakał, może dlatego że jego smutek i łzy świadczyły o przywiązaniu, któremu nigdy publicznie nie dawał wyrazu.

Zastanawiała się, jakim byli małżeństwem. W jej wieku nie przyjmuje się wszystkiego z dobrodziejstwem inwentarza. Miała za sobą długoletni związek, wiedziała, na ile raf człowiek wciąż się natyka, chcąc pozostać w zgodzie ze sobą, a jednocześnie nie skrzywdzić partnera. Ciotka Ada wydawała się partnerką idealną: cichą, wycofaną, dającą się prowadzić. Ale czy na pewno? To wiedziało tylko tych dwoje, z których jedno bezpowrotnie odeszło.

Mijając bramę pałacową, Gina poczuła ulgę. Wstydziła się tego, ale uciekała z Zajezierzyc, gdzie wszystko stało się nagle przeraźliwie smutne.

„Gdyby Zajezierscy mieli więcej dzieci, śmierć Adrianny nie wydawałaby się aż tak tragiczna. Ktoś by tu trwał. Naturalny rytm pokoleń byłby zachowany. Tymczasem hrabia został całkiem sam. Znikąd wsparcia, pomocy. Ma tylko Pawlaka i moją matkę" – myślała.

Ale Tomasz Zajezierski nie litował się nad sobą. Matka przepowiedziała mu to wiele lat temu, tuż przed swoją śmiercią. Powiedziała wtedy:

– Zawsze myślałeś tylko o sobie i w minucie śmierci zostaniesz sam jak palec.

Wtedy zlekceważył jej słowa, teraz, po dwudziestu latach, zrozumiał, że miała rację. Jedyne, czego w pałacu brakowało, to dziecięcego rozgardiaszu. Dom, w którym nie rozbrzmiewa śmiech dzieci, jest martwy. Tomasz pomyślał, że musi przy najbliższej okazji porozmawiać o tym z Giną.

Po zajęciu Austrii przez Niemcy Zyta Cieślak wróciła do tematu przeprowadzki. Tak długo wierciła mężowi dziurę w brzuchu, aż wreszcie pewnej niedzieli zapakował ją i trójkę najmłodszych dzieci w samochód i zawiózł do Gutowa. Zbliżając się do rynku ulicą Płocką, czuł, jak mocniej zabiło mu serce, zupełnie jakby wracał w rodzinne strony. A przecież był tu zaledwie jeden raz.

– Boże, ile tu Żydów! – skrzywiła się Zyta. – Zupełnie jak u nas na Nalewkach!

– No to się przynajmniej będziesz czuła jak u siebie w domu! – odpowiedział, skręcając na rynek. Tu zaparkował, a przypomniawszy sobie o cukierni, zaprosił żonę i dzieci na słodki poczęstunek.

Miał nadzieję, że spotka starszego pana, który był przed laty jego cicerone[1], jednak w cukierni powiedziano mu, że Alfred Przaska od wielu lat nie żyje. Nie pozostawało nic innego, jak znaleźć jakiegoś obrotnego Żyda, zorientowanego w rynku nieruchomości. Kelner poradził im zajrzeć do biura Elszyńskiego.

Zelig Elszyński był młody, uprzejmy, ubrany w garnitur, co ich trochę stropiło, bo przesiąknięci wszechobecną

[1] Przewodnik (wł.).

antyżydowską propagandą spodziewali się starego chałaciarza w kapeluszu i z pejsami, przesiąkniętego zapachem czosnku oraz mówiącego z charakterystycznym zaśpiewem. Tymczasem trafili na Europejczyka. Niestety, domy, które oferował, nie spełniały ich oczekiwań. A to lokalizacja okazywała się nieciekawa, a to powierzchnia zbyt mała, to znów nie miały wszystkich wygód. W dwóch nie było nawet bieżącej wody, co Zycie nie mieściło się w głowie!

Ponieważ Cieślakowie mieli czas, dali agentowi kilka miesięcy na rozejrzenie się, sformułowawszy na piśmie swe oczekiwania. Stanęło na tym, że gdyby jednak odpowiedniego domu w zaznaczonych okolicach nikt na sprzedaż nie wystawiał, Elszyński miał znaleźć dla nich jakąś ładną działkę.

Powrotną drogę odbyli dookoła jeziora, które bardzo podnosiło atrakcyjność miasteczka. Zyta rozważała perspektywę przeprowadzki oraz konieczność sprawdzenia podczas najbliższego seansu spirytystycznego, czy w Gutowie jej i dzieciom nie grozi aby żadne niebezpieczeństwo. Paweł zastanawiał się, jakie koszty pociągnie za sobą budowa domu i jak długo potrwa, gdy z zamyślenia wyrwał go głos żony:

– No proszę! Tym to się powodzi! Dziedzice!

Jechali właśnie obok pałacu w Zajezierzycach. Przez otwartą bramę w końcu alei lipowej mignął im podjazd i gazon, a za nim piękny klasycystyczny budynek. Jego białe mury niczym fatamorgana przeświecały między drzewami, a chwilę później stracili je z oczu.

– Zbudujesz nam taki dom? – zapytała sześcioletnia Weronika, ukochana córka Pawła. – I żeby miał czerwony dach, i tyle okien, i takie duże podwórko?

– Zbuduję – odpowiedział. – Będzie dokładnie taki sam.

O czym myślał, mijając pałac? O ojcu, którego nigdy nie widział, który być może nie miał nawet pojęcia o jego istnieniu? O tym, że pragnąłby go poznać, a fakt, iż zamierza do Gutowa sprowadzić rodzinę, nie jest przypadkowy? O tym, że w wewnętrznej kieszeni marynarki ma sygnet z trzema gwiazdami, prawie czterdzieści lat temu ofiarowany Mariannie Blatko?

– Dokładnie taki sam! – powtórzył i skręcił w lewo, na główną drogę prowadzącą do Warszawy.

To była najsmutniejsza Wielkanoc w Zajezierzycach. Choć już poprzednia, po odejściu hrabiny Adrianny, tchnęła pustką, wszystko się jeszcze jakoś trzymało, doglądane i zarządzane przez Kingę Pawlak. Kiedy jednak wczesną wiosną 1934 roku Kinga, tuż po operacji usunięcia kamieni żółciowych, zmarła niespodziewanie w płockim szpitalu, nikt nie miał ochoty na świętowanie. Pogrzeb odbył się tydzień przed Wielkim Piątkiem, a święcone było właściwie kolejną stypą.

Gina nie zdawała sobie sprawy z tego, jak bardzo kocha swoją matkę. Nie miała pojęcia, ile jej własnej siły i odwagi życiowej pochodzi stąd, że były sobie tak bliskie. Matka kochała ją miłością bezwarunkową, choć nigdy nie darzyła uczuciem jej ojca. Opowiadała Ginie, w jaki sposób wyszła za niego za mąż i jak wysoką cenę zapłaciła za swój głupi wybryk. Często rozmawiały i choć w swojej miłości Kinga zawsze była dość chłodna, Gina wiedziała, że matka kocha ją i akceptuje. Dlatego tak bolało jej odejście.

Teraz obu domom: i zajezierzyckiemu, i długołąckiemu, miało brakować damskiej ręki. Gina nie mogła przenieść się na wieś. Gdyby była żoną jakiegoś hreczkosieja[1], mo-

[1] Gospodarz wiejski, właściciel ziemski.

że by o tym pomyślała, ale w jej sytuacji nie miało to sensu. Nie teraz, może kiedyś, na starość, o tym pomyśli. Teraz jej miejsce jest w Warszawie, w teatrze, na planie filmowym, w radach nadzorczych firm Wiktora.

Ma przecież wciąż tak wiele do zrobienia! Lubiła Zajezierzyce, kochała spędzać tu krótkie, tygodniowe wakacje wielkanocne, wpadać na dwa, trzy dni, odetchnąć świeżym powietrzem, przejechać się konno wzdłuż jeziora, posiedzieć na tarasie i popatrzeć na łąki. Nie to jednak stanowiło treść jej życia.

Hrabia poprosił ją w drugi dzień świąt do swego gabinetu i oznajmił:

– Zamierzam zmienić testament. Chciałbym zapisać wszystko Adamowi, jak się na to zapatrujesz?

– Wuju, nie myślmy teraz o tym. Niedawno straciłam Wiktora, potem ciotkę, a teraz matkę. Chyba wyczerpałam swoją odporność. Umówmy się, że ty dożyjesz setki, zgoda?

– Chętnie dałbym ci taką gwarancję – powiedział bez uśmiechu. – Ale wiesz, że to niemożliwe. Adam jest na razie zbyt młody – Zajezierski ciągnął obojętny wobec jej sprzeciwów. – Gdyby coś mi się stało, zostaje twój ojczym.

– Wuju, proszę...

– Drogie dziecko, wiem, że cierpisz. Nikomu z nas nie jest dziś lekko. Moje pytanie dotyczy tego, czy chłopiec będzie na wsi szczęśliwy? Czy nie ciągnie go do miasta? Mam jeszcze siostrzeńców, ale Adam, chyba to widzisz, jest mi najbliższy. Kocham go jak rodzonego syna. Tak duży majątek potrzebuje właściciela, a ja, cóż, robię się coraz starszy. Bóg zechciał, bym był ostatnim z Zajezierskich, i muszę zostawić wszystkie sprawy w należytym porządku. Pragnąłbym się dowiedzieć, czy Adam będzie chciał kiedyś tu gospodarować. Oczywiście ziemię zawsze możecie sprzedać, ale byłoby mi łatwiej odchodzić z tego świata, wiedząc, że w naszym domu mieszka ktoś z rodziny, kto uszanuje tradycję, zaopiekuje się pamiątkami, od czasu do czasu pomodli na naszych grobach.

– Wuju, to jeszcze dziecko...

– Wydaje mi się, że on kocha wieś.

– Niewątpliwie.

– Myślisz, że chciałby być rolnikiem?

– Niech go wuj może sam spyta?

Gina wiedziała, że odpowiedź będzie pozytywna, ale nie chciała, aby przyszłość Adasia była z góry przesądzona, by czuł się zobowiązany do pracy na roli. Wiedziała, jak pokrętne bywają młodzieńcze marzenia i jak trudno przeniknąć do nich dorosłym, z ich planami, nadziejami i rachubami. Współczuła wujowi, rozumiała jego pragnienie, czy jednak można obarczać dwunastolatka tak wielką odpowiedzialnością?

1995

Babciu, masz jakieś zdjęcia wujka Zygmunta? To był ten, który zginął tuż po wojnie, prawda?

Celina Hryć kiwnęła potakująco głową i uniosła dłoń w kierunku szafki. Iga podała jej album, ale staruszka pokręciła tylko głową.

– Ni-bieski – powiedziała z trudem.

Wnuczka sięgnęła po drugi album.

– Wiesz, otwierają na nowo szkołę kwietanek. Trzeciego września ma być uroczyste otwarcie. Siostry zamówiły u nas ciasta. Oczywiście dostaną je gratis.

Babka pokiwała głową z aprobatą.

– I podobno przyjadą jacyś kuzyni tego Zajezierskiego. – Mówiąc to, uważnie przyglądała się twarzy babki. Temat Zajezierzyc zawsze żywo ją interesował. – Siostry zaprosiły wnuka tej przedwojennej aktorki.

Twarz Celiny Hryć wyrażała najwyższe skupienie. Zaczęła przerzucać kartki albumu, jakby znała zdjęcia na pamięć. Wreszcie zatrzymała się na stronie, u której szczytu ktoś białym tuszem napisał: 1942. A potem, nie patrząc na fotografie, tylko jakby gdzieś przed siebie, wskazała jedną z nich palcem.

Iga pochyliła się nad zdjęciem. Przedstawiało grupkę młodzieży na podzamczu. Rozpoznała wśród nich babkę i Lucynę Wyrwał, obok nich stali dwaj chłopcy. Zabawnie ubrani, uśmiechali się do obiektywu. Nie patrząc na zdjęcie, Celina Hryć powiedziała tylko jedno słowo:

– Adam.

Cztery lata trwała żałoba Giny po stracie Wiktora. Wciąż niepotrzebnie obwiniała się za tę śmierć, choć jego własne słowa nie pozostawiały w tej kwestii żadnych wątpliwości. Jednak ona przez cały czas sądziła, że to jej niemający znaczenia, przypadkowy romans z Łabiszem pchnął go do desperackiego kroku. Gdyby mu wszystko wyjaśniła, gdyby lekkomyślnie nie dała się ponieść namiętności, Wiktor z pewnością znalazłby siłę, by walczyć z chorobą, stawiłby jej czoła, a nie tchórzliwie uciekał z pola walki.

Uważała, że postąpił kompletnie nie w swoim stylu i tylko szok związany z jej niewiernością mógł go do tego sprowokować. Nie lubił swego starzejącego się ciała, nienawidził chorób, ale miał dla kogo żyć! Była Mila, był Adaś, nawet jeśli ona sama przestałaby się w jego życiu liczyć, zostawały przecież dzieci.

Długo tak myślała, mając w szufladzie biurka list, który powinien był jej wszystko wyjaśnić. Ale Grażyna wyczytała z niego tylko to, co chciała wyczytać, i długo nie docierało do niej, że Wiktor podjął decyzję o samobójstwie nie z powodu jej niewierności, tylko beznadziejności sytuacji, w której się znalazł. Kiedy wreszcie przyjęła jego rozumowanie, uznała, że to rzeczywiście było jedyne wyjście. Zakończył życie w chwili, którą sam wybrał, choć wybór ten podyktowała choroba. Ta zresztą wkrótce przywiązałaby go do łóżka, uzależniła od innych, ubezwłasnowolniła. Wiktor bardzo kochał życie, dlatego paradoksalnie zakończył je, by go nie stracić. Gdy to zrozumiała, wreszcie mu wybaczyła i powoli zaczęła odzyskiwać spokój.

W 1935 roku po raz pierwszy od jego śmierci poszła na Bal Mody. Towarzyszył jej Conrado Navarro, tancerz i baletmistrz z jej teatru. Gina włożyła dopasowaną suknię z czarnej tafty na dość szerokich ramiączkach, lekko rozszerzaną dołem, z dwiema doszytymi z tyłu szarfami, które tworzyły rodzaj minitrenu, oraz dużym krepdeszynowym[1] kwiatem w kolorze écru, przypiętym do lewego ramienia. Całości dopełniały czarne lakierki, takaż torebka i długie czarne rękawiczki. Kreacja powstała w Atelier Henriette i dała Ginie drugie miejsce w konkursie oraz tytuł wicekrólowej mody, który potem obszernie komentowano w „IKaCu"[2]. Na zachowanym w archiwach zdjęciu Gina ma wyrazisty makijaż, a średniej długości włosy ułożone w fale i spięte za uszami. Wygląda skromnie i naturalnie.

Navarro był doskonałym tancerzem, ale i tak musiał czekać na swą kolej, bo u jej boku na wyprzódki stawiali się dwaj pułkownicy: dowódca I Brygady Kawalerii Bolesław Wieniawa-Długoszowski oraz Gracjan Bodzęta, zastępca dowódcy 2 Pułku Strzelców Konnych. Ten ostatni przypomniał Grażynie swój dawny afekt i tak bardzo nalegał, by pozwoliła mu odwieźć się po balu, że początkowo niechętna temu pomysłowi, w końcu ustąpiła. Nie

---

[1] Miękka tkanina z jedwabiu naturalnego (zapis fonetyczny fr. *crêpe de Chine*).

[2] „Ilustrowany Kurier Codzienny", pismo wydawane w Krakowie w latach 1910–1939.

miała zresztą najmniejszej ochoty nawiązywać bliższych kontaktów, co od razu i z całą mocą zostało podkreślone. Bodzęta zrobił kwaśną minę, ale Gina wiedziała, że on i tak wkrótce poszuka pocieszenia w ramionach jakiejś znudzonej mężatki bądź młodej aktorki polującej na bogatego adoratora.

Wiosną, by uczcić pamięć Grabnickiego, zapisała się na kurs pilotażu. Chciała polecieć do Afryki jego ostatnią trasą. Myślała o tym od dawna, wyobrażając sobie miejsce, które wybrał na swój grób. Wiedziała już, że Wiktor krążył nad ścianą, w którą uderzył. Zauważyli to ludzie z pobliskiej oazy. Ekspedycja, którą wysłała, przywiozła do Polski fragmenty samolotu, ale spalonych szczątków ciała nie udało się odnaleźć.

By polecieć do Afryki, Gina kupiła samolot sportowy, ale sprawy się skomplikowały, bo podczas kursu poznała Jana Bergera.

Nim na siebie wpadli we drzwiach hangaru, nie miała wątpliwości, że jej życie romasowo-erotyczne skończyło się bezpowrotnie. Wbrew pozorom nie była typem pożeraczki serc, nie kolekcjonowała mężczyzn. Wpadka z Łabiszem okazała się przypadkowa i nigdy się nie powtórzyła. Dlatego właśnie tak bardzo dziwiła się uczuciu, w jakie wprowadziło ją pierwsze, nic nieznaczące spojrzenie nieznajomego pilota.

Nie wiedziała, kim jest, w pamięci została jej tylko miła opalona twarz, falujące jasne włosy, wydatne usta i nieco kpiący wyraz niebieskich oczu, który przypomniał jej się przed snem. Pomyślała, że chciałaby, aby ktoś taki szeptał jej do ucha nieprzyzwoite słowa, jakieś sprośności, gdzieś na przyjęciu pełnym wyfraczonych dygnitarzy, zakutych w mundury pułkowników i wyfiokowanych matron. By udając, że jedynie przechodzi obok, włożył jej do ręki karteczkę z propozycją schadzki w jakimś podrzędnym hoteliku. Nie dbała o to, czy jest żonaty, pragnęła go, pragnęła seksu. Dzikiego, orgiastycznego, szalonego. Dlaczego akurat z nim? Nie miała pojęcia. Ale przez kilka dni nie mogła się pozbyć tej myśli, rozważając, czyby go nie odszukać. Cóż by mu jednak powiedziała? Pozostawało raczej zapomnieć, toteż zrezygnowała z dalszych lekcji pilotażu, skupiając się na pracy i starając nie myśleć o tym nieprzewidzianym wybuchu emocji.

Kilka dni później, kiedy zdążyła już zapomnieć o swoim pilocie, dostała na scenę duży bukiet pąsowych róż, a w nim bilecik z propozycją kolacji. Nie zareagowałaby oczywiście, gdyby nie był podpisany „znajomy z lotniska". Na ten widok jej serce zatrzepotało jak szalone, a twarz pokryła się rumieńcami. Gina poczuła się, jakby ktoś zaproponował jej pierwszą randkę.

Kolacja? Tak! Natychmiast! Bez względu na cokolwiek! Wibrowało w niej dzikie, niemal zwierzęce pożądanie i kiedy wreszcie pół godziny później ktoś zapukał do garderoby, przez zaschnięte z emocji gardło nie zdołała nawet powiedzieć „Proszę!". Na szczęście już się przebrała i odprawiła garderobianą. Przejrzała się, pośpiesznie poprawiając makijaż. Podeszła i otworzyła drzwi.

To był on. W smokingu wyglądał równie dobrze, jak w kombinezonie. Przystojna, szczupła twarz i te same figliki w oczach.

– Nie usłyszałem „proszę" – powiedział.

– Nie było „proszę". – Gina starała się za wszelką cenę opanować głos.

– Czy mam się wobec tego cofnąć i zapukać jeszcze raz?

– Proszę się cofnąć i otworzyć bez pukania – zaproponowała znienacka, a on zastosował się do jej życzenia.

Gdy wszedł, stała tuż przy drzwiach, oparta o ścianę i wpatrywała się w niego intensywnie. Zbliżył się, objął ją wpół, przyciągnął do siebie i mocno pocałował w usta.

„Nawet się nie przedstawił. Dlaczego się na to godzę?! Jestem łatwa! To jakiś obłęd!" – myślała w panice, ale bardzo chciała, by tak się to właśnie odbyło.

Całował wspaniale. Tkliwie i zdecydowanie. Był jednocześnie delikatny i męski.

– Bez przerwy o tobie myślałem! – szeptał między pocałunkami.

Podciągnął jej spódnicę do góry. Sunął dłonią po gładkim jedwabiu pończochy opinającej udo, a ona drżała z rozkoszy, czując jednocześnie wyrzuty sumienia, że nie jest wierna Wiktorowi.

– Nie możemy tu zostać – wyszeptała po chwili.

– Kolacja? – zapytał nieznajomy.

– Tak.

– Simon i Stecki[3]? – zaproponował.

– Dobrze.

Poprawiła fryzurę, umalowała usta, wzięła torebkę i wyszli.

– Piękna, sławna, małomówna, jesteś moim ideałem! – zażartował, otwierając drzwiczki auta. Była to granatowa, dwumiejscowa hispano-suiza na białych gumach, z jasnobeżową tapicerką. Jej właściciel najwyraźniej nie należał do biednych.

– Bezimienny, przystojny, arogant – odpowiedziała, siadając. – Takich nie brakuje.

---

[3] Jedna z najelegantszych restauracji międzywojennej Warszawy, usytuowana przy Nowym Świecie 38.

– A jednak to mnie dałaś szansę. – Spojrzał na nią, uśmiechnął się i ruszył.

– Widać nikt nie był dostatecznie zuchwały.

– Wszyscy przy tobie tracą rezon[4]?

– W każdym razie nikt się od razu nie rzuca do całowania.

– Ach, te nudne konwenanse! – Skrzywił się. – Nie uwierzę, że kobieta wyzwolona, znana aktorka, która w dodatku prawie samodzielnie pilotuje samolot, mogłaby być niewolnicą zasad!

– Gdyby nią była, nie siedziałaby tu teraz, tylko grzecznie wracała do domu, do syna.

– Gdy tymczasem nagle wzięła ją wielka ochota lekko wstawić się szampanem i pojechać do zacisznej garsoniery pewnego uroczego aroganta? – Spojrzał na nią, by sprawdzić reakcję.

Był bezczelny i irytujący, ale taki właśnie jej się podobał. Nikt poza kolegami z teatru nie zachowywał się wobec niej tak nieznośnie bezpośrednio. Nikt też od bardzo dawna jej nie uwodził. W każdym razie nikt, kto robił na niej wrażenie. Gina zrozumiała, jak bardzo jej tego brakowało.

– To niepojęte, ale tak właśnie jest! – roześmiała się ze swej szczerości.

– Co jeszcze nie znaczy, że on może się już zacząć cieszyć, bo po kolacji ona ucieknie, zasłaniając się nieletnim synem?

– Intrygujący, przenikliwy, pociągający – powiedziała, by wynagrodzić mu ten ewentualny przykry finał.

– Jan Berger, trzecie z pięciorga dzieci Kazimierza herbu Dołęga i Marii z Iwanickich, zamieszkałych gmina

---

[4] Pewność siebie, śmiałość (fr.).

Krokajty, powiat mołodeczański, województwo wileńskie. Urodzony 13 czerwca 1896 roku, student Ryskiego Uniwersytetu Technicznego, uciekinier z Rosji sowieckiej, średniozamożny działacz gospodarczy, namiętny tenisista i pilot, lat 39, stanu wolnego.

– Czy to oferta matrymonialna? – zachichotała Gina, której poczucie humoru nowego znajomego bardzo przypominało Wiktora.

– Tak.

– Ile mam czasu do namysłu?

– Dziesięć sekund.

– Zgadzam się.

Trafiła kosa na kamień. Roześmiali się oboje, nie wierząc, że to się dzieje naprawdę.

Podczas kolacji planowali ślub, kłócili się o wystrój apartamentu, w którym wspólnie zamieszkają, przekomarzając się, wkładali sobie nawzajem do ust co smaczniejsze kąski. Sprawiali wrażenie, jakby się znali od lat. Gina czuła się młodsza i piękniejsza. Do domu, po raz pierwszy od dawna, wróciła, podśpiewując. Natychmiast zadzwoniła do Poli, która wtedy była już panią Wieńczysławową Leliwa-Drwęcką i mieszkała na Wołyniu, gdzieś w okolicach Równego. Od dawna nie grała w teatrze, interesowała się jednak wszystkim, co się z nim wiązało. Chwilowo zaś przebywała z mężem w Warszawie:

– Berger?! Czyś ty oszalała?! To podobno największy uwodziciel w Warszawie!

– Módl się, żeby tak było! Jest rzeczywiście czarujący, choć nie doszliśmy jeszcze w naszej znajomości do sedna.

– Znając go, długo to nie potrwa.

– Mam nadzieję! – Gina rozmarzyła się i odłożyła słuchawkę na widełki.

Otwierając okno, by ochłodzić rozpaloną z emocji twarz, zauważyła pod domem samochód Bergera i jego samego, opartego o maskę. Stał, jakby na coś czekał. Zobaczywszy ją w oknie, pomachał ręką, by zeszła.

– Jest po drugiej! – powiedziała, stając obok niego.

– Nie masz ochoty obejrzeć wschodu słońca? – zapytał nonszalancko.

– Jesteś moim eliksirem! – powiedziała kilka dni później, wyciągając się na ogromnym łóżku w jego siedmiopokojowym apartamencie przy Krakowskim Przedmieściu. Nie chciało jej się wstawać, nie przeszkadzało jej, że przez to olbrzymie, kryte czerwonym baldachimem łoże z pewnością przewinęło się wiele kochanek. Tak, była kochanką! Bawiło ją to słowo. Szeptała je do siebie, przejęta rozkosznym dreszczem: „Jestem kochanką Bergera!" – a on podawał jej w oszronionym kieliszku pieniący się szampan. Kiedy wypili, kochali się znowu i znowu, tak długo, póki Gina nie musiała biec na wieczorny spektakl.

Widywała się z Bergerem codziennie, nie wyobrażając już sobie dnia bez najkrótszego, przelotnego choćby spotkania. Wiedziała, że w plotkach kryje się wiele prawdy, ale nie dbała o to. Nie sprawdzała, ile kobiet uszczęśliwił przed nią, jak wiele unieszczęśliwił. Nie dociekała, czy długo będą razem. Znając go trochę, zakładała, że niezbyt długo, ale nie martwiła się tym, tylko cieszyła każdym dniem, który jej ofiarował, nie myśląc, co będzie potem.

Zresztą nie o to chodziło. Przywykła już do życia na kocią łapę, nie musiała i chyba nawet nie chciała mieć nikogo poza synem przy sobie. W jej życiu było bardzo niewiele miejsca. Nie mogła brać na siebie żadnych nowych obowiązków, nie polowała na męża. Była samodzielna. Do przesady samodzielna.

Po odejściu Wiktora musiała nauczyć się zarządzania majątkiem i sobą. Paradoksalnie liczne obowiązki pozwoliły jej nie zwariować w sytuacji, gdy zdawało się, że wszystko jej zabrano. Straciła oparcie, ale dość szybko nauczyła się je sobie wyobrażać. Gdy tego potrzebowała, jechała do Anina, siadała pod sosną i wciągając głęboko do płuc balsamiczne powietrze, rozmawiała z Wiktorem w myślach. Kiedy nie mogła sobie z czymś poradzić, szukała pomocy u jego dawnych współpracowników, z których większość pracowała teraz dla niej. Nie wstydziła się i nie bała pytać.

Nauczyła się żyć i choć doświadczała kolejnych strat, w tym największej – straty matki, zawsze szła do przodu w poczuciu, że świat się jeszcze nie skończył. Teraz zaś dzięki Bergerowi ów świat rozkwitł na nowo. To jest właśnie mistyka miłości, która całkowicie odświeża rzeczywistość, niczego w niej nie zmieniając.

Kiedy już się rozniosło, że Berger i Gina są razem, bardzo wiele pań stało się nagle jej przyjaciółkami. Zagadywały ją znienacka podczas zakupów, bezceremonialnie dosiadały się do jej stolika w Małej Ziemiańskiej, niby to mimochodem zaczepiały na przyjęciach. Zupełnie jakby się zmówiły! I wszystkie chciały wiedzieć:

– Co tam u Jasia?

Ginę to na początku oburzało, potem śmieszyło, w końcu zaś było jej po prostu żal tych wszystkich pięknych kobiet, które chciały uchodzić za damy, miały mężów, a tak bezwstydnie przyznawały się przed nią do zdrady.

– Nie wiem – odpowiadała. – Ostatnio się nie widujemy.

Na te słowa błyskał w ich oczach ognik nadziei i pojawiała się jakaś szczątkowa sympatia dla tej, która podzieliła ich los i również zasiadła w loży odrzuconych.

Tymczasem nic bardziej mylnego. Gina postanowiła konsumować Jasia z rozmysłem, co oznaczało dawkowanie sobie przyjemności. Zresztą Pola przestrzegała ją nieustannie przed zacieśnieniem związku, twierdząc, że Bergerowi ostatnio nie powodzi się w interesach i pewnie będzie chciał nieco uszczknąć pozostałego po Wiktorze majątku – jeśli nie całkiem go zawłaszczyć.

– Twierdzisz zatem, że nie o moje ponętne ciało mu chodzi, tylko o te marne miliony akcji? – Gina udawała oburzoną, choć w gruncie rzeczy wzruszała ją troskliwość przyjaciółki.

– Oczywiście, że co najmniej o twoje ciało, jeśli nie o twą piękną duszę. Pamiętaj jednak, żeby nie dać mu zbyt wielu plenipotencji. Mam nadzieję, że nie jest zbyt późno?

– Biedny Berger, załamałby się, gdyby wiedział, jak źle o nim myślisz! – chichotała Gina.

Ale nie była już naiwnym dziewczęciem. Znała świat oraz ludzi i nie miała co do nich złudzeń. Swoją miłość również traktowała jak lokatę, chciała ją zachować jak najdłużej, wobec czego nie pozwalała sobie na zbyt szybką konsumpcję. Stawiała przeszkody, znikała, tworzyła aurę niedostępności. Dawała Bergerowi czas, by zatęsknił i jej zapragnął. Nie było to łatwe, bo i ona go pragnęła, ale tylko ten trochę szalony sposób przyszedł jej do głowy, a dopóki się sprawdzał, nie narzekała.

Czasami robiła sobie nawet o to wyrzuty, bo ten kupiecki stosunek do miłości wydawał jej się nie dość romantyczny, ale gdy po kilku dniach oczekiwania spotykali się wreszcie, nie było mowy o zbytecznych słowach, wyrzutach, traceniu czasu. Dopadali się jak zgłodniałe wilki, a miłość smakowała im dzięki temu w dwójnasób.

To był cudowny rok. Na krótkie wakacje polecieli nad Adriatyk, do operetkowego kraju – Montenegro[5]. Jedli ryby, pływali w morzu, opalali się, gubili w plątaninie wąskich uliczek średniowiecznych portów, wieczorami zaś kochali przy wtórze cykad. A co najważniejsze: byli całkowicie anonimowi. Każdego dnia i każdej godziny Gina dziękowała Bogu za swe życie i za to, że pozwolił jej raz jeszcze czuć się szczęśliwą. Kiedy czasem wspominała Wiktora, była przekonana, że gdzieś tam, z zaświatów błogosławi jej miłości, bo nigdy nie zachowywał się małostkowo i na pewno nie życzyły sobie, aby pozostawała wdową do końca życia.

Tu, w środku bałkańskiego lata, na tarasie małej rybackicj tawerny Papagaj[6], wśród popijających rakiję i grających w kości wąsatych i gadatliwych Czarnogórców, Jan Berger oświadczył się jej po raz pierwszy. Była całkowicie zaskoczona. Do tej pory wykpiwali zgodnie instytucję małżeństwa. Dobrze czuli się w wolnym związku, gdzie nikt od nikogo niczego nie wymagał, bez sprzeczek, zarzutów i dąsów. Patrzyła na niego, jak klęczał z pierścionkiem, i poczuła się głupio:

– Jasiu, kocham cię, koniecznie chcesz mieć na to papier?

– Nigdy się nie oświadczałem, nie wiesz, jak długo trzeba klęczeć?

– Nie odpowiedziałeś.

– Ani ty.

– Nie.

---

[5] Czarnogóra.

[6] Papuga (serb.).

– Nie.

Wstał przy wtórze zawodu siedzących wokół rybaków, którzy nie rozumieli słów, ale zauważyli pierścionek, zrozumieli odmowę. Rozłożył bezradnie ręce, schował klejnot do kieszeni, otrzepał kolana i grając skrzywdzonego, zamówił czerwone wino dla wszystkich. Na kilka dni zapanował spokój.

Kiedy wydawało się już, że zrażony jej chłodną reakcją nie wróci do tematu, nieoczekiwanie oświadczył się po raz drugi. Właśnie wracali do Polski i Berger po prostu wylądował ni z tego, ni z owego na jakiejś łące, gdzieś na Węgrzech czy Słowacji.

– Coś się stało? – zapytała.

– Nie, nic – odpowiedział, wyskoczył z samolotu i zaczął zrywać polne kwiaty.

Zrozumiała, do czego zmierza, ale nie zdążyła się rozczulić ani go zbesztać, bo gdy podszedł z tym uroczym wiechciem oraz ukląkł, wyciągając bukiet, i wypowiedział sakramentalne słowa, zobaczyła nagle, że biegnie ku nim jakiś wieśniak i coś wrzeszczy, potrząsając widłami.

– Uciekaj! – krzyknęła przerażona.

Oczyma duszy widziała, jak wściekły Węgier nadziewa nieszczęsnego Bergera na widły. Jan czym prędzej wskoczył do kabiny i modląc się w duchu, przycisnął iskrownik. Motor na szczęście zaskoczył. Chwilę później sunęli już po gładkiej łące, zostawiwszy wieśniaka z tyłu i śmiejąc się do rozpuku z niefortunnej przygody.

Ale nawet tego było Janowi mało, by raz na zawsze zniechęcić się do oświadczyn. W końcu sierpnia spróbował po raz trzeci. Pojechali razem z Giną do Zajezierzyc. Adaś, jak zwykle, spędzał tam wakacje. Kochał konie, wuja Tomasza i dziadka Zdzisia, jak ich nazywał, lubił towarzyszyć im podczas prac polowych, uwielbiał kuchnię Leosi, gospodyni Zajezierskich, jej zupy, pieczyste i ciasta. Teraz, po odejściu Ady i Kingi, jedzono mniej i znacznie skromniej, gotowała jednak wciąż tak samo dobrze. Leosia uwielbiała się popisywać i kiedy hrabia zapowiadał gości, stawała na głowie, by doczekać się pochwał.

Gina zabrała Bergera, chcąc go za jednym zamachem przedstawić wszystkim trzem panom, pokazać mu swoje rodzinne strony i przez kilka dni znów wspólnie odpocząć. Zamieszkali w pałacu, bo tylko tam była służba. Dostali oczywiście dwa oddzielne pokoje. Spacerowali, grali w tenisa, jeździli bryczką do Gutowa, by spotkać się z siostrą Emilią (ciotką Giny, Wandą Bysławską, od 1921 roku przełożoną klasztoru), pływali łódką po jeziorze Nyć, raz czy dwa pojawili się w Klubie Artystycznym płocczan. Berger usiłował zaprzyjaźnić się z Adasiem, którego głos mógł być w kwestii małżeństwa matki rozstrzygający.

Pewnego wieczoru podczas kolacji hrabia Tomasz zwrócił się do Bergera:

– Zamierza się pan żenić z Grażyną?

– Cóż, chciałbym... – Jan kiwnął głową.

– To czemuż się pan nie oświadcza? – ciągnął Zajezierski, niezrażony tym, że Gina raz po raz syczała:

– Wuju!

Tymczasem Berger wstał, przeprosił gości i na chwilę odszedł od stołu.

– No i macie! – zmartwił się Pawlak. – Hrabia wystraszył nam amanta!

– Moja droga, chciałbym wiedzieć, jak się sprawy mają. Nie masz ojca ani matki, ktoś ich musi zastąpić – Zajezierski tłumaczył się Ginie.

– Nie uważasz, wuju, że jestem już dorosła? I skoro za pierwszym razem sobie poradziłam, poradzę sobie też za drugim?

– Ale za mąż nie wyszłaś! – stwierdził Adaś z naciskiem.

– Otóż to! – przytaknął hrabia. – A dziecko powinno mieć ojca!

– Dziecko miało ojca, tylko zginął w wypadku! Nawet jeśli wyjdę za mąż, choć doprawdy nie wiem, czemu miałabym to zrobić, i tak nie będzie to ojciec, tylko ojczym!

Zajezierski spojrzał na Adasia:

– Chciałbyś mieć takiego ojczyma?

– Mogę mieć. – Adaś wzruszył ramionami, co równie dobrze mogło oznaczać akceptację, jak i całkowitą obojętność wobec dyskutowanej kwestii.

Na te słowa wrócił do jadalni Jan Berger. W dłoni dzierżył bukiet zerwanych z klombu dalii.

– No, nie! – westchnęła Grażyna.

Tymczasem on odłożył kwiaty, dobył z kieszeni marynarki małe pudełeczko, które ona już znała, a którego zawartości wszyscy inni bez trudu się domyślili, otworzył, delikatnie ujął pierścionek, ten sam, którego już dwa razy nie udało mu się pozbyć. Ukląkł przed Giną i zapytał:

– Grażyno Toroszyn, czy wyjdziesz za mnie?

– Chwileczkę! – krzyknął hrabia. – Można? – Pochylił się nad pierścionkiem, poprawiwszy na nosie okulary, przyjrzał mu się z bliska, chrząknął i zapytał: – To szafir z diamentami?

– Tak – odpowiedział Berger, wciąż w przyklęku.

– Co powiecie, Pawlak, podoba wam się ten pierścionek? – Zajezierski najwidoczniej szukał wsparcia.

– Tak, panie hrabio.

– Mnie też.

– Może być! – Adaś komicznie się wykrzywił.

Berger wciąż klęczał, a oni we trzech pochylili się nad pierścionkiem, który nadal tkwił pomiędzy jego palcami i kto wie, jak długą drogę miał jeszcze pokonać, zanim spocznie wreszcie na palcu Giny. Wreszcie i Bergera zaczęła ta sytuacja bawić.

– Zauważcie panowie, że okala go osiemnaście diamentów, obrączka zaś wykonana została z platyny.

– A! To dlatego jest taka niewyględna. Szarawa jakby... – Zrozumiał wreszcie Pawlak.

Gina jakoś nie potrafiła zdobyć się na poczucie humoru.

– Ukartowaliście to, prawda? – zapytała. – Czyj to był pomysł, twój, wuju?

– Ależ moja droga, o cóż ty mnie posądzasz?! – obruszył się Zajezierski.

– Uparty jesteś! – zwróciła się do Bergera.

– Chciałbym delikatnie przypomnieć, że ja wciąż klęczę!

– Każdy z nas przez to przeszedł! – Pawlak machnął lekceważąco ręką.

– Grażyno, psujesz mi opinię. Żadna kobieta nie odmawiała mi trzykrotnie, chyba nie chcesz być pierwsza? – Jan uparcie klęczał i patrzył na nią z nadzieją.

– Nie – powiedziała Gina.

– Nie?! – wykrzyknęli wszyscy czterej.

– To znaczy tak, nie chcę być pierwsza, wyjdę za ciebie. – Uśmiechnęła się czarująco.

Berger odsapnął, Adaś podskoczył na krześle, starsi panowie trącili się kieliszkami z nalewką, a Jan Berger założył Grażynie Toroszyn na serdeczny palec lewej ręki piękny platynowy pierścionek z szafirem i diamentami. Hrabia zarządził otwarcie szampana. Lokajowi nie trzeba było tego dwa razy powtarzać, w pałacu ostatnio niewiele się działo, a tu taka niespodzianka!

Po kolacji narzeczeni wyszli na spacer do parku.

– Dlaczego znów to zrobiłeś? – zapytała Gina tonem łagodnego wyrzutu.

– Bo cię kocham.

– Co to ma do rzeczy?

– Boisz się, że będę złym mężem?

– Boję się, że nie potrafię być żoną, bo miałam tylko matkę. Boję się, że ze względu na moją pracę nie będę miała czasu być żoną. Boję się, że kiedy będziemy od siebie na wyciągnięcie ręki, wszystko się zepsuje. Nie będę już dla ciebie świętem, tylko codziennością. Niezmiernie trudno zachwycać się codziennością.

– Ty dzieciaku! – powiedział i przytulił ją czule. – Dla mnie zawsze będziesz świętem!

Gina nie miała odwagi poruszyć najtrudniejszego tematu: kwestii majątkowych. Wieczór był piękny, Jan promieniał szczęściem, nie chciała psuć sobie i jemu nastroju. Drążył ją jednak wewnętrzny niepokój, bo gdy przyjdzie moment prawdy i będzie musiała mu wyznać, że nie weźmie ślubu bez spisania intercyzy, być może jego miłość ulotni się nagle, a do małżeństwa nigdy nie dojdzie.

Berger też nie mówił jej całej prawdy, zresztą miał nadzieję, że ona sama zrozumie. Bał się wyrwać ze swymi pragnieniami, ponieważ podejrzewał, iż one ją tylko rozśmieszą: chciał mieć z Giną dziecko. Kiedy poznał Adasia, zaczął go jej zazdrościć. Chłopak był już nastolatkiem i rozmawiało się z nim jak z dorosłym. Berger sam pochodził z licznej rodziny. Do tej pory życie w pojedynkę mu nie przeszkadzało, miało sporo zalet, ale teraz, zbliżając się do czterdziestki, poczuł nagle jego pustkę i bezsens. Nie będzie miał komu zostawić tego, co zgromadził, nie będzie miał kogo nauczyć tego wszystkiego, co umie. Kto zapali świeczkę na jego grobie?

Kiedy patrzył na komitywę Adasia z oboma starszymi panami, bardzo chciał mieć w niej udział, ale jego związek z chłopcem nigdy nie będzie tak bliski, jaki mógłby być z własnym synem. Dlatego zaczął myśleć o stworzeniu z Giną rodziny. Ona jednak okazała się zadziwiająco odporna na jego zabiegi. Tymczasem zaręczyny to dopiero pierwszy krok na drodze do celu, a następne wcale nie muszą być łatwiejsze.

Adrianna Zajezierska nie doczekała tej wielkiej chwili, gdy jej syn, ksiądz Paweł Zajezierski, wikariusz w Krzynowłodze Małej i Sulerzyżu, potem prefekt Wyższego Seminarium Duchownego w Płocku, wyjechał w 1935 roku do Rzymu, by tam rozpocząć studia teologiczne na Papieskim Uniwersytecie Gregoriańskim. Nawet gdyby jej ktoś powiedział, nie uwierzyłaby zapewne, że zostanie na uczelni i w Rzymie do końca życia, pnąc się po kolejnych szczeblach kościelnej kariery.

Czy byłaby szczęśliwa z tego powodu? Zapewne tak, aczkolwiek dzieląca ich odległość na pewno mocno by jej ciążyła. Ada zawsze miała świadomość, że Paweł jest w pewnym sensie ulepiony jej dłońmi, i stanowiło to dla niej powód do dumy. Ucieczka do Rosji podczas wojny uczyniła pewną wyrwę w ich bliskości – Paweł, pozostawiony sam sobie, musiał szybko dojrzeć. Kiedy jednak rodzice wrócili, a on zamieszkał w Krzynowłodze, hrabina często jeździła tam pod pretekstem zaprowiantowania parafii. Zostawała na dzień, dwa, gorliwie uczestnicząc w mszach, chłonąc duchową atmosferę życia religijnego.

Czuła się potrzebna i ważna. Inicjowała działania charytatywne, za które parafianie długo jej jeszcze będą wdzięczni, i narażała się gospodyni księdza, niezadowolonej, że ktoś zagląda do garnków.

Ślub Grażyny Toroszyn i Jana Bergera odbył się w sierpniu. Piękna z nich była para, choć już nie najmłodsza. Panna młoda miała na sobie białą suknię z długim trenem, do którego przypięto cieniutki srebrny łańcuszek, by mogła w razie potrzeby swobodnie unieść kreację, nie depcząc po niej i nie narażając się na upadek. Kibić ozdabiał bukiecik z kwiatem pomarańczy. Długie białe rękawiczki, biały kapelusik z woalką oraz białe pantofelki na kaczuszce dopełniały całości. Druhnami zostały cztery tancerki z teatru. Gina kupiła im jednakowe suknie i niewielkie kapelusiki.

Pan młody włożył czarny tużurek[1] z dwurzędową kamizelką, plastron, tak zwany ascot[2], sztuczkowe spodnie[3] i czarne lakierki. Na drużbów poprosił czterech przyjaciół.

– Naprawdę to robimy? – zapytała Gina, gdy wchodzili do kościoła św. Ducha. – Uszczypnij mnie!

– Obawiam się, że tak. Jutro zaczniemy się nienawidzić.

---

[1] Długa czarna marynarka wizytowa, rodzaj surduta.

[2] Szeroki jedwabny krawat, noszony przez mężczyzn zazwyczaj do koszuli frakowej.

[3] Długie wąskie spodnie z ciemnej wełnianej tkaniny w prążki.

Po uroczystości, na której stawiła się cała Warszawa, odbyło się krótkie przyjęcie w pobliskim Hotelu Bristol, po czym państwo młodzi pojechali samochodem na lotnisko, by już bez świadków udać się w podróż poślubną.

Znów polecieli tylko we dwoje. Zachwyceni twórczością Agathy Christie, zarezerwowali noclegi w Pera Palace w Stambule. Zamieszkali w pokoju 411, zajmowanym dwukrotnie przez słynną pisarkę w latach 1926 i 1932. Hotel zresztą gościł również wiele innych sław, między innymi Gretę Garbo, i Jan żartował, że wkrótce nazwisko Giny Weylen również zapisze się w jego historii.

Jak zwykle mieli dla siebie tylko kilka dni. Spędzili je, włócząc się po mieście, oddychając szczególną atmosferą, odnajdując czas zaklęty w murach jego zabytków oraz bez umiaru ucztując. Jedzenie miejscowych potraw zawsze było ważnym punktem ich podróży. Ginie najbardziej odpowiadały faszerowane cukinie i liście winogron wypełnione nadzieniem z ryżu i rozmaitymi dodatkami. Zamawiali dużo ryb oraz owoców morza, które w Turcji smakowały zupełnie inaczej niż w Polsce. Jan zajadał się szaszłykami z miecznika, zapiekankami z krewetek, pilawem i sałatką z kaszy bulgur.

Właściwie żuł coś przez cały czas, bo kiedy krążyli zaułkami, bez przerwy kupował jakieś przysmaki: a to nugat, a to tureckie karmelki, baklawę, kobiece pępki (te chyba ze względu na nazwę lubił najbardziej) czy rachatłukum. I wszystko to pochłaniał z błogą miną. Zachowywał się jak duży dzieciak, który włamał się do zamykanej na klucz szafki. Ginę bawił ten widok. Wciąż mu wszystkiego było mało, także seksu. Kochali się rano, kochali podczas południowej sjesty, kochali wieczorem, przed zejściem na kolację, kochali w nocy. Albo tylko się przytulali, milcząc lub cicho o czymś rozmawiając.

Nieoczekiwanie dla siebie Gina poczuła się gotowa na urodzenie drugiego dziecka. Jej kariera była ugruntowana, Adaś prawie dorosły, wiele czasu spędzał na sobie tylko wiadomych zajęciach, Mila pod dobrą opieką, z ustabilizowanym stanem zdrowia, nie potrzebowała jej stałej troski. Tak więc tu, pod tureckim niebem, Grażyna i Berger próbowali wypełnić misję dziejową.

Nie udało się.

– Pewnie jestem już za stara... – westchnęła, gdy po powrocie do Warszawy okazało się, że nie zaszła w ciążę.

– Co też ty za bzdury opowiadasz! – burknął Berger.

– Chciałabym, żeby Adaś miał rodzeństwo... Nie zostało mi zbyt wiele czasu.

– Będziemy jeszcze próbować. Ja w każdym razie mam wielką ochotę! – powiedział Jan, obejmując ją wpół.

Ochota jednak nie wystarczyła i mimo podejmowanych wciąż na nowo usiłowań Gina z Bergerem nie doczekali się potomka.

W lipcu Cieślakowie przeprowadzili się do Gutowa. Najstarszy syn Pawła i Zyty, Zygmunt, miał piętnaście lat, Celina trzynaście, Weronika jedenaście, Marian dziewięć, a Tadzio osiem. Mimo państwowej propagandy buńczucznie odgrażającej się Niemcom, że ani guzika od polskiego munduru nie dostaną, Paweł Cieślak, który miał znajomości w kołach wojskowych i zbliżonych do rządu, był umiarkowanym pesymistą. Twierdził, że duch bojowy może i w polskim wojsku jest wielki, ale na pewno Niemcy są lepiej przygotowani, o wyposażeniu nie wspominając.

Nie było dla nikogo tajemnicą, że produkowaną w Polsce amunicję beztrosko sprzedaje się Hiszpanom. Dość często jeździł w interesach do Berlina i widział hitlerowskie defilady wojskowe. Zadziwiająco szybko stanęli na nogach po batach otrzymanych w poprzedniej wojnie! Dlatego nie sprzeciwiał się, gdy Zyta wreszcie zarządziła przeprowadzkę do Gutowa.

– Prędzej czy później Niemcy będą chcieli wziąć odwet za niedawną klęskę. Ten twój wróż chyba trafnie przewidział rozwój sytuacji – mówił po powrocie. – W Niemczech Hitler jest bogiem, a patrząc na niego, trudno sobie wyobrazić, by miał zachęcać Niemców do pokojowego współistnienia z sąsiadami. Kiedy mu to będzie na rękę, znajdzie byle pretekst, by podpalić lont.

Ale nawet Paweł Cieślak nie wyobrażał sobie okrucieństw zbliżającej się wojny. Gdyby je przewidział, zapewne sprzedałby firmę i zabrał teścia, jego żonę oraz swoją rodzinę do Ameryki. Myślał o tym raz czy dwa dość mgliście, czytając listy od swej przyrodniej siostry, która robiła w Stanach karierę pianistyczną. Nigdy jednak nie posunął się poza westchnienie:

– I co ja bym tam robił?

Zostawali więc, mając nadzieję, że jeśli wojna wybuchnie, w Gutowie będą bezpieczni. W mieście nie było większego przemysłu ani wojska, Niemcy mogli je więc oszczędzić. Na mapie Zyty, która powstała podczas jednego z seansów spirytystycznych i którą chroniła jak najcenniejszy skarb, Gutowo przypominało zieloną wyspę nietkniętą przez faszystowskie bomby, Cieślak miał więc nadzieję, że jego rodzina bezpiecznie przetrwa wojnę, jeśli takowa wybuchnie. Sam miał zostać w Warszawie, jak najdłużej się da, a jeśli zrobi się naprawdę gorąco, dołączyć do rodziny.

Siedziba przy Parkowej czekała na nich od dawna. Wiosną Cieślak wymówił najem lokatorom, rodzinie urzędnika magistrackiego, który niezmiernie żałował, że musi szukać innej stancji. Przeprowadzono remont i wyposażono lokum w brakujące sprzęty.

Celina od razu polubiła nowy dom, który znajdował się w północno-zachodniej dzielnicy Ogrody. Był to teren dawnego folwarku, gdzie wciąż jeszcze rosły drzewa owocowe i dopiero niedawno wytyczono ulice: Parkową, Ogrodową, Słoneczników, Jabłoni i Grzybową. Na dużych parcelach w ciągu kilku lat stanęło kilkanaście nowych budynków, wszystkie w otoczeniu zieleni. Również na ulicach rosły stare drzewa, lipy, kasztany i dęby. Była to najnowsza i najbardziej ekskluzywna dzielnica miasta, zasiedlona przez bogatych urzędników, kupców i rzemieślników.

Gutowo w porównaniu z Warszawą było małe i bezpieczne, toteż i rodzice nie zabraniali jej jeździć rowerem po ulicy, przy której mieszkali. Czasem Celina zapuszczała się nawet na rynek i pewnego sierpniowego dnia zobaczyła tu chłopaka, który przyjechał bryczką z jakimś starszym panem. Kiedy wszedł do cukierni Pod Aniołem, jak zahipnotyzowana poszła za nim, zostawiając rower na łasce losu.

Kupił jakieś ciastka i dwa lody, a ona nawet nie miała pieniędzy, pokręciła się więc tylko po cukierni i wyszła. Na szczęście roweru nikt nie ukradł, bo dostałaby w domu burę! Trzymając kierownicę spoconymi z emocji dłońmi, czekała, aż chłopak ukaże się we drzwiach. Zawiodła się jednak srodze, bo wychodząc, nawet na nią nie spojrzał! Niósł ostrożnie zawiniątko z ciastkami i lody w waflu do bryczki. Podał jednego siedzącemu na koźle starszemu panu. Teraz stał tyłem do niej, ale ona i tak tkwiła jak zamurowana. Dopiero gdy uporał się z lodem, wskoczył na kozła, wziął lejce, cmoknął na konie i ruszył w kierunku ulicy Bednarskiej.

Otrząsnąwszy się po chwili, Celina wsiadła na rower i trzymając się w pewnej odległości, pojechała za bryczką. Kiedy ta jednak minęła most na Rudawce i skręciła na Zajezierzyce, zawróciła, uznając, że jest już zbyt daleko od domu. Czuła się dziwnie i długo nie mogła ochłonąć. Miała wrażenie, iż stało się coś niezwykle ważnego, chociaż przecież nic szczególnego nie zaszło – poza tym, że zakochała się po raz pierwszy w życiu.

Późną jesienią 1938 roku odbył się w Cieciórce ostatni hubertus[1]. Wieści o zbliżającej się wojnie znów pojawiały się tu i ówdzie, ale nikt nie brał ich poważnie. Zbyt bolesne były wspomnienia poprzedniego krwawego konfliktu, a rany, które pozostawił, wciąż się jeszcze nie zabliźniły.

Hrabia Tomasz mimo swoich siedemdziesięciu pięciu lat wciąż świetnie trzymał się w siodle i doskonale widział z oddali, dlatego nie zamierzał stracić okazji do dobrej rozrywki, której od śmierci Ady tak bardzo mu brakowało. Skontaktował się wcześniej z Giną i uzyskał jej zgodę na udział Adama w polowaniu. Chciał wprowadzić chłopaka do towarzystwa, mając nadzieję, że z wiekiem osiądzie on na stałe w Zajezierzycach. Hrabia gotów był mu zapisać cały majątek, a myśl o tym chłopcu, tak świetnie ułożonym i nad wiek rozwiniętym, napawała go nieodmiennie wielką czułością i dumą. Teraz, na starość, cieszył się znów radością ojcostwa i bał jedynie tego, czy ze wszystkim zdąży. Adam miał bowiem przed sobą jeszcze kilka lat nauki.

Tymczasem hrabia już rozglądał się za odpowiednią partią dla niego, wykazując się przy tym przedsiębiorczością zawodowej swatki.

Klucz zajezierzycki stanowił łakomy kąsek. Przynosił solidny dochód, nie ciążyła na nim żadna hipoteka, można tu było żyć jak u Pana Boga za piecem. Hrabia Tomasz ciężko na to przez ostatnie dwadzieścia lat pracował, ale Adamowi majątek tylko ciążył. Chłopak wiedział, że jeśli wuj go poprosi, jeśli mu go zapisze, nie będzie wyjścia.

---

[1] Tradycyjne święto myśliwych organizowane w okolicach dnia św. Huberta (3 listopada).

Wolałby jednak wejść w życie jako wolny strzelec i wszystko zawdzięczać sobie. Wiedział z doświadczenia, że cudze pieniądze to pęta, a wolnym można być jedynie dzięki własnej pracy.

Już jako szesnastolatek Adam Toroszyn był wysoki niczym dorosły mężczyzna. Przystojny blondyn o falujących włosach i niebieskich oczach, trochę przeciągał samogłoski, co przydawało mu wdzięku. Świetnie się uczył i chciał studiować weterynarię. Kochał konie i psy, a starego hrabiego traktował jak ojca, którego stracił tak wcześnie.

Adam przyjechał do Płocka autobusem. Przed budynkiem dworca czekały już na niego sanki z pałacu. Hrabia wysłałby samochód, ale po ostatnich opadach na pewno utknąłby gdzieś w zaspie. W sankach przygotowano dlań dachę[2], więc mimo mrozu chłopak nie zmarzł. Wieczór był piękny. Księżyc w pełni jasno oświetlał drogę, a rozgwieżdżone niebo skłaniało do rozmyślań. Na kolację Adam stanął w Zajezierzycach. Uśmiechnął się na widok pałacu, wyskoczył z sanek i lekkim krokiem wbiegł do sieni.

Hrabiego zastał w gabinecie, zajętego oglądaniem broni. Przed nim na biurku leżały wyjęte z futerałów strzelby, które mieli zabrać na jutrzejsze polowanie. Stary dziedzic sprawdzał, czy muszka się nie porusza i czy eżektory[3] działają prawidłowo. Lubił, by przed polowaniem wszystko było dopięte na ostatni guzik i choć mógł tę robotę zlecić lokajowi, nigdy tego nie robił. Lokaj przygotował za to dla hrabiego w walizce wizytowe ubranie, które będzie

---

[2] Obszerna peleryna do kostek.

[3] Wyrzutnik (ang.) – urządzenie odprowadzające łuskę z komory nabojowej, dzięki czemu skraca się czas potrzebny na załadowanie broni.

nieodzowne jutro wieczorem, gdy po polowaniu rozpocznie się w Cieciórce przyjęcie.

Na widok wchodzącego Adama Tomasz Zajezierski uśmiechnął się, odstawił strzelbę i szeroko rozłożył ramiona. Przypadli do siebie w uścisku.

– Co tam, dziecko? – zapytał hrabia. – Dobrą miałeś podróż?

– Tak, wuju, choć niemożebnie nudną.

– Za to jutro atrakcji nam nie zabraknie. Teraz zjemy coś i do łóżek, bo trzeba będzie wstać przed świtem.

Ponieważ panowały ostre mrozy, hrabia ubrał się bardzo ciepło. Włożył grube kalesony, tak zwane jegry, na to dwie pary wełnianych skarpet i filcowe buty, które dobrze chroniły przed chłodem, koszulę flanelową, wełniany pulower i marynarkę, a także krótki kożuszek, szalik, rękawiczki i kapelusz. O wpół do szóstej rano ruszyli do Cieciórki.

Podczas śniadania przy ognisku zasiedli do zbitych naprędce stołów, wokół których ustawiono brzozowe pieńki. Służba przygotowała już talerze i kieliszki, a teraz podawano w pośpiechu sztućce, serwując jednocześnie kanapki z pasztetem, zrazy wołowe z kaszą, a do tego herbatę z czerwonym winem i nalewki. Wylosowano numery stanowisk, jakie kto ma zająć podczas pędzenia lub kotła.

Ani Zajezierski, ani Adaś o tym nie mówili, ale czuli pewną podniosłość chwili. Miało to być bowiem pierwsze wejście chłopaka do środowiska ziemiańskiego w roli osoby dorosłej. Stojąc ramię w ramię z okoliczną szlachtą, po raz pierwszy traktowany był z rewerencją[4] należną przyszłemu dziedzicowi Zajezierzyc.

---

[4] Szacunek, poważanie (fr.).

Powrót do dworu nastąpił po zmroku. Każdy z myśliwych dostał pokój, by się zdrzemnąć i przygotować do wieczerzy. Pobudkę zarządzono o ósmej wieczorem, po czym goście zeszli w ubraniach wizytowych do salonu. Tu czekała na nich przekąska, którą spożywano zazwyczaj na stojąco. Oprócz cynaderek i móżdżku w kokilkach były: szynka, baleron, szczupak w galarecie, sardynki w oliwie, łosoś, wędzony węgorz, raki w majonezie, duszone grzyby, wołowina i wieprzowina na zimno. Do tego alkohole: czysta, wermut, starka, jarzębiak.

Po zakąskach panowie przeszli na brydża, a jadalnię przygotowano do uczty zasiadanej. Podano pieczyste z przystawkami, wzniesiono toast na cześć króla polowania, którym został gospodarz, Edward Radziewicz, i oczekiwano na przemówienie. Gdy wstał, ożywione rozmowy szybko ucichły. Podnosząc do góry kielich z czerwonym winem, powiedział:

– Szanowni i drodzy goście. Jest mi niezmiernie miło, że kontynuujemy tę piękną, zapoczątkowaną przez mego pradziada Huberta, tradycję. Hubertus w Cieciórce to nie tylko wydarzenie towarzyskie, nie tylko zabawa czy męska rozrywka, lecz także święto całej naszej ziemiańskiej społeczności. Gdy przed kilku laty odchodził mój nieodżałowany ojciec, na łożu śmierci powiedział mi: „Synu! Bądź godnym następcą swego dziada. Łącz wszystkie pokolenia, chroń więzi sąsiedzkie, bądź dobrym ojcem, szlachcicem, Polakiem!". I dziś oto spotykamy się po raz trzeci bez niego, a mnie przypadło w udziale bycie zarówno gospodarzem, jak i królem polowania. Bóg osądzi, jak wywiązuję się z mych obowiązków, pragnę jednak wyrazić mu wdzięczność za to, że moje dorosłe życie przypada na czas wolności naszego narodu, dziękuję za moją rodzinę i waszą, drodzy goście, przyjaźń. Mam zaszczyt i przyjemność zaprosić dziś do naszego grona nowego członka i przyjaciela, Adama Toroszyna. Wypijmy za jego zdrowie i niech Bóg mu błogosławi!

Rozległy się brawa, po czym zgromadzeni ujęli swoje kielichy. Podnosząc je do góry, kierowali uśmiechnięte twarze ku siedzącym obok siebie Adamowi oraz hrabiemu Tomaszowi. Zajezierski kiwał im wszystkim głową, dumny niczym ojciec wydający za mąż córkę jedynaczkę.

Tak. Stało się. Ma wreszcie godnego następcę!

Zajezierski zdawał sobie sprawę z tego, że zanim Adam urzędowo przejmie po nim zarząd majątkami, będzie musiało upłynąć kilka lat. W 1940 roku chłopak miał zdać maturę, wtedy hrabia zamierzał wysłać go na jakąś dobrą uczelnię rolniczą, by – jak on sam przed pięćdziesięciu laty – poznał wszystkie nowinki oraz zyskał obycie w świecie.

„Muszę jeszcze parę lat poczekać – tłumaczył hrabia matce, kiedy odwiedzał ją na cmentarzu. – Ten chłopiec to złoto! Obym dożył chwili, gdy będzie mógł stanąć na moim miejscu!".

Radzili sobie jakoś z Pawlakiem, ale na każdorazowy przyjazd wspólnego wnuka czekali z niecierpliwością. Zajezierski napisał o swojej decyzji synowi. Ksiądz Paweł zaprosił Adama do Rzymu na wakacje. Przed ewentualnym zrzeczeniem się na jego korzyść praw do spadku chciał go poznać. Hrabia nie miał najmniejszych wątpliwości, że syn poprze jego decyzję. Szczęśliwy, że wreszcie zabezpieczył przyszłość majątku, zaczął rozglądać się w okolicy za posażną panną dla Adama. Miał już nawet jedną na oku w najbliższym sąsiedztwie. Nazywała się Ewa Radziewicz.

1995

Trzeciego września tuż przed dziesiątą rano przejechał przez rynek w Gutowie przyjechał czarny mercedes na warszawskich numerach rejestracyjnych, wiozący czterech mężczyzn. Nikt nie zwrócił na niego uwagi, choć poruszał się dość wolno, a pasażerowie, a zwłaszcza najstarszy z nich, wyglądali przez uchylone okna, z ożywieniem coś komentując. Chwilę później auto skręciło w ulicę Kościelną. Kierowca zaparkował przed zabudowaniami klasztoru Zgromadzenia Sióstr Kwietanek. Z samochodu wysiadło trzech mężczyzn. Najstarszy mógł mieć około siedemdziesięciu lat, był całkiem siwy, bardzo szczupły, szedł wyprostowany niczym żołnierz. Drugi, nieco młodszy, około pięćdziesiątki, i najmłodszy, z pewnością przed trzydziestką, przyglądali się wszystkiemu z ciekawością, coś do siebie poszeptując.

W otwartej furcie, co było widokiem niezwykłym, oczekiwała gości matka przełożona zgromadzenia, siostra Felicja, oraz dyrektorka szkoły, siostra Justyna. Wewnątrz, w nowo wybudowanej sali gimnastycznej, znajdowali się przedstawiciele władz kościelnych, samorządowych oraz oświatowych.

Goście weszli do środka, witani gromkimi brawami. Najstarszemu z mężczyzn wskazano miejsce za stołem prezydialnym, dwaj pozostali zasiedli w pierwszym rzędzie, obok absolwentek szkoły i innych gości. Za nimi siedziały nowo przyjęte uczennice.

Matka przełożona powitała zebranych, potem przemawiali przedstawiciele władz miasta i oświatowych, wreszcie poproszono o głos przybyłego gościa, Adama Toroszyna:

Jest mi niezwykle miło gościć dziś w tych szacownych murach. Dużo strasznych rzeczy słyszałem o nich w dzieciństwie... (Śmiech na sali). Na przykład to, jak trudno stąd uciec. (Śmiech). Podobno nie udało się to nikomu poza moją matką. (Śmiech). Kiedy byłem niegrzeczny, babka straszyła mnie, że zostanę oddany do tej szkoły. (Śmiech). Najbardziej przerażające było to, że podobnie jak dziś, wtedy też uczyły się tu jedynie dziewczęta. (Śmiech). Najwyraźniej byłem zbyt młody, by zrozumieć, co tracę. (Śmiech). Życzę gronu pedagogicznemu i wszystkim uczennicom... – Spojrzał na pierwszy rząd krzeseł i zaniemówił, jakby zobaczył ducha. Zmrużył oczy, chcąc wyostrzyć obraz, poruszył bezgłośnie ustami, po chwili wrócił jednak do przerwanego wywodu: – Bardzo przepraszam, ale chyba napisano mi zbyt długie przemówienie. Życzę wam wszystkim wielu sukcesów!

Na sali rozległy się gromkie brawa, a gość od tej chwili nie spuszczał wzroku z Igi Hryć.

Cały sierpień Adam Toroszyn spędził w Zajezierzycach. Wolał to od Włoch, dokąd poleciał w lipcu z matką i jej mężem. Ksiądz Paweł przyjął ich nadzwyczaj serdecznie. Był sympatycznym, pulchnym czterdziestolatkiem, zupełnie niepodobnym do ojca. Żywo interesował się tym, co się dzieje w kraju, a zwłaszcza u hrabiego. Dużo rozmawiali o polityce i całkiem realnym widmie wojny. Ale snuli też plany na przyszłość.

Adam zrobił na księdzu Pawle bardzo dobre wrażenie. Okazał się przystojny i inteligentny, ale miał także doskonałe maniery i obycie, co u młodzieży zdarzało się coraz rzadziej. Po kilku dniach Gina i Jan polecieli na Cypr, a chłopak jeszcze tydzień spędził z wujem. Oglądali razem Rzym, ksiądz Paweł pokazywał mu swoje ulubione miejsca, rozmawiali o filozofii i matematyce, a także o polityce i historii.

Gdy tydzień później Adam wyjeżdżał z Rzymu, został oficjalnie namaszczony na zastępcę księdza Pawła. Kwestie urzędowe miały zostać załatwione później.

Po powrocie do Zajezierzyc Adam poczuł się wreszcie jak w domu. Dużo czasu spędzał w siodle, co lubił najbardziej, ale też zajmował się końmi, doglądał za wuja prac przy żniwach. Czasem robił wypady do Gutowa.

Nastało cudowne lato, długie i ciepłe, jedno z tych, które zapamiętuje się na zawsze. Wszyscy zresztą chcieli się bawić, zapominając o wiszących nad światem burzowych chmurach.

Adam poznał w Gutowie trochę młodzieży, w tym pewną dziewczynę o imieniu Celina. Miała dopiero czternaście lat, ale nie ulegało wątpliwości, że będzie niezwykłą pięknością. Okrągłą twarz okalała burza brązowych loków, które czesała z przedziałkiem. Włosy splatała w grube warkocze, u dołu ozdobione kolorową wstążką. Ładne szare oczy wydawały się śmiać, jej nos był nieduży, a cera piękna i brzoskwiniowa.

Był piękny letni dzień. Adam przyjechał z wujem Tomaszem do miasta, by załatwić jakieś sprawy urzędowe. Późnym popołudniem usiedli na tarasie cukierni Pod Aniołem. Wuj, by wypić kawę i zapalić cygaro, Adam, aby uraczyć się swoimi ulubionymi lodami pistacjowymi. W chwili, kiedy był nimi całkowicie zaabsorbowany, coś zimnego i miękkiego upadło mu na plecy. To Celina, potykając się na schodku, upuściła nań swoją porcję.

Była bliska łez kiedy nieporadnie przepraszając, próbowała zetrzeć z jego koszuli kolorową plamę. Powstało ogólne poruszenie. Nadbiegł kelner i jej matka, a także reszta rodziny: trzech braci i siostra. Każdy chciał pomóc. Hrabia odłożył cygaro oraz gazetę i z rozbawieniem obserwował scenę.

– Ja bardzo przepraszam, bardzo przepraszam! – kajała się za córkę Zyta Cieślak.

– Ależ, szanowna pani, wszak to tylko trochę lodów. – Zajezierski nie zamierzał denerwować się byle głupstwem.

Nie było innego wyjścia, jak pójść do składu Gocmana po nową koszulę. Matka Celiny oczywiście wzięła całą sprawę na siebie, a hrabia uprzejmie przyjął przeprosiny, ale nie pofatygował się z towarzystwem. Zakupy śmiertelnie go nudziły.

Kiedy grupa pod dowództwem Zyty Cieślak wróciła ze sklepu, nastąpiła uroczysta prezentacja, a hrabia zamówił dla wszystkich lemoniadę. Zajezierski z uśmiechem patrzył na dzieciaki, które choć rozbrykane, starały się odpowiednio zachowywać. Najstarszy, Zygmunt, miał właśnie świętować szesnaste urodziny i w związku z tym hrabia został poproszony o zgodę na udział Adama w uroczystości. Zajezierski nie oponował, wiedział, że chłopak trochę się nudzi, na co dzień obcując jedynie z dwoma starcami i służbą.

Czy był ktoś, kto wtedy zdołałby się domyślić, że potknięcie Celiny, pozornie przypadkowe, wpisuje się w ciąg wydarzeń, które musiały po sobie nastąpić, by stało to, co się później stało? Czy hrabia mógł przypuszczać, że ma przed sobą żonę swego nigdy niewidzianego syna oraz piątkę jego dzieci? Potraktował to spotkanie jako epizod bez znaczenia, szybko o nim zapomniał, i gdyby nawet ktoś powiedział mu, że nic nie dzieje się przypadkiem, pewnie by go wyśmiał. Jednak zgodził się i Adam wkrótce odwiedził Cieślaków w ich domu przy Parkowej.

Adam Toroszyn miał siedemnaście lat, Celina Cieślak czternaście. Zauważył, że na urodziny brata nie splotła włosów w warkocze, tylko rozpuściła i zawiązała na głowie wstążkę. I choć był gościem Zygmunta, znalazł chwilę, by z nią porozmawiać o Warszawie i Ginie Weylen, którą Celina znała z opowiadań sióstr zakonnych, ponieważ od roku była uczennicą w szkole kwietanek. Obiecał też przynieść jej kiedyś zdjęcie matki z autografem.

Gdy odjeżdżał do Zajezierzyc, czuł dziwną radość i spokój. Nie wiedział jeszcze, że spotkał jedyną miłość swego życia.

*

Tomasz Zajezierski, siedząc w wiklinowym fotelu na tarasie, palił cygaro i patrzył na połyskującą między drzewami odległą taflę jeziora Nyć. Czekał z podwieczorkiem na Adama, który właśnie się zbliżał, poprzedzony szczekaniem psów, nawoływaniami służby i głośnym stukaniem butów do konnej jazdy na pałacowych parkietach. Hrabia miał jakieś dziwne poczucie wyjątkowości chwili. Chciał powiedzieć chłopakowi coś istotnego, coś, co zapadłoby mu na długo w pamięć, jakąś mądrość życiową, która byłaby mu przewodniczką.

Adam stanął przed nim, odsunął fotel i usiadł z głośnym westchnieniem. Przez chwilę w ciszy kontemplowali krajobraz, a potem hrabia spojrzał na młodzieńca: na jego jasną czuprynę, opaloną twarz, radosne oczy i rozchylone lekko wargi. W chwili gdy Adam sięgał do kosza z owocami po pięknie dojrzałą gruszkę, którą właśnie przyniesiono z ogrodu, Zajezierskiemu przemknęło przez myśl to, co mógłby mu powiedzieć.

– Adamie... – rzucił szybko, zatrzymując jego rękę wyciągniętą po owoc.

– Tak, wuju?

– Chyba będzie burza.

Adam spojrzał do góry. Niebo było błękitne i czyste.

– Nawet jeśli, wuju... – powiedział spokojnym tonem dorosłego. – Nawet jeśli, to jakoś ją przecież przetrwamy.

Koniec części drugiej

APPENDIX

Kalendarium

1750 – Bonawentura Zajezierski herbu Dzierżybór funduje w Zajezierzycach drewniany kościół pod wezwaniem św. Floriana jako dziękczynienie za uratowanie wsi i dworu przed ogromnym pożarem, który spustoszył lasy zajezierzyckie latem 1749 roku. Zobowiązanie utrzymania kościoła i kapłana intabulowane na dobrach zajezierzyckich;

1759 – Siostra Marcelina (właśc. Konsolata z Lubowidzkich Gutowska) zakłada Zgromadzenie Sióstr Służek Matki Boskiej Kwietnej w Gutowie;

1780 – rodzi się Bonifacy Zajezierski;

1783 – rodzi się Salomea z Gutowskich;

1808 – ślub Bonifacego Zajezierskiego i Salomei z Gutowskich;

1809 – rodzi się Konstanty Zajezierski;

1812 – rodzi się Jadwiga z Długopolskich;

1831, styczeń – ślub Konstantego Zajezierskiego z Jadwigą z Długopolskich;

1832 – rodzi się Henryk Zajezierski;

1838 – rodzi się Barbara z Sokołowskich;

1854 – Mosze Cukierman otwiera w Gutowie sklep kolonialny Pod Aniołem;

1857, Boże Narodzenie – ślub Henryka Zajezierskiego z Barbarą z Sokołowskich;

1858 – rodzi się Franciszka z Zajezierskich;

1859 – rodzi się Waleria z Zajezierskich;

1860 – rodzi się Regina z Zajezierskich;
1864, luty – w bitwie pod Gutowem ginie Konstanty Zajezierski;
1864, maj – Barbara Zajezierska jedzie do Warszawy celem spotkania się z Timofiejem Toroszynem;
1864, czerwiec – umiera Jadwiga z Długopolskich Zajezierska, żona Konstantego, matka Henryka;
1864, grudzień – rodzi się Jacek Blatko vel Jack Blut;
1865, 25 stycznia – rodzi się Tomasz Zajezierski;
1865, czerwiec – umiera Henryk Zajezierski;
1866 – Franciszka Zajezierska ginie w wypadku;
1872 – rodzi się Kinga z Bysławskich;
1873 – rodzi się Marianna Blatko;
1875 – rodzi się Adrianna Bysławska;
1875 – rodzi się Marian Cieślak ojciec;
1882 – rodzi się Lucjan Krzycki;
1882 – umiera Władysław Zajezierski;
1886 – umiera Wiktor Blatko;
1890 – Marian Cieślak zakochuje się w Zenobii Partyce;
1891 – Jacek Blatko, syn Zuzanny, emigruje do USA;
1891, listopad – Tomasz Zajezierski poznaje w Cieciórce malarkę, Różę z Wolskich;
1893, Wielkanoc – ślub Mariana Cieślaka z Zenobią Partyką;
1894 – rodzi się Zyta Cieślak;
1894, wrzesień – Abram Cukierman otwiera cukiernię przy sklepie kolonialnym w Gutowie;
1894, wrzesień – Wanda i Kinga Bysławskie usiłują otruć Adę; Kinga próbuje utopić się w jeziorze Nyć;
1894, listopad – polowanie w Cieciórce, podczas którego ranny zostaje Tomasz Zajezierski;
1894, listopad – Wanda Bysławska wstępuje do klasztoru;

1894, grudzień – wielki pożar czworaków w Zajezierzycach;

1895, styczeń – bal maskowy w Długołące;

1895, Wielkanoc – ślub Adrianny z Bysławskich i Tomasza Zajezierskiego;

1895, maj – ślub Kingi z Bysławskich i Wsiewołoda Toroszyna;

1895, maj – Marianna Blatko emigruje do USA;

1895, czerwiec – powstanie Wiejskiego Pogotowia Ogniowego w Zajezierzycach (od 1899 roku – Ochotnicza Straż Pożarna);

1895, lipiec – początek remontu pałacu w Zajezierzycach;

1895, 24 grudnia – rodzą się Paweł Zajezierski i Paul Connor;

1898, 1 maja – rodzi się Leon Hryć;

1898 – rodzi się Mark Connor;

1899, 20 lutego – Nelly Krasnorukowa morduje Wsiewołoda Toroszyna;

1899, 15 kwietnia – rodzi się Edward Radziewicz;

1899, 23 lipca – rodzi się Grażyna Wsiewołodowna Toroszyn vel Gina Weylen;

1899 – umiera Wincenty Rogala;

1900 – rodzi się Magdalena Mielżyńska;

1900 – rodzi się Anna Connor;

1902 – rodzi się Bożena Kowalik;

1902, lipiec – Adrianna Zajezierska poznaje w Krynicy Lucjana Krzyckiego;

1905, kwiecień – Zajezierscy kupują dom w Płocku;

1905, wrzesień – Paweł Zajezierski rozpoczyna naukę w gimnazjum w Płocku;

1905 – umiera Tadeusz Bysławski;

1906, maj – Zajezierscy fundują przy klasztorze kwietanek w Gutowie figurę Matki Boskiej Kwietnej w dziękczynieniu za ukaz tolerancyjny i powrót Kingi Toroszyn do katolicyzmu;

1910 – Zdzisław Pawlak rozpoczyna pracę w Zajezierzycach;

1910 – Grażyna Toroszyn rozpoczyna naukę na warszawskiej pensji Jadwigi Sikorskiej, rodzi się Maksymilian Apfelbaum;

1911 – umiera Antonina Bysławska, matka Kingi Pawlak, Wandy Bysławskiej i Adrianny Zajezierskiej;

1912 – Walery Markowicz obejmuje stanowisko kanclerza kurii biskupiej w Płocku;

1912, 5 października – umiera Barbara Zajezierska;

1913 – umiera Zuzanna z Rogalów Blatko;

1913, wrzesień – Paweł Zajezierski rozpoczyna naukę w płockim seminarium duchownym;

1914 – wybucha pierwsza wojna światowa;

1915 – Adrianna i Tomasz Zajezierscy uciekają do Petersburga;

1915, kwiecień – Niemcy wkraczają do Gutowa i Zajezierzyc, zniszczenie Długołąki;

1918, maj – podczas bitwy pod Kaniowem ginie Lucjan Krzycki;

1918, czerwiec – umiera Marianna Connor;

1918, sierpień – Adrianna i Tomasz Zajezierscy wracają do domu;

1919 – Edward Mielżyński wraca z rodziną z emigracji;

1919 – Paweł Zajezierski otrzymuje święcenia kapłańskie, zostaje skierowany jako wikariusz do pracy w parafii św. Dominika w Krzynowłodze Małej;

1919 – Grażyna Toroszyn przenosi się do Warszawy i pod pseudonimem Gina Weylen uzyskuje angaż do teatru w Lublinie;
1920 – rodzi się Lilith Cukierman;
1920 – umiera Magdalena Mielżyńska;
1920 – Paul Connor przenosi się do Warszawy;
1920 – Gina Weylen otrzymuje angaż w teatrze Czarny Kot w Warszawie;
1921 – Paul Connor po raz pierwszy odwiedza Gutowo i Zajezierzyce;
1921 – umiera Ira Connor;
1921 – Wiktor Grabnicki wraca do Warszawy z emigracji;
1921 – debiut filmowy Giny Weylen;
1922 – rodzi się Adam Toroszyn;
1922 – Paul Connor żeni się z Zytą Cieślak i przyjmuje nazwisko żony;
1922 – umiera Zenobia Cieślak;
1923 – rodzi się Zygmunt Cieślak;
1924 – umiera Jacek Błatko vel Jack Blut;
1925 – rodzi się Celina Cieślak;
1925 – ks. Paweł Zajezierski przeniesiony do parafii św. Mikołaja w Sulerzyżu jako wikariusz;
1926 – Bożena Kowalik wychodzi za Mariana Cieślaka;
1927 – rodzi się Weronika Cieślak;
1928 – ks. Paweł Zajezierski mianowany prefektem Wyższego Seminarium Duchownego w Płocku;
1929 – rodzi się Marian Cieślak syn;
1929 – pierwsze europejskie tournée Giny Weylen;
1930 – rodzi się Tadeusz Cieślak;
1931, 6 IX – Gina Weylen daje pierwszą premierę we własnym teatrze „Gina";
1931 – w wypadku lotniczym nad Afryką ginie Wiktor Grabnicki;

1932 – umiera Adrianna Zajezierska;
1933 – Paweł Cieślak po raz drugi odwiedza Gutowo i Zajezierzyce;
1934 – umiera Kinga Pawlak;
1935 – ks. Paweł Zajezierski przenosi się do Rzymu i rozpoczyna studia doktoranckie;
1935 – Gina Weylen poznaje Jana Bergera;
1936 – Gina Weylen wychodzi za mąż za Jana Bergera;
1938 – rodzina Cieślaków przenosi się z Warszawy do Gutowa;
1938 – Celina Cieślak spotyka po raz pierwszy Adama Toroszyna;
1939 – wybucha druga wojna światowa;
1940 – Leon Hryć przeprowadza się do Gutowa;
1940 – Georg Papke obejmuje zarząd cukierni Pod Aniołem;
1943 – umierają Paweł Cieślak, Tomasz Zajezierski i Wanda Bysławska;
1944 – wyzwolenie Gutowa spod okupacji niemieckiej;
1944 – umiera Lilith Cukierman;
1946 – ślub Celiny z Cieślaków i Leona Hrycia;
1946 – umiera Gina Weylen;
1947 – rodzi się Grzegorz Hryć;
1947 – umiera Zygmunt Cieślak;
1951 – ks. Paweł Zajezierski przyjmuje w Rzymie święcenia biskupie;
1951 – rodzi się Roman Hryć;
1952 – rodzi się Maurice Toroszyn;
1953 – rodzi się Waldemar Hryć;
1954 – Leon Hryć wynajmuje przy rynku w Gutowie lokal na cukiernię i od płaskorzeźby nad drzwiami przywraca jej nazwę Pod Aniołem;

1955 – cukiernia Pod Aniołem w wyniku nacisków politycznych zmienia nazwę na Pod Amorem;

1963 – pałac w Zajezierzycach przejmuje państwowe przedsiębiorstwo Orbis;

1964 – umiera Leon Hryć, cukiernią Pod Amorem zarządza jednoosobowo Celina Hryć;

1965 – umiera Zyta Cieślak;

1970 – rodzi się Xavier Toroszyn;

1973 – rodzi się Iga Hryć;

1987 – umiera biskup Paweł Zajezierski;

1993 – spółka Celina Hryć i Syn nabywa od władz miasta wystawione na przetarg dwa budynki w Gutowie, oznaczone numerami: Rynek 17 i Rynek 18, użytkowane dotychczas przez jej firmę na zasadzie wynajmu;

1995, 4 lipca – Celina Hryć doznaje rozległego udaru mózgu;

1995, lipiec – przypadkowe odkrycie zmumifikowanego ciała kobiety w korytarzu pod rynkiem w Gutowie;

1995, 30 lipca – Waldemar Hryć spotyka w Płocku Helenę Nierychło;

1995, 3 września – Adam Toroszyn jako gość honorowy bierze udział w otwarciu Katolickiej Szkoły Podstawowej przy klasztorze Zgromadzenia Sióstr Służek Matki Boskiej Kwietnej w Gutowie.

Indeks osób
(w porządku alfabetycznym)

Abakanowicz Magdalena (ur. 1930) polska rzeźbiarka, twórczyni „abakanów", dużych figuralnych kompozycji z wykorzystaniem tkanin.

Andriolli Michał Elwiro (1836–1893) rysownik, malarz i ilustrator, syn osiadłego w Wilnie kapitana wojsk napoleońskich Franciszka, z pochodzenia Włocha. W swej posiadłości Brzegi nad rzeką Świder stworzył charakterystyczny styl budownictwa drewnianego łączącego cechy stylu mazowieckiego, rosyjskiego i alpejskiego.

Apfelbaum Aron (1861–1933) mąż Sary z Hudesów, ojciec Mordechaja, Chawy, Szmula i Miriam, hurtownik płodów rolnych z Gutowa.

Apfelbaum Hannah (1925–1990) z domu Ebersfeldt; druga żona Maksa, matka Matiasa Apfelbauma i Esther Brown.

Apfelbaum Lilith (1920–1944) z domu Cukierman; córka Natana, pierwsza żona Maksa; zaginęła bez wieści.

Apfelbaum Maks (1910–1982) syn Mordechaja i Ryfki; mąż Lilith, kupiec handlujący drewnem, od 1945 w USA, druga żona Hannah, ojciec Matiasa Apfelbauma i Esther Brown.

Apfelbaum Matias (ur. 1948) zamieszkały w USA, syn Maksa i Hannah.

Apfelbaum Mordechaj (1890–1925) ojciec Maksa, hurtownik płodów rolnych z Gutowa.

Apfelbaum Ryfka (1895–1943) matka Maksa, żona Mordechaja, zgładzona podczas Holokaustu w getcie w Gutowie.

Apfelbaum Sara (1864–1943) z domu Hudes; córka Jakuba, żona Arona; zginęła podczas Holokaustu.

Bamberg Henryk (1876–1949) polski reżyser filmowy; m.in. *Upadły anioł*, *Krucjata*, *Marzenie panny Niny*.

Bartkiewicz Genowefa (1880–1942) żona Józefa Bartkiewicza.

Bartkiewicz Józef (1875–1940) przemysłowiec, właściciel kilku przedsiębiorstw branży rolno-spożywczej, wspólnik Wiktora Grabnickiego.

Bąk Amelia (1849–1912) służąca w Zajezierzycach (1863–1872).

Berger Jan (1896–1976) przedsiębiorca, lotnik, mąż Grażyny Toroszyn.

Bersztajn Szlomo (1852–1915) rabin gutowski.

Biezsmiertnych Kławdia Nikiforowna (ur. 1950) ur. w Dniepropietrowsku (Ukraina), od 1994 pomoc domowa Celiny Hryć.

Biruta z Połągi (zm. 1382) kapłanka Praurimy, druga żona Kiejstuta Giedyminowicza, księcia trockiego, matka Witolda Kiejstutowicza; prawdopodobnie jej pierścień Chwałko z Gutowa otrzymał od księcia Witolda po bitwie pod Grunwaldem.

Blatko Jacek vel Jack Blut (1864–1924) ur. w Zajezierzycach, syn Zuzanny i Wiktora, brat Marianny; od 1891 zamieszkały w USA.

Blatko Marianna patrz: **Connor Marianna**

Blatko Wiktor (1844–1886) syn Rocha, mąż Zuzanny, ojciec Jacka i Marianny.

Blatko Zuzanna (1847–1913) z domu Rogala; córka Wincentego Rogali, matka Jacka Blatko i Marianny Connor, babka Paula Connora vel Pawła Cieślaka.

Bodygaj Polidor (1846–1917) ksiądz katolicki, proboszcz parafii w Cieciórce (1902–1912).

Bodzęta Gracjan (1885–1970) pułkownik Wojska Polskiego, hallerczyk; od 1917 w 4 Pułku Szwoleżerów, następnie w 1 Pułku Strzelców Konnych; uczestnik bitwy warszawskiej, walczył pod Radzyminem; w 1939 objął dowodzenie 2 Pułku Strzelców Konnych, który wszedł w skład Warszawskiej Brygady Pancerno-Motorowej; za udział w bitwie pod Tomaszowem Lubelskim odznaczony Krzyżem Kawalerskim Virtuti Militari.

Bożymira ze Smrocka (1399–1455) żona Chwałka z Gutowa, założyciela mazowieckiej linii rodu Gutowskich.

Brown Adam (ur. 1947) mąż Esther, ojciec Michaela i Julie.

Brown Esther (ur. 1950) córka Hannah i Maksa Apfelbaumów, żona Adama Browna, zam. w Sacramento w USA, urzędniczka municypalna, matka Michaela i Julie.

Brown Julie (ur. 1974) córka Esther i Adama Brownów, zam. w Sacramento w USA; studentka prawa.

Brown Michael (ur. 1973) syn Esther i Adama; zam. w Sacramento w USA; informatyk.

Brykało Józef (1874–1927) przedsiębiorca teatralny.

Bysławska Adrianna patrz: **Zajezierska Adrianna**

Bysławska Antonina (1846–1911) z domu Adamowicz; żona Tadeusza, matka Kingi, Wandy i Adrianny, babka Grażyny Toroszyn vel Giny Weylen.

Bysławska Kinga patrz: **Toroszyn Kinga**

Bysławska Wanda patrz: **Siostra Emilia**

Bysławska Zenobia (1817–1898) żona Teodora, matka Tadeusza.

Bysławski Tadeusz (1842–1905) herbu Trąby, właściciel dóbr Długołąka, ojciec Adrianny, Kingi i Wandy, dziadek Grażyny Toroszyn.

Bysławski Teodor (1806–1890) herbu Trąby, ojciec Tadeusza.

Chełchowski Stanisław Kostka Anastazy (1866–1907) działacz społeczny, oświatowy, gospodarczy i polityczny, rolnik, przyrodnik i etnograf, właściciel majątków Chojnowo i Miłoszewiec Kmiecy.

Chevalier Maurice (1888–1972) francuski piosenkarz i aktor, dwukrotnie nominowany do Oscara.

Christie Agata (1890–1976) angielska autorka powieści kryminalnych.

Cieślak Bożena (1902–1943) z domu Kowalik; kelnerka w restauracji Pod Złotym Kurem, druga żona Mariana; zamordowana na Pawiaku.

Cieślak Celina patrz: **Hryć Celina**

Cieślak Eliza (1870–1937) z domu Żuk; żona Zenona Cieślaka.

Cieślak Julian (1842–1908) mąż Pauliny, ojciec Zenona, Bogusławy, Bronisława, Karola, Wincentego, Krystyny, Marcelego, Bernarda i Mariana.

Cieślak Marian (1875–1943) najmłodszy syn Juliana i Pauliny, teść Paula Connora vel Pawła Cieślaka; mąż Zenobii, potem Bożeny, ojciec Zyty; właściciel warszawskiej firmy sprzedającej samochody; zamordowany przez Niemców na Pawiaku.

Cieślak Marian (ur. 1929) mł., wnuk Mariana, brat Celiny Hryć, pracownik Fabryki Łożysk Tocznych w Kraśniku.

Cieślak Paulina (1847–1931) z domu Tyczewska; matka Zenona, Bogusławy, Bronisława, Karola, Wincentego, Krystyny, Marcelego, Bernarda i Mariana.

Cieślak Paweł vel Paul Connor (1895–1943) biologiczny syn hrabiego Tomasza Zajezierskiego i Marianny z Blatków, obywatel amerykański urodzony w Chicago, usynowiony przez Irę Connora; w czasie pierwszej wojny światowej żołnierz Amerykańskich Sił Ekspedycyjnych pod dowództwem gen. Pershinga; ranny 1918; 1919 zdemobilizowany; mąż Zyty, ojciec Zygmunta, Celiny, Weroniki, Mariana i Tadeusza.

Cieślak Tadeusz (1930–2003) syn Pawła i Zyty Cieślak, wnuk Mariana, brat Celiny Hryć, właściciel gospodarstwa ogrodniczego.

Cieślak Zenobia (1875–1922) z domu Partyka; pierwsza żona Mariana Cieślaka, matka Zyty Cieślak.

Cieślak Zenon (1865–1905) najstarszy syn Juliana i Pauliny.

Cieślak Zygmunt (1923–1947) syna Pawła i Zyty Cieślaków, żołnierz AK.

Cieślak Zyta (1894–1965) żona Pawła, córka Mariana; matka Zygmunta, Celiny, Weroniki, Mariana i Tadeusza.

Ciura Benedykt (1866–1918) ksiądz katolicki, proboszcz w Zajezierzycach 1902–1914.

Connor Anna patrz **Dougherty Anna**

Connor Ira (1864–1921) bokser amerykański pochodzenia irlandzkiego, mąż Marianny z Blatków, ojciec Marka i Anny Dougherty, przybrany ojciec Paula vel Pawła Cieślaka.

Connor Marianna (1873–1918) z domu Blatko; ur. w Zajezierzycach, córka Zuzanny i Wiktora; od 1895 w Chicago, USA; żona Iry Connora, matka Paula Connora vel Pawła Cieślaka oraz Anny i Marka Connorów.

Connor Mark (1898–1973) syn Marianny i Iry Connorów, przyrodni brat Paula Connora vel Pawła Cieślaka; pośrednik w handlu nieruchomościami, zam. w Weymouth, USA.

Connor Paul patrz: **Paweł Cieślak**

Coxey Jacob (1854–1951) amerykański polityk socjalista, znany także jako generał Coxey; dwukrotnie (1894 oraz 1914) tworzy z bezrobotnych armię i wyrusza na jej czele do Waszyngtonu celem przedstawienia rządowi amerykańskiemu postulatów socjalnych, m.in. stworzenia nowych miejsc pracy.

Cukierman Abram (1843–1906) syn Moszego; właściciel sklepu kolonialnego i kawiarni Pod Aniołem w Gutowie.

Cukierman Dawid (1865–1921) syn Abrama; cukiernik, prowadzi cukiernię Pod Aniołem.

Cukierman Izrael (ur. 1924) syn Natana; 1943–1968 pod przybranym nazwiskiem Ireneusz Gawryło; uprowadzony z getta w Gutowie przez członków organizacji Żegota i ukrywany oraz wychowany przez rodzinę Gawryłów w Gutowie; z wykształcenia polonista, absolwent Uniwersytetu im. Mikołaja Kopernika w Toruniu; w konsekwencji wypadków marca 1968 wraca do nazwiska rodowego oraz emigruje do Izraela, gdzie początkowo pracuje w kibucu, później na Uniwersytecie Jerozolimskim, wreszcie w służbie dyplomatycznej Izraela; obecnie na emeryturze, zamieszkały w Les Pieux, Francja; żona Marta, córki Olga i Milena, syn Piotr.

Cukierman Lilith patrz: **Apfelbaum Lilith**

Cukierman Marta (ur. 1930) z domu Jabłońska; żona Izraela Cukiermana vel Ireneusza Gawryły, matka Olgi,

Mileny i Piotra; absolwentka polonistyki na Uniwersytecie im. Mikołaja Kopernika w Toruniu, nauczycielka języka polskiego.
Cukierman Milena patrz: **Marcoveanu Milena**
Cukierman Mojra (1918–1943) córka Natana, siostra Lilith, zmarła w getcie w Gutowie.
Cukierman Mosze (1814–1871) założyciel sklepu kolonialnego Pod Aniołem w Gutowie.
Cukierman Natan (1894–1943) syn Dawida, ojciec Mojry, Lilith i Izraela, prowadził wraz z ojcem cukiernię Pod Aniołem; zginął podczas ucieczki z getta w Gutowie.
Cukierman Olga patrz: **Simon Olga**
Cukierman Piotr (ur. 1962) syn Izraela i Marty, lekarz stomatolog zamieszkały w Paryżu.
Czerpak Dawid (ur. 1971) syn Marka, współwłaściciel gazety „Obserwator Gutowski".
Czerpak Marek (ur. 1947) ojciec Dawida, współwłaściciel gazety „Obserwator Gutowski".

Ćwiklińska Mieczysława właśc. **Mieczysława Trapszo** (1879–1972) polska aktorka teatralna i filmowa.

Dębska Jolanta (1890–1956) nauczycielka na pensji Jadwigi Sikorskiej, korepetytorka Grażyny Toroszyn.
Delasale Danuta patrz **Grabnicka Danuta**
Delasale Jean-Baptiste (1787–1845) z pochodzenia Francuz, oficer wojsk napoleońskich, od 1815 osiadły w Polsce, pradziad Danuty Grabnickiej.
Delasale Ludwik (1878–1954) adwokat, absolwent prawa na Uniwersytecie Lwowskim, członek Warszawskiej Rady Adwokackiej, szwagier Wiktora Grabnickiego.
Dmitruk Hanna (1923–1987) ur. w Cieciórce, pomoc domowa Celiny i Leona Hryciów.

Dobrosielska Waleria (1859 –1916) z domu Zajezierska; córka Barbary i Henryka Zajezierskich.

Dougherty Anna (1900–1981) z domu Connor; córka Marianny i Iry Connorów, absolwentka Juilliard School; profesor biologii na Uniwersytecie Stanu Utah w Salt Lake City, USA.

Dróżdż Hanna (1925–2003) przyjaciółka Celiny Hryć.

Druszcz Apolonia (1848–1917) z domu Bąk; kucharka w Długołące.

Ehrlich Jerzy (1889–1976) pianista, kompozytor, dyrygent; absolwent Warszawskiego Konserwatorium Muzycznego (1913); autor wielu piosenek kabaretowych, muzyki filmowej, a także opery *Księżniczka-bachantka*.

Elszyński Zelig (1900–1943) agent nieruchomości w Gutowie.

Fiodorow Panfił Sokratowicz (1860–1917) pułkownik, 1894–1903 dowódca garnizonu 85 Zapasowego Pułku Piechoty w Gutowie.

Fiszer Natan (1834–1908) kupiec z Gutowa.

Formela Marek (1880–1965) ksiądz katolicki, 1912–1930 proboszcz Cieciórki.

Garbo Greta właśc. **Greta Lovisa Gustafsson** (1905–1990) szwedzka aktorka, czterokrotnie nominowana do Oscara.

Gawryło Anatol (1905–1968) syn Mieczysława, ojciec Ligii i Daniela, mąż Krystyny z Siewierskich; absolwent prawa na Uniwersytecie Warszawskim, w czasie okupacji aktywista Żegoty, po wojnie prowadził w Gutowie praktykę adwokacką.

Gawryło Bibianna (ur. 1934) z domu Rossoszyńska; ur. w Gutowie, córka Leszka i Elżbiety z Walendowskich, żona Daniela, lekarz neurolog, obecnie na emeryturze.

Gawryło Daniel (ur. 1935) syn Anatola i Krystyny, ojciec Michaliny Gawryło-Frajnic, adwokat w Gutowie, obecnie na emeryturze.

Gawryło Ireneusz patrz: **Cukierman Izrael**

Gawryło Krystyna (1912–1973) z domu Siewierska; żona Anatola, matka Ligii i Daniela, przybrana matka Ireneusza vel Izraela Cukiermana, z zawodu sędzia, podczas wojny aktywistka Żegoty.

Gawryło Ligia patrz **Jabłońska Ligia**

Gawryło-Frajnic Michalina (ur. 1964) córka Daniela i Bibianny z Rossoszyńskich, matka Mariusza i Dominiki, prowadzi praktykę adwokacką w Gutowie.

Gocman Haskel (1866–1943) właściciel jatki w Gutowie, syn Mieczysława.

Gocman Mieczysław (1836–1923) kupiec bławatny w Gutowie.

Gocman Tojwie (1900–1943) syn Haskela, właściciel sklepu z ubraniami w Gutowie.

Goldberg Icek (1857–1906) krawiec w Gutowie.

Gośliccy Zofia i Tadeusz współpasażcrowie Marianny Blatko w podróży do Ameryki.

Grabnicka Danuta (1879–1917) z domu Delasale; matka Mili, żona Wiktora.

Grabnicka Emilia (1899–1940) córka Wiktora i Danuty, przyjaciółka Grażyny Toroszyn.

Grabnicka Melania patrz: **Lipska Melania**

Grabnicki Wiktor (1870–1931) absolwent Oksfordu, przemysłowiec i podróżnik, pasjonat motoryzacji i aeronautyki; ojciec Mili, mąż Danuty, kochanek, przyjaciel i mentor Grażyny Toroszyn vel Giny Weylen, biologiczny ojciec Adama Toroszyna.

Grabowski Adam (1864–1919) płocczanin, jeden z założycieli koła Polskiej Macierzy Szkolnej oddział Płock, dyrektor gimnazjum im. Władysława Jagiełły w Płocku, inspektor szkolny okręgu płockiego, radny i sekretarz Rady Miasta Płocka, założyciel Towarzystwa Ogrodniczego, więzień niemieckiego obozu jenieckiego podczas pierwszej wojny światowej.

Grzyb Zbigniew (1877–1966) robotnik rolny w Zajezierzycach, przywódca strajku 1919.

Guilbert Yvette (1865–1944) francuska piosenkarka i aktorka kabaretowa.

Gutowska Konsolata patrz: **Siostra Marcelina**

Gutowska Salomea patrz: **Zajezierska Salomea**

Gutowski Erazm (1720–1757) herbu Trzy Rogi, właściciel dóbr Zamroki-Gaj, Sadowe, Guty Mniejsze i Guty Kościelne; mąż Konsolaty Gutowskiej z Lubowidzkich, założycielki Zgromadzenia Sióstr Służek Matki Boskiej Kwietnej w Gutowie.

Hajdukiewiczowie herbu Radwan, właściciele dóbr Zapiecek k. Gutowa.

Hryć Amelia patrz: **Niedzielska Amelia**

Hryć Anita (ur. 1948) z domu Karpowicz; żona Grzegorza, matka Mariusza i Karoliny, prowadzi drogerię w Gutowie.

Hryć Bożena (1954–1984), z domu Głuch; żona Waldemara, matka Igi.

Hryć Celina (1925–1995) z domu Cieślak; córka Pawła i Zyty; właścicielka firmy cukierniczej Leon Hryć, później Celina Hryć, następnie Celina Hryć i Syn, ur. w Warszawie, zam. w Gutowie, matka Grzegorza, Marii, Amelii, Romana, Waldemara, Andrzeja i Katarzyny.

Hryć Grzegorz (ur. 1947) najstarszy syn Leona i Celiny, mąż Anity, ojciec Mariusza i Karoliny; absolwent Uniwersytetu Warszawskiego, nauczyciel historii w Liceum im. C.K. Norwida w Gutowie, od roku szkolnego 1995/96 jego dyrektor.

Hryć Iga (ur. 1973) córka Waldemara i Bożeny z Głuchów; współwłaścicielka cukierni Pod Amorem w Gutowie.

Hryć Karolina (ur. 1977) córka Grzegorza i Anity z Karpowiczów, uczennica gutowskiego liceum im. C.K. Norwida.

Hryć Katarzyna patrz: **Potęga Katarzyna**

Hryć Leon (1898–1964) ur. w Gutowie; od 1921 pracownik Zakładu Cukierniczego Honoriusza Gajewskiego w Warszawie; od 1931 mistrz cukierniczy, od 1946 mąż Celiny.

Hryć Maria patrz: **Parzybroda Maria**

Hryć Mariusz (ur. 1975) syn Grzegorza i Anity z Karpowiczów, student Wydziału Mechanicznego Politechniki Gdańskiej.

Hryć Roman (ur. 1951) syn Leona i Celiny, mąż Zofii, bezrobotny.

Hryć Waldemar (ur. 1953) syn Leona i Celiny, ojciec Igi, właściciel firmy cukierniczej, zamieszkały w Gutowie, absolwent Zasadniczej Szkoły Gastronomicznej w Gutowie.

Hryć Zofia (ur. 1954) z domu Banaszewska; żona Romana, pielęgniarka w Szpitalu Miejskim w Gutowie.

Hryniewicz Piotr (1874–1932) aktor, reżyser, dyrektor teatru, debiut w 1896 w teatrzyku ogródkowym Wodewil, 1898 debiut w WTR; na scenie warszawskiej gra do końca pierwszej wojny światowej; 1924–1926 występuje w Teatrze Odrodzonym, od 1927 do końca życia w teatrach miejskich w Warszawie.

Hudes Jakub (1845–1912) kupiec z Gutowa, wspólnik Arona Apfelbauma, ojciec Sary.

Jabłońska Ligia (ur. 1937) z domu Gawryło; córka Anatola i Krystyny z Siewierskich, inżynier budowy dróg i mostów, absolwentka Politechniki Warszawskiej, zamieszkała w Poznaniu.

Jastrzębiec-Gawryszewska Aneta patrz: **Krzycka Aneta**

Jastrzębiec-Gawryszewska Urszula (1861–1934) z domu Radziewicz; córka Witolda i Beaty, żona Andrzeja, matka Anety, Balbiny i Krystyny.

Jastrzębiec-Gawryszewski Andrzej (1865–1923) herbu Ślepowron, właściciel dóbr Manice, mąż Urszuli z Radziewiczów, ojciec Anety, Balbiny i Krystyny.

Junosza-Stępowski Kazimierz (1880–1943) wybitny aktor teatralny i filmowy.

Kępny Maurycy (1892–1965) płocki lekarz i działacz społeczny.

Kisielewski Euzebiusz (1853–1928) ksiądz katolicki, proboszcz w Zajezierzycach (1893–1902).

Kornacki Sławomir (ur. 1972) brat Szymona, kolega szkolny Igi Hryć.

Kornacki Szymon (ur. 1960) właściciel restauracji Basztowa w Gutowie.

Kowalik Bożena patrz **Cieślak Bożena**

Krasnorukowa Nelly Ferdynandowna (1865–1919) z domu Hochgraff von Braunschweig; pianistka i śpiewaczka rosyjska, morderczyni Wsiewołoda Toroszyna.

Krupiewski Ksawery (1829–1899) ksiądz katolicki, od 1868 proboszcz parafii św. Mikołaja i dziekan dekanatu gutowskiego.

Krzycka Aneta (1883–1948) z domu Jastrzębiec-Gawryszewska; córka Andrzeja i Urszuli z Radziewiczów, żona Lucjana Krzyckiego.

Krzycka Marcelina (1862–1936) z domu Malinowska; żona Napoleona, matka Lucjana.

Krzycki Lucjan (1882–1918) poeta, dramaturg, mąż Anety z Jastrzębiec-Gawryszewskich.

Krzycki Napoleon (1850–1924) prawnik, ojciec Lucjana Krzyckiego.

Kwiatkowska Luiza (1923–1940) kuzynka Laury Rausch.

Leliwa-Drwęcka Apolonia (1897–1989) z domu Łączyńska; tancerka i aktorka rewiowa, przyjaciółka Grażyny Toroszyn vel Giny Weylen.

Leliwa-Drwęcki Wieńczysław (1885–1958) herbu Leliwa, właściciel ziemski, mąż Apolonii z Łączyńskich.

Leśnodorski Bazyli Maksymilian (1865–1932) zamieszkały w Aninie lekarz medycyny, absolwent Collegium Medicum Uniwersytetu Jagiellońskiego w Krakowie (1880), specjalista chorób nerwowych pracujący w szpitalu Świętego Jana Bożego przy Bonifraterskiej, konsultant szpitala dla umysłowo chorych i obłąkanych w Drewnicy.

Lewczuk Damian (1883–1965) lekarz medycyny w Gutowie, absolwent wydziału lekarskiego Uniwersytetu Warszawskiego.

Lewczuk Łukasz (ur. 1972) informatyk, przyjaciel Igi Hryć.

Lipska Eugenia patrz: **Łątewka Eugenia**

Lipska Melania (1865–1947) z domu Grabnicka; siostra Wiktora Grabnickiego.

Lipski Ryszard (1890–1956) siostrzeniec Wiktora Grabnickiego.

Lisowscy Maksymilian i Ewelina herbu Zadroga; właściciele dóbr Atolino i Maczki na Białorusi, teściowie Jeana-Baptiste'a Delasale'a.

Łabisz Stanisław (1894–1967) polski aktor filmowy i teatralny okresu międzywojennego, partner Giny Weylen w filmie *Bezludna wyspa* (1930).

Łaski Benedykt (1882–1944) ksiądz katolicki, proboszcz parafii w Zajezierzycach (1924–1939).

Łącka Maria patrz: **Radziewicz Maria**

Łączyńska Apolonia patrz: **Leliwa-Drwęcka Apolonia**

Łątewka Eugenia (1883–1941) z domu Lipska; siostrzenica Wiktora Grabnickiego.

Łubek Feliks (1831–1897) ksiądz katolicki, proboszcz parafii w Cieciórce (1861–1899).

Maciesza Aleksander Bolesław (1875–1945) lekarz, antropolog, fotografik i regionalista; działacz społeczny; pierwszy burmistrz płocki.

Macieszyna Maria (1869–1953) z domu Ehrlich, primo voto Kunklowa; nauczycielka i publicystka, zasłużona działaczka Towarzystwa Naukowego Płockiego.

Madej Alina (1926–1967) przyjaciółka Celiny Hryć.

Marcoveanu Milena (ur. 1958) z domu Cukierman; córka Izraela i Marty, żona Radu, absolwentka antropologii na Sorbonie, zam. w Paryżu.

Marcoveanu Radu (ur. 1955) francuski kompozytor pochodzenia rumuńskiego, mąż Mileny z domu Cukierman, zam. w Paryżu.

Markowicz Walery (1873–1944) ksiądz katolicki, absolwent gimnazjum w Gutowie oraz Niższego Seminarium Duchownego w Płocku, proboszcz Cieciórki (1899–1902), sekretarz biskupa Bolesława Grążela (1902–1905); od 1912 kanclerz kurii biskupiej w Płocku.

Merlini Dominik (1730–1797) włoski architekt działający w Polsce; autor takich budynków jak pałac Na Wodzie, Królikarnia i Pałacyk Myślewicki w warszawskich Łazienkach oraz kościół św. Karola Boromeusza na Powązkach.

Messal Lucyna właśc. **Lucyna Mischal** (1886–1953) tancerka, śpiewaczka, primadonna operetki Warszawskich Teatrów Rządowych, jedna z najwybitniejszych polskich artystek operetkowych.

Mielcarek Zofia (1925–2001) przyjaciółka Celiny Hryć.

Mielżyńska Alicja patrz: **Staube Alicja**

Mielżyńska Gabriela (1873–1917) z domu Marzec; żona Edwarda, matka Magdaleny.

Mielżyńska Magdalena (1900–1920) ur. w Limbourgu (Belgia), córka Edwarda Mielżyńskiego, żona Paula Connora vel Pawła Cieślaka.

Mielżyński Edward (1870–1925) ur. w Sosnowcu; 1889 emigruje do Belgii, potem do Francji, od 1895 górnik w kopalni węgla w Marles-Les-Mines; 1919 wraca wraz z rodziną do Polski, osiada w Gliwicach; ojciec Magdaleny.

Milton Patricia (1863–1921) ur. w Brighton (Anglia), guwernantka Pawła Zajezierskiego (1897–1905).

Mokrzyk Stefan (1852–1913) gajowy w Cieciórce (1890–1905).

Mróz Janusz (1922–1993) brat Lucyny Wyrwał, przyjaciel Zygmunta Cieślaka.

Navarro Conrado właśc. **Konrad Nowak** (1900–1944) polski tancerz i baletmistrz okresu międzywojennego.

Niedzielska Amelia (ur. 1949) z domu Hryć; córka Leona i Celiny, żona Marka, zam. w Warszawie.

Nierychło Helena (ur. 1959) z domu Nowakowska; nauczycielka plastyki w Liceum Ogólnokształcącym im. C.K. Norwida w Gutowie.

Nierychło Ryszard (ur. 1950) mąż Heleny, zawodowy wojskowy w stanie spoczynku.

Nowowiejski Antoni Julian (1858–1941) tytularny biskup silieński, biskup ordynariusz płocki, autor monografii historycznej Płocka, działacz społeczny.

Okopiec Jan Maria (1869–1935) ksiądz katolicki, proboszcz w Zajezierzycach (1914–1924).

Olenska Maria-Elena Igorowna (1897–1978) baronowa, trzecia żona barona Daniły Wasylicza Olenskiego.

Olenski Daniła Wasylicz (1856–1920?) baron, wysoki urzędnik rosyjski w Płocku, potem na dworze carskim w Sankt Petersburgu.

Orlewicz Leokadia (1895–1967) kucharka w Zajezierzycach (1925–1943).

Ossowiecki Stefan (1877–1944) inżynier, uważany za jasnowidza; studiował w Petersburgu; zajmował się badaniem zjawisk paranormalnych.

Paczuski Antoni (1883–1952) działacz lewicowy na terenie Gutowa, członek i sekretarz PPS, Komisarz Ludowy w Gutowie (1919–1920), radny Rady Miasta (1919–1920), II zastępca burmistrza (1920), pierwszy sekretarz PZPR.

Pałęcka Anna (1925–1998) przyjaciółka Celiny Hryć.

Papke Georg (1897–1954) ur. w Mysłowicach, Niemiec ze Śląska, folksdojcz, właściciel cukierni Pod Aniołem w Gutowie (1940–1944).

Partyka Balbina (1855–1917) z domu Wziątek, matka Zenobii, żona Hieronima.

Partyka Hieronim (1840–1916) właściciel zakładu odlewniczego w Warszawie, ojciec Zenobii, teść Mariana Cieślaka ojca.

Partyka Hipolit (1815–1890) założyciel warsztatu odlewniczego „Partyka", ojciec Hieronima.

Partyka Zenobia patrz: **Cieślak Zenobia**

Parzybroda Maria (ur. 1948) z domu Hryć; córka Leona i Celiny, wraz z mężem Leszkiem prowadzi osiedlowy sklep spożywczy w Gdańsku-Zaspie.

Pawlak Franciszek (1780–1858) zarządca dóbr zajezierzyckich (1815–1840).

Pawlak Zdzisław (1875–1956) prawnuk Franciszka, absolwent Wyższej Szkoły Rolniczej w Dublanach, rządca w Zajezierzycach (1905–1945).

Pawlak Zenobia (1785–1863) żona Franciszka.

Pershing John Joseph (1860–1948) amerykański wojskowy, absolwent akademii West Point; za zasługi w czasie pierwszej wojny światowej awansowany przez Kongres na „General of the Armies", najwyższy stopień wojskowy w USA.

Piotrowski Matwiej Tichonowicz (1870–1933) Rosjanin polskiego pochodzenia, ordynans dowódcy gutowskiego garnizonu 85 Rezerwowego Pułku Piechoty.

Podedworska Regina (1860–1926) z domu Zajezierska; córka Barbary i Henryka Zajezierskich.

Poniemirski Rafał (ur. 1967) archeolog, nauczyciel akademicki, pracownik naukowy Wydziału Archeologii Uniwersytetu Warszawskiego.

Potęga Henryk (ur. 1956) mąż Katarzyny z Hryciów, mechanik samochodowy.

Potęga Katarzyna (ur. 1955) z domu Hryć; córka Leona i Celiny, żona Henryka, zamieszkała w Gutowie; księgowa.

Przaska Alfred (1854–1922) zwany mecenasem, zamieszkały w Gutowie prywatny detektyw i człowiek do zadań specjalnych.

Pucek Jan (1847–1903) lokaj w Długołące (1883–1903).

Raczko Petronela (1830–1886) z domu Pawlak; kucharka w Zajezierzycach.

Radziewicz Agnieszka (1874–1930) z domu Niewiadomska; przyjaciółka Adrianny Zajezierskiej, żona Joachima, matka Edwarda.

Radziewicz Anastazja (1873–1955) córka Witolda i Beaty.

Radziewicz Beata (1842–1914) z domu Komorowska; matka Joachima, Urszuli i Anastazji, żona Witolda.

Radziewicz Edward (1899–1995) herbu Nowina, syn Agnieszki z Niewiadomskich i Joachima Radziewicza, ojciec Ewy.

Radziewicz Ewa (1928–1947) córka Edwarda Radziewicza i Marii z Łąckich.

Radziewicz Hubert (1792–1845) herbu Nowina, właściciel dóbr Cieciórka, Krużajły i Niecki, ojciec Witolda, Marii, Bolesława i Kazimierza, dziad Joachima; uczestnik powstania listopadowego.

Radziewicz Joachim (1866–1935) herbu Nowina, syn Beaty i Witolda, absolwent Wydziału Rolniczego uniwersytetu w Getyndze, mąż Agnieszki z Niewiadomskich, ojciec Edwarda, przyjaciel hrabiego Tomasza i sąsiad Zajezierskich.

Radziewicz Maria (1905–1980) z domu Łącka; żona Edwarda Radziewicza, matka Ewy.

Radziewicz Urszula patrz: **Jastrzębiec-Gawryszewska Urszula**

Radziewicz Witold (1830–1903) herbu Nowina, właściciel dóbr Cieciórka, ojciec Joachima, Urszuli i Anastazji, sąsiad Zajezierskich.

Rapacki Wincenty junior (1865–1943) polski aktor teatralny i filmowy, śpiewak.

Rausch Laura właśc. **Luiza Kwiatkowska** (1925–1943) przyjaciółka Celiny Hryć, jedna z „trzech Gracji".

Razumowski Polikarp Josifowicz (1851–1920) naczelnik powiatowy straży ziemskiej w Gutowie (1897–1902).

Rodniczew Artiom Osipowicz (1859–1919) duchowny prawosławny, pop w gutowskiej cerkwi (1908–1915).

Rogala Dorota (1802–1862) zielarka w Zajezierzycach, matka Wincentego, babka Zuzanny Blatko.

Rogala Wincenty (1823–1899) organista w parafii Świętego Floriana w Zajezierzycach; mąż Krystyny, ojciec Zuzanny, dziadek Marianny.

Rossoszyńscy herbu Łabędź, właściciele dóbr Kuzaki k. Gutowa.

Rossoszyńska Bronisława patrz: **Siostra Leonia**

Samsonow Aleksander Wasiliewicz (1859–1914) generał kawalerii w armii rosyjskiej.

Scipio del Campo Michał (1887–1984) nestor polskiego lotnictwa.

Serdiukow Dorota (ur. 1959) z domu Cieślak; córka Mariana Cieślaka, nauczycielka, żona zawodowego wojskowego, zam. w Lublinie, matka Zofii i Moniki.

Sęk Józef (1820–1889) konkubent Zuzanny Blatko.

Siewierska Krystyna patrz: **Gawryło Krystyna**

Siewierscy herbu Ostoja, właściciele dóbr Siewiernia k. Gutowa.

Sikorski Szczęsny (1870–1926) syn Bartosza i Eufrozyny, przedsiębiorca budowlany w Gutowie.

Simon Olga (ur. 1956) z domu Cukierman; córka Izraela i Marty, profesor historii starożytnej na Uniwersytecie Jerozolimskim.

Siostra Blanka właśc. **Kunegunda Sikorska** (1860–1919) córka Bartosza i Eufrozyny, od 1886 w Zgromadzeniu Sióstr Służek Matki Boskiej Kwietnej w Gutowie (1905–1919 przełożona).

Siostra Bogumiła właśc. **Paulina Chmielewska** (1830––1905) przełożona Zgromadzenia Sióstr Służek Matki Boskiej Kwietnej w Gutowie (1887–1905).

Siostra Emilia właśc. **Wanda Bysławska** (1871–1943) siostra Adrianny i Kingi; od 1894 w Zgromadzeniu Sióstr Służek Matki Boskiej Kwietnej, przełożona klasztoru w Gutowie (1921–1943).

Siostra Joanna właśc. **Henryka Maciejak** (1860–1915) zakonnica ze Zgromadzenia Sióstr Służek Matki Boskiej Kwietnej.

Siostra Justyna właśc. **Zofia Antoniak** (ur. 1949) dyrektorka reaktywowanej 1995 szkoły kwietanek w Gutowie.

Siostra Leonia właśc. **Bronisława Rossoszyńska** (1879––1967) zakonnica ze Zgromadzenia Sióstr Służek Matki Boskiej Kwietnej.

Siostra Marcelina właśc. **Konsolata Gutowska** (1729––1787) z domu Lubowidzka; założycielka oraz pierwsza przełożona Zgromadzenia Sióstr Służek Matki Boskiej Kwietnej w Gutowie (1759).

Smulski Jan Franciszek (1867–1928) działacz polonijny w USA, założyciel pierwszego polskiego banku, Northwestern Bank w Chicago (1906).

Sokołowska Cecylia (1808–1870) z domu Jędrzejowska; matka Barbary Zajezierskiej.

Sokołowski Jan (1803–1867) herbu Korczak, ojciec Barbary Zajezierskiej.

Sokołowski Onufry (1779–1853) herbu Korczak, dziadek Barbary Zajezierskiej.

Staszewski Dominik (1861–1926) prawnik i historyk regionalny.

Staube Alicja (1876–1945) z domu Mielżyńska; siostra Edwarda Mielżyńskiego, zam. w Gliwicach, matka Ferdynanda, Heinricha i Teresy.

Staube Josef (1872–1939) mąż Alicji z Mielżyńskich.

Storożenski Rusłan Sokratowicz (1840–1902) antreprener rosyjskiej objazdowej trupy operowej.

Strużyłło Zbigniew właśc. **Beniamin Krajewski** (1830–1906) absolwent uniwersytetu w Dorpacie, zarządca dóbr zajezierzyckich (1865–1892).

Szelążek Adolf (1865–1950) biskup pomocniczy płocki, biskup łucki.

Szulc Roman (1845–1912) muzyk, twórca orkiestry Straży Ogniowej w Gutowie (1893).

Szumski Eustachy (1879–1942) finansista i antreprener teatrów kabaretowych okresu międzywojennego.

Teutsch-Dworakowski Tadeusz de (1862–1915) krakowski prawnik, znajomy Napoleona i Marceliny Krzyckich.

Thalberg Fritz (1886–1942) ur. w Hohenkirchen (Bawaria), oficer Bawarskiej Królewskiej Armii; od lata 1916 stacjonował w Gutowie, pełniąc obowiązki zastępcy szefa intendentury; zginął w bitwie pod Stalingradem.

Topoliński Paweł (?) właściciel czteroklasowej szkoły polskiej w Płocku, na bazie której powstało gimnazjum im. Władysława Jagiełły, gdzie piastował stanowisko kierownika administracyjnego.

Toroszyn Adam (1922–2009) syn Grażyny Toroszyn i Wiktora Grabnickiego, uczestnik powstania warszawskiego, od 1947 w Wielkiej Brytanii; ojciec Maurice'a, dziadek Xaviera.

Toroszyn Grażyna Wsiewołodowna patrz: **Weylen Gina**

Toroszyn Ilia Nikanorowicz (1878–1918) syn Nikanora, mąż Wiery.

Toroszyn Iwan Wsiewołodowicz (1896) syn Wsiewołoda i Kingi z Bysławskich, zmarły tuż po urodzeniu.

Toroszyn Jelizawieta Prokopowna (1851–1890) pierwsza żona Wsiewołoda Toroszyna.

Toroszyn Kinga (1872–1934) z domu Bysławska; siostra Adrianny i Wandy; druga żona Wsiewołoda Timofiejewicza Toroszyna, matka Grażyny, vel Giny Weylen.

Toroszyn Maurice (ur. 1952) syn Adama i Madelain Abercrombie, mąż Georgiany Walach, ojciec Xaviera.

Toroszyn Nikanor Timofiejewicz (1847–1915) zam. w Petersburgu, starszy syn Rity i Timofieja Toroszynów, urzędnik dworu carskiego.

Toroszyna Rita Dymitrowna (1827–1876) z domu Kałamyszkina; ur. w Moskwie, córka wyższego urzędnika dworu cara Mikołaja I, żona Timofieja Toroszyna.

Toroszyn Timofiej Matwiejewicz (1815–1882) ur. w Ufie, Rosja; naczelnik powiatowy straży ziemskiej w Gutowie (1860–1866), „kat powstańców"; biologiczny ojciec Tomasza Zajezierskiego; właściciel majątków Łapcie, Zadury-Most, Furmany-Kolonia, Skudły i Grześce; sąsiad Bysławskich.

Toroszyna Wiera Pawłowna (1885–1941) z domu Eisenstein; żona Ilii Nikanorowicza, synowa Nikanora, po rewolucji wraz z dziećmi: Nataszą, Pauliną i Mariettą zamieszkała we Francji.

Toroszyn Wsiewołod Timofiejewicz (1849–1899) młodszy syn Rity i Timofieja Toroszynów; mąż Jelizawiety oraz Kingi z Bysławskich, ojciec Grażyny, właściciel majątku Skudły.
Toroszyn Xavier (ur. 1970) syn Maurice'a Toroszyna i Georgiany Walach.
Vallenord Róża de (1858–1950) z domu Wolska; księżna, francuska malarka pochodzenia polskiego, absolwentka École des Beaux Arts w Paryżu, tworząca w okresie modernizmu.

Weylen Gina właśc. **Grażyna Berger** (1899–1946) z domu Toroszyn; córka Kingi z Bysławskich i Wsiewołoda Toroszyna, matka Adama Toroszyna, piosenkarka i aktorka kabaretowa, teatralna i filmowa; jedna z największych gwiazd kabaretu międzywojennego.
Węglarczyk Orest (1891–1962) farmaceuta, pracownik apteki Staniszewskiego w Warszawie, potem właściciel apteki w Józefowie k. Otwocka.
Wieniawa-Długoszowski Bolesław (1881–1942) generał dywizji Wojska Polskiego, osobisty adiutant Józefa Piłsudskiego, dyplomata.
Więcek Kazimiera (1887–1933) nauczycielka języka francuskiego na pensji Jadwigi Sikorskiej.
Wininger Ruchla (1870–1942) handlarka mięsem w Gutowie.
Witold Kiejstutowicz (ok. 1352–1430) od 1401 wielki książę litewski, stryjeczny brat Władysława Jagiełły.
Wnuk Lucjan (1860–1914) lokaj Alfreda Przaski.
Wolska Matylda (ur. 1950) córka Igora, malarka.
Wolski Igor (1920–1996) ur. w Gutowie, absolwent tutejszego gimnazjum państwowego (matura 1939), w czasie okupacji działacz zbrojnego podziemia AL, absolwent

SGPiS (Wydział Handlu Wewnętrznego), dyrektor Hotelu Orbis w Zajezierzycach; spokrewniony z malarką francuską pochodzenia polskiego Rose de Vallenord.

Wolski Michał (1875–1949) syn Sylwestra, ojciec Igora, inżynier, budowniczy, absolwent Politechniki Warszawskiej, pierwszy burmistrz Gutowa.

Wolski Sylwester (1841–1919) herbu Zadroga, właściciel dóbr Majdaniec Dworski, dziad Igora, uczestnik powstania styczniowego, ranny w bitwie pod Gutowem, następnie zesłany na Sybir; po odzyskaniu niepodległości wraca wraz z rodziną do Gutowa.

Wroczyński Kazimierz (1883–1957) pisarz, dziennikarz, reżyser i dyrektor teatru Czarny Kot w Warszawie (1917–1921).

Wyrwał Jerzy (1919–1993) mąż Lucyny, nauczyciel w Zespole Szkół Zawodowych w Gutowie.

Wyrwał Lucyna (ur. 1924) z domu Mróz; przyjaciółka Celiny Hryć, jedna z „trzech Gracji".

Wziątek Balbina patrz: **Partyka Balbina** z domu Wziątek

Zajezierska Adrianna (1875–1932) z domu Bysławska; żona Tomasza, matka Pawła.

Zajezierska Barbara (1838–1912) z domu Sokołowska; ur. w Bieluniu Podlaskim, matka Franciszki, Walerii, Reginy i Tomasza.

Zajezierska Cecylia (1840–1907) z domu Ciszewska; żona Marcina Zajezierskiego.

Zajezierska Jadwiga (1812–1864) z domu Długopolska; żona Konstantego, matka Henryka i Marcina, babka Tomasza.

Zajezierska Pelagia (1825–1854) z domu Laskowska; żona Władysława, matka Haliny.

Zajezierska Regina patrz: **Podedworska Regina**

Zajezierska Salomea (1783–1856) z domu Gutowska; matka Konstantego i Władysława, żona Bonifacego.

Zajezierska Waleria patrz: **Dobrosielska Waleria**

Zajezierski Bonawentura (1698–1768) herbu Dzierżybór, prapradziad Tomasza, fundator kościoła w Zajezierzycach; poseł na sejm konwokacyjny 1764 w Warszawie.

Zajezierski Bonifacy (1780–1843) herbu Dzierżybór, ojciec Konstantego i Władysława, dziad Henryka, pradziad Tomasza Zajezierskiego, poseł na sejm Królestwa Polskiego.

Zajezierski Henryk (1832–1866) herbu Dzierżybór, ojciec Tomasza, poeta i filozof, autor wierszowanych traktatów filozoficznych.

Zajezierski Konstanty (1809–1863) herbu Dzierżybór, ojciec Henryka, dziad Tomasza, zginął w bitwie pod Gutowem podczas powstania styczniowego.

Zajezierski Marcin (1835–1903) herbu Dzierżybór, młodszy brat Henryka Zajezierskiego, stryj Tomasza Zajezierskiego, mąż Cecylii z Ciszewskich, właściciel dóbr Paździory.

Zajezierski Paweł Henryk Tadeusz (1895–1987) biskup katolicki, syn Tomasza i Adrianny z Bysławskich, absolwent Wyższego Seminarium Duchownego w Płocku; święcenia kapłańskie 1919; od tego roku wikariusz parafii Krzynowłoga Mała; od 1925 wikariusz w parafii świętego Mikołaja w Sulerzyżu, od 1928 prefekt Wyższego Seminarium Duchownego w Płocku; od 1935 w Rzymie, studia z teologii dogmatycznej na Papieskim Uniwersytecie Gregoriańskim; wykładowca na tymże Uniwersytecie; święcenia biskupie w Rzymie 1951; udział w pracach Soboru Watykańskiego II (1962–1965); do 1978 w watykańskiej Kongregacji Nauki Wiary.

Zajezierski Tomasz (1864–1943) herbu Dzierżybór, syn Henryka i Barbary z Sokołowskich, ojciec ks. Pawła Zajezierskiego i Paula Connora vel Pawła Cieślaka, właściciel dóbr zajezierzyckich.

Żaboklicki Seweryn Selim Mirza (1860–1926) herbu Siekierz, właściciel dóbr Krasne w guberni płockiej, daleki krewny Radziewiczów, ukochany Kingi Toroszyn.

Żentyca Dorota (1845–1915) z domu Salwa; druga żona Kaspra Żentycy, kuzynka Lucjana Krzyckiego.

Żentyca Kasper (1834–1912) właściciel willi Idylla i Sielanka w Krynicy, w której kilkakrotnie zamieszkiwała Adrianna Zajezierska z synem.

Anin, 3 września 2009 – 11 kwietnia 2010 r.

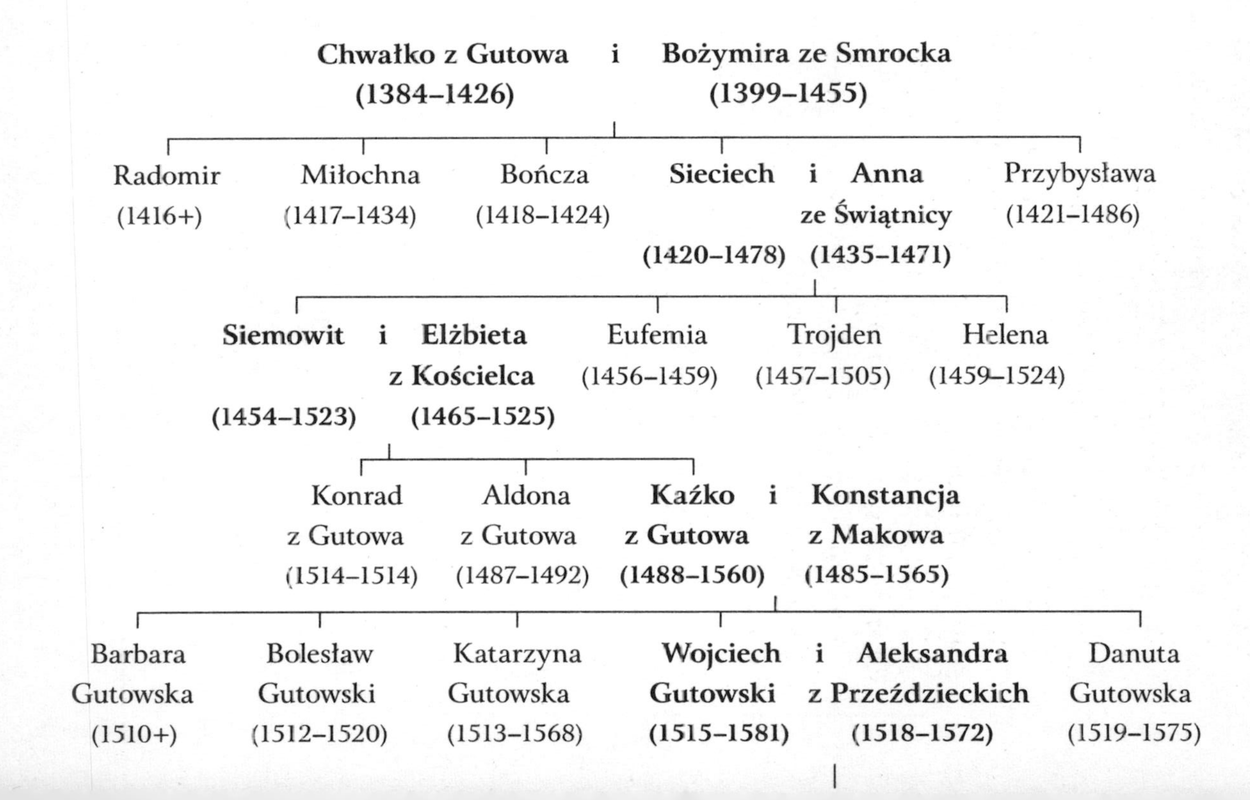
Drzewo genealogiczne rodziny Gutowskich
Linia gutowsko-starogrodzka
Chwałko z Gutowa (1384–1426)
i
Bożymira ze Smrocka (1399–1455)
Radomir (1416+)
Miłochna (1417–1434)
Bończa (1418–1424)
Sieciech (1420–1478)
i
Anna ze Świątnicy (1435–1471)
Przybysława (1421–1486)
Siemowit (1454–1523)
i
Elżbieta z Kościelca (1465–1525)
Eufemia (1456–1459)
Trojden (1457–1505)
Helena (1459–1524)
Konrad z Gutowa (1514–1514)
Aldona z Gutowa (1487–1492)
Kaźko z Gutowa (1488–1560)
i
Konstancja z Makowa (1485–1565)
Barbara Gutowska (1510+)
Bolesław Gutowski (1512–1520)
Katarzyna Gutowska (1513–1568)
Wojciech Gutowski (1515–1581)
i
Aleksandra z Przeździeckich (1518–1572)
Danuta Gutowska (1519–1575)

Amelia Gutowska (1538–1580)

Ludmiła Gutowska (1539+)

Kunegunda Gutowska (1542–1610)

Kacper Gutowski (1543–1631)

Leszek Gutowski (1545–1620) i Zofia z Bocianów (1560–1579)

Nikodem Gutowski (1579+) i Teodozja z Ramotowskich (1571–1589)

Beata Gutowska (1590–1657)

Krystyna Gutowska (1592–1612)

Gabriel Gutowski (1594–1669) i Stefania z Parczewskich (1600–1678)

Michał Gutowski (1620–1679) i Agnieszka z Glinków (1634–1680)

Kazimiera Gutowska (1656–1656)

Józef Gutowski (1656–1709) i Rozalia z Kazubów (1660–1719)

Kazimiera Gutowska (1657–1720)

Petronela Gutowska (1659–1665)

Marianna Gutowska (1660+)

Bernard Gutowski (1662–1742)

Juliusz Gutowski (1680–1769) | Jędrzej Gutowski (1681–1750) | Zdzisława Gutowska (1683–1699) | **Kazimierz Gutowski (1685–1755)** i **Jadwiga z Topolskich (1690–1769)**

Anna Gutowska (1711–1781) | **Wawrzyniec Gutowski (1712–1759)** i **Maria z Gronowiczów (1711–1790)** | Janina Gutowska (1713–1756)

Maciej Gutowski (1734–1832) i **Katarzyna z Makowskich (1736–1807)** | Urszula Gutowska (1736–1742) | Krystyna Gutowska (1740–1800) | Jan Gutowski (1742–1802) | Zbigniew Gutowski (1745–1825)

Kajetan Gutowski (1757–1765) | **Andrzej Gutowski (1758–1829)** i **Joanna z Bieleckich (1758–1832)** | Maria Gutowska (1760+) | Paulina Gutowska (1762–1837)

Wiktoria Gutowska (1776–1778) | Stanisława Gutowska (1780–1788) | **Salomea Gutowska (1783–1856)** | Elżbieta Gutowska (1784+)

Drzewo genealogiczne rodziny Zajezierskich

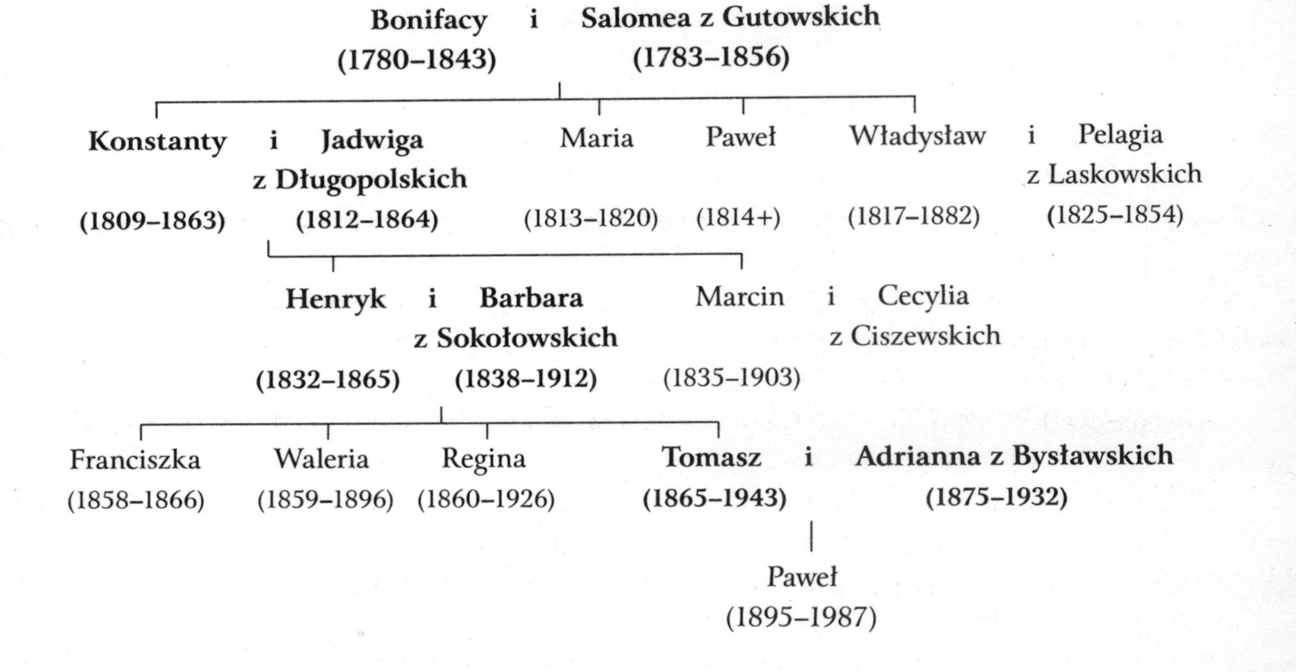

* * *

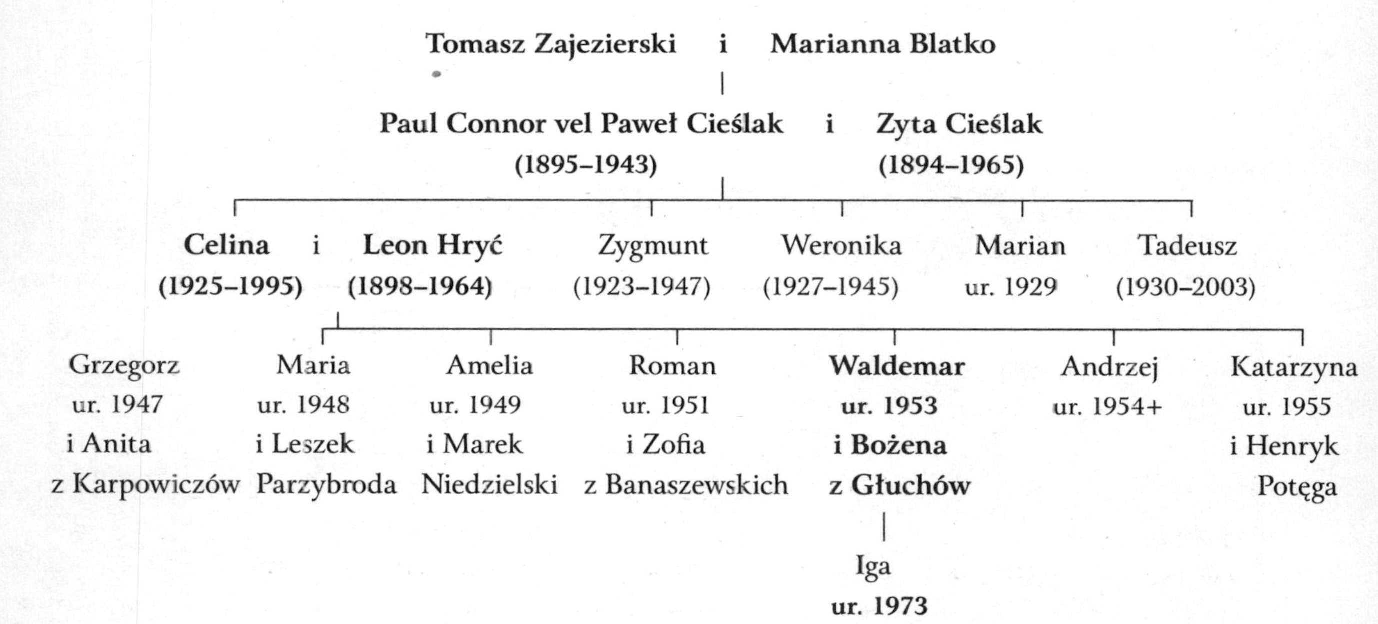
Tomasz Zajezierski i Marianna Blatko
Paul Connor vel Paweł Cieślak i Zyta Cieślak
(1895–1943)
(1894–1965)
Celina i Leon Hryć
(1925–1995) (1898–1964)
Zygmunt
(1923–1947)
Weronika
(1927–1945)
Marian
ur. 1929
Tadeusz
(1930–2003)
Grzegorz
ur. 1947
i Anita
z Karpowiczów
Maria
ur. 1948
i Leszek
Parzybroda
Amelia
ur. 1949
i Marek
Niedzielski
Roman
ur. 1951
i Zofia
z Banaszewskich
Waldemar
ur. 1953
i Bożena
z Głuchów
Andrzej
ur. 1954+
Katarzyna
ur. 1955
i Henryk
Potęga
Iga
ur. 1973

Mademoiselle to zdumiewająco piękna i nieco ekscentryczna francuska guwernantka dwunastoletniej Carloty, córki argentyńskiego dyplomaty. Mimo że zabiegają o nią najatrakcyjniejsi kawalerowie w mieście, nie okazuje płci przeciwnej najmniejszego zainteresowania. Do czasu... W święta Bożego Narodzenia choinka Carloty staje w ogniu i na scenę wkracza lokalna straż pożarna. Pomiędzy wysokimi, muskularnymi strażakami jest jeden niski i łysiejący – Nick Kowalski. Mademoiselle z miejsca się zakochuje. Tylko jak ma ponownie spotkać tego mężczyznę i rozpalić w nim płomień namiętności?

Odpowiedź kryje pudełko zapałek…

Siedem pożarów Mademoiselle to pełne humoru studium przebogatej i nieco przewrotnej psychiki kobiecej. Esther Vilar ponownie podejmuje temat „matematyki miłości".

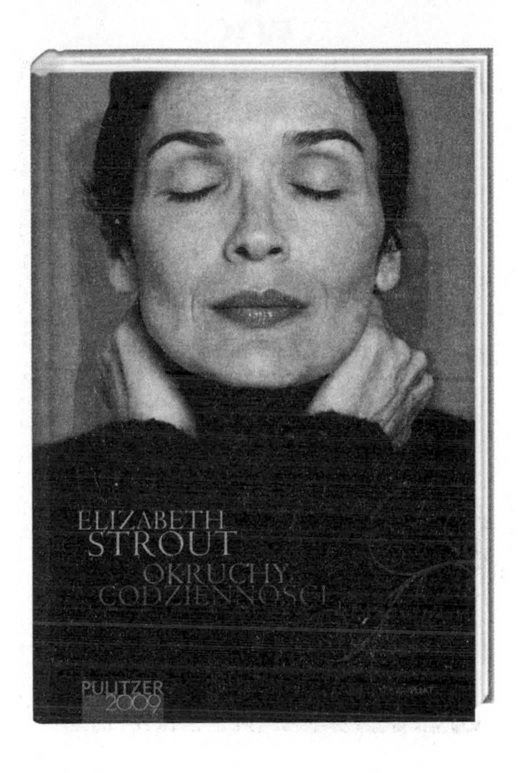

Książka nagrodzona Pulitzerem w 2009 roku.
Autorka dołączyła do takich twórców jak Philip Roth, John Updike i Annie Proulx.

Nigdy nie przeprasza. Arogancka, silna i bezceremonialna. Taka z pozoru jest Olive Kitteridge, surowa nauczycielka matematyki, oschła żona, despotyczna matka. Z okruchów codziennych wydarzeń można jednak złożyć obraz niejednoznacznej, fascynującej osoby. Poprzez losy Olive i innych mieszkańców niewielkiego miasteczka na Wschodnim Wybrzeżu Elizabeth Strout buduje mikroświat ludzkich lęków i pragnień.

Prawda psychologiczna, mistrzowski warsztat i misternie skonstruowana narracja zjednały autorce uznanie zarówno krytyków, jak i czytelników.

Wydawnictwo NASZA KSIĘGARNIA Sp. z o.o.
02-868 Warszawa, ul. Sarabandy 24c
tel. 22 643 93 89, 22 331 91 49,
faks 22 643 70 28
e-mail: wnk@wnk.com.pl

Dział Handlowy
tel. 22 331 91 55, tel./faks 22 643 64 42
Sprzedaż wysyłkowa: tel. 22 641 56 32
e-mail: sklep.wysylkowy@wnk.com.pl

www.wnk.com.pl

Książkę wydrukowano na papierze
Ecco-Book Cream 70 g/m² wol. 2,0.

Redaktor prowadzący ***Anna Garbal***
Opieka merytoryczna ***Joanna Kończak***
Redakcja ***Ewa Ressel***
Opracowanie DTP, redakcja techniczna ***Joanna Wieczorek***
Korekta ***Magdalena Szroeder, Paulina Martela, Malwina Łozińska***

ISBN 978-83-10-11822-6

PRINTED IN POLAND

Wydawnictwo „Nasza Księgarnia", Warszawa 2010 r.
Wydanie pierwsze
Druk: Nasza Drukarnia